Das Buch

Eleni ist eine historische Figur. Sie lebte als Bäuerin in einem griechischen Bergdorf, in einer einfachen, aber fest gefügten Gemeinschaft, in der alles Handeln stets den Männern vorbehalten blieb. Verheiratet mit einem Mann, der es vorzog, in Amerika zu leben, versuchte sie in der vergifteten Atmosphäre des Bürgerkriegs (1946–1949) ihre vier Töchter und ihren Sohn Nicholas allein großzuziehen. Als ihre halbwüchsigen Töchter von den Partisanen zwangsrekrutiert werden sollen, sinnt sie auf Flucht. Tatsächlich gelingt es ihr, die Kinder in Sicherheit zu bringen, aber sie bezahlt dafür mit dem Leben. «Über drei Jahrzehnte später schrieb der Sohn der hingerichteten Eleni Gatzoyiannis, Nicholas Gage, die Leidensgeschichte seiner Mutter mit einer Genauigkeit nieder, die weh tut, sein Buch aber zu einem eindringlichen Dokument gegen den Krieg und menschliche Grausamkeit schlechthin macht. Das Buch ‹Eleni› ist nicht nur ein Epos über das Martyrium einer Mutter, die ‹starb, damit ich leben konnte› (Gage). Es wurde eine ungewöhnlich bewegende Schilderung des Schicksals eines abgelegenen Bergdorfes im griechischen Bürgerkrieg.» (Der Spiegel)

Der Autor

Nicholas Gage ist der Sohn Elenis. Er wurde 1939 als Nikola Gatzoyiannis in Lia/Nordgriechenland geboren und emigrierte 1949, nach dem Tod seiner Mutter, mit seinen Geschwistern nach Amerika. Er studierte in Boston und New York und wurde Chefreporter und Auslandskorrespondent der ‹New York Times›.

Nicholas Gage:
Eleni

Deutsch von Gisela Stege

Deutscher
Taschenbuch
Verlag

*Zum Andenken an
Eleni Gatzoyiannis,
Alexandra Gatzoyiannis,
Vasili Nikou,
Spiro Michopoulos und
Andreas Michopoulos*

Lizenzausgabe
1. Auflage April 1987
Deutscher Taschenbuch Verlag GmbH & Co. KG,
München
Mit freundlicher Genehmigung des
Scherz Verlags, Bern und München
Einzig berechtigte Übersetzung aus dem Amerikanischen
von Gisela Stege, gemäß Übereinkommen mit dem Verlag
Random House, Inc., New York
Titel der Originalausgabe: ‹Eleni›
© 1983 Nicholas Gage
Gesamtdeutsche Rechte beim Scherz Verlag, Bern, München,
Wien · ISBN 3-502-18252-3
Umschlaggestaltung: Celestino Piatti
Gesamtherstellung: C. H. Beck'sche Buchdruckerei,
Nördlingen
Printed in Germany · ISBN 3-423-10733-2
4 5 6 7 8 9 · 94 93 92 91 90 89

In eigener Sache

Meine Mutter gehörte zu den 600 000 Griechen, die in dem Krieg, der von 1940 bis 1949 das Land verheerte, den Tod fanden. Wie zahlreiche andere Opfer mußte sie sterben, weil ihr Haus zufällig am Weg der feindlichen Armeen lag, hätte jedoch überleben können, wenn sie den Truppen, die in ihr Dorf eindrangen, nicht Widerstand geleistet hätte, um ihre fünf Kinder zu retten.

Ich war ihr Lieblingskind und der Angelpunkt ihres Lebens; sie liebte mich mit jener Intensität, die eine griechische Bäuerin nur ihrem einzigen Sohn entgegenbringt. Niemand bezweifelte, daß sie starb, damit ich leben konnte.

Im Jahre 1980 war ich einundvierzig Jahre alt, im selben Alter wie meine Mutter, als sie getötet wurde. Mein Sohn war neun, genau wie ich an dem Tag, an dem ich von ihrem Tod erfuhr. Meine älteste Tochter, gerade dem Babyalter entwachsen, wurde meiner Mutter mit jedem Tag ähnlicher. Während ich meine Kinder heranwachsen sah, lernte ich eine Lektion, die es mir leichter machte, mich dem Schicksal meiner Mutter zu stellen.

In meiner Jugend war ich fest überzeugt, sie habe ein Leben in tiefstem Elend geführt, denn während des letzten Jahrzehnts ihres Lebens hatte sie Tag für Tag hart kämpfen müssen, um uns Kinder trotz Krieg und Hungersnot und ohne fremde Hilfe durchbringen zu können. Doch als ich dann meine eigenen Kinder beobachtete, wurde mir klar, daß auch meine Mutter zu ihren Lebzeiten mit Freude und Lachen belohnt worden sein mußte. Dieses Bewußtsein machte es mir leichter, die Tatsachen zu akzeptieren, die ich später in Erfahrung bringen sollte.

Ich beschloß, meinen Job bei der New York Times aufzugeben,

um mich ausschließlich der Erforschung des Schicksals meiner Mutter zu widmen.

In diesem Buch habe ich die Welt, in der meine Mutter Eleni lebte und starb, zu rekonstruieren versucht – nicht nur nach meinen Erinnerungen und denen meiner Schwestern, sondern außerdem nach den Erinnerungen zahlreicher Menschen, die heute in mehr als einem Dutzend Ländern verstreut leben. Namen, Orte und Daten sind echt. Jedes in diesem Buch berichtete Ereignis, das ich nicht persönlich miterlebt habe, wurde mir von mindestens zwei Personen geschildert, die ich unabhängig voneinander befragte.

Einige dieser befragten Personen verfügen über ein bemerkenswertes Gedächtnis und waren in der Lage, nicht nur die Ereignisse, sondern auch in allen Einzelheiten zu schildern, wie die Beteiligten gekleidet waren, wie sie sich bewegten und wie sie sprachen. In anderen Fällen dagegen konnte ich mich nur auf Gesprächsfetzen stützen und folgte dem Beispiel des Thukydides: «Ich legte jedem Sprecher die dem Anlaß entsprechenden Empfindungen in den Mund, so ausgedrückt, wie er sich meiner Meinung nach ausdrücken würde.»

Um den Personen des Buches Leben zu verleihen, habe ich bisweilen ihre Gedanken und Gefühle beschrieben. Elenis Gedanken sowie die Gedanken anderer Verstorbener habe ich von Äußerungen überlebenden Verwandten und Freunden gegenüber abgeleitet, die diese an mich weitergaben. In den ganz wenigen Fällen, in denen mir überhaupt keine Informationen zur Verfügung standen – etwa über das Letzte, was Eleni vor ihrer Hinrichtung sah –, habe ich mich persönlich an den tatsächlichen Schauplatz begeben und versucht, mich an ihre Stelle zu versetzen.

Bei diesen wohl schwierigsten und bedeutungsschwersten Ermittlungen meines Lebens – dem eigentlichen Anlaß dafür, daß ich Journalist geworden bin – setzte ich alles ein, was ich im Lauf meiner zwanzigjährigen Tätigkeit als Ermittlungsreporter gelernt und vervollkommnet habe. Aus den Aussagen alter Bauern und Bäuerinnen, ehemaliger kommunistischer, nationalistischer und britischer Offiziere, Verwandter, Freunde und Feinde, aus den endlosen Übertragungen von Interviews und aus den vergilbten Dokumenten in meinen Akten habe ich zu meiner eigenen Genugtuung das wahre Bild des Menschen gezeichnet, der Eleni Gatzoyiannis war, und jener Welt, die ihr Leben ausmachte und ihr den Tod brachte.

Meine Mutter war kaum zur Schule gegangen; mit elf Jahren

begann sie, wie jedes andere Dorfmädchen auch, das Kopftuch zu tragen und wagte von diesem Augenblick an bis zu dem Tag, an dem sie einem ihr unbekannten Ehemann übergeben wurde, nie mehr, mit einem Mann zu sprechen. Die politischen Ereignisse, die ihre Welt während ihres letzten Lebensjahrzehnts zerstörten, waren ihr unverständlich. Sie war nie weiter gekommen als bis zur Provinzhauptstadt. Ihr Ehemann lebte eine halbe Welt entfernt von ihr in einem Land, nach dem sie sich zwar sehnte, von dem sie aber nichts weiter wußte, obwohl sie ihrer Ehe wegen mit der Bezeichnung «Amerikana» sowie sämtlichen Vorurteilen gebrandmarkt worden war.

Die Welt meiner Mutter wurde beherrscht von Magie, Aberglauben, Geistern und Teufeln, die man durch geweihtes Öl oder Talismane herbeirief oder beschwichtigte, die aber alle zusammen sie selbst und ihre Kinder nicht vor dem Krieg zu bewahren vermochten, der ihre heimatlichen Berge heimsuchte. Als sie sah, daß es nicht ausreiche, nach den strengen Dorfbräuchen zu leben, als sie vor die Wahl gestellt wurde, entweder ihre Kinder zu verlieren oder ihr Leben, entdeckte sie in sich eine Kraft, mit der, wie ich genau weiß, nur wenige Menschen begnadet sind.

Bevor ich meine Suche beendete, mußte ich meine Mutter finden, mußte ich sie mit den Augen eines Erwachsenen sehen und ihre geheimsten Gedanken über die Welt erforschen, in der sie gefangen war. Das mußte ich tun, um zu ergründen, wie ich in ihrem Sinn mit ihren Mördern verfahren sollte.

Ich ging zurück nach Lia, um die Ursprünge unserer Familie, die Wurzeln meiner Kindheit aufzuspüren und die Welt, die mich zu dem machte, was ich bin, neu zu entdecken. Statt unseres Hauses fand ich eine Ruine, von Efeu überwuchert, nur noch von Eidechsen bewohnt; Dach und Fußboden waren in den Keller gestürzt. Die niedrige Steinmauer, die das Grundstück begrenzte, war verschwunden, und die verbliebenen Mauern des Hauses starrten mit leeren Augenhöhlen auf das Monster – einen Bulldozer –, das, gefährlich dicht bei dem einsamen Maulbeerbaum, der unser Wahrzeichen gewesen war, einen dicken Brocken des roten Bodens verschlang.

Der Maulbeerbaum mitsamt den schönen Erinnerungen, die an seine Zweige geknüpft waren, bewies mir, daß meine Suche mir ebensoviel Freude wie Leid verursachen würde. Dies war das Haus, in dem Eleni Gatzoyiannis gelitten hatte und gestorben war, aber es war auch das Haus, das sie als neunzehnjährige Braut betreten hatte, in dem meine Schwestern und ich geboren worden waren, in dem wir gespielt und gestritten hatten. Auch die Terrasse existierte noch, auf der meine Mutter an warmen Abenden mit ihrer handbetriebenen Nähmaschine gesessen, die kühle Brise genossen und gelegentlich von ihrer Arbeit aufgeblickt hatte, um ins Tal hinabzuschauen, das sich vor ihren Augen erstreckte. Gewiß, wir litten Hunger dort; aber wir waren auch glücklich, und unsere Erinnerungen würden das Haus überdauern. «Wir haben Brot und Salz zusammen gegessen», pflegen die Griechen zu sagen und meinen damit, daß wir die elementarste Nahrung miteinander geteilt, dieselbe Not gelitten, dieselben Freuden erlebt haben, und daß nichts jemals das Band zerreißen kann, das uns verbindet, nicht einmal der Tod.

Ich würde dieses Haus, Stein um Stein, in Gedanken wiederaufbauen müssen, bevor ich vor die Mörder meiner Mutter zu treten vermochte. Ich würde ihr verschwundenes Dorf wiedererstehen lassen müssen – eine geheimnisvolle Welt, die heute genauso verblaßt ist wie ein mittelalterlicher Gobelin, auf dem nur hier und da noch ein Arm, ein Gesicht zu erkennen ist. Und erst wenn ich es – aus den Erinnerungen vieler verschiedener Zeugen – neu erschaffen hätte, würde ich ans Ende der Suche nach meiner Mutter gekommen sein. Würde ich begreifen, was sie mir hatte mitteilen wollen, als sie zum letztenmal unser Tor durchschritt, um ihrem Tod entgegenzugehen.

Die Zeugen des Schicksals meiner Mutter waren eine Generation Blätter, vom Wind des Krieges in die ganze Welt verweht: nach Kanada, in die Vereinigten Staaten, nach England, Ungarn, Polen, in die Tschechoslowakei und in die hintersten Winkel Griechenlands. Sie alle würde ich aufspüren und meine ganze Berufserfahrung aufbieten müssen, um ihnen die Wahrheit zu entlocken.

Im Laufe der Reise sollte ich aber nicht nur meine Mutter finden, sondern ebensosehr mich selbst. Beim Rekonstruieren ihres letzten Lebensjahrzehnts sollte ich erfahren, wie sehr ich durch jene längst vergangene Welt geprägt worden war. Was immer ich den Mördern meiner Mutter meiner Ansicht nach antun mußte – die Antwort lag irgendwo in den Ruinen meines Elternhauses und meiner Kindheit vergraben. Meine Suche mußte mit dem Aufspüren einer Toten und des Kindes beginnen, das diese Berge vor über drei Jahrzehnten verlassen hatte. Die Geschichte nicht nur des Todes meiner Mutter mußte ich finden, sondern genauso die ihres Lebens.

Und dazu mußte ich bis in den Herbst 1940 zurückkehren.

I

Im Sommer 1940 wohnte Eleni Gatzoyiannis in ihrem Heimatdorf Lia der Exhumierung ihrer Schwiegermutter Fotini Gatzoyiannis bei.

Nahezu zehn Jahre lang hatte Eleni mit Fotini zusammengelebt, von dem Tag an, da sie als neunzehnjährige Braut von Fotinis fünftem Sohn Christos ins Haus der Älteren gebracht worden war. Sie hatte die Hand ihrer Schwiegermutter gehalten, als diese erschöpft vom Leben und der Geburt ihrer neun Kinder, mit vierundachtzig Jahren starb. Fünf Jahre waren seit Fotinis Tod vergangen, und es würde nicht leicht sein zu sehen, wie ihre Knochen aus der Erde gehoben, gewaschen und im Ossarium der Kirche verwahrt wurden; in Griechenland jedoch gab es selbst in einem Gebirgsdorf mit nur 787 Einwohnern zu wenige Grabstellen, und diese wenigen durften höchstens vorübergehend belegt werden.

Als Eleni ihre Kinder auf den Friedhof im Schatten der riesigen Zypressen hinter der St.-Demetrios-Kirche führte, waren die Klageweiber schon eingetroffen und hockten da wie ein Schwarm schwarzer Krähen. Bald würden sie sich die Kleider zerreißen, sich Erde aufs Haupt streuen und Fotinis Leben zu Trauergesängen verarbeiten, die auch einem Heiden die Haare zu Berge stehen lassen würden.

Vater Zisis, in schwarzem Talar und mit flachem Hut, gesellte sich zu den Klageweibern und schlug das Kreuz. Eleni griff zur Schaufel, denn die Pflicht, den Leichnam auszugraben, fiel den nächsten Verwandten zu. Foto Gatzoyiannis, ihr Schwager, tat es ihr nach. Er war der einzige von Fotinis Kindern, das nicht verstorben war oder zu weit entfernt lebte, um diesem Ereignis beizuwohnen.

Ihren kleinen Sohn Nikola reichte Eleni so lange ihrer ältesten

Tochter, der zwölfjährigen Olga, die ihn sich, eindeutig gelangweilt von der Zeremonie, auf die Hüfte setzte. Alexandra, acht Jahre alt und vom ganzen Dorf nur «Kanta» gerufen, hatte sich überhaupt geweigert, mitzukommen. Kanta war ein nervöses, abergläubisches Kind, das sich beim ersten Läuten der Totenglocke jedesmal im Toilettenhäuschen versteckte und sich mit beiden Händen die Ohren zuhielt. Der Anblick eines Leichnams würde bewirken, daß sie noch wochenlang im Schlaf aufschrie.

Glykeria dagegen, dick, blond und sechsjährig, war das genaue Gegenteil und drängte sich sogar nach vorn, um möglichst als erste einen Blick auf das Skelett ihrer Großmutter zu werfen. Ob es sich um eine Hochzeit handelte, eine Beerdigung, die Vorstellung einer reisenden Schattenspieltruppe oder die Paarung des familieneigenen Widders mit dem Mutterschaf des Nachbarn – Glykeria mit ihrem schalkhaften Blick und dem hellen Engelshaar war unweigerlich in der ersten Reihe zu finden. In ihrer Aufregung hatte sie ganz vergessen, sich um ihre kleine, zweijährige Schwester Fotini zu kümmern, die verlassen auf einem nahen Grabhügel saß und das Gesicht zu einer Grimasse des Jammers verzog.

Die Hinterbliebenen begannen zu graben, die Klageweiber erhoben ihre schrillen Stimmen und steigerten sich zu immer eifrigeren Intonationen von Dichtung und Trauer.

Nun begann Eleni zu graben, und bald darauf sah man das schwarze Leichentuch, in das Fotinis Leichnam eingewickelt war. Die letzten Erdreste beseitigte sie mit den Händen.

Die Klageweiber hielten den Atem an. Zuweilen war der Leichnam noch nicht ganz verwest, und das bedeutete, daß seine Seele noch keinen Frieden gefunden hatte, sondern als Vampir, als *vrykolakas,* umherirrte. Das würde einen Exorzismus durch den Priester erfordern, während die sterblichen Reste dreimal um die Kirche getragen und anschließend für einige weitere Jahre in die Erde zurückgesenkt wurden.

Bei Fotini war jedoch alles in Ordnung. Ein scharfer, mooriger Geruch nach Moder entströmte dem Grab, als das schwarze Leichentuch geöffnet wurde. Und wie es so oft geschah, lagen die eingefallenen Züge sekundenlang so perfekt da wie im Leben, bevor sie zu Staub zerfielen. Die Stimme des Priesters erhob sich zum *trisagion,* dem dreifach heiligen Lobgesang: «Heiliger Gott, heiliger Allmächtiger, heiliger Unsterblicher, erbarme dich unser.» Das Skelett lag auf dem Rücken, die Arme über der Ikone gekreuzt, das goldene Kreuz auf dem Brustbein, die Münzen, mit denen die Reise zum Hades bezahlt werden sollte, längst tief in die Augenhöhlen gefallen. Jetzt betteten die Frauen die Knochen in ein Kupfergefäß, in dem sie gewaschen und mit Rotwein besprengt und somit vorbereitet wurden auf die Beisetzung in einer kleinen, etwa fünfzig Quadratzentimeter großen Holzkiste, auf deren Seite in primitiven Buchstaben geschrieben stand: «Fotini Nik. Gatzoyiannis, 1851–1935».

Nachdem die Knochen von Erde und letzten Fleischresten befreit und in die Kiste gepackt worden waren, wurde der Schädel wie ein Kelch umgedreht und das Schädeldach mit Rotwein gefüllt. Dieser Pokal ging nun von Hand zu Hand, damit jeder, der das wollte, daraus trinken und dadurch jeglichen Fluch auslöschen konnte, mit dem Fotini ihn etwa zu Lebzeiten belegt hatte.

Foto, mit martialischem Schnauzbart und beherzt wie immer, hielt den Schädel seiner Mutter einen Moment in der Hand, um dann in vollen Zügen daraus zu trinken. Er war ihr Sorgenkind gewesen und hatte, als Mörder verurteilt, als schlechter Vater für seine zehn Kinder, notorischer Abenteurer und Aufschneider, jetzt guten Grund, kräftig zu trinken, weil sie möglicherweise gestorben war, ohne den Fluch zu lösen, den sie vielleicht über ihn verhängt hatte. Alexo, Fotos hochgewachsene zweite Frau mit dem offenen Gesicht, trank nach ihm pflichtbewußt ebenfalls. Während der Schädel die Runde machte, stiegen die Gesänge der Klageweiber in immer schrillere Höhen.

Eleni hörte sie kaum. Sie dachte an das runde, von Lachfalten gezeichnete Gesicht ihrer Schwiegermutter, einer ungebildeten, breithüftigen Bauersfrau, von der nie eine Klage zu hören gewesen war, obwohl das Schicksal ihr viel Leid beschert hatte: den Tod von vier ihrer neun Kinder noch vor dem Erreichen des Erwachsenenalters, Plünderungen und Brandschatzungen durch die Türken, nagenden Hunger und Todesfälle, so plötzlich wie Sommergewitter. Ihre schöne Tochter Vasiliki hatte im Alter von sechzehn Jahren der Böse Blick geholt. Konstantin, ihr vierter Sohn, war taubstumm. Ihr Ehemann Nikola, ein Kesselflicker, starb an Lungenentzündung und ließ sie als Witwe zurück, schwanger mit einem kleinen Mädchen, das starb, bevor es getauft werden konnte.

Fünf Söhne jedoch hatte Fotini großziehen können, fünf Söhne, die nach dem Tod ihres Mannes die Familie ernähren halfen. Christos, ihr Liebling, verließ das Dorf, den Fez der türkischen Eroberer auf dem Kopf, mit siebzehn Jahren, um nach dem goldenen Land Amerika zu suchen. Vierzehn Jahre darauf kehrte er in die Heimat zurück: ein kahlköpfiger, reicher Fremder in Strohhut und Nadelstreifenanzug – so sehr verändert, daß Fotini ihn erst erkannte, als er den Kopf neigte, um ihr die Narbe zu zeigen, die von einem Sturz aus dem Walnußbaum stammte.

Die Ankunft eines so begehrten Junggesellen – einunddreißig Jahre alt, prächtig gekleidet, Besitzer eines blühenden Handels in Amerika – versetzte die einheimischen Heiratsvermittler in hektische Geschäftigkeit. Die Familie drängte Christos, sich vor seiner Rückkehr in die Neue Welt unter den Mädchen des Dorfes eine Frau auszusuchen. Diejenige, die ihm von seinen Verwandten am häufigsten empfohlen wurde, war Eleni Haidis, siebzehn, Tochter des wohlhabendsten Müllers von Lia. Den Schilderungen nach besaß sie einen makellosen Charakter, die Klugheit ihres gewitzten Vaters sowie das sanfte Wesen ihrer Mutter. Und so schön sei sie, vermeldete Christos' älterer Bruder Foto, daß die Dörfler, die sie beobachteten, wenn sie zur Mühle ihres Vaters ging, heimlich beteten: «Lieber Gott, schenk mir zwei Augen mehr!»

Als Christos zur Kirche ging, nahm er den Weg, der am Grundstück des Müllers vorüberführte, und sah Eleni im Garten arbeiten. Wie er sich erinnert, kam es ihm vor, als strahlten ihr goldbraunes Haar und ihre glutroten Wangen den Sonnenschein aus, doch er behauptet, es seien ihr sittsames Verhalten und ihr züchtig gesenkter Blick gewesen, die ihm sofort an ihr gefallen hätten.

Kitso Haidis war nicht der Vater, der seiner Tochter etwas anvertraut hätte, doch als Foto Gatzoyiannis kam, ahnte das junge Mädchen, was in der Luft lag. Sie hatte Christos Gatzoyiannis in seiner fremdartigen Kleidung zur Kirche gehen sehen. Er war nicht gutaussehend, und er war vierzehn Jahre älter als sie; im Gegensatz zu ihrem tyrannischen Vater jedoch, dessen Haus sie nur als Braut verlassen durfte, stand dieser Mann mit den weichen, weißen Händen und den feinen Manieren in dem Ruf, freundlich und großzügig zu sein.

Natürlich fragte ihr Vater sie weder, welche Eigenschaften sie gern an ihrem zukünftigen Ehemann sähe, noch sprach Eleni ein einziges Wort mit Christos; dennoch war sie nicht unglücklich, als er eines Tages ins Haus kam und der Vater ihr befahl, den üblichen Kaffee zu servieren. Mit keinem Blick streifte sie das Gesicht des Fremden, als dieser die Tasse nahm, an deren Stelle eine amerikanische Zwanzig-Dollar-Note auf ihr Tablett legte und sagte: «Das ist für dich.» Ihr Schicksal war entschieden, das wußte sie.

Nachdem die Verlobung mit Essen, Wein und einer Salve von in den Himmel emporgefeuerten Schüssen zur Benachrichtigung der Nachbarn gefeiert worden war, durfte Eleni sich mit ihrem Verlobten unterhalten, wenn sie mit ihren Eltern zur Kirche ging. Christos stolzierte in seiner Kreissäge und der gestärkten weißen, in der Sonne leuchtenden Hemdbrust neben ihr her und teilte ihr mit, wenn er in einem Jahr oder so nach Lia zurückkehre, werde er die prächtigste Hochzeit finanzieren, die das Dorf jemals gesehen habe. Er werde Stoff aus Amerika mitbringen und beim besten Schneider der ganzen Umgebung die Hochzeitskleider bestellen. Eleni blieb wortkarg; sie wußte nicht recht, was sie mit einem so welterfahrenen Mann reden sollte, liebte es aber, seinen Erzählungen von den Wundern der Welt hinter den Bergen zu lauschen. Er wirkte so anders als die groben, sonnenverbrannten Dorfjungen! Und als Christos wieder abgereist war, sagte Eleni sich, während sie letzte Hand an ihre Aussteuer legte, welch ein unglaubliches Glück sie doch mit ihrem vom Vater gewählten zukünftigen Ehemann gehabt habe.

Getreu seinem Versprechen kehrte Christos im November 1926 zurück, und am letzten Tag vor dem Martinsfasten wurden in der St.-Demetrios-Kirche die beiden Hochzeitskronen getauscht.

Noch vor der Hochzeit erklärte Eleni Christos unter Tränen, sie könne nicht mit ihm nach Amerika gehen. Ihre Mutter, die sie stets vor der Wut ihres Vaters zu schützen versucht hatte, behauptete steif und fest, an dem Tag, an dem Eleni das Dorf verlasse, werde sie Selbstmord begehen. Christos war zwar enttäuscht, doch weder ärgerlich noch überrascht. Blutbande waren in der Dorfgemeinschaft stärker als alles andere, das wußte er. Jede Frau wurde fast ebensosehr an ihrem Pflichtbewußtsein den alten Eltern gegenüber gemessen wie an der Fürsorge für ihre Kinder. Elenis Eltern hatten keinen männlichen Erben, und Nitsa, ihre ältere Schwester, hatte nicht nur in eine arme Familie eingeheiratet, sondern schien auch keine Enkel produzieren zu können. So fiel nach ihrer glanzvollen Hochzeit Eleni die Aufgabe zu, für das Wohlergehen der Eltern zu sorgen.

Christos beschloß, mindestens ein Jahr lang im Dorf zu bleiben und die junge Frau sicher im Haushalt seiner Mutter zu etablieren, bevor er nach Amerika zurückkehrte. Es war nicht ungewöhnlich in diesen Bergdörfern, daß Mann und Frau einen großen Teil des Ehelebens getrennt verbrachten. Die Mehrzahl der Männer von Lia waren umherziehende Kesselflicker und Böttcher, die den größten Teil des Jahres fern der Heimat waren und es den Frauen überließen, die Felder zu bestellen, die Kinder großzuziehen, sich um beider Eltern zu kümmern und überhaupt für alles zu sorgen, bis ihre Ehemänner zu einer wohlverdienten Erholungspause heimkehrten, die sie damit verbrachten, in den *cafenions*, den Kaffeehäusern, Geschichten auszutauschen. Die griechischen Emigranten, die sich in fremden Ländern niedergelassen hatten und ihre Familien mit regelmäßigen Schecks unterstützten, hatten die traditionelle Zeit der Abwesenheit eben nur weiter ausgedehnt. Christos war froh, daß Eleni sich sowohl um seine Mutter als auch um ihre eigenen Eltern kümmern konnte.

Er brachte seine Frau zu Fotini in deren Zweizimmerhaus und ließ aus Konitsa, einen Tagesmarsch in nordöstlicher Richtung entfernt, Arbeiter kommen, die zwei zusätzliche Zimmer anbauen sollten, damit es zum größten Haus von ganz Lia würde. Bevor Christos im Jahre 1928 nach Amerika abreiste, brachte Eleni ein Mädchen zur Welt. Aus zwei weiteren ausgedehnten Heimatbesuchen im Laufe der folgenden zehn Jahre entstanden dann noch vier weitere Kinder.

Nun, da ihre Schwiegermutter tot war, lebte Eleni allein mit den Kindern von den Schecks, die sie allmonatlich von ihrem Mann bekam. Wenn diese Rettungsleine einmal abreißen, ihr Mann im Goldland untertauchen und seine griechische Familie vergessen sollte, wie es zuweilen geschah, würden ihre vier Töchter zu Bettlerinnen ohne jede Aussicht auf eine Aussteuer werden und Nikola, ihr Sohn, niemals das Antlitz des Vaters sehen.

Bei dem Gedanken an Nikola füllten sich Elenis Augen mit Tränen. So oft hatten Fotini und sie um einen Sohn gebetet. Tagtäglich hatten sie Kerzen angezündet, bei Christos' Besuchen aus Amerika Knoblauch unters Kopfkissen gelegt, bei Hexen Zauberwasser gekauft und einen bitteren Tee damit gebraut. Aus jedem Besuch entstand jedoch immer nur wieder ein weiteres Mädchen. Die Dörfler begannen Eleni zu verspotten; von ihrer Schwiegermutter jedoch hörte sie nie einen Vorwurf: Fotini nahm jedes der Mädchen liebevoll auf den Arm und sang ihm von Brautschleiern, Aussteuertruhen und goldenen Ringen vor. Die Dorfbewohner tuschelten, Eleni könne nur Mädchen machen, Fotini dagegen erklärte ihr tröstend, das sei der

Ausgleich des lieben Gottes für ihre eigenen Töchter, die alle drei gestorben waren. Diese Enkelinnen, Olga, Kanta und Glykeria, würden der Trost ihres Lebens sein, behauptete Fotini. Mit Eleni zusammen wachte sie, wenn die Kinder Krupp und Keuchhusten bekamen, und rieb ihnen, wenn sie beim Zahnen Schmerzen hatten, die Kiefer mit selbstgebranntem *tsipouro* ein.

Die alte und die junge Frau waren einander durch die gemeinsam überstandenen Krisen eng verbunden, und Eleni bedauerte es zutiefst, daß Fotini das vierte Mädchen, das ihren Namen trug, und auch den Jungen nicht mehr erlebt hatte, der ihr schließlich in Erhörung ihrer Gebete geschenkt worden war.

Man reichte Eleni den Schädel mit dem Rest des Weines. Heute abend würde er zur Linken des St.-Demetrios-Altars ruhen und morgen ins Ossarium unter der Kirche gebracht werden, wo die Knochen der Dorfbewohner aus über zweihundert Jahren die Wände säumten.

Eleni kam täglich an der St.-Demetrios-Kirche vorbei und trat gewöhnlich ein, um eine Kerze anzuzünden. Den unterirdischen Raum, wo die Wand der Knochen – die älteren gestapelt wie Feuerholz – im Dunkeln bleichgelb phosphoreszierend erglomm, hatte sie schon oft gesehen. Der Ort flößte ihr keine Angst mehr ein: Er war ein natürlicher Epilog. Sie fühlte sich geborgen inmitten dieser Hunderte von Schädeln, die hier, von Liebe, Leid, Torheit und Weisheit befreit, des Jüngsten Tages harrten.

Einen Moment lang hielt Eleni den Schädel in beiden Händen, spürte, wie hart er war und wie leicht, und beschloß, nicht zu trinken. Sie brauchte nicht zu befürchten, daß Fotini einen Fluch über sie verhängt hatte. Diese Frau hatte ihr ausschließlich Gutes hinterlassen, vor allem anderen aber das Vorbild ihres eigenen Lebens.

Drei Tage nach der Zeremonie war der Sommer vorbei, und grauer Regen trommelte auf das Schieferdach von Elenis Haus im höchsten Teil von Lia, dem Perivoli, das heißt Obstgarten.

Der Perivoli lag nahe der unteren Spitze eines Dreiecks grüner Vegetation, das sich die Senke zwischen zwei kahlen Granitgipfeln des Murgana-Gebirges hinabzog und durch eine tiefe Schlucht geteilt war. An die beiden Ränder dieser Schlucht klammerten sich ängstlich die 150 primitiven Steinhütten von Lia. Der Dorfteil Perivoli lag auf dem Westrand, während die Häuser der Ostseite rings um den

Dorfplatz mit seiner riesigen Plantane, die Kirche zur Heiligen Dreifaltigkeit und das Schulhaus das Mitteldorf bildeten. Dort, wo das Gelände sich ein wenig sanfter den Vorbergen zuneigte, umgaben die Häuser des Unterdorfes die uralte Kirche zur Heiligen Jungfrau. Weiter unten ging das fruchtbare Dreieck mit seinen Steineichen, Krüppelkiefern und dem niedrigen Gestrüpp in die flachen Hügel der Vorberge über, stieg dann nach fünfzehn Kilometern wieder an, um gegen den anderen Rand des Beckens zwischen den Bergen zu branden, die das Universum der Dörfler begrenzten: ein weiter Ring, völlig geschlossen, mit zerklüfteten Berggipfeln im Süden, die wahre Schlagsahneschlösser von Kumuluswolken durchstießen, und dichtem Dunst, der tief unten vom Talboden heraufstieg.

Es war eine einsame, herrliche Welt, die jeder Dorfbewohner von seinen Fenstern aus sah, eine ständige Mahnung an die unüberwindliche Macht der Natur und die Bedeutungslosigkeit der Menschen. In seinem Rücken türmte sich das Murgana-Gebirge, dessen Kamm die albanische Grenze bildete und den Blick auf den nördlichen Horizont versperrte. Genau in der Mitte dieses Gebirgszugs lag Lia, dicht an den Fuß zweier Wache haltender Gipfel gekauert: den Propheten Elias, so genannt nach der winzigen Kapelle auf seiner Spitze, und einen stumpfen Kegelberg namens Kastro, mit einer zerfallenden Akropolis, der Festung jener hellenistischen Gemeinde, die dreihundert Jahre vor Christus hier gelebt hatte. Östlich und westlich von Lia lagen, in die Falten des Gebirgszuges geschmiegt und vom Dorf aus nicht zu sehen, zehn weitere Dörfer entlang der Baumgrenze, die nicht mal durch eine Straße mit der Außenwelt verbunden waren. Fern im Süden, hinter der Senke mit den Vorbergen, erhob sich massig wie die grauen Rücken tauchender Wale eine Reihe weiterer Berge: Der Doppelgipfel des Velouna im Osten, so genannt, weil er dem Bogen eines Bogenschützen ähnelte, senkte sich zum dunklen Kamm des Großen Bergrückens, der in den glatten, buschbewachsenen Buckel des Plokista und den gekrümmten Rücken des Taverra auslief. Den Abschluß des Beckenrandes bildeten im Westen kleinere Berge, hinter denen die Sonne in den fernen Tiefen Albaniens verschwand. Die Landschaft, in der die Bewohner von Lia ihr Leben verbrachten wie Spinnen, die sich an eine Wand klammern, prägte sie auf eine Art, die die Bewohner des Flachlandes niemals begreifen lernen. Hier schien die Menschheit ein nachträglicher Einfall der Götter zu sein, die diese Berge geschaffen hatten. Das tägliche Leben der Bergbauern wurde völlig vom unerbittlichen Kreis der Jahreszeiten, von Regen und Schnee, Sonne und Dunkelheit beherrscht, und die Menschen kannten nur ein einziges Ziel: den steinigen Berghängen Nahrung abzuringen, breite Stufenterrassen anzulegen, auf denen sie den Boden bebauen konnten.

Von der Außenwelt abgeschnitten und durch die Notwendigkeit des Überlebens aufeinander angewiesen, kannten die Bewohner der Murgana-Dörfer kein Privatleben. Von jedem Haus sah man in das darunterliegende hinein. Stimmen trugen meilenweit in der dünnen Luft, und auf welchen Gebirgspfaden sie auch gingen, fühlten sie sich von oben, von unten oder von einer gegenüberliegenden Felsklippe aus beobachtet. Trotz der Ausdehnung ihres Universums unter dem hohen Himmel wußten die Dorfbewohner, daß alles, was sie taten, beobachtet und belauscht wurde.

Diese Berge haben schon immer strenge, asketische Menschen hervorgebracht, fern vom Reichtum der Meere und dem gemäßigten Klima der Ebenen, so abgeschieden, daß seit Jahrhunderten keine Fremden ihr dorisches Blut verdünnt, ihre helle Haut und die klassischen Züge verfälscht hatten. Die isolierte Lage und die grausame Härte der Landschaft, vor allem im Winter, machte die Bergbauern jähzornig und trieb sie zuweilen in den Wahnsinn; doch jene, denen es gelang, diesen Bergen zu entfliehen, würden keinen anderen Ort der Welt je wieder so schön finden.

Am 28. Oktober 1940 hatte der strömende Regen die meisten Bewohner von Lia ins Haus getrieben. In der Küche der Gatzoyiannis kämmte die achtjährige Kanta dicht beim Herdfeuer Glykerias maisgelbes Haar nach Läusen durch und flocht es zu zwei langen Zöpfen. Olga saß über ein Hemd gebeugt, das sie für ihre Aussteuer bestickte, und die zweijährige Fotini, die laut weinte, ließ sich mit einer Puppe trösten, die Eleni aus den Blättern des Judasbaums anfertigte. Nikola lag schlafend in seiner geschnitzten Holzwiege.

Das Prasseln des Regens wurde von krachendem Donnergrollen übertönt, das Glykerias unablässiges Jammern jäh unterbrach und alle zusammen aufblicken ließ. Eleni trat auf die Steinplattenterrasse hinaus, von der aus man bis ins Tal sehen konnte. Im Süden, in Richtung Povla, sechs Kilometer entfernt, entdeckte sie rote Lichtblitze am Horizont.

Plötzlich drang von unten, von Lambrini Fafoutis Haus, ein Schrei herauf. Ihre Tochter hatte gerade geheiratet, aber der Bräutigam war inmitten von Gerüchten über einen Krieg mit Italien zum Militär eingezogen worden. Lambrini kam mit flatterndem schwarzem Schal und schief gerutschtem Kopftuch durch den Regen gelaufen und schrie: «Mein tapferer kleiner Tsavo! Das sind seine Kanonen! Er schießt auf die Italiener! Es ist Krieg!»

Eleni drehte sich auf der Türschwelle um und sah ihre schweigenden Kinder an. «Sie hat recht», bestätigte sie. «Das ist kein Donner; das ist Artillerie! Der Krieg ist da!»

Eleni hatte nie Krieg erlebt. Von frühester Kindheit an hatte sie jedoch von den glorreichen Heldentaten des Unabhängigkeitskrieges gegen die Türken im Jahre 1821 erzählen hören: von weißberockten *palikaria* mit ihren schwungvollen Schnauzbärten, Männern, die sich unter dem Banner «Freiheit oder Tod» mit trotzigen Liedern und blitzenden Augen in die Gefahr stürzten. Nur achtzig Kilometer weiter südlich, in Souli, hatten die Frauen ihre Kinder bei Zalongo in den Abgrund geworfen und waren dann, Hand in Hand wie bei einer Hochzeitsfeier, über den Rand der Klippe getanzt, hatten lieber den Tod auf den Felsen tief unten gewählt, als sich durch die Türken entehren zu lassen. Und jetzt war der Krieg, angekündigt vom Geschrei der Lambrini Fafouti, bis vor Elenis Türschwelle gekommen.

Kanta wußte nicht recht, was «Artillerie» war, doch bei dem Ton, in dem ihre Mutter das sagte, setzte sie sich plötzlich hin und ließ den Zopf fahren, den sie gerade flocht. Glykeria hüpfte wie wild vor Aufregung. In der Miene ihrer ältesten Tochter Olga entdeckte Eleni Angst und begriff, woran das Mädchen dachte. Seit dem Tod der Frauen von Souli mochten mehr als hundert Jahre vergangen sein, doch auch in einem griechischen Dorf von 1940 war es noch immer die Pflicht einer Frau, lieber den Tod zu wählen als die Entehrung.

Das Grollen der Kanonen wurde lauter. Eleni betrachtete das Foto von Christos in seinem verschnörkelten Messingrahmen auf dem Kaminsims und fragte sich, was er ihr wohl raten würde: hierzubleiben und das Haus zu schützen oder die Kinder zu nehmen und zu fliehen. Er blickte sie jedoch nur mit selbstgefälligem Lächeln an, mit seiner Goldrandbrille und der verwegenen Krawatte unterm Doppelkinn das Urbild eines vermögenden Mannes in einer vernünftigen, logischen Welt; keine Möglichkeit, von ihm einen Rat zu erhalten. Zwar konnte Eleni unmöglich wissen, wie zutreffend ihre Ahnung war, aber sie spürte dennoch, daß dieser Krieg die letzte Verbindung zu ihrem Mann gekappt hatte.

Als Eleni die Kinder zu beruhigen suchte, kam Nitsa wie ein gedrungener schwarzer Bugsierdampfer, mit ihren zwei Ziegen und ihrem mageren, besorgt dreinblickenden Ehemann im Schlepptau, zum Tor hereingekeucht.

Abermals schepperte die Zugglocke am Tor, und als Eleni öffnete, stand da ihre hagere, vogelgesichtige Mutter, respektvoll Megali («die Alte») genannt, das schwarze Kopftuch von einer Öltuchkapuze geschützt. Hinter ihr kam Elenis Vater, der weißhaarige Müller Kitso Haidis, der ihre Schlafteppiche unter dem Arm trug.

Alle schrien durcheinander, diskutierten, was nun zu tun sei, und hielten immer wieder inne, um auf den fernen Schlachtenlärm zu lauschen. Schließlich legten sich alle zehn, Nitsa und Megali dem Feuer am nächsten, zum Schlafen auf den Fußboden rings um den Küchenherd, während draußen die ganze Nacht hindurch unregelmäßig und trocken Kanonen husteten.

Die dreitägige Unentschlossenheit endete, als ein Schäferjunge mit der Nachricht bei Eleni eintraf, daß die Italiener vorrückten. Die Dorfbewohner mußten fliehen.

Während Megali und Nitsa den Esel mit Brot und Käse beluden, wanderte Eleni durch die vier Zimmer des Hauses und streichelte die Luxusgegenstände, die Christos ihr im Laufe der Jahre mitgebracht hatte, Wunderdinge fürs ganze Dorf. Die Singer-Nähmaschine und das Grammophon mit dem Trichterlautsprecher waren zu groß zum Verstecken; die würden die Italiener zuallererst mitnehmen. Kleinere Gegenstände jedoch konnte sie in der hohlen Eiche hinter dem Haus verstecken. Sie nahm den goldenen, mit Minaretts und Gärten gravierten Krug aus Konstantinopel und das irisierende türkische Kissen. Aus ihrer hölzernen Aussteuertruhe holte Eleni den Silberschmuck, die große Gürtelschnalle und den Brustschmuck. Zuallerletzt nahm sie noch Christos' messinggerahmte Fotografie und den Sandelholzkasten mit, in dem sie seine Briefe aufbewahrte.

Der schmale Bergpfad vor dem Tor, der zu den Höhlen weiter oben führte, war schon überfüllt von drängenden und rufenden Familien mit Ziegen, Lämmern und Eseln, die große Töpfe mit Essen sowie die regenbogenfarbenen, flauschigen Schlafteppiche trugen, die man *velenzes* nannte. Braungliedrige Kinder genossen lachend den

Aufstieg, die Erwachsenen fluchten, beschimpften sich gegenseitig, weil es ihnen zu langsam ging, und flehten Esel wie Großeltern an, sich doch zu beeilen; und ständig dröhnte Kanonendonner.

Nitsas Ehemann Andreas lud sich die zweijährige Fotini auf den Rücken. Nitsa band den kleinen Nikola in seiner Holzwiege mit dem runden Boden fest und packte sie auf Elenis Rücken, indem sie ihr einen Strick quer über den Oberkörper legte und dann um die Wiege herumzog und schließlich das Ende mit der Schlinge auf ihrer Brust verknüpfte.

Nicht einen Blick warf Eleni auf ihr Haus zurück, als sie sich in den Exodus einreihte, der sich den Berg hinaufbewegte. An der Quelle oberhalb ihres Hauses, an der sie täglich die Wasserfässer füllte, traf ein weiterer Flüchtlingsstrom, diesmal aus dem Mitteldorf, auf den Zug. Man mußte aufpassen, daß man nicht vom Pfad herunter- und über den Wegrand gestoßen wurde, so hektisch drängten die Menschen sich an der Mühle von Tassi Mitros vorbei nach oben.

Die menschliche Flut wogte bis zu einer Reihe kleinerer Höhlen im Fels oberhalb des Perivoli, nahe dem Eingang zur Schlucht, empor: die Frauen wie riesige schwarze Schnecken, tief gebeugt unter Wiegen, Bündeln von Töpfen und Schlafteppichen. Seit dem Heraufdämmern der Zeit hatten die Bergbewohner in diesen Höhlen Zuflucht vor Eroberern gesucht: vor Dorern, Illyrern, Römern, Goten, Franken, Bulgaren, Slawen und Türken, die alle zum Plündern und Morden über die Murgana gekommen waren. Mit einem atavistischen Selbsterhaltungstrieb suchten die Kinder jener, die überlebt hatten, nunmehr an demselben Ort Schutz.

Erschöpft vom Gewicht der Wiege, führte Eleni ihre Kinder in eine der überfüllten Höhlen, in denen es nach den vielen Körpern roch, nach Menschen, zu eng gedrängt, um sich hinlegen zu können, Menschen, die mit dem Rücken an die schwitzenden Felswände gelehnt saßen. Allmählich nahm das Tageslicht ab, und die Luft in der Höhle wurde vom Atem der Flüchtlinge erstickend.

Eleni betrachtete die undeutlichen Gesichter der Frauen um sich herum, die beklommen dreinblickten, so weit entfernt von ihren sauberen Steinhäusern, den blankgefegten Fußböden und weißgestrichenen Wänden, und verängstigt waren, weil sie aus ihrer sorgsam geregelten Existenz gerissen und wie Laub im Wind hierher verschlagen worden waren.

Von dem Augenblick an, da sie in diesem Dorf zur Welt kamen, wurde das Leben der Frauen bestimmt durch jahrhundertealte Bräuche, die so tief verwurzelt waren, daß niemand sie jemals in Frage stellte, denn einer Frau blieb jegliche Selbstbestimmung ebenso restlos versagt wie einer Biene in ihrem Stock. Falls es die ersten vierzig Tage seines Lebens überstand, wurde das Mädchen zur Kirche gebracht, wo es gesegnet, vom Priester jedoch nie über die Vorhalle hinaus getragen wurde, denn nur ein männliches Baby durfte Gott vor der Heiligen Pforte dargebracht werden, die ins Allerheiligste führte.

«Mögest du männliche Kinder und weibliche Ziegen haben», lautete der Trinkspruch der Dörfler, wenn sie das Glas mit *tsipouro* hoben. Ein weibliches Kind war eine Belastung, denn die Eltern mußten die Tugend des Mädchens hüten und eine Aussteuer sammeln, damit sie es verheiraten konnten; und dann hatte es bis ans Ende seines Lebens für die Familie des Mannes zu arbeiten.

Mit elf Jahren mußte das Mädchen ein Kopftuch tragen, damit auch nicht die kleinste vorwitzige Locke aufreizend auf einen Fremden wirken konnte, und durfte von nun an einem nicht zur Familie gehörenden Mann nicht einmal guten Tag wünschen. Nur zweimal im Jahr durfte ein unverheiratetes Mädchen sich in der Öffentlichkeit zeigen: bei der Weihnachts- und bei der Osterliturgie, inmitten der Schar der anderen Frauen. Ansonsten war es ununterbrochen von Mauern und der Wachsamkeit von Vater und Brüdern umgeben und erlernte die Pflichten, die einer Frau zufielen: die Sorge für Tiere und Felder, das Schneiden von Feuerholz, kochen, putzen, nähen, spinnen und das Besticken der Aussteuer. Tugend und Schönheit zählten wenig, wenn die Aussteuer zu klein war. Hatten die Heiratsvermittler nach zahlreichen geheimen mitternächtlichen Verhandlungen die Verbindung hergestellt, wurde die Braut ins Haus eines Mannes gebracht, mit dem sie noch niemals ein Wort gesprochen, ja, dessen Gesicht sie vielleicht noch niemals gesehen hatte, um ihre Hochzeitsnacht nicht an der Seite des Bräutigams zu verbringen, sondern – als Zeichen der Unterwerfung – mit seiner Mutter. Die anschließende Einführung ins Geschlechtsleben war dann für sie ein furchtbares Erlebnis und erfolgte, zuweilen erzwungen, unter den Blicken der Tiere im Stall im Untergeschoß: Wenn vier Generationen in einem Zweizimmerhaus lebten, gab es kaum einen Platz, wo man unbeobachtet war.

Gelegentlich wurde eine Braut schon nach Hause geschickt, bevor die Hochzeitsgäste sich verabschiedet hatten – dann nämlich, wenn der Beweis ihrer Unberührtheit nicht überzeugend gewesen war. Und für ein mit Schande bedecktes Dorfmädchen gab es keine Alternative als das Leben einer alten Jungfer, die von Tür zu Tür gehen und gegen Verköstigung arbeiten mußte.

Eine Frau namens Vasilo aus dem benachbarten Dorf Babouri war, während ihre Familie dicht zusammengedrängt auf ihren Strohsäcken und zu mehreren unter einem Schlafteppich schlief, vom Bruder ihrer Mutter vergewaltigt worden. Mit ihren vierzehn Jahren in sexueller Hinsicht noch genauso ahnungslos wie jedes andere Dorfmädchen auch, ahnte sie nicht, was mit ihr geschehen war, bis ihr Bauch unter dem weiten schwarzen Homespun zu schwellen begann. Das Kind wurde im Straßengraben geboren und einfach liegengelassen, während die Mutter blutend und hysterisch schreiend in den Wald lief, wo sie schließlich gefunden wurde. Der Onkel verschwand auf Nimmerwiedersehen. Die Dörfler erfanden einen Spottgesang über sie, in dem sie ihr vorschlugen, sich doch am besten in die Schlucht zu stürzen; nun aber hockte sie hier zusammengekauert in der Höhle, immer noch mit dem Gesicht eines Kindes, und gehörte zu jenen schattenhaften Frauen, die gegen das Dorfgesetz verstoßen hatten.

Doch selbst eine makellose Braut wurde zuweilen verlassen. Zu viele Versuchungen gab es für die Kesselflicker und Böttcher, die zumeist sechs Monate lang fort blieben. Die traditionellen Wanderungen führten mit der Zeit immer weiter in die Ferne, manche Männer reisten nach Ägypten und Südafrika oder sogar, wie Christos, bis nach Amerika, und kehrten nur dann und wann für einen Besuch zurück, um ein weiteres Kind zu zeugen. Einige kamen auch nie mehr nach Hause. Anastasia Yakou, Elenis Nachbarin im Perivoli, hatte ihren Mann an die Fleischtöpfe Kalambakas verloren, als die beiden Töchter noch ganz klein waren. Eleni nahm Anastasia oft als bezahlte Hilfe für Haushalt und Feldbestellung, und der Anblick der zerlumpten Yakou-Mädchen war eine ständige Mahnung an das, was ihr blühte, falls Christos sie vergessen sollte.

Ganz gleich jedoch, wie weit und wie lange die Männer fortgingen – die Pflicht der tief in der Erde verwurzelten Frauen war es, den Familiennamen und die Dorftradition zu schützen. Anastasia Lollis hatte 1911 geheiratet und nur ein Jahr mit ihrem Mann zusammengelebt, als er nach Amerika ging, wo er, wie Heimkehrer berichteten, sich eine Frau und Kinder zugelegt hatte. Doch Anastasia wartete noch immer auf ihn und sollte noch mehr als siebzig Jahre weiterwarten.

Die Frauen mußten Wehen und Geburt allein durchstehen oder versuchten, falls die Schwangerschaft während der langen Abwesenheit des Ehemannes eintrat, wohl auch eine Abtreibung. Denn selbst wenn der Verführer der eigene Schwiegervater, das Oberhaupt der Familie war, würden sie keine Gnade finden.

Elenis Schwägerin Chryso, Foto Gatzoyiannis' erste Frau, zog 1909 mit ihrer Schönheit die Aufmerksamkeit eines türkischen Hausierers auf sich. Als Foto hörte, der Türke habe einen Goldsovereign für eine Nacht mit seiner Frau geboten, erschoß er ihn. Doch Foto verlor seine junge Frau sehr früh: Sie starb bei der Geburt von Zwillingen, die mit der Mutter im selben Leichentuch beerdigt wurden. Im Tod wie im Leben vom Unglück verfolgt, stellte man bei der Exhumierung fest, daß Chryso sich gedreht hatte – für die Dörfler ein Beweis dafür, daß sie im Grab noch einmal erwacht war. Foto jedoch hatte nicht lange getrauert: Er war inzwischen bereits mit Alexo verheiratet, die ihm neun weitere Kinder schenkte.

Chrysos Tod, Anastasias Verlassensein, Vasilos Schande – sie alle waren Fäden im Gewebe des Dorflebens; für Eleni jedoch war es ihre Schwiegermutter Fotini, die diese Fäden zu einem Bild knüpfte, damit sie begriff, wie sich eine Frau verhalten mußte, die *taxidimeni* war – das Eigentum eines abwesenden Mannes.

Jede Ehefrau des Dorfes wurde ständig daran erinnert, daß sie das Eigentum ihres Mannes war. Vom Tag der Hochzeit an riefen die Dörfler sie nur noch mit der weiblichen Form des Namens ihres Ehemannes: «Nikolina» (Nikolas Frau), «Tassina» (Tassos Frau), «Papadia» (die Frau des Priesters), und vergaßen mit der Zeit fast ihren richtigen Vornamen. Die Freundinnen nannten Eleni zwar zuweilen «Kitchina» (Christos' Frau), das Dorf aber hatte ihr einen anderen Namen verliehen, der sie bis zu ihrem Tod verfolgen sollte: «die Amerikana» – die Frau des Amerikaners.

Da sie *taxidimeni* war, belehrte Fotini sie, müsse Eleni dunkle Kleider tragen und sich den Männern gegenüber noch zurückhaltender geben als andere Frauen. Eleni war eine intelligente Schülerin und erkannte die Gefahren, die ihr bei einer Übertretung der dörflichen Sittengesetze drohten. Ihre Freundinnen suchte sie sich unter den wesentlich älteren Frauen, kleidete ihre Töchter ultrakonservativ, wachte unermüdlich über ihr Verhalten und nahm Olga sogar schon vor dem üblichen Alter von elf Jahren aus der Schule.

In einer so geschlossenen Welt wie Lia war die Tradition das Gerüst, von dem das Dorf zusammengehalten wurde. Ein einziger Verstoß gegen den Moralkodex, und das ganze Gefüge brach zusammen. Dank des Vorbildes ihrer Schwiegermutter jedoch war Eleni trotz der Gefahren, die der abwesende Ehemann und ihre feingliedrige Schönheit beschworen, zu einer der Frauen geworden, die in Lia am meisten bewundert wurden. Seit Fotinis Tod allerdings hatte sie das Gefühl, vom Dorf immer mehr eingeengt zu werden, fast wie in einem Kerker. Es gab keinen Mann, der ihr mit Rat und Tat beistehen, keine Schwiegermutter, die sie vor der ewigen Neugier der Dörfler schützen konnte, die doch nur darauf warteten, einen Makel am Verhalten der wohlhabenden Amerikana zu entdecken.

Als es in der Höhle seit Stunden schon dunkel war, wurde der Regen heftiger, und die Nässe kroch den Flüchtlingen bis tief ins Mark. Nach Mitternacht begann Nikola zu weinen. Eleni legte ihn an die Brust, aber er wollte nicht trinken, wandte den Kopf ab und jammerte noch lauter. Ein Dutzend Stimmen versuchten ihn zu beruhigen und drohten der Mutter, sie müsse die Höhle verlassen. Eleni holte eine Schachtel Streichhölzer aus ihrer Schürze. Eins davon riß sie an, um das Gesicht des Kindes sehen zu können, und als sich die Flamme in seinen kastanienbraunen Augen spiegelte, wurde Nikola umgehend still. Doch als das Streichholz wieder verlosch, weinte er sofort weiter.

«Er will Licht!» sagte Eleni und bat die unsichtbaren Frauen um sie herum, ihr doch mit Kerzen auszuhelfen. Ein paar rückten mit ihren Wachsstöcken in der Hand näher, und als groteske Schatten über die Höhlenwand huschten, begann der Junge endlich zu trinken. Nachdenklich betrachtete Eleni die vertrauten Gesichter, wie sie verzerrt waren vor Zorn über das Weinen des Babys und in diesem unheimlichen Licht wahrhaft monströs erschienen.

Sie litt körperlich unter ihrer Isolation. Von klein auf war sie eine der Ihren gewesen, nun jedoch empfand sie dieses Anderssein, das sich durch den Namen «Amerikana» ausdrückte, schmerzlicher denn je. Seit Fotinis Tod dachte sie ununterbrochen an Flucht. Und mit diesem Wunsch begann ihre Krankheit. Sie hatte versucht, Christos ihre Gefühle zu erklären, aber er hatte sie nicht verstanden.

Das Brennen begann im Bauch. Es flammte auf, sobald sie etwas aß, so daß sie sich übergeben mußte und nicht einmal den Anblick von Speisen vertrug. «Mein Nabel hat sich aufgelöst», sagte sie – eine spezielle Redewendung des Dorfes –, als sich die Frauen um sie bemühten.

Es war Elenis Schwester, die Christos schließlich im Winter 1937 aus Amerika zurückrief. Heimlich bat Nitsa die neunjährige Olga, den Brief für sie zu schreiben, denn wie die meisten Frauen im Dorf war sie Analphabetin. Sie habe alles getan, was sie könne, teilte Nitsa ihm mit: die Zeremonie des Nabelbindens, Exorzismus, Blutegel und *venduses* – jene Gläser, die man mit einer brennenden Kerze darunter umgekehrt auf den Bauch setzte, um die üblen Säfte herauszuziehen. Sogar einen Doktor habe sie aus Povla und Lista holen lassen. Doch nichts habe geholfen. Eleni werde mit jedem Tag magerer und könne weder essen noch aufstehen. «Amerika kannst Du immer wiederfinden», diktierte Nitsa der kleinen Olga, «doch wenn Du Deine Frau verlierst, wirst Du sie niemals wiederfinden. Und was fängst Du dann mit Deinen Töchtern an?»

Die Töchter – das war die Bürde, um deretwillen alle verhindern wollten, daß Eleni starb.

Die Dörfler wußten sehr gut, was mit der Amerikana los war: Der Böse Blick war das, bewirkt durch ein zu großes Maß an Neid. Denn keine andere Frau im Dorf wurde so sehr beneidet wie Eleni Gatzoyiannis.

Eleni selbst war sich des Risikos der Eifersucht durchaus bewußt und stets bemüht, großzügiger und taktvoller zu sein als andere Frauen. Sie wurde schon immer einfach deswegen beneidet, weil sie die zweite Tochter des wohlhabenden Müllers Kitso Haidis war. «So rote Backen, so blaue Augen!» sagten die älteren Frauen wohl, wenn sie vorbeiging, und spien aus, vor dem Bösen Blick.

Nachdem Eleni von Christos zur Braut gewählt worden war und in dem Vierzimmerhaus mit dem messingverzierten Torbogen, dem Sondereingang für die Tiere, dem handgekurbelten Futterschneider und einer Außendusche aus Fässern Einzug gehalten hatte, war das eine viel zu große Herausforderung für den Bösen Blick. Kein Wunder, daß Christos bei seinen Besuchen immer nur Mädchen zustande gebracht hat, tuschelten die Dorfbewohner, und kein Wunder, daß die feine Amerikana jetzt mit Wangen von der Farbe der Karfreitagskerzen im Sterben lag.

Als Christos Nitsas Brief bekam, hatte er gerade einen neuen Partner in seinen Produktenhandel aufgenommen, einen Mann aus dem Nachbardorf von Lia, und überließ den Lastwagen nur höchst ungern dem leichtsinnigen Nassios Economou, der mit der gleichen Leidenschaft, mit der Christos feine Kleider liebte, jungen Mädchen nachjagte. Doch als er von Elenis Krankheit hörte, machte sich Christos sofort auf den Weg nach Griechenland. Er war ein verantwortungsbewußter Mann, seiner jungen Frau treu ergeben, und konnte es nicht zulassen, daß sie starb. Mit seiner charakteristischen Gründlichkeit und Umsicht bereitete er sich auf die Reise vor. Sie brachten sie um, mit ihrem Bauernaberglauben, und er würde sie mit amerikanischem Know-how retten.

Christos war sehr stolz darauf, ein echter Amerikaner zu sein. Vom Deck des Dampfers *Themistokles*, der 1910 von Korfu aus in See gestochen war, hatte er seinen roten Fez und die weiße, weite Hose über Bord geworfen und begonnen, das englische Wörterbuch zu studieren, das er in der Tasche trug. Sehr schnell übernahm er die amerikanischen Tugenden der Reinlichkeit, Ehrlichkeit und des Fleißes. Er hatte zwei Jobs, arbeitete bei Tag in einer Fabrik und am Abend in einer Bowlingbahn, wo er insgesamt neun bis zehn Dollar pro Woche verdiente, bis er Geld genug hatte, um sich zur Hälfte an einem Gemüsewagen zu beteiligen.

Christos hungerte lieber, um sich dafür die feinsten Anzüge kaufen zu können, die in Worcester, Massachusetts, zu haben waren. Bei seinen Runden als Kesselflickerlehrling in Griechenland war es der Anblick von zwei modisch gekleideten Gräko-Amerikanern gewesen, durch den er sich Amerika in den Kopf gesetzt hatte. Obwohl klein und beleibt, kleidete sich Christos immer so gut, daß alle ihn für einen Akademiker hielten und nicht für einen Gemüsehändler.

An einem der ersten warmen Tage im Juni 1937 wurden die Einwohner von Lia durch Glockengeläut vor ihre Türen gelockt: Aber es war nicht das tiefe Dröhnen der Kirchen-*cabana* und auch nicht das Geklingel der Leitziegen, sondern der ganz besondere Klang des Maultierzugs von Mourtos Gajelis, dem Türken, der Besucher von außerhalb ins Dorf hinaufbrachte, nachdem sie am Ende der Straße in Filiates gelandet waren. Die wenigen Griechen der Murgana, die im Ausland ihr Glück gemacht hatten und der Heimat einen Besuch abstatteten, hatten seine fünf Mulis den «amerikanischen Expreß» getauft.

In der gesamten Nordprovinz Epirus existierten noch immer große Gemeinden von Moslems wie Mourtos, Reste der Türken, die hier bis 1913 geherrscht hatten, und jener Griechen, die zum Islam übergetreten waren und nach der Region Chamouria, aus der sie kamen, «Chams» genannt wurden. Obwohl sie über Nacht von reichen, mächtigen Grundbesitzern zu einer geduldeten Minderheit herabgesunken waren, versteckten die Moslems ihren Haß meist hinter einem freundlichen Lächeln. Christos gab Mourtos immer ein großzügiges Trinkgeld und legte gewöhnlich noch eine Seidenkrawatte oder ein Paar amerikanische Socken drauf. Er glaubte fest, in Mourtos Gajelis, getauft oder nicht, einen guten Freund zu haben.

Auf dem Leitmaultier reitend, hielt Christos in Lia Einzug: Die Sonne glänzte auf seinem weißen, kurzärmeligen Hemd, den Brillengläsern und seiner Glatze, denn die Kreissäge und das Jackett seines Leinenanzugs hatte er inzwischen abgelegt. Er nickte der aufgeregten Menge zu, ohne etwas von seiner paschahaften Würde zu verlieren.

Kanta, damals vier, und Glykeria, drei, erkannten den Mann nicht, der da an ihrem Gartentor auftauchte. Glykeria musterte die wohlgenährte Gestalt mit ihren vornehm weichen Händen und ließ es sich nicht ausreden, daß er ein weiterer Doktor für die Mutter sei, obwohl die Nachbarinnen behaupteten, es sei ihr Vater.

Als Christos die gute Stube betrat, scheuchte er zunächst einmal die Frauen hinaus, die das Lager der Kranken umringten. Mit beiden Händen bedeckte Eleni ihre wachsbleichen Wangen und sagte, er hätte sie benachrichtigen sollen, dann hätte sie sich richtig auf seine Ankunft vorbereiten können. Er trat näher und setzte sich zu ihr.

«Ich hab ihnen nicht gesagt, daß sie dich herholen sollen», erklärte sie entschuldigend.

«Ich weiß.» Er nahm ihre Hand. «Ich werde dich gesund machen.»

Ihre Tränen begannen zu fließen. «Es tut so weh!» Eleni wandte den Kopf ab.

Während die Dörfler vor dem Haus neugierig gafften, machte sich Christos mit amerikanischer Tüchtigkeit daran, seinen Plan, Eleni zu heilen, in die Tat umzusetzen. Er hatte alles mitgebracht, was er brauchte. Zunächst entrollte er eine dicke Rolle Fliegendraht, den er vor alle offenen Fenster nagelte. Dann holte er eine Flitspritze heraus und vernichtete ganze Schwärme von Fliegen im Haus. Schließlich packte er noch erstklassiges Rindfleisch aus, das er in Filiates gekauft hatte, und begann eigenhändig zu kochen.

Die Zuschauer staunten. Kochten amerikanische Männer immer für ihre Frauen? Eleni, die das hörte, war verlegen, schwor sich aber, alles zu essen, was er ihr mitgebracht hatte. Und diesen Schwur hielt sie, beruhigt durch seine Gegenwart, tatsächlich ein.

Christos hatte mit dem Maultiertreiber vereinbart, daß er sie am folgenden Tag für die achtstündige Reise zum alten Hafen von Sagiada abholen sollte, wo sie ein Boot mieten würden, das sie nach Korfu brachte. Dort sollte Eleni von europäisch ausgebildeten Ärzten untersucht werden. Sie war überzeugt, die lange Reise werde sie umbringen, wollte ihrem Ehemann aber nicht ungehorsam sein. Außerdem wirkte die Aussicht auf Korfu anregend auf ihre Phantasie. Denn obwohl sie von allen die Amerikana genannt wurde, war Eleni nie weiter gekommen als zur Provinzhauptstadt Ioannina, fünfundsechzig Kilometer südöstlich von Lia.

Am nächsten Morgen zog Eleni ihr bestes Kleid an und ergänzte es mit der goldbestickten Weste, Halsketten aus türkischen Piastern, einer großen Silberschnalle und dem burgunderrot geblümten Kopftuch, das sie an ihrem Hochzeitstag getragen hatte.

Die unendliche Weite des Meeres wirkte beängstigend auf die Frau aus dem Gebirge, und die kleine türkische Barke schien hilflos auf einen Abgrund zuzutreiben. Als das Boot heil zwischen den beiden Festungen hindurchglitt, die den Hafen von Korfu bewachten, verließ Eleni die letzte Kraft, und sie konnte nicht aufstehen. Christos hob sie fürsorglich auf und trug sie auf seinen Armen vom Boot herunter zum Hotel Nea Yorki hinüber, dessen Besitzer, ein Mann aus dem Nachbardorf von Lia, sie wie Familienmitglieder begrüßte und ihnen ein Zimmer mit Blick auf den Hafen gab.

Eleni war kaum bei Bewußtsein, als Christos sie in ihrem Hotelzimmer auf eines der Betten mit den scharlachroten Decken legte. Als sie zu sich kam, sah sie Christos mit einem Paar europäischer Lederschuhe für sie und einer Flasche einheimischem Kumquatlikör zur Tür hereinkommen, den er sie sofort probieren ließ.

Am nächsten Morgen brachte Christos zwei Ärzte zu ihr. Sie untersuchten Eleni und berieten sich dann mit dem singenden Akzent, den die Korfioten der jahrelangen venezianischen Herrschaft verdankten. Sie erkundigten sich nach den Verschreibungen der Provinzärzte, schüttelten den Kopf und verkündeten schließlich, Elenis Leiden sei eine Enterokolitis. Nun, da die Krankheit einen Namen hatte, fühlte sie sich schon etwas besser.

«Es ist nichts Ernstes», erklärte der größere der beiden Ärzte. «Proteinreiche Kost. Sie soll essen und trinken, was sie will. Für den Anfang geben Sie ihr am besten Huhn.» Er schrieb einige Rezepte aus, steckte mehrere von Christos' Reiseschecks ein und behauptete: «Sie wird wieder gesund werden.»

Rot vor Genugtuung lief Christos hinaus und kehrte mit einem Kellner zurück, der drei ganze gekochte Hühner brachte. Eleni gab sich die größte Mühe, recht viel zu essen, und ehe der Tag zu Ende war, hatte sie es geschafft, vom Bett bis zu einem Sessel auf dem Balkon zu gehen.

Christos kaufte ihr das erste Kleid im europäischen Stil, und als das Blut in ihre Wangen zurückkehrte, mietete er einen Kutschwagen und machte mit ihr Ausflüge ans Meer. Draußen, wenn sie außerhalb der Stadt zwischen dem türkisblauen Wasser und den silbrig-grünen Olivenhainen dahinrollten, schöpfte Eleni neue Kraft aus der Luft, die süß und schwer war vom Duft nach Heide, Ginster, Lavendel und Thymian.

Während dieser sonnengetränkten, würzigen Tage auf Korfu begriff Eleni den Grund für ihre Krankheit. Nicht der Böse Blick war es gewesen, sondern sie hatte sich von Lia befreien müssen, wo alles – Menschen, Erde, Berge – immer nur grau, schwarz oder braun war. Korfu dagegen zeigte ihr den gesamten Regenbogen, der hinter den heimatlichen Bergen lag. Sie bereute, der Forderung ihrer Mutter nachgegeben zu haben und zu Hause geblieben zu sein, sehnte sich nach Amerika. Aus dem Kerker ihres Heimatdorfes befreit, mit ihrem Ehemann an der Seite, würde sie mit Sicherheit nie wieder krank werden.

Christos war sehr zufrieden mit der erfolgreichen Heilung seiner Frau. Wenn er jetzt an ihrer Seite ging, kam er sich vor wie jung verheiratet, und wenn sie auch nur den Schritt verhielt, um in einem Schaufenster etwas zu bestaunen, ging er sofort hinein und kaufte es ihr. Sein amerikanisches Geld trug er als dicke, mit einem Gummiband zusammengehaltene Rolle in der Brusttasche herum und genoß die weit aufgerissenen Augen der Ladenbesitzer, wenn er die Scheine abzuzählen begann. An seiner Kleidung und seinem Verhalten erkannte jeder, daß er kein Grieche, sondern Amerikaner war, und zwar ein hochgestellter, das wußte er.

Als Christos beschloß, Eleni ein schimmerndes Messingbett zu kaufen, hätten sie sich fast gestritten. Trotzig reckte Eleni das Kinn.

Kein Mensch aus dem Dorf schlafe in einem Bett, und sie sei zu alt, um jetzt damit anzufangen, nachdem sie dreißig Jahre lang auf dem Boden geschlafen habe.

Christos erklärte es ihr wie einem Kind. Auf dem Boden zu schlafen, sei eine unhygienische Dorfsitte. Jeder vornehme Mensch schlafe in einem Bett. Da Eleni merkte, wieviel ihm daran gelegen war, neigte sie zustimmend den Kopf, und das funkelnde Ungetüm wurde zur Freude des armenischen Ladenbesitzers bezahlt und auseinandergenommen, um auf die Barke verladen zu werden.

Elenis älteste Töchter erinnern sich heute noch, wie entsetzt sie waren, als sie, durch die Glocken von Mourtos' Maultieren aus dem Haus gerufen, ihre Mutter, die doch als Schwerkranke fortgegangen war, Seite an Seite mit dem Vater den Pfad heraufreiten sahen, beide aus voller Kehle singend wie zwei betrunkene Zigeuner auf einer Hochzeit. Nie zuvor hatten sie ihre Mutter singen gehört.

Im Laufe des Sommers 1937, während sie Holz sammelte, Brot backte, die Felder bestellte und Wasser von der Quelle holte, rundeten sich Elenis Wangen wieder. Christos verbrachte die Tage damit, auf die Jagd zu gehen und im Kaffeehaus herumzusitzen. Wenige Wochen nach ihrer Rückkehr merkte Eleni, daß sie wieder schwanger war, behielt das Geheimnis jedoch noch eine Weile für sich, fest überzeugt, das auf Korfu gezeugte Kind werde ein Junge sein.

Am 17. März 1938 schickte Eleni nach der Hebamme. Indessen saß Christos in der guten Stube neben der Küche, ließ nervös die Perlen seines Komboloi klappern und duldete es, daß die beiden Mädchen in seinen Taschen nach den Bonbons suchten, die sie mit Recht darin vermuteten.

Als die Hebamme das Baby in ihrer Schürze auffing, stieß Megali, die in einer Zimmerecke hockte, einen kummervollen Schrei aus. Wieder ein Mädchen! Eleni begann zu weinen. Für einen Sohn wäre ihr Mann so dankbar gewesen, daß er ihr die Bitte, sie alle nach Amerika mitzunehmen, nicht hätte abschlagen können. Christos riß sich zusammen, nahm das Kind von der Hebamme entgegen und verkündete, es sei ein sehr schönes Kind, und er werde es nach seiner verstorbenen Mutter Fotini nennen.

Fotinis Geburt war der erste Schatten auf dem Glück jenes Jahres. Ein schwererer Schock jedoch war zwei Monate später die Ankunft von Christos' Partner Nassios Economou, dem er sein Geschäft in Worcester, Massachusetts, anvertraut hatte.

Die irischen Dienstmädchen und schwedischen Köchinnen der feinen Viertel von Worcester, in den Villen der großen Industriebosse, hatten immer gern bei Christos gekauft, weil sie ihn wegen seiner altmodischen Höflichkeit und der stets erstklassigen Qualität seiner Obst- und Gemüsesorten sehr schätzten. Nachdem Christos sich jedoch auf die Bitte eines Verwandten hin bereit erklärt hatte, Nassios ins Geschäft aufzunehmen, hatte der leichtsinnige junge Mann alle Küchen in helle Aufregung versetzt. Christos mochte seiner Frau gar nicht erzählen, wie oft Nassios mit leeren Händen vom Eintreiben der ausstehenden Rechnungen zurückgekommen war, breit grinsend wie ein zufriedener Kater und mit der Meldung, er habe eben in anderer Münze kassiert. Und wenn Nassios gelegentlich zwei Frauen in die spartanische Wohnung mitbrachte, die sich die beiden Männer in der Ledge Street unweit vom Großmarkt teilten, erlag auch Christos der Versuchung und verachtete sich später dafür. «Nichts als Huren in Amerika!» schimpfte er. «Dies ist kein Land, in das man eine anständige Frau mitbringen kann!»

Eines Vormittags kam ein völlig atemloser Dreikäsehoch ins Kaffeehaus von Lia gerannt und berichtete Christos, Nassios Economou sei in Babouri und erwarte seinen Besuch. Christos war wie betäubt. Er fand Nassios in Babouri, wo er sich, angezogen wie Al Capone, in der unterwürfigen Bewunderung seiner Frau und seines Sohnes sonnte. Schreiend schleuderte Christos ihm Fragen entgegen, so erregt, daß sie kaum zu verstehen waren. Was Nassios mit ihrem schönen blauen Lastwagen, der Grundlage des ganzen Geschäfts, gemacht habe?

Nassios antwortete ihm, als sei er sich keiner Schuld bewußt. Er sei es müde gewesen, um fünf Uhr früh aufzustehen und zum Großmarkt zu gehen, erklärte er lässig. Er habe gehört, der armenische Besitzer der Kneipe am Bahnhof habe sich beim Poker ruiniert. Also habe er den Gemüsewagen für 1200 Dollar an einen Syrer veräußert und für 200 Dollar in bar das Lokal erworben.

«Ein Restaurant, das ist das richtige für einen Mann», erklärte Nassios, der Christos 600 Dollar übergab – seinen Anteil an dem Geschäft, das er in vierundzwanzig Jahren aufgebaut hatte. «Wenn es Krieg gibt – und den gibt es mit Sicherheit –, wird der Bahnhof ständig überfüllt sein und das Restaurant ein Vermögen einbringen! Wenn du für mich kochst, werde ich dir zunächst fünfzig Dollar pro Woche bezahlen, und wenn das Geld zu strömen beginnt, nehme ich dich als Partner auf. Bis dahin, habe ich mir gedacht, könnte ich ebensogut rüberkommen und mit dir zusammen Urlaub machen.»

Christos schmeckte die Asche seines Lebenswerks; sein Kopf wirbelte. Am liebsten hätte er seinen grinsenden Ex-Partner vor den Augen seiner Frau erwürgt. Tief im Herzen aber wußte er, daß er nicht mal eine Ziege schlachten, geschweige denn einen Menschen töten konnte. Und nach ein paar Gläsern von Nassios' amerikanischem Whiskey gewann Christos' hartnäckiger Optimismus wieder die Oberhand. Denn vielleicht hatte Nassios ja recht, und die Zeiten der Obsthändler waren vorbei. Gar nicht so schlecht, an einem Restaurant beteiligt zu sein! Wie dem auch sei, auf jeden Fall würde Nassios ein bißchen Leben ins Dorf bringen.

Für den Rest des Sommers regierten Christos und Nassios wie zwei Paschas über die Kaffeehäuser von Lia und Babouri. Die wettergegerbten, dungverdreckten Hirten konnen niemals genug kriegen von Nassios' haarsträubenden Geschichten über die amerikanischen Frauen und den Drinks und Appetithappen, die die beiden «Amerikani» um die Wette für alle bestellten. Die Geschichten, die Christos zu erzählen hatte, kannten sie bereits auswendig: Wie er mit 27 Dollar in der Tasche in Amerika angekommen war und es kraft harter Arbeit und spartanischer Lebensführung zu einem eigenen Geschäft gebracht hatte, «das mir – na, was glaubt ihr wohl, wieviel es mir einbringt?»

Sie sahen ihn erwartungsvoll an.

«Neunzig, fünfundneunzig Dollar die Woche!» rief er dann triumphierend. «Gott segne Amerika!»

«Gott segne Amerika!» – das war der Refrain, mit dem mein Vater jede Anekdote aus seinem Leben beschloß, die er mir erzählte. Erst als ich erwachsen war, begriff ich seine komplizierten Gefühle für seine Wahlheimat und die Gründe, warum er uns nicht zu sich holte. Als Kind hatte ich es als ganz natürlich empfunden, daß mein Vater in Amerika lebte und wir in Lia. Als ich ihn mit neun Jahren endlich zum erstenmal sah, war ich zu der Schlußfolgerung gelangt, daß er uns verlassen habe. Später erst wurde mir langsam klar, daß er in Anbetracht der Zeiten und seiner Natur gar nicht anders handeln konnte.

Für jeden Einwanderer war Amerika das Land der Verheißung, in dem harte Arbeit mit Gold belohnt wurde. Als mein Vater an zwei

Arbeitsplätzen sechzehn Stunden pro Tag schuftete, lernte er jedoch schnell, daß Amerika für Unerfahrene und Leichtgläubige auch voller gefährlicher Fallen steckte. Er sah, wie griechische Einwanderer, befreit von den Fesseln der Dorfmoral und Armut, sehr schnell von Frauen, Alkohol und Glücksspiel ruiniert wurden, darunter zwei seiner jüngeren Brüder, die er nachholte, sobald er ihre Überfahrt bezahlen konnte. Mein Vater, ein geborener Puritaner, schickte die Brüder, um sie zu retten, stehenden Fußes nach Griechenland zurück.

Als er heiratete und Kinder bekam, entschied er, die Vereinigten Staaten seien viel zu gefährlich, um dort eine Familie zu haben, vor allem vier Töchter. Da er so lange arbeitete, konnte er sie nicht ständig beaufsichtigen, und seine Frau würde abgeschnitten sein von dem stützenden System der Nachbarn und Verwandten, auf das sie in Lia zurückgreifen konnte. Im Dorf wußten Ehefrauen und Töchter genau, wie sie sich zu verhalten hatten; die strenge Moral duldete keinen Fehltritt. In Amerika jedoch wimmelte es von gefallenen Frauen. Überdies gestattete sein bescheidenes Einkommen es ihm, seine Familie zur wohlhabendsten von ganz Lia zu machen, weit oben auf der gesellschaftlichen Leiter; doch sollten wir je nach Massachusetts kommen, wären wir nicht mehr als die Kinder eines aufstrebenden Gemüsehändlers.Und schlimmer noch, wir würden sehen, daß die reichen Yankees ihn mit jener Verachtung behandelten, die sie den Einwanderern, die ihnen Dienstleistungen offerierten, stets entgegenbrachten. Wenn mein Vater dagegen zu seinen gelegentlichen Besuchen nach Lia heimkam, war er in den Augen von Frau und Kindern ein welterfahrener, erfolgreicher amerikanischer Geschäftsmann.

Er liebte es, lange, herrlich träge Tage in den *cafenions* zu verbringen und sich in der Bewunderung seiner Familie und Freunde zu sonnen, aber er hatte sich auch an die Bequemlichkeiten des amerikanischen Lebens gewöhnt: feine Kleidung, jede Woche ein Bad – und keine Verwandten, vor denen er sich verantworten mußte. Das war die Kehrseite der Medaille: Mein Vater war verführt worden vom amerikanischen Luxus und dem Junggesellenleben, das er zusammen mit anderen männlichen Einwanderern in Worcester führte.

Obwohl er nie ein hundertprozentiger Amerikaner wurde, eignete sich mein Vater dennoch den Optimismus und die Naivität des Landes an. Die griechischen Bauern zu Hause waren genau das Gegenteil: zutiefst argwöhnisch gegen die Nachbarn und stolz auf ihre Gerissenheit. Für Menschen wie meinen Vater haben sie einen geringschätzigen Ausdruck: *Amerikanaki* – kleine Amerikaner –, mit dem sie blauäugig-naive, leicht hereinzulegende Menschen bezeichnen. Mein Vater war mit siebzehn nach Amerika gekommen und dem Dorf zu lange ferngeblieben. Mit der Zeit und der Entfernung nahm Griechenland für ihn eine romantische Aura von Sicherheit und Geborgenheit an. Inmitten der Fabrikschornsteine und lärmerfüllten Straßen von Worcester sah er Gefahren für seine Familie, wäre jedoch nie auf die Idee gekommen, Eleni und die Kinder könnten in dem einfachen Gebirgsdorf, in dem er geboren war, in einer viel größeren Gefahr schweben.

Während die Erntezeit vorüberging und der Winterregen begann, wurde die Geldscheinrolle mit dem Gummiband beunruhigend dünn. Christos und Nassios sahen ein, daß es an der Zeit war, ihre schöne Faulenzerei aufzugeben und nach Amerika zurückzukehren. Eines Morgens Ende Oktober holte Christos die Koffer heraus und begann zu packen.

Eleni, die Fotini stillte und ihm dabei zusah, erkannte, daß sie viel früher mit ihm hätte sprechen müssen. Sie hatte immer auf den richtigen Moment gewartet, und jetzt war er wieder drauf und dran, sie hier allein zurückzulassen! Sie versuchte, ihre Bitte zu formulieren, ihn von der Logik ihrer Gedankengänge zu überzeugen, begann dann aber vor Aufregung zu stammeln und sprudelte alles auf einmal heraus. Er müsse sie mit hinübernehmen. Es sei zu schwer für sie, die Mädchen allein großzuziehen! Sie brauchten einen Vater. Habe er nicht immer gesagt, Amerika sei das beste Land der Welt? «Ich will nicht, daß sie hier aufwachsen! Ich will, daß sie es besser haben!» schloß sie, und ihre Stimme klang ihr in den eigenen Ohren schrill.

Christos starrte sie an, als habe er sie noch nie gesehen. «Was ist denn so schlecht an deinem Leben?» wollte er wissen. «Führst du nicht das beste Leben von allen Frauen hier im Dorf?»

Eleni öffnete ihren Mund und machte ihn wieder zu, fest entschlossen, nicht nachzugeben. «Ich will nicht mehr getrennt von dir leben!» verkündete sie. «Ich bin es müde, die Mädchen allein großzuziehen, ohne zu wissen, ob du noch lebst oder ob du tot bist! Ich werde nur wieder krank werden!»

Diese Worte trafen so sehr ins Schwarze, daß er sie vor lauter Zorn anschrie, denn er wußte, daß er ihr ohne seinen Gemüsewagen und sein Geld unmöglich geben konnte, was sie verlangte. «Weißt du denn nicht, daß in Amerika Depression herrscht?» schrie er sie an. «Die Menschen verhungern! In Amerika muß man für Strom, Essen und Kleidung bezahlen! Hier kannst du vom Land leben. Habe ich dir nicht gerade ein weiteres Feld gekauft? Wenn man eine Familie nach Amerika mitbringen will, braucht man ein Bankkonto! Und für Kinder ist es dort überhaupt nichts, vor allem wenn diese Kinder Mädchen sind!»

Dieser Hinweis auf ihr Versagen wirkte wie eine Ohrfeige. Der Schock, den seine Worte hervorriefen, bewirkte, daß Eleni ihren Mann plötzlich richtig sah. Zum erstenmal erkannte sie, daß er es genoß, weit weg von seiner Familie in Griechenland zu sein. Er wollte sich nicht mit der Verantwortung belasten, die ihm ihre Gegenwart auflud, sondern zog es vor, gelegentlich heimzukehren und sich dann, die Hände voller Geschenke, bewundern zu lassen.

Als spüre er ihre Ernüchterung, wurde Christos plötzlich trotzig. «Ich bin gekommen, weil du krank warst! Ich habe mein ganzes Geld für diese Reise ausgegeben. Sieh dir doch an, was noch übrig ist!»

Er zog die vielbenutzte Geldrolle hervor, die inzwischen erbärmlich schlaff und dünn geworden war. Eleni starrte verblüfft darauf hinab. «Wenn das alles ist, was du hast – warum hast du dann mit Geld um dich geworfen wie ein Pascha und sämtliche Tagediebe dieser beiden Dörfer mit Essen und Trinken versorgt?»

Verzweifelt antwortete er: «Weil sie es von mir erwartet haben! Schließlich bin ich Amerikaner!»

Eleni sprach nie wieder von Amerika. Die Bürde senkte sich schwer auf ihre Schultern. Nie mehr konnte sie vergessen, daß sie in einer Sekunde der Erkenntnis Christos' Eitelkeit und seinen Mangel an Bereitschaft gespürt hatte, irgendeine Verantwortung zu übernehmen. Wie jedes andere Dorfmädchen auch hatte sie einen Fremden geheiratet. Und wie jede andere Ehefrau auch hatte sie ihren Mann schließlich durchschaut.

Am 17. November 1938 küßte Christos seine Frau auf beide Wangen und sagte, sie müsse tapfer sein; bald werde er sie entweder nachkommen lassen oder endgültig heimkehren. Es war das letztemal, daß er sie sah.

Die Flucht zu den Höhlen fand nahezu zwei Jahre nach dem Tag statt, an dem Christos Eleni verließ, ohne daß einer von ihnen etwas von dem neuen Leben ahnte, das in Eleni keimte. In der Zwischenzeit war der drohende Krieg, von dem Nassios glaubte, er werde geschäftsfördernd sein, zu einer Flutwelle angewachsen, von der bereits Polen, Dänemark, Norwegen, Holland, Belgien und Frankreich überschwemmt worden waren. Jetzt hatte er, über die Gipfel der Murgana-Berge hinweg, auch nach Griechenland übergegriffen.

Nachdem sie zwei Tage lang dicht gedrängt in den Höhlen gesessen hatten, wurden die Dorfbewohner ungeduldig und die Lebensmittelvorräte knapp. Einige Frauen wagten sich in ihre Häuser hinunter, um frisches Brot zu backen, und kehrten mit der Nachricht zurück, die Italiener seien nicht weitergekommen als bis zu den fernen Höhen der Plokista und dem Dorf Povla und schienen auch nicht interessiert daran zu sein, über die Vorberge ins Gebirge hinaufzusteigen.

Vorsichtig kehrten die Dörfler in ihre Häuser zurück. Das Leben nahm – ein wenig gespannt – wieder seinen normalen Lauf, obwohl Eleni ihre Schätze noch in der Eiche liegen ließ und die alten Männer des Dorfes, die nicht auf ihrer alljährlichen Arbeitstour oder beim Militär waren und kämpften, ihre Jagdflinten wieder zu reinigen begannen.

Einige Tage später kam eine kleine italienische Patrouille nach Lia; geführt wurde sie von einheimischen Chams, darunter auch Mourtos, der Maultiertreiber. Die Italiener benahmen sich den verängstigten Dörflern gegenüber sehr höflich, als sie die Häuser nach Waffen durchsuchten.

Als die Patrouille das Gatzoyiannis-Haus verließ, nahm Eleni Mourtos beiseite und fragte ihn nach den neuesten Meldungen über den Krieg. Der junge Türke, den Christos als seinen Freund bezeichnete, sah sie mit einem von Triumph und Haß erfüllten Blick an. «Die Italiener haben versprochen, ganz Epirus, bis hin nach Preveza, an Albanien abzutreten, wie es Allahs Wille ist», antwortete er. «Dann werden hier, wie früher, endlich wieder die Moslems regieren. Heute abend werden die Italiener in Preveza sein und Ende des Monats in Athen!»

Sowohl Mourtos als auch Mussolini wurden in ihrer Hoffnung auf einen leichten Sieg enttäuscht. Zwanzig Kilometer hinter der griechischen Grenze wurden die Italiener von einer zerlumpten Armee in kunterbunten Uniformen und Hirtenumhängen gestoppt. Die Griechen, gegen einen zweifach überlegenen Feind ankämpfend, verblüfften die italienischen Generäle mit ihrem Mut und der Zielsicherheit ihrer Artillerie, obwohl jede ihrer Divisionen nur sechs Mörser besaß, während die Invasoren über je sechzig verfügten.

Innerhalb eines Monats nach der Invasion hatten die Griechen die Italiener nach Albanien zurückgetrieben und drängten weiter. Am Morgen des 21. Novembers konnten die Einwohner von Lia beobachten, wie der Vorstoß der Italiener in den Vorbergen unterhalb des Dorfes zurückgeschlagen wurde.

Griechische Truppen griffen an und warfen die Italiener bei Plokista nach Süden zurück. Die Lioten, die einen hervorragenden Blick von ihrem Platz unmittelbar unter dem höchsten Punkt des natürlichen Amphitheaters hatten, sahen zu, wie die fliehenden Italiener Tiere, Ausrüstung und Waffen zurückließen und die Flucht ergriffen, wie ein Heer von Ameisen hektisch die Flanke des von der Murgana gebildeten Talkessels emporklommen, in wildem Chaos, mit blutenden, erfrorenen Füßen mitten durch ihr Dorf nach Albanien zurückwichen und dabei zahlreiche Tote und Verwundete zurückließen: graugrüne Gestalten, die in dem eisigen Morast erstarrten. Als der letzte Italiener, die griechischen Soldaten auf den Fersen, verschwunden war, kletterten einige Dorfbewohner zum Schlachtfeld hinunter, um den Gefallenen alles abzunehmen, was eventuell brauchbar war. Enttäuscht mußten sie feststellen, daß, entgegen weitverbreiteter Gerüchte, kein einziger der toten Italiener seidene Unterwäsche trug.

Angesichts dieses unfaßbaren griechischen Sieges, der ersten Niederlage der Achsenmächte, schöpfte die gesamte westliche Welt neue Hoffnung. Die Griechen schäumten über vor Stolz und Patriotismus; Kirchenglocken läuteten, überall flatterten Fahnen, die Fußgänger riefen: «Auf nach Rom!» In Lia gab es in Nashelis' Kaffeehaus kostenlos zu trinken, und an die Wände waren Zeitungsausschnitte über den großen Triumph geheftet.

Doch der Jubel währte nicht lange. Hitler mußte sich einmischen – nicht um Mussolinis Gesicht zu retten, sondern um seine eigene Südflanke für den Einmarsch nach Rußland zu sichern. Er warf den Griechen vier Panzerdivisionen, elf motorisierte Divisionen, die Luftwaffe und sein Elitekorps der Fallschirmjäger entgegen. Am 6. April 1941 wälzte sich die deutsche Kriegsmaschine über die bulgarische Grenze nach Griechenland hinein. Jeder Widerstand war sinnlos. Innerhalb von Tagen waren sämtliche griechischen Flugzeuge vernichtet worden.

Als der Bruder des Königs an die Tür der Villa von Premierminister Alexander Koryzis klopfte, der nach Metaxas' Krebstod das Amt übernommen hatte, hörte er drinnen einen Schuß. Der Premierminister hatte sich umgebracht. König Georg II. entkam mitsamt seiner Regierung nach Kreta und anschließend nach Kairo, wo er sich für die Dauer seines Exils niederließ. Am 26. April, als die letzten britischen Tanks am alten Blumenmarkt auf dem Omonia-Platz vorbeirollten und Athen unmittelbar vor den nachrückenden Deutschen verließen, streuten die verlassenen Ladenbesitzer ihnen Blumen auf den Weg, schlossen ihre Stände und gingen nach Hause, um abzuwarten.

Am 27. April 1941, als die Deutschen in Athen einmarschierten und auf der Akropolis die Hakenkreuzfahne hißten, waren alle Straßen leer, alle Fensterläden geschlossen.

Nach dem Einmarsch der Deutschen war Griechenland vom Rest der Welt isoliert und das Land, das nur vierzig Prozent seines Nahrungsbedarfs selbst produzieren konnte, von lebenswichtigen Importen abgeschnitten. Als die Griechen sich auf die Besatzung einrichteten, sah Eleni Gatzoyiannis ihre schlimmsten Befürchtungen bestätigt. Ihre Verbindung zu Christos war abgerissen. Sie würde kein Geld mehr von ihm bekommen. Nicht einmal mehr fragen konnte sie ihn, wie sie sich selbst und die Kinder retten sollte. Von jeher hatte sie sich darauf verlassen, daß die Tradition oder ein Mann ihr sagte, was sie tun sollte. Nun aber hatte der Krieg alle Gesetze hinweggeschwemmt – bis auf das Urgesetz des Überlebens.

Ihre Schwiegermutter fehlte ihr mehr denn je. Fotini war ihre beste Freundin und Beraterin gewesen. Doch sogar als deren Ehemann starb und sie mittellos zurückließ, hatte Fotini noch Brüder und erwachsene Söhne gehabt, die sie vor dem Hungertod retteten. Eleni war verlassener, als ihre Schwiegermutter es jemals gewesen war, denn sie hatte nur fünf kleine Kinder, die völlig von ihr abhängig waren. Zum erstenmal wurde ihr klar, daß es keinen Menschen mehr gab, der ihr die Bürde tragen half, und nicht einmal das Beispiel der Schwiegermutter konnte ihr die schweren Prüfungen durchstehen helfen, die vor ihr lagen.

2

Während des ersten Besatzungswinters, 1941/42, hatten die eingeschlossenen Städte sowie die Gebirgsdörfer, abgeschnitten von den Ebenen, die sie mit Getreide, Salz und Öl versorgten, am schwersten zu leiden. Athen verwandelte sich in eine Alptraumlandschaft voll skelettartiger Gestalten mit geschwollenen Bäuchen, die hoffnungslos auf der Suche nach Lebensmitteln umherschlurften, tot umfielen und unbeerdigt auf der Straße liegenblieben. Kinder und ältere Menschen starben zuerst.

In den ersten beiden Wintermonaten verhungerten in der Hauptstadt 300 000 Personen. Um die Lebensmittelkarten der Verstorbenen behalten zu können, meldeten die Familien die Todesfälle nicht, sondern warfen die Leichen heimlich über die Friedhofsmauern. Jeden Morgen fuhren Lastwagen durch die Straßen und sammelten die Leichen derer auf, die in der Nacht gestorben waren. Überall liefen Ratten, überall stank es nach Kloaken.

Die Lebensmittelmarken waren praktisch wertlos, denn Brot gab es nicht, die Lebensmittelgeschäfte waren geschlossen, die Jalousien heruntergelassen. Für den kleinsten Einkauf benötigte man Säcke voll Geldscheine, die Friedhöfe wurden von Grabräubern auf der Suche nach Goldzähnen und Ringen verwüstet. Hatte ein Bäcker zufällig Mehl genug, um einen Laib Brot zu backen und zu verkaufen, setzte er den Preis in britischen Goldsovereigns fest.

Jeder, der gehen konnte, verbrachte den ganzen Tag bis zur Sperrstunde mit der Suche nach Lebensmitteln. Die Armen holten sich alles, was grün war, bis die Umgebung von Athen auf Kilometer hinaus abgegrast war. Die Bäume der Alleen und Parks wurden gefällt und verfeuert. Die Bediensteten der Reichen wurden mit kostbaren Gegenständen aus dem Familienbesitz weit aufs Land und auf die Inseln hinausgeschickt, um hier ein Brot, dort ein Huhn zu hamstern.

Kinder wurden ohne Fingernägel geboren, neun von zehn Säuglingen starben innerhalb eines Monats. Es gab Epidemien von Cholera, Diphtherie, Keuchhusten, Skorbut und Ruhr, und Typhus wurde von Läusen verbreitet.

Im Winter 1941 jaulten in Athen Rudel von streunenden Hunden auf den Hügeln unterhalb der Akropolis, wurden in den Gärten der Königspaläste Massengräber ausgehoben, lauerte der Tod an jeder Straßenecke.

Das erste, was in Lia im Frühjahr der deutschen Besatzung an Lebensmitteln nicht mehr zu bekommen war, war Kaffee, Eleni Gatzoyiannis' besondere Leidenschaft. Als Ersatz diente ein schwaches Gebräu aus gemahlener und gerösteter Gerste oder Kichererbsen. Bald gab es auch keinen Reis mehr, und Eleni zermahlte, wie die anderen Frauen in Lia, statt dessen das bißchen Weizen, das noch vorhanden war, zu einem groben Reisersatz, *kofto* genannt. Da Weizen zu kostbar war, um ihn als Mehl zu verwenden, wurde das Weißbrot durch grobes Maisbrot, *bobota* genannt, ersetzt, das während der ganzen Besatzungszeit das Hauptnahrungsmittel der Dörfer darstellte.

Im Sommer 1941 bepflanzten die Dörfler sorgfältig jeden Quadratmeter Boden, den sie besaßen. Das einzige anbaufähige Land in Lia mußte direkt aus den Berghängen herausgestochen, terrassiert und mit Steinmauern gestützt werden. Die Familien, die nicht mal ein taschentuchgroßes Stück Feld besaßen, erwarteten den Winter mit wachsender Angst.

Seit dem Beginn der italienischen Invasion hatte Eleni nichts mehr von Christos gehört, und ihr gesamtes Geld war inzwischen verbraucht. Sie schaffte es noch, Tassi Mitros mit seinen Ochsen zum Pflügen der familieneigenen Felder zu überreden und ihn mit Mais dafür zu entlohnen, konnte Anastasia Yakou mit ihren beiden Töchtern jedoch nicht mehr für ihre Hilfe bei der Aussaat bezahlen noch es sich leisten, Vasilo Barka, die schwachsinnige Hirtin, ihre Tiere auf die Weide führen zu lassen. Also beschloß Eleni, auf den hochgelegenen Feldern selbst Weizen und Mais zu säen und sich dabei von einer ihrer Töchter helfen zu lassen. Die Frage war nur, welches der Mädchen zum Hüten der Schafe und Ziegen hinaufgeschickt werden sollte. In den Senken und Schluchten hielten sich überall Männer versteckt: Hirten und Banditen, deren Zahl nun, da der Hunger die Armen zum Diebstahl verleitete, ständig wuchs. Olga, mit ihren dreizehn Jahren, reifte sehr schnell. Schon wenn sie gesehen wurde, wie sie mit der Herde in die Berge ging, würde das ihren Ruf ruinieren. Wie Eleni wußte, war Olga leichtsinnig und arglos und bei weitem nicht mißtrauisch genug. Schließlich bestimmte sie Kanta zum Hütemädchen. Kanta, acht Jahre alt, war mager und drahtig, also kaum geeignet, Wollust zu wecken. Außerdem war sie klüger als Olga, ja, sie gehörte zu den besten Schülern der Dorfschule. Kanta glich ihrer Mutter nicht nur, was ihre feinen, klaren Züge betraf, sondern auch in ihrem Lerneifer.

Eleni gehörte zu den wenigen Dorfbewohnerinnen ihrer Generation, die lesen und schreiben gelernt hatten. Zwar war sie nur zwei Jahre zur Schule gegangen, hatte sich aber, wenn sie die Herde ihrer Eltern hüten mußte, darin geübt, mit Holzkohlenstückchen Buchstaben auf Steine zu malen. Außerdem hatte sie eine Cousine, die nebenan wohnte, bestochen, damit sie ihr täglich beibrachte, was im Unterricht durchgenommen worden war.

Eleni entschied, Glykeria, inzwischen sieben, solle Kanta auf die Weide begleiten, obwohl sie sehr schnell müde werden würde, wenn sie versuchte, auf ihren kleinen, molligen Beinchen mit Kanta Schritt zu halten. Glykeria konnte hinter der Herde hergehen, während Kanta die Führung übernahm und nach Wölfen, Schlangen, Räubern und streunenden Tieren Ausschau hielt. Eleni selbst würde inzwischen Olga zur Aussaat mitnehmen und mit ihr zusammen auf Fotini, drei, und Nikola aufpassen, der beinahe zwei Jahre alt war.

Kanta trotzte, als sie von ihrer neuen Aufgabe erfuhr. Sie hasse diese schmutzigen Viecher, jammerte sie, doch Eleni blieb fest. Sie bestimmte, daß Kanta zunächst einige Tage die verrückte Vasilo begleiten und von ihr lernen solle, wie man die Herde richtig versorgte.

An einem warmen Frühlingsmorgen im Juni machten sich Eleni und Kanta auf den Weg zum Dorfplatz hinab, wo sie den Pfad zu Vasilos Haus einschlagen wollten. Unterwegs begegneten sie einigen Kesselflickern aus dem Dorf, die den *cafenions* zustrebten. Seit dem Beginn der Besatzungszeit waren die weit verstreuten Flickschuster, Böttcher und Kesselflicker aus Lia allmählich alle nach Hause gekommen. Niemand hatte mehr Geld genug, um neue Schuhe, Fässer oder

Töpfe zu kaufen, daher verbrachten die Männer, zur Untätigkeit verdammt, die Zeit damit, ihre Felder zu bestellen oder in den Kaffeehäusern am Dorfplatz träge an kahlen Tischen herumzuhocken.

Die meisten Männer von Lia waren Kesselflicker, der traditionelle Beruf der griechischen Dörfler nördlich des Kalamas-Flusses in der Provinz Epirus. Sie nannten sich *kalantzides*, ein Wort, das sich vom Lötzinn oder *kalai* herleitete, dem Hauptmaterial ihres Berufs. Gewöhnlich zogen die *kalantzides* Mitte Februar, vor dem Beginn der Großen Fastenzeit, los und verteilten sich auf Makedonien, Thessalien, Rumelien, Euböa, Attika und im Norden sogar bis nach Albanien. Jene, die bis nach Kreta und Rhodos zogen, waren zwei bis drei Jahre von ihren Familien getrennt. Ihr Werkzeug und ihre Töpfe trugen sie auf dem Rücken oder beluden einen Esel damit.

Zuweilen husteten die Männer sehr, wenn sie nach Hause zurückkehrten, weil sie sich beim Schlafen auf dem Boden verlassener Schuppen zwischen dem lodernden Schmiedefeuer und der feuchten Nachtkälte eine Tuberkulose zugezogen hatten. Doch wenn er sich vor Kartenspielen, Prostituierten und Banditen hütete, konnte ein *kalantzis* vor dem Krieg durchaus bis zu 20 000 Drachmen pro Jahr nach Hause bringen.

Jetzt waren die *kalai*- und Kupferquellen — beides wurde importiert — alle versiegt. Einige Kesselflicker versuchten, sich winzige Mengen von Lötzinn zu beschaffen, indem sie die von den italienischen Soldaten an den Ufern des Kalamas weggeworfenen Blechdosen verbrannten und die Asche siebten. Die meisten aber gaben einfach auf. Unter ihnen auch der Flickschuster Andreas Kyrkas, Ehemann von Elenis Schwester, ein stiller, sorgengeplagter Bursche mit Basset-Augen und schwarzen Haarsträhnen, die er sich wie ein umgekehrtes Fragezeigen quer über den kahlen Schädel geklebt hatte. Andreas saß vor seiner letzten Flasche *tsipouro* und sinnierte laut: «Im Winter werden wir Schuhleder essen.»

Die *cafenions* von Lia waren nicht etwa richtige Kaffeehäuser wie die in den Städten, sondern *pantopoleons*, Gemischtwarenläden voll exotischer Düfte und einem Durcheinander von allem, was die Dorfbewohner nicht selbst produzieren konnten. Vor dem Krieg hatten hier offene Säcke mit aromatischen Kaffeebohnen, Reis, Zucker und Salz gestanden, Kisten mit salzigem Räucherhering und getrocknetem Kabeljau, Fässer mit würzigem Fetakäse und eingelegten Oliven,

Fäßchen mit Wein und dem einheimischen, schwarz gebrannten *tsipouro*, einem Destillat aus zerstoßenen Trauben, riesige Blöcke Seife und Schokolade, von denen je nach Bedarf Stücke heruntergeschnitten wurden, Schulhefte, Hacken-, Axt- und Beilköpfe, Nadeln, Bänder, Taschentücher, Schachteln voll Geleefrüchten in Bergen von Puderzucker und Flaschen mit leuchtend bunten Sirups für kühle Sommergetränke.

In diesen überfüllten Läden, inmitten von Bergen aus Köstlichkeiten, pflegten die Frauen ihre Münzen hinzuzählen und mit dem Besitzer zu plaudern, während die Kinder zu den Bonbongläsern hinüberschielten und sich eine kostenlose Probe erhofften. Draußen dagegen war das Reich der Männer, wo Staatsangelegenheiten diskutiert wurden, während der Besitzer und seine Familie hin und her eilten, Getränke brachten, Kaffee, Backgammonbretter, Spielkarten und Appetithappen aus Käse und Oliven. Nun gab es nichts mehr zu bestellen und auch kein Geld, um etwas zu bezahlen, die Männer jedoch saßen noch immer wie stillstehende Uhren um das halbe Dutzend Klapptische vor jedem Kaffeehaus herum, spielten Backgammon und *kseri* und beobachteten die Vorübergehenden in der Hoffnung, ein Reisender werde neue Nachrichten vom Krieg auf der anderen Seite des Kalamas bringen.

Die heimkehrenden Kesselflicker berichteten, die Deutschen hätten die Großstädte, Häfen und Hauptinseln besetzt, den Bulgaren erlaubt, die östlichsten Provinzen zu übernehmen, und die weniger begehrenswerten inneren Regionen, darunter auch die Murgana-Dörfer, der Verwaltung durch die Italiener überlassen. Da diese jedoch keine Lust hatten, auf Berggipfeln zu hausen, ließen sie sich in den größeren Städten nieder, von denen Filiates, fünfundvierzig Kilometer entfernt, Lia am nächsten lag. Ein Dutzend Carabinieri schickten sie nach Keramitsa, zehn Kilometer südöstlich, um die Region zu beaufsichtigen. Von einer Stadt zur anderen zu reisen, sei schwierig, erzählten die Kesselflicker, weil man sich in jeder Stadt bei den örtlichen italienischen oder deutschen Behörden Passierscheine besorgen müsse.

Die Italiener bekundeten wenig Interesse an Lia und schickten höchstens gelegentlich Patrouillen von Carabinieri und Chams hinüber, die nach versteckten Waffen suchen sollten, sowie vier griechische Gendarmen für den Polizeiposten des Dorfes, der leerstand, seit die ehemaligen Polizisten in den Krieg gezogen waren. Die neuen

Männer, Angehörige der griechischen Landpolizei, waren durch die Kollaborationsregierung in Dienst gestellt und richteten sich voll Nervosität häuslich ein.

Als Eleni und Kanta, die den Dorfplatz überquerten, am Kaffeehaus von Kosta Poulos vorbeikamen, entdeckten sie in der grauen Menge plötzlich einen Farbfleck. Wie Pfauen in einer Schar von Krähen saßen an einem Tisch drei junge Männer in weißen Hemden mit hohem Kragen und in europäischen Anzügen und ließen mit gepflegten Händen – am kleinen Finger einen langen, spitz zulaufenden Nagel, das Zeichen des gebildeten, griechischen Gentleman, der keine körperliche Arbeit verrichtet – lässig Kombolois aus Onyxkugeln klappern. Die jungen Herren, alle drei Lehrer, hielten hof.

Der Beruf des Lehrers bildete die alleroberste Sprosse der gesellschaftlichen Leiter von Lia und erweckte bei den Dorfbewohnern eine nahezu religiöse Ehrfurcht. In der ganzen Geschichte des Dorfes waren nur eine Handvoll einheimischer Kinder über die Volksschule hinausgelangt, und so war es für die Lioten beinahe ein Wunder, daß diese drei Lehrer geworden waren.

Daß Minas Stratis, zweiunddreißig, diesen hohen Rang erreicht hatte, wunderte keinen, denn er war der Sohn einer der wohlhabendsten Familien von Lia. Die Stratis besaßen eine blühende Firma in Albanien, die Kupfertöpfe herstellte und verkaufte, und konnten es sich mühelos leisten, einen der Ihren studieren zu lassen. Die Brüder Skevis dagegen, Prokopi und Spiro, waren Söhne eines armen Bauern, der seine Familie mühselig von ein paar kleinen Feldern unterhalb des Dorfes ernährte. Obwohl seine Nägel ständig einen Trauerrand aufwiesen, brannte Sioli Skevis vor Ehrgeiz, seinen Söhnen irgendwie eine Ausbildung zu verschaffen.

Er hatte eins seiner kostbaren Felder verkauft, um sie in Filiates zur Schule zu schicken, und ging dann, fest entschlossen, ihnen einen Platz in der Akademie von Vela zu besorgen – einer Kombination von Mittelschule und Lehrerseminar, sechzehn Kilometer östlich von Lia –, mit seinem dunkeläugigen, ernsten Sohn Prokopi zu Bischof Spyridon nach Ioannina.

Sioli und sein Sohn kampierten vor dem Bischofspalast und machten sich täglich, wenn er vorbeikam, an ihn heran, folgten ihm auf Schritt und Tritt, bis er endlich nachgab und sich bereit erklärte, Prokopi in Vela einen Platz zu sichern, obwohl die Schule für verarmte griechische Kinder aus Albanien eingerichtet worden war.

Sioli triumphierte, Prokopi jedoch vergaß niemals, daß er und sein Vater um einen Platz hatten betteln müssen, der ihm allein seiner Leistungen wegen zugestanden hätte.

Zwei Jahre später versuchte Sioli, auch seinen Jüngsten in Vela einschreiben zu lassen, doch diesmal blieben die monatelang wiederholten Bitten an den Bischof von Ioannina ohne Erfolg, und so schleppte er den Jungen schließlich nach Korfu, wo er drohte, Spiro in ein katholisches Seminar zu stecken, damit er dem Papst in Rom diene. Der Bluff wirkte, wo Bitten und Flehen versagt hatten. Bischof Spyridon gab nach und sagte zu, auch Spiro in Vela aufzunehmen.

Sioli fand, er habe recht gehandelt. Kein anderer Bauernsohn aus Lia würde je eine solche Chance bekommen. Aber er war ein einfacher Mann und ahnte nicht, daß seine Söhne mit mehr als nur Kenntnissen in Geschichte und Mathematik heimkehren würden. Sie hatten gelernt, den Vater wegen der Kriecherei, zu der er sich ihretwegen erniedrigt hatte, zu verachten und das System, das sie gezwungen hatte, sich zu demütigen, zu hassen. Ein guter Boden für die Ideologie, die sich in der Schule von Vela breitgemacht hatte.

In Kalpaki, einer nahe gelegenen Stadt, hatte die griechische Armee ein Militärlager eingerichtet, wo Soldaten, die man für Kommunisten hielt, ihren Militärdienst unter strengster Aufsicht in einer Strafkompanie ableisten mußten.

Unter den Strafsoldaten von Kalpaki waren viele, die im Krieg zu wichtigen kommunistischen Führern werden sollten. Es gelang ihnen, die kommunistischen Ideen in die Schule von Vela hineinzutragen und in leicht zu beeindruckenden Jungen wie den Brüdern Skevis den Wunsch zu wecken, ein neues Griechenland ohne Privilegien und Begünstigungen zu schaffen.

Die in Vela gelegte Saat sollte schon bald tödliche Früchte tragen; im Sommer 1941 jedoch saßen die drei arbeitslosen Lehrer auf dem Dorfplatz von Lia und diskutierten über den Krieg. Niemand hielt die Brüder Skevis für Kommunisten, und Minas Stratis ahnte nicht, welch ein Abgrund sich schon jetzt zwischen ihm und seinen beiden Kollegen aufgetan hatte.

Minas trug, wie es sich für den prominentesten der drei Freunde gehörte, stets ein sorgfältig geknotetes Tuch um den Hals und quer über der schmalen Brust eine schwere Uhrkette mit einer goldenen Taschenuhr, die er so häufig zog, daß man fast meinen konnte, sein Leben sei ausgefüllt mit wichtigen Terminen.

Die Brüder Skevis verbrachten die Tage in seiner Gesellschaft, obwohl sie sich über Minas' überlegenen Status im Dorf und die Tatsache ärgerten, daß er vor dem Krieg jene Trophäe errungen hatte, nach der sie alle drei strebten: die Lehrerstelle an der Schule von Lia, wo er mit seiner Frau in dem Gebäudekomplex der Stratis wohnen konnte. Prokopi Skevis war ins Exil an die entlegene Schule eines armen Mos!emdorfes bei Filiates geschickt worden. Und Spiro kam, nachdem er lange auf eine Stelle gewartet und in der Zwischenzeit gelegentlich Minas vertreten hatte, nach Riniasa, einem Dorf fast an der Südspitze von Epirus.

Die Brüder Skevis glühten zwar beide vor revolutionärer Begeisterung, waren äußerlich und im Temperament jedoch krasse Gegensätze. Prokopi, neunundzwanzig, war so klein und dunkel, daß er durchaus als Zigeuner hätte durchgehen können. Er dachte stets nach, bevor er handelte, und weckte mit seiner Beredsamkeit Vertrauen und Loyalität. Spiro, zwei Jahre jünger, war größer und heller als sein Bruder und so dünn, daß seine Freunde scherzten, wenn eine Fliege sich auf einem seiner Streichholzbeine niederlasse, werde es unter dem Gewicht brechen. Spiro schien völlig in der Intensität seiner Überzeugung aufzugehen; sein Temperament stürzte ihn manchmal in einen rasenden Zorn und sollte ihn schließlich zum Mord treiben.

Als Eleni und Kanta sich ihnen näherten, plauderten die drei jungen Lehrer jedoch freundlich miteinander und versuchten, sich an diesem unausgefüllten Nachmittag die Zeit mit Diskussionen zu vertreiben. Eleni begrüßte sie, wobei sie sich zuerst an Minas Stratis wandte, ihren Cousin zweiten Grades und Kantas Lehrer. Mit der formellen Höflichkeit und der kunstvollen Rede, die er pflegte, erwiderte Minas ihren Gruß und erkundigte sich, wohin sie gingen. Als Eleni ihm erklärte, sie bringe Kanta zu Vasilo, damit sie von der Hirtin lerne, fuhr Spiro Skevis zornig dazwischen: «Eine Schande ist das! Die Dorfmädchen verdummen da oben bei den Herden, und Kanta ist die vielversprechendste von allen!»

Eleni erwiderte kühl, sie werde bemüht sein, Kantas Erziehung nicht zu vernachlässigen, in Zeiten wie diesen jedoch müsse ein jeder Opfer bringen. Dann setzten Mutter und Tochter ihren Weg fort und überließen die Lehrer der Langeweile des heißen Nachmittags.

Die drei spürten die beunruhigten Blicke der Dorfbewohner, die auf ein Wort oder ein Zeichen warteten. In der Geschichte Griechenlands waren die Rebellionen stets von Gebildeten angezettelt worden, und die Bauern von Lia, voller Bewunderung für ihre Lehrer, erwarteten von ihnen, daß sie etwas gegen ihr Elend taten.

Natürlich sprachen auch diese drei jungen Männer davon, eine Widerstandsbewegung zu gründen, die wie die Freiheitskämpfer des Unabhängigkeitskrieges in den Bergen geheime Schlupfwinkel ausbauen sollte. Aber sie sprachen stets theoretisch. «Sag mal, Minas – wen würdest du in deine Widerstandsgruppe aufnehmen, falls du eine bilden würdest?» erkundigte sich Prokopi höflich.

Minas erwog die Frage, wie er es immer tat, in all ihren Aspekten, bevor er antwortete. «Männer wie Foto Gatzoyiannis und den Müller Iorgi Mitros vermutlich», erklärte er schließlich. «Männer, die sich in den Bergen auskennen und gute Schützen sind.»

Prokopi hörte ihm mit respektvoller Miene zu und schlug vor, Minas solle eine Liste von Kandidaten aufstellen. Nachdem Minas den Tisch verlassen hatte, lachten die beiden Skevis jedoch über die Naivität des jungen Lehrers. Sie wußten genau, daß Männer mit Herden und Familien diese bestimmt nicht verlassen und in die Berge gehen würden. Es waren vielmehr die Jungen, die Hungrigen und die Armen, die für eine Idee zu sterben bereit waren. Das waren die Männer, die sie wollten, die Männer, die die Brüder Skevis im Sommer 1941 heimlich zu rekrutieren begannen. Minas jedoch sagten sie nichts davon.

Die Schwalben verließen ihre Lehmnester, und als der Herbstregen Walnüsse auf die Hausdächer herabprasseln ließ wie klopfende knochige Finger, ernteten die Bewohner von Lia jede letzte Bohne und jeden letzten Maiskolben und lagerten sie. Im November, als der Himmel schwer wurde von drohendem Schnee, befahl die Kollaborationsregierung, daß die Schulen wieder geöffnet werden sollten, und die drei Lehrer kehrten auf ihre Posten zurück. Die Dörfler jedoch fragten sich laut, wie man die Kinder zur Schule schicken könne, wenn es nicht mal Geld für Brot, geschweige denn für Schuhe gab.

Spiro Skevis wurde wieder nach Riniasa bei Preveza befohlen und benutzte seine Stellung als Tarnung, um bei der Organisation einer Widerstandsgruppe direkt unter der Nase der Deutschen zu helfen. Prokopi Skevis kehrte an seine Schule im Moslemdorf Solopia bei Filiates zurück. Hin und wieder beobachtete man ihn, wie er in der Gesellschaft von Wanderhausierern von Dorf zu Dorf zog und immer wieder mit Männern sprach, die gegen die Italiener gekämpft hatten.

Minas Stratis hatte seinen Lehrstoff längst vorbereitet und jubelte, als die Regierung endlich beschloß, die Schulen wieder zu öffnen. Seine Schüler fanden ihn kalt und abweisend, doch Minas glaubte von ganzem Herzen daran, daß man die Zukunft der Kinder von Lia positiv beeinflussen könne, indem man sie lesen und schreiben lehrte und auf die Welt hinter den Bergen neugierig machte.

Seine Vorgesetzten ermahnten Minas, Geschichte, Politik und «Meinungen» bei seinem Unterricht zu vermeiden. Als die Schule an einem frostigen Tag Ende November öffnete, betrachtete er die sechzig zerlumpten, übelriechenden Kinder, die mit bloßen Füßen oder schmutzigen Fußlappen ins Klassenzimmer gestolpert kamen, und fragte sich, wie man befürchten konnte, daß er auf einem so wenig verheißungsvollen Boden Widerstand zu säen vermöchte.

Als die Schule wieder anfing, lebten die Gatzoyiannis' genau wie alle anderen Lioten fast nur noch von *bobota* und *shilira*, einer Art Brei aus Ziegenmilch, die mit Yoghurt und Hefe gedickt und einen Tag stehengelassen wurde. Es reichte zum Leben, doch Eleni war, ebenso wie die anderen Frauen des Dorfes, erfinderisch darin, neue Möglichkeiten zur Ergänzung dieser mageren Kost zu finden. Kanta und Olga suchten in Wald und Feld nach wilden Zwiebeln und Löwenzahnblättern, die Eleni kochte und mit Maismehl andickte. An nassen Tagen liefen die Mädchen morgens den Berg hinauf, um fette Schnecken zu sammeln, die mit Knoblauch und Tomaten zubereitet wurden. Kanta sah eines Tages, wie Stavroula, die älteste Yakou-Tochter, eine große Waldschildkröte nach Hause schleppte. Voller Entsetzen beobachtete sie, wie Stavroula mit zwei erhobenen Gabeln über dem graugrün gefleckten Panzer stand und wartete, bis der Kopf sich so weit hervorwagte, daß sie ihn aufspießen konnte.

Olga und Kanta waren es, die sich am lautesten über die unvermeidliche *bobota* und *shilira* beschwerten, während Glykeria ihre übriggebliebenen Portionen verputzte. Olga war fest überzeugt, daß ihre Schönheit verblasse, während Kanta, von jeher wählerisch beim Essen, immer mehr abmagerte und weinte, wenn sie sich an kräftige Aufläufe aus Spinat und Käse und Ziegenragout mit Sauce, Zwiebeln und Kartoffeln erinnerte.

Als es zu schneien begann, wurde die Zahl von Minas' Schülern tagtäglich kleiner, und diejenigen, die noch kamen, hockten sich dicht um den brennenden Holzofen und schliefen ein. Minas schrie auf sie ein und schlug sie mit dem Lineal auf den Kopf, wußte jedoch, daß kein Mensch Kinder dazu bewegen konnte, das Alphabet zu lernen, wenn sie halb verhungert waren.

Die unzeitige Kälte verstärkte die Leiden des ersten Besatzungswinters noch. Von November an schneite es jeden Tag. Als die Schneewehen tiefer wurden, schrumpfte die Zahl der Schüler auf jene, die nur einen Steinwurf von der Schule entfernt wohnten. Nicht selten fielen Kinder während des Unterrichts in Ohnmacht. Doch unverdrossen trug Minas weiterhin seine Lektionen vor, fest entschlossen, mit dem Unterricht fortzufahren, bis überhaupt keine Schüler mehr kamen. Doch als Vater Zisis begann, den Altar der Kirche zur Heiligen Dreifaltigkeit nebenan mit den Weihnachtsfahnen aus weißer Seide zu schmücken, kamen nur noch sechs Kinder zur Schule. Zu jenen, die fortblieben, gehörten Kanta und Glykeria Gatzoyiannis.

In der Küche des Gatzoyiannis-Hauses starrten die Mädchen auf ihre Portionen weißer, zähklebriger *shilira*, und Kanta beschwerte sich, allein der Anblick verursache ihr schon Übelkeit. Eleni befahl ihnen scharf, endlich zu essen; während der nächsten zwei Wochen würden sie so etwas nicht mehr bekommen. Ihre plötzlich so hoffnungsfrohen Gesichter wurden lang, als sie die Kinder daran erinnerte, daß jetzt die weihnachtliche Fastenzeit begann. Von nun an war alles, was von einem Tier mit Blut stammte – Milch, Eier, Käse –, bis zum Weihnachtsfest verboten.

Theatralisch ihren Bauch haltend, jammerte Glykeria, so grausam könne Gott doch nicht sein, daß er verlange, sie sollten fasten, wo sie doch schon beinahe verhungerten. Während des nun folgenden bedrückenden Schweigens begann sie, sich laut mit Phantasien von Ziegenbraten zu trösten, den sie zu Weihnachten essen würde, garniert mit Kartoffeln, gewürzt mit Oregano und Knoblauch und mit viel köstlicher Sauce. Eleni brachte es nicht übers Herz, ihnen zu sagen, daß es zu Weihnachten kein Fleisch geben werde: Sie konnten es sich nicht leisten, für eine einzige Mahlzeit eine von ihren letzten sechs Ziegen zu schlachten, wenn sie das Tier gegen einen zweifachen Wochenvorrat an Maismehl eintauschen konnten. Die Kinder waren zu jung und verwöhnt, um sich mit dem Gedanken abzufinden, daß einer der beiden großen Festtage des Jahres ohne ein bißchen Fleisch gefeiert werden sollte. In hartem Ton belehrte Eleni die drei Mädchen, sie würden die Fastenzeit mit Kartoffeln, gekochtem Gemüse und *bobota* schon gut genug überstehen; sie sollten dankbar sein, daß sie wenigstens das hatten.

Olga schmollte. Ihre Gedanken befaßten sich nicht mit Essen, sondern mit jenem anderen Privileg, das das Weihnachtsfest brachte. Die Festmesse am Weihnachtstag war eine der beiden Gelegenheiten im Jahr, an denen die unverheirateten Männer im Dorf die Vorzüge potentieller Ehefrauen abwägen konnten.

«Warum soll ich fasten, wenn ich ohnehin nicht zur Kommunion gehen kann?» stieß Olga hervor. «Du kannst doch nicht von mir erwarten, daß ich mich so im Dorf sehen lasse!» Sie trug ihr einziges Kleid, aus schwarzer Wolle, glänzend vor Alter und an den Ellbogen geflickt. Eleni seufzte, antwortete aber nicht. Olga, beinahe vierzehn, war ein eigenwilliges Mädchen und fest überzeugt, daß das Leben nicht lebenswert sei ohne ein buntes Samtkleid, das an Mieder und Rock mit drei schwarzen Streifen aus Litze besetzt war, dem Zeichen für Familien von Stand.

Einige Tage später kontrollierte Eleni nach einem tristen Abendessen aus *bobota* und mit Zwiebeln gekochtem Gemüse die Vorräte in der kleinen Kammer hinter der guten Stube. Die Holzkisten voll Dörrfisch und die Konserven, die Christos bei seinem letzten Besuch eingelagert hatte, waren längst verbraucht, und nun gingen sogar die getrockneten Feigen und das Olivenöl langsam zur Neige. Girlanden aus Zwiebeln, Knoblauch und Teeblättern raschelten, als sie an ihnen vorbeiging. Vor dem Fenster hing eine Mondsichel, umgeben von jenem Hof, der Schnee ankündigt.

In die Küche zurückgekehrt, setzte Eleni sich neben der hölzernen Wiege auf den Fußboden. Nikola kaute im Schlaf an seiner Faust, seine Augen waren eingesunken, sein mageres Gesichtchen wirkte wie das eines verhärmten alten Mannes. Seine Züge – kleiner, fein gezeichneter Mund, breite Stirn, hohe Wangenknochen und tiefliegende Augen – waren eine Kopie ihrer eigenen, sein blondes Haar jedoch war heller als ihre kastanienbraunen Zöpfe.

Eleni betrachtete ihren Sohn immer in ehrfürchtigem Staunen. Voll Angst, durch ihre fanatische Liebe zu ihm den Bösen Blick auf ihn zu ziehen, steckte sie ihm zum Schutz Heiligenbildchen in die Kleidung. Er war ihr ganzer Stolz, sie war besessen von ihm, und das größte Glück, das sie jemals erlebt hatte, war der Tag seiner Geburt gewesen, der 23. Juli 1939.

Es geschah am dritten Tag der alljährlichen Feier zu Ehren des Schutzheiligen von Lia, des Propheten Elias. Der heidnische Vorgänger des Heiligen war Helios, der Sonnengott, gewesen, und so kletterten die Bewohner des Berges jedes Jahr am 20. Juli in der Morgendämmerung auf den höchsten Gipfel, zündeten Freudenfeuer an, opferten einen Hahn und beteten um ein ganzes Jahr mit schönem Wetter – ein tausend Jahre altes Ritual. Nach den Gebeten bei Tagesanbruch stiegen die Lioten dann zum Vrisi hinab, jenem Dreieck flachen Landes unmittelbar unterhalb des Gipfels, wo die umherziehenden, dunkelhäutigen *yifti*-Musikanten mit Klarinette, Fiedel und Tamburin schon darauf warteten, daß sie mit dem Tanzen und Feiern begannen.

Eleni, die wußte, daß ihre Zeit nahte, war im Perivoli geblieben. Am dritten Tag schickte sie Olga zum Tanzplatz hinauf, damit sie Vasilena Kyrkou, die Hebamme, und Elenis Schwägerin Alexo Gatzoyiannis holte, die versprochen hatte, ihr bei der Geburt zu helfen.

Die beiden Frauen, die, ein wenig trunken von Wein und Tanz, kurz nach zwölf Uhr mittags eintrafen, fanden Eleni zusammengekrümmt, ganz auf die Schmerzen in ihrem Körper konzentriert. Die Hebamme zog eine saubere Schürze an und kochte aus den Blüten des einzigen Limonenbaums im Dorf einen schmerzstillenden Tee, während Alexo Elenis Bauch massierte.

Die Mädchen saßen, verängstigt durch das Stöhnen der Mutter, eng zusammengedrängt hinter der geschlossenen Küchentür. Als die Stunden vergingen, kam Elenis Mutter in die Küche geschlichen und drückte sich in eine Ecke, wo sie wie ein magerer schwarzer Vogel mit scharfem Schnabel hockte und wartete. Die gutmütige Hebamme flüsterte Eleni zu, ihr Vater Kitso mache sich draußen im Garten zu schaffen und bleibe ständig in Hörweite, auch wenn er vorgebe, sich für das, was drinnen vorging, nicht zu interessieren. Obwohl er niemals seine Gefühle zeigte, dachte der Müller zweifellos daran, daß er sechs Töchter gezeugt hatte, von denen vier gestorben waren, eine unfruchtbar und die letzte die Mutter von vier Mädchen war. Sollte er jemals einen männlichen Nachkommen haben, war dies seine allerletzte Chance.

Bei Sonnenuntergang, als die Schatten der Zypressen rings um St. Demetrios den Berghang hinaufreichten, verkündete die Hebamme, das Kind werde gleich kommen. Alexo half Eleni beim Aufstehen. Vasilena warf einen Tuchstreifen über einen Deckenbalken, und während Alexo sie in ihren Armen aufrecht hielt, zog Eleni mit der gesamten Kraft, die ihr noch blieb, an diesem Stoffseil.

Die rhythmischen Kontraktionen, die jetzt fast ohne Pausen kamen, stürzten Eleni in ein Meer von Schmerzen, in dem der feste Griff der Schwägerin ihr einziger Rettungsanker war. Bei jeder Welle stöhnte sie, hängte sich an das Seil, spürte ihre gespannten Bauchmuskeln wie Eisenbänder. Dann kam ein Schmerz, schlimmer als alle anderen, ein Strom von Blut, und das Kind wurde in die wartenden Hände der Hebamme gestoßen, während Eleni das Bewußtsein verlor und Alexo sie sanft auf den Boden gleiten ließ.

Flink packte Vasilena das Kind warm ein, warf einen boshaften Blick zu Megali hinüber und seufzte hörbar: «O Gott, schon wieder ein Mädchen!» Die Alte schlug sich die Schürze über den Kopf und begann zu wehklagen, doch bei den nächsten Worten der Hebamme verstummte sie plötzlich. Denn Vasilena rief in den Flur hinaus: «Lauf in den Garten, Olga, und hol mir den Hut von deinem Großvater!»

Bei dem Wort «Hut» schrien alle Anwesenden auf. Olga, Alexo, Megali, Kanta und Glykeria eilten herbei, um nachzusehen, was die Hebamme in den Armen hielt. Sie alle wußten, warum sie Kitsos Hut haben wollte: Der Überbringer guter Nachrichten muß dem glücklichen Empfänger den Hut vom Kopf reißen, bis der ihn mit einem Geldbetrag auslöst. Vasilena hatte eine Nachricht für Kitso Haidis, die mindestens einen Sovereign wert war. Aber sie bekam den Hut nicht. Im selben Moment, da Olga ihn darum bat, packte der weißhaarige Müller das Kind mit einem Freudenschrei und schwang es im Kreis – das erstemal, daß man ihn eine seiner Enkelinnen umarmen sah.

Ein Gewirr weiblicher Stimmen ertönte um Elenis Strohsack, und dann rief eine tiefe Stimme, die ihres Vaters: «Wenn du dir einen Scherz mit mir erlaubst, Hebamme, bring ich dich um! Zeig mir den Jungen!»

Das Wort «Junge» schien durchs ganze Zimmer zu hallen. Als Eleni die Augen aufschlug, sah sie die Hebamme, die in ihrer weißen Schürze lächelnd ein rotes Wesen hielt, das kräftig zappelte und zornig quäkte. Eleni streckte die Arme aus. Ihr Körper spürte den ersten, harten Schmerz von Trennung und übergroßer Liebe. Sie legte sich in die Kissen zurück. Endlich hatte sie ihre Pflicht als Frau erfüllt.

In den neunundzwanzig Monaten, die inzwischen vergangen waren, wuchs das winzige Wesen heran und füllte alle leeren Räume in ihrem Leben: die Abwesenheit ihres Ehemanns, die Lücke, die der Tod ihrer Schwiegermutter hinterlassen hatte. Als Eleni jedoch im Dezember 1941 ihren Sohn betrachtete und sah, wie dünn seine Ärmchen geworden waren, wurde sie von einer viel tieferen Angst ergriffen als jemals zuvor: Nikola verhungerte.

Der einzige Mensch, an den sie sich um Hilfe wenden konnte, war ihr Vater. Kitso war seinen Kindern gegenüber stets kalt und schweigsam gewesen, und Eleni hatte sich nach der Ehe gesehnt, um seiner Tyrannei zu entkommen. Unter den harten Worten und dem Schweigen jedoch, das zwischen Vater und Tochter herrschte, lagen, wie sie wußte, Liebe sowohl als auch Zorn versteckt. Ihr Vater *konnte* sich einfach nicht weigern, seinen einzigen Enkel zu retten. Also wickelte Eleni sich in ihren Umhang, schloß die Tür hinter den schlafenden Kindern und machte sich auf den Weg, den Berg hinab zum Haus ihres Vaters.

Als Kind sah ich in meinem Großvater eine einschüchternde, faszinierende, geheimnisvolle Gestalt, das einzige Vorbild, an dem ich ermessen konnte, was es bedeutete, ein Mann zu sein. Wie ich mich erinnere, hatte ich in seiner Gegenwart immer Angst: vor seiner ablehnenden Kälte, vor dem plötzlichen Aufflammen seines gewalttätigen Temperaments.

Kitso Haidis war berühmt im Dorf für seine Gerissenheit und seinen Ruf als Schürzenjäger. In seiner Jugend hatte er so gut ausgesehen wie die lässigen Kriegsherren der Berge auf einem Stich aus dem neunzehnten Jahrhundert, mit hohen Wangenknochen, dichtem schwarzem Haar und schweren Brauen über verblüffend blauen Augen. Als er älter wurde, erschlafften seine Züge nicht, sein Haar und sein Schnauzbart jedoch wurden schneeweiß. Seine Klugheit verschaffte ihm in ganz Lia Respekt, und zweimal wurde er zum Dorfvorsteher gewählt. Mit den Familien seiner beiden Brüder wechselte er sich im Zweijahresturnus mit dem Bewirtschaften der am südlichsten gelegenen Mühle ab, und jedesmal, wenn mein Großvater an der Reihe war, lief das Geschäft um vieles besser. Wenn er nicht in der familieneigenen Mühle arbeitete, bat man ihn häufig, in anderen Dörfern Mühlen zu bauen, zu reparieren und gegen einen Prozentsatz vom Gewinn zu führen, bis sie wieder florierten.

Der Ruf meines Großvaters als Don Juan verlieh seinem Namen Glanz. In einer so starren und jeglicher Intimsphäre entbehrenden Gemeinschaft, wie es die Gebirgsdörfer waren, war ein Ehebruch praktisch unmöglich und konnte für beide Seiten den Tod bedeuten; überall jedoch wurde gemunkelt, Kitso Haidis treibe mit seinen Kundinnen mehr als nur Mehl mahlen und sei geschickt genug, sich niemals erwischen zu lassen.

Obgleich er sich an seinem Namenstag oder am Festtag seines Hauses als der großzügigste Gastgeber von ganz Lia zeigte, war er der eigenen Familie gegenüber geizig und despotisch. Meine Mutter schilderte uns oft, wie unsere Großmutter die Töchter Wache stehen ließ, während sie selbst sich den streng verbotenen Luxus einer Tasse Kaffee gönnte. Wenn Kitso unvermutet am Tor erschien, goß Megali den Kaffee ins Feuer und spülte, bevor er zur Tür hereinkam, schnell ihre Tasse aus. Kitso hatte sie geheiratet, als sie erst vierzehn war, und sie ertrug seine Seitensprünge und Brutalitäten in den folgenden einundsiebzig Jahren mit der Geduld einer Heiligen.

Obwohl er mich, seinen einzigen Enkel, niemals schlug, fürchtete ich mich als Kind vor ihm und wich ihm aus. Und nur unter Zittern und Zagen kehrte ich 1963 ins Dorf und in das Haus meines dreiundachtzigjährigen Großvaters zurück, den ich seit vierzehn Jahren nicht mehr gesehen hatte. Er war noch genau so, wie ich ihn in Erinnerung hatte, besaß noch dieselbe Vitalität und faszinierende Ausstrahlung, schien sich jedoch darüber zu wundern, mich als Erwachsenen wiederzusehen, mit Zügen, die den seinen glichen. Er hatte niemals seine Gefühle zeigen können, auf seine eigene Art jedoch versuchte er eine gewisse Bindung zwischen uns beiden zu schaffen, sich meine Bewunderung zu verdienen. Ich erinnere mich an einen Nachmittag, als wir im Dorf-*cafenion* saßen und mehrere Männer darüber zu streiten begannen, welches die wichtigste Eigenschaft sei, wenn man bei Frauen Erfolg haben wolle. «Gutes Aussehen», meinte der eine. «Geld», sagte der andere. «Redegewandtheit», behauptete ein dritter. Doch dann beugte mein Großvater sich mit einem Ausdruck vor, bei dem alle Anwesenden verstummten. «Der einzige Schlüssel für den Erfolg bei Frauen», erklärte er mit einem Blick in meine Richtung, «ist die Fähigkeit, diejenigen zu erkennen, die es wollen.» Er hatte sich seinen Ruf eindeutig verdient.

Am letzten Abend meines Besuchs, an dem mein Großvater und ich im Dunkeln am Feuer saßen und sein Gesicht im Schatten lag, begann er zu sprechen, und ich spürte, daß er mir etwas mitteilen wollte, was ihm sehr schwer fiel. Zögernd erzählte er mir, er habe im Sommer 1916, in dem er eine Mühle bei dem Dorf Ieromeri gemietet und bewirtschaftet hatte, einen Mann umgebracht: einen türkischen Banditen, der kam und ihm drohte, seine Mühle in Brand zu stecken und ihm noch Schlimmeres anzutun, wenn er nicht jeden Monat ein Schutzgeld zahle, in jenen Tagen eine weitverbreitete Form der Erpressung. Mein Großvater erklärte sich einverstanden, bewirtete den Türken mit *tsipouro*, und als der Mann in seiner Aufmerksamkeit nachließ, erschlug er ihn mit einer Axt. Rasch leitete er den Mühlbach um, so daß er aus dem Mühlrad in einen halbkreisförmigen Graben floß, der für den Fall vorgesehen war, daß die Maschinerie repariert werden mußte, nahm die Steine heraus, die das Bachbett säumten, und vergrub den Toten in der roten Lehmerde, wo er, tief unter dem eiskalten Wasser, das die Mühlsteine bewegt, vermutlich heute noch liegt.

Im Gegensatz zu Onkel Foto, der ständig mit seinem Mord an dem Türken herumprahlte, der seine Frau beleidigt hatte, erzählte mein Großvater niemandem etwas von dem Banditen. Ich begriff, daß er mir diese Geschichte als eine Art Friedensangebot anvertraute. Es gebe nur einen einzigen Menschen, der von seinem Geheimnis gewußt habe, erklärte er mir: Meine Mutter, damals neun, habe ihn in der gemieteten Mühle besucht, auf dem Dachboden geschlafen und den Mord gesehen. «Sie hat es nie jemandem erzählt», sagte mein Großvater leise im Dunkeln, «aber ich habe es immer in ihren Augen gesehen.»

Wir schwiegen, während ich über sein Geständnis nachdachte. Ich wußte, wie schwer es ihm fiel, sich so weit zu exponieren. Bis er vier Jahre später im Alter von siebenundachtzig Jahren starb, entschuldigte er sich kein einziges Mal für die Art, wie er meine Mutter und seine Enkelkinder behandelt hatte, und sprach auch nicht von seinen Gefühlen bei ihrer Hinrichtung. Obwohl er es niemals zugeben wollte, wußte ich doch, daß selbst ein erklärter Zyniker wie mein Großvater sich dem allgemeinen Dorfglauben anschloß, daß Gott die Sünden der Väter nicht selten an ihren Kindern heimzusuchen pflegt.

Mit diesem Geständnis hatte er mir auch den Schlüssel zu dem diffizilen Verhältnis gegeben, in dem meine Mutter und er zeit ihres Lebens zueinander gestanden hatten. Jedesmal, wenn er der Tochter in die Augen sah, las er dort nicht nur Furcht, sondern auch eine unausgesprochene Anklage. Sie verstand ihn besser als jeder andere Mensch auf der Welt, und das konnte er nicht vergessen. Ihr Wissen und ihr Schweigen müssen ein ständiger Vorwurf für ihn gewesen sein.

Als Eleni an jenem verschneiten Abend 1941 das Haus ihres Vaters betrat und sah, wie er feindselig darauf wartete, von ihr zu hören, was sie von ihm wollte, versuchte sie gelassen und sachlich zu sein. «Wir haben die Milch von den Ziegen», erklärte sie ihm, «der Mais reicht aber nur noch für einen Monat. Die sechs Ziegen sind alles, was uns geblieben ist. Ich weiß, daß die Mühle jetzt Onkel Iorgi gehört, aber vielleicht könntest du ihn überreden, daß er uns ein bißchen Mehl borgt, soviel, daß wir durchhalten, bis die Post wieder durchkommt und Christos ihn bezahlen kann.»

Kitso lauschte in finsterem Schweigen. Er merkte, daß es ihr weh tat, betteln zu müssen, und sein Mitleid zusammen mit dem Bewußtsein, daß er nichts für sie tun konnte, schaffte sich in einem Wutausbruch Luft. «Iorgi hat selbst fünf Kinder und muß auch noch Mitros' Waisen durchfüttern!» schrie er. «Vierzehn Haidis-Mäuler wollen vom Gewinn der Mühle gestopft sein, dabei läuft das Geschäft nicht mehr! Als du in den Gatzoyiannis-Clan eingeheiratet hast, ging die Verantwortung für dein Leben an deren Familie über! Wenn dein Ehemann dir nicht helfen kann, soll doch sein Bruder Foto euch unterstützen!»

Eleni ließ den Kopf hängen: Sie wußte, daß sie geschlagen war. Ihr Vater hatte recht, und von Foto erhoffte sie sich keine Hilfe. Vor einer Woche erst war ihr Schwager mit einem ganzen Sack voll Wachteln an ihrem Haus vorbeigekommen, und als sie ihn bat, ihr eine davon zu geben, damit sie dem Baby Suppe kochen könnte, hatte er sie schroff abgewiesen. Ihr Mann hatte seit 1910, als Foto den Mord an dem Türken im Gefängnis büßte, den Bruder und seine ganze große Familie unterstützt, und nun verweigerte er ihr einen Vogel, der nicht viel größer war als ein Spatz!

Eleni wollte nicht, daß der Vater ihre Verzweiflung sah. Einen Augenblick blieb sie schweigend sitzen und überlegte. Es gab noch eine einzige Möglichkeit – falls ihre Kräfte dazu ausreichten. «Ich werde die Sachen nehmen, die Christos mir geschenkt hat, und sie in Albanien verkaufen», erklärte sie trotzig.

Während Griechenland hungerte, war Albanien noch immer recht gut mit Lebensmitteln versorgt, denn Mussolini hatte das Land zum italienischen Protektorat erklärt. Die Albaner hinter den Bergen hatten eine Menge Mais, den sie bereitwillig gegen die Wertgegenstände der Griechen tauschten. Jene Frauen von Lia, die die größte Not litten, hatten dem Hunger ein Schnippchen geschlagen und den Zweitagemarsch nach Igumenitsa unten am Meer zurückgelegt, um Salz zu holen, sich möglichst viel davon auf den Rücken zu laden und über die schneebedeckten Berge zu den Albanern zu klettern, die keinen Zugang zum Meer hatten und das Salz mit Mais aufwogen. Doch nur die am tiefsten verzweifelten und kräftigsten Frauen gingen dieses Risiko ein, denn die Berge waren Todesfallen mit Banditen, Wölfen und Schneewehen, die seit November ständig größer geworden waren.

Erst vor einer Woche hatte Eleni gesehen, wie der froststarre Leichnam ihrer Nachbarin Sotirena Papachristo an ihrem Haus vorübergeschleift wurde, so daß der Kopf polternd auf die Steine schlug, mit offenem, zu Eis gefrorenem Mund und Augen, die blicklos gen Himmel starrten. Sotirena war mit ihrem zweiundzwanzigjährigen Sohn nach Albanien aufgebrochen, jeder mit fünfzig Pfund Salz auf dem Rücken, und auf dem Heimweg waren die beiden, schwer beladen mit Mais, in einen Schneesturm geraten, hatten sich verirrt und die ganze Nacht eng aneinandergedrängt unter ein paar Fichten gesessen. Als der junge Mann am Morgen erwachte, war die Mutter steif und blau. Seine Schreie weckten die Dorfbewohner, die den Berg hinaufeilten, sie in eine Decke wickelten und den Pfad zu ihrem Haus hinabschleiften. Eleni folgte der Gruppe bis in die gute Stube des Hauses, wo Sotirena auf das einzige Möbelstück, einen rohen Holztisch, gebettet wurde, während ihre drei jüngsten Kinder vor dem Anblick der Mutter zurückschreckten. Als die Frauen sie auf den Rücken drehten, um ihr die Augen zu schließen, drang ein gurgelndes Stöhnen aus ihrer Kehle, und ihr Sohn brach ohnmächtig zusammen. Die Frauen massierten Sotirenas Hände und Füße, doch sobald sie sie anfaßten, wußten sie, daß sie jetzt ohne jede Frage tot war. Der Laut, meinten sie, sei ihre Seele gewesen, die den irdischen Körper verlasse. Drei Tage später sahen die Dörfler Krähen über der Stelle kreisen, an der Sotirena ihre Maissäcke fallen gelassen hatte. Sie sammelten die Körner auf und trockneten sie im Steinofen, damit ihre Kinder wenigstens die Nahrung bekamen, die sie mit ihrem Tod bezahlt hatte.

Als Eleni an Sotirenas Gesicht im Tod dachte, erschauerte sie; die zornige Verweigerung jeglicher Hilfe durch ihren Vater bestärkte sie jedoch in dem Entschluß, dem Weg der Toten über die albanische Grenze zu folgen.

Bei ihren Worten starrte Kitso sie erschrocken an, doch dann begann er, die Tochter zu verhöhnen. Vor drei Jahren sei sie zu krank gewesen, um sich auf den Beinen zu halten, und jetzt wolle sie durch den Schnee über die Berge nach Albanien klettern? Wäre es nicht viel besser, einfach in die Schlucht zu springen, um es möglichst schnell überstanden zu haben? Kein Mensch habe sie gezwungen, fünf Kinder zu kriegen!

Je mehr er höhnte, desto entschlossener wurde Eleni. Falls dies die einzige Möglichkeit war, ihren Kindern Nahrung zu verschaffen, würde sie, sobald die Weihnachtsfeiertage vorüber waren, irgendwie die Kraft finden, übers Gebirge zu gehen. Sie stand auf, legte ihren Umhang um und stürmte, mit Augen, die ebenso hart dreinblickten wie die ihres Vaters, zur Tür hinaus.

«Ja, ja», rief Kitso hinter ihr her, «renn du nur in den Tod! Laß fünf kleine Waisenkinder zurück! Und wer muß die fünf Mäuler dann füttern?»

In der guten Stube ihres Hauses, dem Zimmer für besondere Gelegenheiten, in dem die Schätze der Familie zur Schau gestellt waren, sortierte Eleni die Dinge aus, die sie vielleicht gegen Mais eintauschen konnte.

Die gute Stube der Gatzoyiannis, prächtiger eingerichtet als die aller anderen Familien von Lia, wurde beherrscht von dem großen Messingbett, das nur benutzt wurde, wenn Christos da war. In der östlichen Ecke, der Familien-Ikonostase aus Holz und Glas, brannte eine granatrote Lampe vor der Figur der Mutter Gottes, erstarrt in der Vorahnung des Leidens, mit dem Jesuskind in den dunklen, schmalen Händen, während das rubinrote Glas und die Silberverzierungen Lichtsterne an die weiß gestrichenen Wände warfen.

Eleni nahm den ziselierten Goldpokal aus Konstantinopel. Auf dem Holztisch daneben standen die Nähmaschine und ihr geliebtes Grammophon, die je zweihundert Pfund Mais einbringen würden, wenn sie sie nur tragen konnte.

Aus ihrer Aussteuertruhe holte Eleni die Gürtelschnalle aus Silberfiligran und die Halsketten mit den Münzen von ihrer Hochzeitstracht. Sie lagen eingebettet zwischen Leintüchern und dicken amerikanischen Wolldecken, den einzigen, die es im ganzen Dorf gab. Sie nahm eine warme, pfauenblaue Decke heraus und musterte sie nachdenklich: Sie hatte eine Idee. Dann griff sie entschlossen zur Schere.

Zwei Tage vor Weihnachten erklärte Eleni den Kindern, es werde in diesem Jahr keinen Festtagsbraten geben. Iorgi Mitros, der Besitzer der Mühle oberhalb ihres Hauses, hatte sich einverstanden erklärt, ihr für die beiden Zicklein Maismehl zu geben. Die Nachricht wurde mit einem allgemeinen Tränenausbruch beantwortet. Fotini jammerte am lautesten, denn die Zicklein waren ihre Lieblinge gewesen, doch Eleni knotete ihnen mit grimmiger Miene einen Strick um den Hals und führte sie, ohne auf die Klagen zu achten, den Berg hinauf zur Mühle. Als sie mit zwei schweren Säcken Maismehl zurückkehrte, sprach niemand ein Wort mit ihr.

Der Tag vor Weihnachten weckte Erinnerungen. Früher hatte Eleni am Heiligen Abend immer den Tisch für den nächsten Tag gedeckt, zugleich der Namenstag ihres Mannes, an dem das halbe Dorf zum Essen und Gratulieren kommen würde. Es gab süßes Weihnachtsbrot, dessen Herstellung und Verzierung, mit einem Lorbeerblatt am Ende jedes Kreuzesarms, einen ganzen Tag in Anspruch nahm. Das Brot erhielt den Ehrenplatz und wurde umgeben von Honig, Obst, Walnüssen, Wein und mindestens neun gekochten Speisen, weil die Zahl Glück brachte. An diesem Heiligen Abend jedoch sprach niemand von dem bevorstehenden Feiertag.

Nur ein einziges Trio zerlumpter Kinder war erschienen, um vor der Haustür zur Begleitung von Triangeln die *kalanda* zu singen. «In der gesegneten Stunde ist Christus geboren wie der neue Mond», tönten ihre schrillen Stimmen im leise rieselnden Schnee, und da Eleni nichts anderes hatte, drückte sie ihnen die letzten Walnüsse in die Hand. Ihre eigenen Kinder gingen früh schlafen; sie schmiegten sich unter ihren *velenzes* aneinander und trugen dabei, wie immer, dieselben Kleider wie am Tag.

Als Olga am Weihnachtsmorgen erwachte, hing an ihrem Wandhaken ein leuchtend blaues Kleid, geschneidert aus der amerikanischen Wolldecke, und auch die so wichtigen drei schwarzen Streifen – aus Elenis alten Schürzen zusammengestückelt – waren nicht vergessen worden. Sogar neue Kopftücher hatte Eleni für Olga und Kanta aus Leintüchern genäht, mit Fransen versehen und mit den Wurzeln des Alizarinbaums burgunderrot gefärbt.

Olga riß sich das schwarze Kleid herunter und zog das neue übers Hemd. Es war zwar nicht aus Samt, aber es schmiegte sich eng an ihre knospenden Brüste und ließ durch seinen weit schwingenden Rock die Taille sogar noch schmaler erscheinen. Sie band sich das weinrote Kopftuch über die langen Zöpfe und knotete es im Nacken so, daß an den Schläfen noch ein gewagter Streifen hellbrauner Haare zu sehen war.

Die anderen Mädchen bewunderten Olga, die sich hierhin und dahin drehte, um in dem kleinen Handspiegel die Gesamtwirkung sehen zu können.

«Es ist wunderschön!» verkündete sie mit einer Pirouette mitten im Zimmer. «In der Kirche werden mich alle anstarren!»

«Deine Füße, vermutlich», warf Kanta ein.

Olga blickte an sich hinab. Durch die Löcher in ihren flachen Lederschuhen – die letzten, die Eleni vor dem Krieg gekauft hatte – lugten die Zehen.

«Ich begreife nicht, warum du nicht vernünftig bist und die neuen *patikia* anziehst, die dir dein Onkel geschustert hat!» beschwerte sich Eleni.

Als Antwort auf den Vorwurf der Mutter reckte Olga das Kinn und schnalzte verneinend mit der Zunge. «Ich denke nicht daran, am Weihnachtstag mit Gummisandalen in die Kirche zu gehen!» erklärte sie. «Diese Schuhe haben zwar Löcher, sind aber wenigstens richtige Schuhe!»

Eleni seufzte und schwieg. Olga war für ein wohlerzogenes junges Mädchen viel zu eigenwillig geworden.

Die Glocken der Kirche zur Heiligen Dreifaltigkeit riefen die Gläubigen in einen heftigen Schneesturm hinaus. Eleni ging, den warm eingepackten Nikola auf dem Arm, ihren vier Töchtern voraus. Trotz der bösen Szene am Tag zuvor machte sie halt, um ihrem Vater zu gratulieren, denn es war nicht nur Christos' Namenstag, sondern auch gleichzeitig der seine; doch als sie das Haus ihrer Eltern betrat, berichtete Megali ihr, Kitso sei zwei Tage zuvor zu einer geheimnisvollen Reise aufgebrochen und habe lediglich gesagt, er gehe nach Lista, einem Dorf fünf Kilometer in südöstlicher Richtung.

Der Pfad, der zur Kirche führte, war tückisch und an mehreren Stellen von über die Ufer getretenen Bächen überflutet, doch als sie sich dem Dorfplatz näherten, leuchteten die Fenster der Kirche einladend durch den fallenden Schnee. Drinnen war die Luft schwer von Weihrauch und der Wärme zahlreicher menschlicher Körper. Männer und Jungen standen ganz vorne, die Alten und Kranken stützten sich mit den Ellbogen auf die Arme der sitzlosen Betstühle, die die Seiten des Kirchenschiffs säumten. Frauen und Kinder standen dahinter und sahen zu, wie jeder, der eintrat, eine Kerze anzündete und die Weihnachtsikone küßte.

Vater Zisis sang die uralten Verse des heiligen Basilius, doch nur wenige Gemeindemitglieder achteten auf ihn. Die übrigen flüsterten miteinander, ließen sich von Nachbarn, die sie seit dem ersten Schnee nicht mehr gesehen hatten, die jüngsten Entwicklungen schildern, und musterten den Staat, in den sich die anderen an diesem bittersten aller Weihnachtsfeste geworfen hatten.

Olga hatte recht behalten: Sie war Mittelpunkt der allgemeinen Aufmerksamkeit. Männer, die vorn in der Kirche standen, drehten sich um und starrten ihre geröteten Wangen an, die niedergeschlagenen Augen unter dem burgunderroten Kopftuch und ihre weiße, durch das Kleid, so blau wie das Gewand der Mutter Gottes, betonte Haut. Vater Zisis krauste mißbilligend die Stirn über diese Störung und sang lauter, während die Meßdiener ihre Weihrauchgefäße schneller schwangen.

Olga bekreuzigte sich nicht minder oft als die frömmsten Frauen in der Kirche und warf nur gelegentlich einen verstohlenen Blick auf die Gemeinde, um zu prüfen, welchen Eindruck sie auf die Anwesenden machte. Ihr Triumph wurde jedoch sehr bald von der Ankunft einer Familie überschattet, die den meisten Gläubigen fremd war. Als sie die innere Vorhalle betraten, drehte sich sogar der Priester um und staunte. Ein Raunen erhob sich wie das Gesumm von tausend Bienen.

An der Spitze der Gruppe schritt eine Frau mittleren Alters, auf den Arm eines mageren jungen Mannes mit pergamentbleichem Gesicht gestützt. Aber es waren die beiden Mädchen, die ihnen folgten, welche die Blicke der Gemeinde auf sich zogen. Sie trugen Kleider aus einem bedruckten, weich fließenden Stoff, der unter den leichten Tuchmänteln hervorlugte. Ihre Haare aber wirkten besonders aufreizend. Außerhalb der großen Städte hatte kein Dorfbewohner jemals eine Frau mit unbedecktem, zum Bubikopf geschnittenem Haar gesehen; die Locken dieser beiden aber schwangen schamlos um ihre Schultern, direkt unter den Augen Christi, des Allmächtigen, der vom Gewölbe der Mittelkuppel auf sie herabblickte.

Das jüngere der beiden Mädchen war hübsch und blond und gab

die mißbilligenden Blicke der Gemeinde trotzig zurück. Die Gatzoyiannis-Kinder hielten erschrocken den Atem an und musterten das junge Mädchen mit einer Mischung von fasziniertem Interesse und Entsetzen. Eleni sah, daß die Neuankömmlinge keine Schuhe trugen, sondern völlig durchweichte, gestrickte Kniestrümpfe. Olga sah nur, daß die Männer sie nicht mehr beachteten.

Bevor der Gottesdienst beendet war, wußten alle, daß es sich bei den Fremden um die Witwe Alexandra Botsaris und drei ihrer fünf Kinder handelte. Der Ehemann der Frau, der Kesselflicker Basilis Botsaris, hatte seine Familie vor acht Jahren von Lia nach Athen geholt, war aber fast unmittelbar danach gestorben. Iorgos, der jetzt zweiundzwanzigjährige Sohn, hatte sich im Italienfeldzug Tuberkulose geholt und war, als die Lebensmittel knapp wurden, aus dem Lazarett entlassen worden. Die Witwe Botsaris war mit ihren Kindern nach Hause gekommen, um der Hungersnot in Athen zu entfliehen, doch hier im Dorf war nichts mehr für sie geblieben; selbst ihr verlassenes Haus wurde inzwischen als Stall benutzt.

Nach der Kirche ging Eleni mit den Kindern hinüber, um ihre alte Freundin zu begrüßen. Iorgos hustete besorgniserregend, und die beiden Mädchen, Demetroula, zwanzig, und Angeliki, achtzehn, zitterten vor Kälte in ihren dünnen Stadtfähnchen.

Die beiden Familien schlugen gemeinsam den Heimweg ein, und Eleni mit ihren Kindern machte beim Haus der Botsaris halt. Entsetzt entdeckte sie, daß keine einzige Fensterscheibe mehr heil war. In den Ecken des primitiven Schuppens türmte sich schmutziges Heu. Durch die Löcher in den Wänden trieb Schnee herein. Die ganze Einrichtung bestand aus *velenzes*. Alexandra berichtete Eleni, daß sie alles – Kleidung, Töpfe, Möbel – in Ioannina zurückgelassen hatten, weil sie von keinem Wagen mehr mitgenommen worden waren und sich gezwungen sahen, die zweitägige Reise von der Provinzhauptstadt bis hierher zu Fuß zurückzulegen und in Heuschuppen zu schlafen, bis ihre Füße so geschwollen waren, daß sie in keine Schuhe mehr paßten.

Sie beschrieb die Schrecken der Hungersnot in Athen, erzählte von den anonymen Kindern, die tot auf ihrer Türschwelle gelegen hatten, und daß ihre Töchter zwölf Kilometer weit vor die Stadt gewandert waren, um in der Nacht auf den Feldern anderer Leute Gemüse zu stehlen. Sieben Kilometer im Umkreis von Athen gebe es nicht eine einzige Olive, nicht eine einzige Traube mehr an den Weinstöcken, berichtete sie. Als ein mitleidiger Bäcker in Ioannina den Kindern einen Laib Brot schenkte, war das Essen für ihren Magen so ungewohnt, daß sie sich unter Krämpfen am Boden wanden.

«Aber hier habt ihr doch überhaupt nichts mehr, Alexandra!» rief Eleni aus. «Das Haus ist nur noch eine Ruine, ihr habt nichts geerntet, kein Holz, keine Lebensmittel – wie wollt ihr da überleben?»

«Es ist mir lieber, daß meine Kinder in Lia sterben als in Athen», antwortete die Witwe. «Wie ich hörte, gibt es hier Frauen, die den Albanern Salz gegen Mais verkaufen. Wenn ich mich ein bißchen erholt habe, werde ich auch ans Meer gehen.»

Eleni las Hoffnung in dem eingefallenen Gesicht. Sie ergriff die Hand ihrer Freundin. «Dann werden wir zusammen über die Berge klettern», sagte sie.

Als sie ihr eigenes Haus betraten, schlug ihnen aus der Küche köstlicher Duft entgegen. Eleni, die eine Überraschung vorbereitet hatte, ging rasch zum Feuer und schob die glühenden Kohlen beiseite, die sie über die *gastra*, die flache Deckelpfanne aus Kupfer, gehäuft hatte. Als sie den Deckel hob, entstieg ihr Fleischduft wie Wolken von Weihrauch. Glykeria quietschte vor freudiger Aufregung, und die anderen liefen herbei, um nachzusehen, was das war. Die Pfanne war bis obenhin gefüllt mit dampfendem *briami*, einem Eintopf aus gekochtem, reisähnlichem *kofto*, Gebirgskräutern und dicken Leberstücken.

«Christus und Jungfrau Maria!» jubelte Glykeria.

«Fleisch! Woher hast du das bloß?»

Eleni lächelte. «Ich habe Iorgi Mitros gebeten, wenn er die Zicklein schlachtet, mir die Leber beiseite zu legen und entsprechend weniger Mais zu geben.»

Die Kinder hockten im Schneidersitz um den niedrigen Tisch und stopften sich mit beiden Händen dicke Stücke des köstlichen Eintopfgerichts in den Mund. Als sie alles verputzt hatten, war Elenis Teller noch nahezu unberührt.

«Wenn du das nicht willst – ich esse es gern!» sagten Glykeria und Kanta unisono.

Eleni schüttelte den Kopf. «Heute ist der Tag, an dem in jedem Haus ein Teller für den Fremden bereitsteht, in dessen Gestalt vielleicht das Christkind erscheint», sagte sie. «Das hier ist sein Anteil, und den werde ich der Familie Botsaris schicken.»

Ein Chor protestierender Stimmen schrie sie nieder. Das erste Fleisch nach einem ganzen Jahr – verschenken, an fremde Menschen?

Mit einem einzigen Blick brachte Eleni sie zum Schweigen. «Olga wird es jetzt sofort rüberbringen», erklärte sie in einem Ton, der keinen Widerspruch duldete. Und als sie sah, daß Olga vor Zorn errötete, fügte sie hinzu: «Sobald du deine neuen *patikia* angezogen hast.»

Der Silvesterabend verging ohne die gewohnten Wahrsage-Rituale, weil niemand den Mut hatte, nach der Zukunft zu fragen. Bald darauf, am 6. Januar, kam das alljährliche Epiphaniasfest, die Weihe des Wassers. Vater Zisis machte die Runde durchs Dorf und segnete jedes Haus, indem er alle Ecken mit einem in Weihwasser getauchten Basilikumzweig besprengte.

Nach der Segnung durch den Priester machte sich Eleni auf, um Namenstagsbesuche zu machen, denn Epiphanias – *ta fota* – ist das Fest aller Fotios und Fotinis, und Eleni wollte Foto Gatzoyiannis sowie ihren jungen Cousin zweiten Grades, Fotis Haidis, besuchen, der die andere Hälfte ihres geteilten Elternhauses bewohnte. Megali war auch schon da und zog ein besorgtes Gesicht. Kitso habe Nachricht geschickt, berichtete sie; er wolle, daß Eleni sofort zu ihm nach Lista komme.

Eleni ließ die Kinder bei ihrer Großmutter und machte sich auf den Weg, zwei Stunden zu Fuß über Gebirgspfade. Sie fand ihren Vater im größten Kaffeehaus von Lista bei einem alten, ergrauten Mann, den er ihr als Müller Iori Stolis vorstellte. Ein wenig gerötet vom Pflaumen-Raki, verlangte Kitso von Eleni, ihren Plan, nach Albanien zu gehen, aufzugeben. Stolis sei einverstanden, Kitso gegen fünfzig Okka Mehl pro Monat seine Mühle am Kefalovriso-Fluß zu verpachten.

Ganz benommen vor Erleichterung sank Eleni in dieser ausschließlich männlichen Bastion auf einen Stuhl und dankte dem Alten für seine Freundlichkeit, doch der wehrte den Dank gutmütig ab. «Im Gegenteil – Ihr Vater hat *mir* einen Gefallen getan!» behauptete er. «Die Mühle steht still, seit die Deutschen hier sind. Die ganze Gegend wimmelt nur so von Banditen. Ich habe um mein Leben gefürchtet.»

Eleni sah Kitso an, der unvermittelt aufstand und ihr befahl, ihm zu folgen. Er werde sie mitnehmen, nach Kefalovriso, und ihr einen

Sack Maismehl nach Hause mitgeben, erklärte er. Und dann solle sie sich monatlich einmal mit einem Maultier die nächste Portion abholen.

Unterwegs, atemlos bemüht, mit ihrem Vater Schritt zu halten, machte Eleni sich laut Gedanken darüber, daß er sein Leben aufs Spiel setze. «Sie werden dich ausrauben, und wir werden dich eines Tages ermordet finden», klagte sie.

Kitso zuckte die Achseln. «Du weißt sehr gut, daß ich mich gegen Banditen wehren kann.»

So nahe war er dem Eingeständnis des gemeinsamen Geheimnisses noch nie gekommen. Eleni hatte kein Wort über den Mord an dem türkischen Banditen verlauten lassen und wurde nun, da er diese Andeutung machte, sehr schweigsam. Als sie sich der Abzweigung nach Kefalovriso näherten, versuchte sie ihm ungeschickt dafür zu danken, daß er eine Möglichkeit gefunden hatte, ihre Kinder mit Essen zu versorgen.

«Ich gebe keine Almosen, und ich nehme keine Almosen», erwiderte Kitso kurz. «Ich werde deine Familie am Leben erhalten, bis der Krieg vorüber ist, und dafür wird dein Ehemann mich und deine Mutter im Alter versorgen.»

Protestierend entgegnete Eleni, das würden sie doch ohnehin tun, aber er unterbrach sie schroff. «Ich will keine Gefälligkeiten. Dies ist eine geschäftliche Abmachung!»

Als sie sich auf der vielbenutzten Straße, die zum Kalamas und weiter nach Ioannina führte, der Mühle näherten, kam ihnen ein großes graues Maultier entgegen, das, mit zwei riesigen Körben Orangen beladen, gesenkten Kopfes eilig dahintrabte. Eleni wollte nach seinen Zügeln greifen, ihr Vater jedoch riß sie zurück.

«Aber es muß jemandem weggelaufen sein!» protestierte sie.

«Faß es nicht an!» fuhr der Vater auf. Und setzte, als er ihren fragenden Ausdruck sah, widerwillig hinzu: «Das ist Griva, das Maultier von Nikola Koukas, dem Kesselflicker. Es findet den Rückweg nach Lia von selbst.»

Eleni fürchtete, Koukas könne etwas zugestoßen sein. Vielleicht war er von Banditen überfallen worden.

Ihr Vater aber wußte es besser. Seit er in der neuen Mühle arbeitete, hatte er gesehen, was sich auf dieser Straße tat. «Laß es in Ruhe. Da ist nämlich noch etwas anderes in den Körben — nicht nur Orangen», erklärte er ihr. «Deswegen läßt Koukas das Maultier vor sich her durch die italienischen Kontrollpunkte laufen. Falls sie die Körbe durchsuchen und Dinge finden sollten, die dort nicht hineingehören, können sie sie nicht mit ihm in Verbindung bringen.»

«Was für Dinge?» fragte Eleni verdutzt.

«Waffen. Nachrichten. Was weiß ich?»

Eleni bestand darauf, daß er ihr alles erzählte.

«Es ist besser, wenn man nichts weiß,» sagte er verächtlich, gab dann aber nach. «Prokopi Skevis schleicht hier herum, redet auf Narren wie Koukas ein und setzt ihnen Flausen in den Kopf, von bewaffnetem Widerstand und offener Revolution», erklärte er. «Das ist eine richtige Epidemie! Auch Costa, der Sohn meines eigenen Bruders, macht mit. Sie treffen sich in unserer Mühle! Idioten aus der ganzen Murgana. Prokopi ruft, und alle kommen.»

Damals hörte Eleni zum erstenmal davon, doch ihre einzige Reaktion war die Sorge, die jungen Männer könnten umkommen und ihren Frauen und Müttern einen bitteren Leidenskelch zu trinken geben. Als sie dann weitergingen, entdeckte sie zwei winzige Gestalten, die tief unten die Kurven der Straße emporklommen: Nikola Koukas und Prokopi Skevis, die gemeinsam dem Maultier folgten.

«Na, was habe ich dir gesagt?» schimpfte Kitso. Er schlug vor, die Straße zu verlassen und einen Abkürzungsweg zur Mühle zu nehmen, um ihnen möglichst nicht zu begegnen. Bevor sie abbogen, streckte er ihnen mit gespreizten Fingern die Handfläche entgegen, die vertraute Geste des Fluchs. «Zur Hölle mit ihnen!» sagte er. «Das einzige, was sie damit erreichen, ist doch, daß die Deutschen über uns herfallen werden wie die zehn Plagen Ägyptens. Jeder Idiot kann einen Stein ins Meer werfen, doch wenn er das tut, können einhundert Weise ihn nicht wieder herausholen.»

3

Während sich in den griechischen Bergen Widerstandsgruppen von Partisanen bildeten, gelang es Eleni Gatzoyiannis und ihren Kindern, die Hungersnot dank der Säcke voll Mehl, die ihr Vater ihnen regelmäßig von Kefalovriso schickte, einigermaßen zu überstehen. Andere Einwohner von Lia indes hatten nicht soviel Glück, und so wurde das Bimmeln des Totenglöckchens der Kirche zur Heiligen Dreifaltigkeit zu einem vertrauten Geräusch.

Die Witwe Botsaris und ihre Kinder überlebten den ersten Winter nur mit Betteln, Borgen und Tauschen von Kupfertöpfen gegen Mais in Albanien. Im Herbst 1942 hatten die beiden Botsaris-Mädchen Arbeit als Olivenpflückerinnen bei dem albanischen Hafen Chimara gefunden. Iorgos, ihr Bruder, der immer noch an Tuberkulose litt, stieg über die Berge, um sie zu besuchen, und starb am 26. September 1942 in Angelikis Armen.

Eleni weinte mit der Witwe Botsaris gemeinsam über den Tod ihres Sohnes. Nikola, inzwischen dreieinhalb, war kräftig genug, um in seinem kleinen weißen Hemd fröhlich umherzulaufen; ohne die Hilfe ihres Vaters jedoch konnte er jetzt ebensogut tot sein, das wußte sie. An Lichtmeß, dem 2. Februar 1943, dem «Müllertag», beschloß sie, Gott für die Errettung ihrer Familie zu danken, und schickte Olga mit einer ganzen Dose Olivenöl zur Kirche zur Heiligen Jungfrau, um dort die Lampen anzuzünden.

Olivenöl gab es im Dorf so gut wie überhaupt nicht mehr. Daher hielt Olga die kostbare Dose vorsichtig an ihre Brust gepreßt, als sie sich den Berg hinab auf den Weg machte; die Sonne glänzte auf ihrem Haar, und sie spürte das Leben in sich aufsteigen wie Saft in den Bäumen. Sie hatte das Haus seit Weihnachten nicht mehr verlassen, und nun wirkte für ihre fünfzehnjährigen Augen alles ringsum ganz neu.

Die jahrhundertealte Kirche zur Heiligen Jungfrau lag unterhalb des Dorfes an einem langen Weg, der sich am Haus ihrer Großeltern vorbeischlängelte und durch eine tiefe Schlucht führte, in der unter einer uralten Platane, dem Wächter des Dorfes, eine frische Quelle sprudelte. Wie es hieß, hatte sich der Schutzheilige des Dorfes, Kosmas, im Schatten dieses Baumes ausgeruht, bevor er im Jahre 1778 nach Albanien dem Märtyrertod entgegenzog.

Olga hatte sich gerade in Bewegung gesetzt, als sie von zwei Männern aufgehalten wurde, die aus dem Haus der Familie Bollis kamen. Der ältere der beiden war Mitsi Bollis, ein magerer, fahlblasser Kesselflicker, in dessen offenstehendem Hemd ein Büschel grauer, in fleischloser Haut verwurzelter Haare zu sehen war.

Von allen Einwohnern des Dorfes war Mitsi der letzte, den Olga sehen wollte, obwohl er mit der Cousine ihrer Mutter verheiratet war. Er war ein Angeber, ein mieser kleiner Sadist, der anderen Menschen gern boshafte Streiche spielte. Erst zwei Wochen zuvor waren die Gatzoyiannis mitten in der Nacht von einem schrecklichen Geschrei in ihrem Hühnerstall aufgewacht. Als sie ins Dunkel hinausgelaufen waren, hatten sie festgestellt, daß jemand die Steine unter der Tür entfernt und einen Fuchs hineingelassen hatte, dem drei Hühner zum Opfer gefallen waren. Als sie die Überreste beseitigten, hatte Olga eine Gestalt entdeckt, die sich im Mondlicht über das Feld unterhalb des ihren davonschlich: Mitsi Bollis.

Als sie nun versuchte, um den Kesselflicker einen Bogen zu machen, ohne ihn zu beachten, erkannte Olga in dem blonden jungen Mann neben ihm Vangeli Poulos, den Sohn des Kaffeehausbesitzers. Er war als Hausierer mit billigem Schmuck, Messern, Stoffen und Nadeln nach Athen gegangen, nach diesem aufgrund seiner Schüchternheit mißglückten Versuch jedoch nach Lia zurückgekehrt, um seinem Vater im Geschäft zu helfen. Mit neu erworbener Aggressivität und gesträubtem, rötlichem Schnurrbart starrte er Olga an.

Olga senkte den Kopf und beschleunigte ihre Schritte, Mitsi Bollis jedoch wollte sie nicht vorbeilassen. «Wohin willst du denn, Mädchen, mit einer ganzen Dose Öl?» fragte er sie.

Sie richtete sich zu ihrer vollen Größe von ein Meter achtundvierzig auf und zog ein möglichst hochnäsiges Gesicht. «Das ist für die Lampe der Mutter Gottes.»

Mitsi zwinkerte seinem Kumpan zu. «Es gibt keine Madonna!» sagte er. «Und einen heiligen Athanassios oder einen heiligen Demetrios gibt es auch nicht! Übrigens auch keinen Gott, nur noch hungernde Menschen ... Also gib mir jetzt dieses Öl, damit meine Kinder essen können!»

Er streckte die Hand aus, und Olga, die erschrocken zurückzuckte, bekreuzigte sich bei dieser Blasphemie. Dann fand sie ihre Stimme wieder. «Meine Mutter hat mir befohlen, die Lampen der Mutter Gottes anzuzünden, und das werde ich tun! Dieses Öl gehört dir nicht!» Hilfesuchend sah sie zu dem jungen Poulos hinüber, doch Mitsi baute sich dicht vor ihr auf. «Es gehört allen!» behauptete er.

Gelangweilt mischte sich Poulos ein. «Laß das Mädchen in Ruhe, Mitsi!» sagte er. «Wie kannst du erwarten, daß sie dich versteht? Sie weiß es nicht besser. Und wir sind jetzt schon zu spät dran.»

Zitternd hastete Olga davon. Sie fühlte sich irgendwie gedemütigt. Und ausgerechnet von diesem Stück Ziegenmist Mitsi Bollis! Als sie von ihrer Verrichtung zurückkam, beschwerte sie sich bei ihrer Mutter: «Du solltest hingehen und Eugenia wegen Mitsi zur Rede stellen! Will mir unser Öl stehlen! Und spuckt dabei dem lieben Gott mitten ins Gesicht!»

Eleni schüttelte seufzend den Kopf. «Weil du nicht aus dem Haus gegangen bist, kannst du nicht wissen, wie sehr sich Männer vom Schlage Mitsis im letzten Jahr verändert haben», belehrte sie ihre Tochter. «Die Brüder Skevis locken sie mit Waffen und großen Worten, daß sie sich aufblähen wie Ochsenfrösche. Das nächste Mal gehst du Mitsi aus dem Weg, bevor er dich sieht, wie du's bei einem tollwütigen Hund tätest.»

Olga dachte an den blonden Hausierer und daran, daß seine Augen sie beunruhigt hatten. «Er war mit Vangeli Poulos zusammen.»

«Der war einmal ein sehr höflicher, schüchterner Junge», gab Eleni zurück. «Wenn man ihn ansprach, wurde er rot. Und jetzt spielt er den wilden Mann!»

Als Olga Mitsi Bollis und dem jungen Poulos begegnet war, waren die beiden unterwegs zum Dorfplatz gewesen, wo sich im Kaffeehaus von Vater Poulos eine tragikomische Farce anbahnte. Star des Dramas war Vangeli Kontoris, ein rotgesichtiger, mit Lehm bespritzter Feldhüter aus dem nahe gelegenen Dorf Raveni, der für seine Zusammenarbeit mit den Italienern eingesperrt und von den Deutschen befreit worden war.

Kontoris war vor drei Tagen aus Filiates nach Lia gekommen, hatte sich an einem Tisch des Kaffeehauses niedergelassen und drei Dinge vor sich ausgebreitet: ein Blatt Papier, einen Bleistift und eine rot angestrichene Handgranate. Anschließend begann er Pflaumenschnaps zu trinken.

Während sein Gesicht vom Schwarzgebrannten noch tiefer rot wurde, begann Kontoris auf die ringsum sitzenden Männer einzureden. In Lia gebe es schöne Drahtzäune, sagte er. Die Italiener brauchten Draht. Er werde die Namen derjenigen notieren, die Drahtzäune als Kriegsbeitrag liefern könnten. Und falls jemand versuchen sollte, das zu verhindern, werde er ihn auf direktem Weg zu Charon befördern. Damit griff er nach der seltsamen roten Handgranate und fuchtelte damit herum, bis nahezu alle Gäste ins gegenüberliegende Kaffeehaus geflohen waren, das heißt, bis auf die Männer, die heimlich zur Partisanengruppe der Skevis gehörten. Die blieben sitzen, warteten ab und behielten Kontoris im Auge.

Mit Blicken, geduldig wie die einer Eidechse, saß am Nebentisch Prokopi Skevis neben dem Kesselflicker Nikola Koukas, dem Besitzer des mit Orangen beladenen Maultiers, dem Eleni auf der Straße beim Kalamas begegnet war. Als Mitsi Bollis und der junge Poulos das *cafenion* erreichten, nahmen sie an einem Tisch in der Nähe des inzwischen heiser gewordenen Feldhüters Platz. Kontoris unterhielt die Gäste mit einem ordinären Seemannslied, als Prokopi mit einem Heben der Augenbrauen den jungen Poulos zu sich an den Tisch winkte.

Prokopi, Nikola Koukas und Vangeli Poulos zogen an einen entfernteren Tisch um, und Prokopi erklärte seinen beiden Anhängern, der Zeitpunkt zum Handeln sei gekommen. Er habe Nachricht bekommen, Kontoris befördere einen Brief an die Italiener in Keramitsa, eine Liste mit den Namen ihrer Kameraden von der Widerstandsgruppe. «Heute abend will er seine Hure besuchen», sagte Prokopi. «Doch ihr beiden werdet dafür sorgen, daß sie allein schlafen muß.» Koukas blickte grimmig drein, Vangeli Poulos jedoch war stolz auf die Ehre, für die erste Exekution ausgewählt worden zu sein, errötete und richtete sich straffer auf.

Die Sonne ging unter, als Kontoris Lia verließ; Koukas und Vangeli Poulos hatten sich bereits auf einem Feld an dem Weg versteckt, den er einschlagen mußte. So konzentriert waren sie auf ihren Auftrag, daß sie Vasilo Economou nicht bemerkten, die verwitwete Tochter von Vater Zisis, die auf einem angrenzenden Feld arbeitete. So wurde sie Zeugin für die Ereignisse jenes Abends.

Die beiden Partisanen hörten Kontoris schon, bevor sie ihn sahen, weil er in seiner Vorfreude auf das bevorstehende Schäferstündchen italienische Lieder sang. Koukas hatte seine Mannlicher angelegt, doch als die schwankende Gestalt erschien, begann der Gewehrkolben zu zittern, und Koukas erstarrte. Die Italiener auf dem Schlachtfeld zu bekämpfen, war eines; einem einzelnen Mann aufzulauern war jedoch etwas, das er noch niemals getan hatte.

Vangeli Poulos, der sah, daß Koukas die Nerven verlor, entwand ihm voll Eifer die Waffe, drückte ab und verpaßte Kontoris eine Kugel in den Bauch, die ihn von der Straße auf ein angrenzendes Feld schleuderte. Als sie ihn erreichten, versuchte er seine Eingeweide festzuhalten und gleichzeitig zu kriechen.

Als er endlich still liegenblieb, durchsuchten sie ihn, fanden jedoch keine Liste, sondern nur ein paar italienische Münzen und ein blutgetränktes Foto von Mussolini. Die rote Handgranate entpuppte sich als harmloses Souvenir, das zu einem Zigarettenetui umgearbeitet war.

Nachdem der Tote gefunden wurde, war niemand in Lia besonders unglücklich, am wenigsten jene, die Drahtzäune besaßen. Bald wußten alle, wer Kontoris umgebracht hatte, und Vangeli Poulos wurde im Kaffeehaus immer wieder freigehalten. Er trank mehr, als er vertragen konnte, und hielt oft große Propagandareden über die «Sache», aber die Dorfbewohner lächelten nachsichtig. Die Kämpfe des glorreichen Unabhängigkeitskriegs waren genauso gewesen: trinkfreudig und furchtlos.

Am nächsten Tag löste die Anwesenheit eines Fremden an Prokopi Skevis' Tisch im Kaffeehaus Spekulationen darüber aus, ob vielleicht wieder etwas passieren werde. Es war ein pockennarbiger junger Lehrer aus dem Dorf Kokina namens Evangelos Doupis. Er war Prokopi Skevis' Protegé und hatte in den tiefer gelegenen Murgana-Dörfern Widerstandsgruppen aufgestellt. Nun aber hatte Prokopi ihn kommen lassen.

In einer mondlosen Nacht Anfang März, als das ganze Dorf schlief, zogen zwanzig Männer in ihren Häusern im Dunkeln Uniformen aus den verschiedensten Einzelstücken an und luden uralte Gewehre und Musketen. Als sie die Schlucht hinab zu der alten Platane schlichen, warfen sie keinen Schatten. Nachdem sie alle versammelt waren, kletterten sie geräuschlos die andere Seite hinauf und kamen unmittelbar hinter dem Dorfplatz bei der aus zwei Räumen bestehenden Polizeiwache heraus.

Während die Männer das Haus umzingelten, stieß Prokopi einen Ruf aus. Drinnen ging Licht an, und nach wenigen Sekunden kamen die vier Polizisten heraus, der eine mit erhobenen Händen, der andere noch mit dem Schließen seiner Hose beschäftigt. Der Sergeant war in Uniform und verzog keine Miene. Während die anderen drei Polizisten vor Kälte zitterten, nahm Prokopi den Sergeanten beiseite. Nach kurzer Diskussion schienen die beiden zu einer Übereinkunft gelangt zu sein. Der Sergeant kehrte langsam in die Polizeiwache zurück, um kurz darauf mit vier Gewehren herauszukommen, die er Prokopi aushändigte.

Als Olga am nächsten Morgen die Ziege melkte, Kanta den Hühnern Krumen hinstreute und Eleni in einem Topf Maisbrei fürs Frühstück rührte, begannen plötzlich die Glocken der Kirche zur Heiligen Dreifaltigkeit ein mächtiges Geläut. Alle erstarrten und lauschten ängstlich, fragten sich, ob jetzt wohl die Deutschen gekommen seien. Der Wind trug ihnen jedoch einen Befehl zu: «Einwohner von Lia! Alle sofort auf der Alonia versammeln!»

Alonia, wie die Lioten ihren Dorfplatz nannten, bedeutete gewöhnlich «Dreschboden» und bezeichnete den Platz, der früher zum Dreschen benutzt wurde; da er der einzige ebene Fleck im ganzen Dorf war, auf einer Seite von einer riesigen Platane beschattet, war er zum Mittelpunkt des Dorflebens geworden, wo getanzt und Klatsch ausgetauscht wurde oder wichtige Versammlungen stattfanden.

Eleni holte ihre Kinder ins Haus und ermahnte Olga, niemandem das Tor zu öffnen. Mit einem Tuch über Kopf und Schultern schloß sie sich den verängstigten Nachbarn an, die zum Dorfplatz hinuntereilten.

Was sie und die anderen Dorfbewohner sahen, als sie sich auf dem Dreschboden vor der Kirche zur Heiligen Dreifaltigkeit versammelten, waren weder Deutsche noch Italiener oder Chams, sondern zu ihrer Erleichterung eine Reihe von zwanzig vertrauten Gesichtern – junge Einheimische der Skevis-Gruppe, alle mit einer zusammengewürfelten Vielfalt militärischer Uniformen herausgeputzt. Prokopi Skevis und Nikola Koukas trugen ihre verschossenen grauen Uniformen aus dem Italienfeldzug, Vangeli Poulos jedoch eine viel zu große grüne Drillichjacke, die eindeutig von einem gefallenen Italiener stammte, und Mitsi Bollis hatte sich ein schwarzes italienisches Barett in flottem Winkel schräg auf den Kopf gesetzt. Nur Elenis Cousin Costa Haidis hatte, wie sie bemerkte, keinen Versuch gemacht, sich militärisch zu verkleiden.

Die Hälfte der Männer trug Waffen, einige davon fast Antiquitäten; Mittelpunkt der Aufmerksamkeit jedoch war die von Vangeli Poulos stolz emporgehaltene Fahne. Es war das vertraute weiße Kreuz auf blauem Grund, doch irgend jemand hatte die geheimnisvollen Buchstaben ELAS in die Mitte gestickt.

Viele Lioten, erleichtert, weil der Feind nicht gekommen war, lächelten beim Anblick der grimmig dreinblickenden Gruppe, doch niemand wagte es, laut zu spotten, denn alle wußten, was sie dem Kollaborateur Kontoris angetan hatten. Außerdem standen inmitten der zerlumpten Rebellen die vier Dorfpolizisten.

Als Prokopi sich überzeugt hatte, daß die meisten Bewohner des Dorfes anwesend waren, kletterte er auf einen Stuhl und musterte die wettergegerbten Gesichter vor ihm. «Einwohner von Lia!» schrie er. «Heute haben die tapferen jungen Männer unseres Dorfes zu den Waffen gegriffen, um sich gegen die Invasoren zu wehren. Wir werden unsere Gewehre erst niederlegen, wenn sie aus unserem Land vertrieben und wir alle wieder frei sind!»

Anfangs waren die Zuhörer skeptisch: Dieser bunte Haufen sah kaum so aus, als könne er es mit den Deutschen aufnehmen. Einige Angehörige der zwanzig Männer begannen jedoch Prokopis Worte mit lauten Rufen: «Hoch lebe Griechenland!» zu begleiten und in die schwieligen Hände zu klatschen.

Prokopi erklärte ihnen die Griechische Volksbefreiungsarmee und redete von einer neuen, auf Gleichheit und Gerechtigkeit für alle Werktätigen basierenden, demokratischen Ordnung. Lia werde jetzt von der ELAS regiert, behauptete er, jeder gesunde Mann im Dorf werde Mitglied ihrer Reservestreitkräfte sein, und sogar die von der verräterischen Kollaborationsregierung ernannten Polizisten hätten die Seiten gewechselt, um ebenfalls für die Freiheit zu kämpfen.

Prokopi musterte die Versammlung und sah, daß noch nicht alle Zweifel ausgeräumt waren. «Wie ihr wißt, bin ich Lehrer», rief er herausfordernd. «Nach dem Krieg werde ich Beamter mit festem Monatsgehalt und einer Pension im Alter sein. Ich bin kein Kesselflicker wie ihr, die ihr für ein paar Brotrinden von einer Stadt zur anderen zieht, Töpfe scheuert, bis euch die Hände bluten, in Schuppen und am Straßenrand schlaft. Nicht für mich marschieren wir in diesen Kampf, sondern für euch alle! Damit ihr Schuhe an den Füßen habt und eure Kinder genug zu essen haben! Wir kämpfen, weil wir euer Leben verbessern, euch aus der Armut und Demütigung erlösen, euch zu Männern machen wollen!»

Einen Augenblick herrschte Stille, dann brandete donnernder Jubel auf. Prokopi musterte die Gesichter, die ihm so vertraut waren. Manche hatten nasse Augen. Er sah, daß jetzt alle auf seiner Seite waren. Sein Heimatdorf hatte er mit seinen Worten erobert; das übrige Griechenland würde folgen.

Mit erhobener Hand bat er um Ruhe. «Aber ich warne euch!» Er funkelte sie mit demselben Blick an, mit dem er ungehorsame Schüler bedachte. «Wir dulden keine Opposition! Die Bewegung wird gegen alle, die sie verraten, einschreiten! Ihr werdet von Männern hören, die sich auch Widerstandskämpfer nennen, doch das sind Kollaborateure und Verräter!»

Seine Männer, die hinter ihm standen, stampften im Takt mit den Füßen und schrien dazu: «Nieder mit den Verrätern!» Und obwohl sie nicht wußten, daß er damit Zervas' Partisanentruppe meinte, griffen die Zuhörer die Parole auf, alle getragen von der gemeinsamen Sehnsucht nach Freiheit und dem Abscheu vor jenen, die ihnen Lebensunterhalt, Nahrung und Selbstachtung genommen hatten. Prokopi ließ sie skandieren und stampfen, bis sie bereit waren, jeden zu töten, den er als Verräter bezeichnete. Dann verlangte er wieder Ruhe. «Nun, da die ELAS-Armee Lia befreit hat, werdet ihr von einem Komitee aus euren eigenen Leuten regiert werden, und es erscheint mir angemessen, daß die ehrenvolle Aufgabe, das Komitee zu leiten, meinem Kollegen und eurem Lehrer Minas Stratis übertragen wird.»

Er stieg vom Stuhl und drängte sich durch die Menge, um Minas den Arm um die Schultern zu legen, der, irritiert, weil er so plötzlich im Scheinwerferlicht stand, den Kopf schüttelte.

Minas war dem Ruf der Kirchenglocken in so großer Eile gefolgt, daß er Krawatte und Uhrkette vergessen hatte und seine Haare wirr vom Kopf abstanden. Aufgeregt flüsterte er Prokopi zu, er wolle zur Waffe greifen und kämpfen, nicht aber zu Hause bleiben und ein Komitee leiten. Prokopi jedoch wies seinen Protest zurück. «Du wirst hier gebraucht», verkündete er energisch. Erst später wurde

Minas klar, daß Prokopi genau gewußt hatte, daß er als Komiteevorsitzender, der jede Meinungsverschiedenheit zu schlichten hatte, unvermeidlicherweise zu einem der unbeliebtesten Männer des Dorfes werden mußte.

Das Auftauchen der ELAS-Partisanen – auf griechisch *andartes* – und die Übernahme des Dorfes gaben den Einwohnern von Lia in den dunklen Stunden der Besatzungszeit ein neues Zielbewußtsein und neue Hoffnung. Dörfler, die nicht einmal lesen und schreiben konnten, hatten auf einmal wichtige Aufgaben: Käse sammeln und verkaufen, um mit dem Geld auf dem Schwarzen Markt Waffen zu erwerben; Maultiere für die Partisanen beschlagnahmen; auf die Ernte jedes Bauern Steuern erheben. Es gab Komitees für Verwaltung, Sicherheit, Justiz, Versorgung und Rekrutierung, und viele, die niemals daran gedacht hatten, sich dem Widerstand anzuschließen, fühlten sich geschmeichelt, diese Ämter übernehmen zu dürfen. Die Jugendlichen wurden in einer Jugendliga erfaßt, die den Partisanen helfen sollte, und sogar die Kinder wurden in den «Kleinen Adlern» organisiert und trugen Meldungen von Dorf zu Dorf.

Genau wie Prokopi vorausgesagt hatte, wurde mit Kollaborateuren und Verrätern kurzer Prozeß gemacht. Kontoris war der erste gewesen, doch bald wurden überall in den Bergen von Kugeln durchsiebte Leichen gefunden. Zum erstenmal seit Jahrhunderten hörten die Banditen auf, Dörfer in der Murgana zu plündern, und die Bauern konnten ohne Angst von einem Ort zum anderen reisen – mit vom jeweiligen ELAS-Komitee des Dorfes ausgestellten Papieren.

Obwohl die Skevis-Gruppe der *andartes* die italienischen Außenposten nicht direkt angriff, halfen sie einer zweiten ELAS-Gruppe auf der anderen Seite des Kalamas, eine Kompanie Italiener und Chams zu vertreiben. Dieser Sieg, verbunden mit den Morden an Kollaborateuren und Banditen, entnervte die Italiener so sehr, daß sie sich aus ihren Stellungen bei Keramitsa und Aghies Pantes («Allerheiligen») ins regionale Hauptquartier von Filiates zurückzogen. Die Murgana-Bauern sahen sich plötzlich wenn auch nicht vollständig frei, so doch vom Schatten der Invasoren befreit und hielten das für ein Verdienst der ELAS.

Im Frühjahr 1943, als das Dorf gerade vor neuer Hoffnung und Geschäftigkeit zu summen begann, als die ersten Mandel- und Judasbäume in Blüte standen, hatten die Familien des Perivoli ein bedrükkendes Erlebnis: Angeliki und Constantina Botsaris kehrten zurück und trugen zwischen sich, auf einer hölzernen Bahre, die abgezehrte Gestalt ihrer Schwester. Demetroula war bei der Arbeit auf den albanischen Olivenfeldern erkrankt, und die Mädchen trugen sie den ganzen Weg zu Fuß. Als Demetroula in dem heruntergekommenen Haus der Familie lag, erkannte sie niemanden, klammerte sich nur mit einer fast durchsichtig mageren Hand an jeden Besucher und bat um Wasser. Innerhalb von vierundzwanzig Stunden nach ihrer Ankunft im Dorf verkündeten die Glocken von St. Demetrios ihren Tod.

Nach der Beerdigung war die Atmosphäre im Haus der Botsaris so bitter wie der Gerstenkaffee, den die Trauernden tranken, während sie für Demetroulas Seele Frieden erbaten. Angelikis unbesiegbarer Lebensmut schien ebenso erloschen zu sein wie der Glanz ihrer goldblonden Haare unter dem schwarzen Kopftuch, und ihre Mutter reagierte nicht auf die Beileidsbekundungen der Trauergäste. Alle verabschiedeten sich, sobald es anstandshalber möglich war.

Eleni Gatzoyiannis kehrte in Begleitung ihrer völlig verarmten Nachbarin Anastasia Yakou und deren zwanzigjähriger Tochter Stavroula auf den Berg zurück. Obwohl Stavroula sich zu einer der größten und hübschesten Mädchen des Dorfes entwickelt hatte, blieb ihr aufgrund der Tatsache, daß ihr Vater die Familie verlassen hatte und immer noch in den Freudenhäusern von Kalambaka lebte, und ihrer Armut nur wenig Hoffnung, einen Ehemann zu finden.

Mitsi Bollis und seine Frau, die in dieselbe Richtung gingen, holten die drei Frauen ein. Mitsi bemerkte seufzend, es sei ein Jammer, daß Demetroula es nicht mehr erlebt habe, wie die Früchte der Revolution reiften. «Es sind die Armen wie die Familie Botsaris, die am meisten von unserem Kampf profitieren», erklärte er.

«Was denn profitieren?» höhnte Anastasia Yakou, die Elenis Meinung über Mitsi teilte. «Ich bin noch immer so hungrig wie vorher! Nein, hungriger sogar! Ihr habt die Ziegenmilch von zwei Tagen bei mir requiriert, um Käse für die Partisanen zu machen, doch mir und meinen Töchtern habt ihr bis jetzt noch nicht eine einzige Bohne gegeben.»

«Jeder muß Opfer bringen, um die neue Ordnung aufzubauen!» dozierte Mitsi. «Denkt doch mal an was anderes als immer nur an euren Magen! Denkt an das, was wir bereits erreicht haben!»

Er zählte die Liste der von den ELAS-Partisanen eliminierten

Banditen und Kollaborateure auf und fügte hinzu, die ELAS befreie die jungen Männer der Murgana von den Lastern des Trinkens, des Kartenspielens und Hurens. Bis jetzt hatte die ELAS schon zwei ihrer eigenen Soldaten erschossen, weil sie Frauen vergewaltigt haben sollten. Ständig wurden die Partisanen ermahnt, sie müßten sich rein halten, wenn sie die neue Ordnung aufbauen wollten. Angeregt von diesem Thema, fuhr Mitsi fort: «Erinnert ihr euch an den Kollaborateur, der in Ieromeri hingerichtet wurde? Der war nicht einfach nur ein Verräter. Angeklagt und verurteilt wurde er vor allem, weil er die eigene Schwester vergewaltigt hatte!»

Die Mienen der Frauen verrieten Abscheu. Nur Eleni musterte ihn zweifelnd. «Die eigene Schwester? Wie kann ein Mann aus unseren Bergen so etwas tun? Hat seine Schwester bei der Verhandlung gegen ihn ausgesagt?»

«Natürlich nicht!» Bollis zuckte die Achseln. «Er war schließlich ihr Bruder, ganz gleich, was er ihr angetan hatte.»

«Hat er gestanden?» bohrte Eleni weiter.

«Was stellst du nur für Fragen, Mädchen!» Bollis lachte. «Wer würde ein solches Verbrechen denn gestehen? Aber es war im ganzen Dorf bekannt.»

Stavroula Yakou nickte. «Es muß wahr sein», sagte sie. «Sonst hätten die Partisanen ihn nicht erschossen.»

Ihre Mutter zeigte sich weniger beeindruckt. «Du solltest lieber beten, daß diese Art von Justiz nicht zu uns nach Lia kommt, Mitsi!» warnte sie lachend. «Wenn dein Schicksal von dem abhinge, was die Leute im Dorf über dich sagen, wärst du nicht mehr am Leben.»

Beleidigt legte Mitsi mehr Tempo vor und ließ die Frauen hinter sich; seine eigene Frau jedoch setzte sich schnell in Trab, um ihn wieder einzuholen. Nachdem das Ehepaar Bollis in seinem Haus verschwunden war, sagte Eleni nachdenklich zu Anastasia Yakou: «Es stimmt, sie haben die Berge von den Banditen gesäubert, und die Italiener sind aus der Murgana abgezogen; aber so viele Morde so rasch hintereinander! Mit jeder Exekution fällt es ihnen leichter.»

Anastasia stimmte ihr zu; doch ihre Tochter schwieg und verwahrte Elenis Bemerkung in ihrem Gedächtnis, wie ein Eichhörnchen eine Nuß für den Hunger im kommenden Winter hamstert.

Am Ostersamstag gab es nur wenige Familien, die es sich leisten konnten, ein Osterzicklein zu schlachten und den gehäuteten Rumpf an die Dachbalken zu hängen, doch Eleni bezahlte ihren Nachbarn Tassos Bartzokis mit Maismehl für einen Teil der Ziege, die er und seine Frau braten wollten. Die ganze Familie versammelte sich, um Tassos zuzusehen, wie er das Tier für den Spieß vorbereitete, während die Frauen die Innereien für die würzigen Kebabs reinigten, die *kokoretsi* genannt wurden. Während sie arbeiteten, gab es auf der Straße unten auf einmal Unruhe. Alle liefen dorthin, woher der Lärm kam, und sahen siebenundzwanzig sauber ausgerichtete Soldaten aus Richtung Babouri ins Dorf marschieren. Nach dem ersten Schock erkannten sie in den Invasoren, angeführt von Prokopi Skevis, ihre eigenen Männer, die sich seit der Eroberung des Polizeipostens jedoch aufs prächtigste verändert hatten.

Statt der kunterbunten Kleidungsstücke trugen sie neue, graue Uniformen, verziert mit glänzend blanken Patronengurten, die sich auf der Brust kreuzten. Auf ihren Köpfen saßen, ein wenig nach rechts gerückt, weiche Schiffchen mit einem kleinen Abzeichen aus Messing, auf dem ELAS stand. Jeder Partisan hatte ein neues Mannlicher- oder Mauser-Gewehr – bis auf Vangeli Poulos, der sich, hochrot vor Stolz, ein Hotchkiss-Maschinengewehr über die Schulter geschlungen hatte. Begeistert liefen die Dorfkinder den prächtigen *andartes* nach: Es war die schönste Parade, die sie jemals gesehen hatten.

An diesem Abend drängten sich alle Dorfbewohner, sogar die unverheirateten Mädchen wie Olga Gatzoyiannis, in erwartungsvollem Schweigen in die Kirche zur Heiligen Dreifaltigkeit. Die Stentorstimme von Vater Zisis, unterstützt von Minas Stratis' klarem Tenor, der die Responsorien sang, strömte durch die offenen Fenster zu den Verspäteten hinaus, die auf dem Kirchhof warten mußten. Die Bahre Christi war mit Blumen bedeckt, unter denen sich die Kleinkinder des Dorfes versteckten, weil das Glück brachte, und jeder hielt eine neue Kerze in der Hand, bereit, im Augenblick der Auferstehung vom Priester die heilige Flamme zu empfangen.

Es war ein uraltes Drama, das dennoch an jedem Osterfest die Gemüter bewegte. Schlag Mitternacht würde der Priester aus der Grabesstille der dunklen Kirche durch die Königstür heraustreten: in schneeweißen Gewändern, von Weihrauch umweht und eine einzige Kerze in der Hand. «Kommt und empfangt das Licht!» würde er der Gemeinde zurufen, während die Glocken die Auferstehung Christi einläuteten. Die Dorfjungen machten sich bereit, auf dem Kirchhof

Knallfrösche loszulassen, während die Flamme von Kerze zu Kerze wanderte und jeder Gläubige vorsichtig, die Flamme stets vor dem Wind abschirmend, nach Hause ging, damit er mit ihrem Rauch zum Zeichen einer neuerlichen, triumphierenden Wiederkehr von den Toten ein neues Kreuz an die Decke seines Hauses zeichnen konnte.

Doch kurz vor Mitternacht, als die Gemeinde gespannt auf den Ostersamstag 1943 wartete, entstand auf dem Kirchhof eine Unruhe, die sich sogleich bis in die Kirche selbst fortsetzte, und die Menge der Gläubigen teilte sich, um die Gruppe der *andartes* durchzulassen. Einer der Partisanen trat vor. Er trug ein glänzend blankes Beretta-Gewehr über der Schulter und auf der Oberlippe einen Schnurrbart.

Die ganze Gemeinde stöhnte auf, als der Partisan die zwei Stufen zum Bischofsthron emporstieg, einem Holzsessel mit Baldachin, gekrönt von einer geschnitzten Mitra, der für normale Sterbliche, sogar für Vater Zisis, tabu war und dennoch getreulich abgestaubt und poliert wurde, für den Fall, daß eines Tages der mächtige Bischof Spyridon von Ioannina seinen Schäfchen in Lia einen Besuch abstatten sollte.

Wie auf Kommando blickten alle zu Vater Zisis hinüber, um zu sehen, wie er auf die Entweihung des Bischofsthrons an diesem heiligsten aller Tage reagierte, doch der Priester beobachtete nur resigniert, wie der uniformierte Partisan sich räusperte und sich dann an die Gemeinde wandte. Er sprach nur kurz, mit der volltönenden Stimme eines Professors. An diesem hochheiligen Feiertag, sagte er, wolle er die Hingabe der Einwohner von Lia auf ihre wahrhaft heiligste Aufgabe lenken: die Befreiung Griechenlands von dem Tyrannen. «Wenn ihr aus ganzem Herzen zu uns haltet, bereit seid, für unsere geheiligte Freiheit euer Blut zu vergießen, können wir nicht unterliegen!» schloß er. Die Gemeinde regte sich und blickte, unsicher, ob man in der Kirche applaudieren dürfe, wieder auf den Priester. Wie viele andere Frauen auch, bekreuzigte sich Eleni und sprach leise ein Gebet.

Am nächsten Tag, dem Ostersonntag, versammelten sich die Dorfbewohner zu einem Ausbruch dankbarer Freude darüber, daß sie wieder ein Jahr des Hungers und des Krieges überstanden hatten. Selbst die Ärmsten schafften es, ein paar Eier zu sammeln und rot zu färben. Am Nachmittag strömten die Lioten dann zum Gottesdienst der zweiten Auferstehung abermals in die Kirche, wo sie die Wiedergeburt feierten, die jedem Christen durch Christi Opfer geschenkt wird. Es war ein uraltes Fest der Liebe und endete damit, daß jeder seinen Nachbarn umarmte und ihm die frohe Botschaft verkündete: «Christus ist auferstanden!» und dieser ihm antwortete: «Er ist wahrhaftig auferstanden!»

Als die Ostergrüße allmählich verstummten, wurde die Atmosphäre der Verbrüderung von einem gutturalen Schrei zerrissen, einem männlichen Schmerzgebrüll aus der Richtung der benachbarten Schule. Eleni streckte die Hände aus, um ihre Kinder schützend an sich zu ziehen, aber Glykeria rannte bereits an der Spitze einer Menge über den Kirchhof, dem Lärm entgegen.

Die Tür des Schulhauses wurde von zwei bewaffneten *andartes* bewacht. Drinnen formten die heiseren Schreie Worte: «Bitte, aufhören! Ich hab nichts getan! Ich besitze doch gar kein Gewehr! So wahr mir Gott helfe!»

Auf die lauten Fragen der Leute hin antwortete einer der Wachtposten, ein Bursche namens Antonis Kollios werde «bestraft», weil er eine Waffe besitze, die er nicht der Volksarmee gemeldet habe. Sofort begriffen alle Anwesenden, was hier passiert war, und alle versuchten den Posten zu erklären, daß das ein furchtbarer Irrtum sei.

Der achtzehnjährige Antonis Kollios war ein Possenreißer, aber kein Unruhestifter. Die Felder seiner Familie lagen neben denen von Stavros Daflakis, einem älteren Bauern, der den grünen Star hatte und allmählich erblindete. Die Familien Daflakis und Kollios stritten ständig über den genauen Verlauf der gemeinsamen Feldgrenzen.

In einer Welt, in der Status und Existenz vom Landbesitz abhängen, sind Streitigkeiten um Flurgrenzen nicht ungewöhnlich. Immer wieder kam Daflakis auf die Felder der Kollios gestürmt und behauptete, ihre Kohlköpfe drängen widerrechtlich in seinen Garten ein, und Antonis jagte ihm dann mit Wonne einen gehörigen Schrecken ein, indem er einen Knüppel schwang, der beinahe wie ein Gewehr aussah. Der Alte konnte nur noch so wenig sehen, daß er den Unterschied nicht erkannte. Zweifellos war er mit seiner Klage zu den *andartes* gelaufen, und die verprügelten nun den Jungen, weil sie seine «Waffe» wollten.

Während Antonis' Schreie schwächer wurden, wurden die Protestrufe der Dorfbewohner erregter. Die beiden Posten legten ihre Gewehre an. Unvermittelt brachen die Schreie ab. Die Menge wich zurück, als sich die Tür öffnete und ein halbes Dutzend Partisanen, darunter auch Mitsi Bollis, erschienen – verblüfft, so viele Menschen versammelt zu sehen. Die Dörfler machten Platz, um die Uniformierten durchzulassen, und drängten dann in die Schule hinein, wo sie Antonis Kollios in Minas Stratis' Klassenzimmer bewußtlos auf dem Boden fanden, die Kleider dort, wo die biegsamen Gerten des Kornelbaums die Haut zerfetzt hatten, mit Blut gestreift. Die Männer, die ihn aufhoben und davontrugen, fragten sich, wie sich die bewegenden Worte von Prokopi Skevis und seinen Anhängern mit dieser sinnlosen Prügelei vereinbaren ließen.

Noch ehe der kleine Zug das Haus von Antonis erreichte, marschierte Skevis' Partisanentruppe zum Dorf hinaus in Richtung Babouri. Unterwegs vertraute Prokopi Skevis seinem Protegé, dem pockennarbigen Lehrer Doupis, an, er mache sich Sorgen über die Auswirkungen, die der Zwischenfall auf die Meinung des Dorfes über die *andartes* haben werde. «Gestern in der Kirche standen sie geschlossen hinter uns», erklärte er. «Und jetzt werden sie sagen, wir hätten einen unschuldigen Jungen verprügelt.»

Später am selben Nachmittag kehrten zwei Partisanen nach Lia zurück und befahlen Vater Zisis, die Glocken zu läuten und die Einwohner zusammenzurufen. Als alle eingetroffen waren, zog einer der beiden Partisanen einen Beutel aus der Tasche und schüttete sich den Inhalt in die Hand. «Mit diesem Geld wollten wir uns morgen etwas zu essen kaufen», erklärte er den Anwesenden. «Doch wie wir hörten, war der junge Kollios unschuldig. Die ELAS vergießt nicht das Blut Unschuldiger. Darum haben wir beschlossen, morgen den ganzen Tag zu hungern und Antonis Kollios die eingesparte Summe als Wiedergutmachung für unseren Irrtum zu geben.» Er tat die Scheine in den Beutel zurück und überreichte ihn dem Priester. «Sie werden es ihm bringen.»

Mehrere Zuhörer bemerkten, die *andartes* hätten gezeigt, daß sie letztlich doch gerecht seien, doch als Vater Zisis zu Antonis kam, riß ihm der Junge den offenen Beutel aus der Hand und schleuderte ihn zu Boden. Seine Mutter sammelte hastig die Scheine ein und bat den Priester, diese gedankenlose Tat ihres Sohnes nicht den Partisanen zu melden.

Von diesem unglückseligen Zwischenfall abgesehen, begrüßten die Dörfler jedoch die Anwesenheit der Partisanen – nicht nur, weil sie ihrem Leben einen neuen Sinn, eine neue Bedeutung gegeben hatten, sondern auch, weil sie ein wenig Abwechslung in die Monotonie ihres Alltags brachten. Nicht selten verkündeten die Kirchenglocken so gegen fünf Uhr nachmittags ein *synkendrosi*, eine obligatorische Versammlung, auf der Alonia, und die Lioten eilten sofort zum Dorfplatz, um sich von ihnen unterhalten zu lassen. Sogar die kleinen Kinder gingen mit, und Olga und Kanta bettelten – erfolglos – um die Erlaubnis, wenigstens von einem Versteck aus die Festlichkeiten beobachten zu dürfen, wie es gewisse weniger sorgfältig beaufsichtigte junge Mädchen taten.

Manchmal bestand das *synkendrosi* darin, daß Prokopi Skevis den Dorfbewohnern eine Rede über den Sinn ihres Kampfes hielt. An anderen Tagen wiederum unterrichteten die Partisanen die Dörfler mit Tanz, Gesang und Sketches über die Ziele ihrer Bewegung.

Eines Tages Ende Mai jedoch mußten die Lieder, Tänze und Ansprachen einem Drama mit echten Kugeln und echtem Blut weichen. Eleni hatte das Haus bereits früh am Morgen verlassen und war mit Olga und Kanta zu den hoch gelegenen Feldern in der Nähe der aus dem achtzehnten Jahrhundert stammenden St.-Nikolaus-Kapelle gegangen, um mit der Frühjahrsaussaat zu beginnen. Nikola und Fotini hatte sie in Glykerias Obhut gelassen. So weit oben hörte sie nicht, daß die Kirchenglocken die Einwohner zum Dorfplatz riefen. Es war noch zu früh am Tag für ein *synkendrosi*, die Lioten eilten aber trotzdem zur Alonia, weil sie auf Unterhaltung hofften. Sobald sie eingetroffen waren, merkten sie jedoch, daß etwas passiert war. Vangeli Poulos lief mit vom *raki* gerötetem Gesicht auf und ab. Prokopi Skevis stand mit einer Miene da, finster wie eine Gewitterwolke, während die uniformierten Partisanen miteinander flüsterten. Als der Platz voll war, nahm Prokopi sein Megaphon und rief den versammelten Dörflern zu, die Zeit zum Handeln sei gekommen, nun müsse man sein Leben einsetzen. Die faschistische EDES-Truppe des Zervas habe den Kalamas überquert. Sie sei nur noch zehn Meilen entfernt. Heute würden die *andartes* zur Sichel greifen und alle niedermähen, die den Weg in die glorreiche Zukunft blockierten.

Ein erregtes Stimmengewirr erhob sich, das Prokopi jedoch überschrie. Dies sei ein Augenblick für Taten, erklärte er, nicht für Worte. Alle Männer des Dorfes müßten sich zum Kampf bereitmachen. Er werde zwölf Reservisten bestimmen, die die zwölf überzähligen Gewehre bekommen und sich in seine Truppe einreihen sollten; sobald dann weitere Waffen erobert seien, werde er die übrigen Männer nachkommen lassen.

Seit dem Tag, an dem sie die Polizeistation erobert hatte, war Prokopis kleine Truppe auf über hundert Mann aus den verschiedenen Murgana-Dörfern angewachsen. Nicht alle teilten die kommunistische Vision der Skevis-Brüder für die Zukunft des Landes, doch viele hatten sich ihnen angeschlossen, weil sie in der Widerstandsbewegung die beste Möglichkeit sahen, Griechenland von den Deutschen zu befreien. Zu den Nicht-Kommunisten, die an jenem Tag die ELAS-Uniform trugen, gehörten aktive Armeeoffiziere, die Polizisten von Lias Polizeistation, Lehrer, Anwälte und sogar zwei Priester. In Lia hatte sich nahezu jeder gesunde Mann, ganz gleich, welcher politischen Richtung, als Reservist gemeldet – insgesamt 150.

Bei Prokopis grimmiger Erklärung brachen viele Frauen in Wehklagen aus, und als er die zwölf Reservisten bestimmte, die mitgehen sollten, umarmten Mütter und Ehefrauen ihre Männer und flehten den Herrgott an, sie diese Schlacht heil überstehen zu lassen. Die Soldaten traten an, tapfer bemüht, kampflustig zu wirken, schulterten die Gewehre und marschierten in südwestlicher Richtung den Berg hinab.

Glykeria hatte strengste Anweisung von ihrer Mutter bekommen, darauf zu achten, daß Fotini und Nikola den Hof nicht verließen. Daher ignorierte sie den Ruf der Kirchenglocken und stellte, ärgerlich, weil sie das *synkendrosi* verpaßte, das Mittagessen für die beiden Kleinen auf den Tisch. Es war ein feuchtwarmer Nachmittag, und Nikola kletterte nach dem Essen auf das flache Steinsims über dem Hoftor, seinen Lieblingsplatz, wenn er allein sein wollte. Er war erst vier, und weil sein Magen voll war, schlief er bald ein.

Glykeria, die sich sehr wichtig vorkam, weil sie die Aufsicht führen durfte, setzte sich auf die Vordertreppe, wo sie Nikola im Auge behalten konnte, und rief Fotini zu sich, die fünf Jahre alt war und gern Erwachsensein spielte. Glykeria befahl Fotini, ihr das seidenweiche, blonde Haar auszukämmen und zu entlausen, weil sie das prickelnde Gefühl so gern hatte.

Während Fotini sich mit Glykerias Haar abmühte, rollte Nikola sich auf dem Betonsims herum und fiel vom Torbogen zweieinhalb Meter tief auf den Plattenweg, wo er mit dem Hinterkopf aufschlug. Sekundenlang war er benommen, dann begann er ganz furchtbar zu brüllen. Glykeria, die sofort zu ihm hastete, entdeckte, daß ihm aus einer Wunde am Hinterkopf Blut den Hals hinablief. Nikola schrie lauter, aber die ganze Gegend war verlassen, und kein Erwachsener war da, der helfen konnte. Glykeria empfand sehr schmerzhaft, daß sie erst zehn Jahre alt war und nicht wußte, was sie tun sollte.

«Ist doch nichts passiert! Wenn du aufhörst zu weinen, schenke ich dir eine Feige!» flehte sie ihren Bruder an und brachte ihn ins Haus, wo sie einen weißen Kissenbezug aus der Aussteuertruhe ihrer Mutter riß und damit, so gut es ging, die Wunde verband.

An einer getrockneten Feige lutschend, hörte Nikola dann doch auf zu weinen, und sobald sein Schluchzen verstummte, gewann Glykeria die Fassung zurück; ihre Mutter nachahmend, befahl sie ihm, sich hinzulegen und weiterzuschlafen. Er war, erschöpft von seinem Unfall, bereits eingenickt, also ließ Glykeria ihn auf seinem Strohsack liegen, kehrte nach draußen zurück und befahl Fotini, ihr wieder die Haare zu kämmen.

Die Schlacht in Keramitsa begann kurz nach zwölf Uhr mittags. Prokopis Truppe kämpfte tapfer, obwohl ihr die Zervas-Partisanen der EDES mit ihren viel besseren Waffen weitaus überlegen waren, aber die ELAS-Einheit wurde unbarmherzig zurückgedrängt. Als Prokopi schließlich den Befehl zum Rückzug gab, gehorchten alle stehenden Fußes, bis auf Vangeli Poulos, der mit einem anderen Jungen aus dem Dorf zusammen das einzige Maschinengewehr bediente. Vangeli war trunken von *raki* und Heldenmut. Er weigerte sich, dem Feind zu weichen.

Der andere Junge war nicht so besessen vom Wunsch nach Märtyrertum wie der junge Poulos. Die Kameraden sahen, wie die beiden heftig stritten, während Vangeli die vorrückenden EDES-Truppen mit seiner letzten Munition beschoß. In der Dämmerung, derselben Stunde, da er den Kollaborateur Kontoris umgebracht hatte, wurde der junge Vangeli Poulos der erste ELAS-Märtyrer aus Lia und der erste Dörfler, der in diesem Krieg fiel. Der andere Junge überlebte ihn um ein paar Minuten.

Auf den Feldern von St. Nikolaus, hoch über dem Dorf, hatten Eleni, Olga und Kanta ihre anstrengende Tagesarbeit, die frisch gepflügte Erde für die Frühjahrssaat vorzubereiten, beinahe beendet, da wurde Eleni von Schüssen aufgeschreckt, von Granat- und Maschinengewehrfeuer aus südwestlicher Richtung. Sie entdeckte Rauch, sonst nichts. Es war das erstemal, daß sie Glykeria mit den Kleinen allein gelassen hatte, und sofort sah sie Szenen von Tod und

Blutvergießen vor sich und ihre Kinder mitten drin. Von Angst getrieben, lief sie mit den beiden älteren Töchtern Hals über Kopf den Berg hinab.

Als sie außer Atem am Tor ankam, sah sie Glykeria und Fotini munter Aprikosen essen, die sie von Tassos Bartzokis' Baum gegenüber stibitzt hatten. «Gott sei Dank!» keuchte Eleni. «Ich habe Schüsse gehört. Kein Mensch ist in der Nähe. Wo ist Nikola?»

Glykeria hörte auf zu essen und krauste die Stirn. «Drinnen. Er schläft. Er hat sich ein bißchen den Kopf gestoßen, aber jetzt geht's ihm schon wieder gut.»

Elenis Erleichterung war sofort verflogen, und all ihre bösen Vorahnungen kehrten zurück. Sie lief in die Küche, wo Nikola, den blutgetränkten Kopfkissenbezug wie einen Turban um den Kopf gewickelt, lag und schlief. Bei diesem Anblick machten sich ihre Ängste in einem gräßlichen Schrei Luft. Als der Kleine die Augen aufschlug, sah sie jedoch, daß er noch lebte, und konnte ihre bebenden Hände lange genug kontrollieren, um eine Schere zu holen, die Haare rings um die Wunde abzuschneiden und sie mit *tsipouro* zu desinfizieren, während sie ihm die ganze Zeit zärtlich zuredete. Sie machte sich die größten Vorwürfe, weil sie ihren Sohn, den Angelpunkt ihres Lebens, allein und schutzlos zurückgelassen hatte.

Sobald die Wunde verbunden und sie selbst wieder zu Atem gekommen war, ging Eleni auf Glykeria los, die sich im äußersten Winkel des Hofes herumdrückte. «Du... du schwarzer Teufel, paßt du so auf deinen Bruder auf?» kreischte Eleni und bückte sich, um Steine nach dem Kind zu werfen. Glykeria lief davon, so schnell ihre rundlichen Beinchen sie tragen wollten, und schrie dabei dramatisch: «Jawohl! Bring mich nur um! Das ist mir gleich! Ich bin bereit zu sterben! Komm herab, heiliger Demetrios, und hole mich! Meine Mutter bringt mich um!»

Keiner der Steine traf sein Ziel, und Eleni wurde bei der Verfolgung aufgehalten, als Fotinis Händchen nach ihrem Rock griffen. «Glykeria hat nichts getan!» flehte Fotini. «Nikola ist ganz von allein gefallen! Ich hab grade Glykerias Haare gekämmt, genau wie eine große Dame.»

«Du auch?» schrie Eleni und sah auf das ernsthafte Gesichtchen mit den bebenden Lippen hinab. «Nikola ist kleiner als du; du hättest auf ihn aufpassen sollen!» Dann aber sank sie kraftlos zu Boden, und all ihre Wut war plötzlich verraucht. Seit Nikolas Geburt war Fotini ein weinerliches Kind gewesen, das sich der Zuneigung beraubt sah, die es sich so sehnlich wünschte. Aus diesem Grund brachte es Eleni nie übers Herz, ihr eine Tracht Prügel zu verabfolgen, obwohl das ewige Geplärr des Kindes sie nicht selten fast wahnsinnig machte. Auch Glykeria konnte sie nicht kräftig versohlen, denn dieses schamlose Mädchen, das gerade den Weg hinab auf das Bartzokis-Haus zu verschwand, rief immer noch alle Heiligen im Himmel an, sie zu sich in den Tod zu holen. Der klagende Ton, in dem sie das tat, bewirkte, daß Eleni trotz allem lachen mußte. Sie kehrte ins Haus zurück, nahm ihren Sohn auf den Schoß und wiegte ihn sanft im sicheren Schutz ihrer Arme.

Glykeria war noch nicht wieder heimgekehrt, da kam Olga Venetis mit der Nachricht den Weg herauf, Prokopis Truppe sei bei Keramitsa geschlagen worden und befinde sich auf dem Rückzug in nördlicher Richtung nach Kastaniani; gerade kämen sie durchs Dorf. Sie berichtete Eleni vom Tod der beiden jungen Männer, von dem auch deren Familien schon informiert worden seien. Eleni blickte auf Nikola hinab, der mit dem Verband, der wie eine schiefgerutschte Mütze wirkte, schlafend auf ihrem Schoß lag. Ihre bösen Vorahnungen, von den Aktionen der Partisanen geweckt, waren also nicht unbegründet gewesen. Söhne ihrer Nachbarn wurden dem Banner der Revolution geopfert. Sie aber würde ihren Sohn niemals einer Idee opfern! Eleni wandte sich an die Nachbarin. «Ein Segen, daß Vangelis Mutter das nicht mehr erleben mußte!» sagte sie rauh. «Gebe Gott, daß ich lieber sterben darf, als mit ansehen zu müssen, wie mir eins meiner Kinder genommen wird.»

Als in Lia bekannt wurde, daß Zervas' Streitkräfte die ELAS-Truppe verfolgten, machten sich alle, auch die Familie Gatzoyiannis, zur Flucht in die Höhlen bereit, weil sie nicht in die Hand der berüchtigten rechten EDES-Partisanen fallen wollten. Doch Zervas' *andartes* rückten nicht weiter vor als bis nach Keramitsa, so eingeschüchtert waren sie von der wilden Kampfkraft, die Prokopis Leute an den Tag legten, und so wenig Lust hatten sie, ihnen in ihre eigenen Berge hinein zu folgen. Als es sich eindeutig herausstellte, daß Lia nicht von der EDES besetzt werden würde, kehrten Prokopis Männer ins Dorf zurück, und eine Zeit beunruhigten Wartens begann.

Obwohl sie bei Keramitsa besiegt worden waren, war Prokopi stolz darauf, daß seine Männer sich in der Schlacht angesichts der großen EDES-Übermacht so gut gehalten hatten. Aus seiner Schar von Kesselflickern und Hirten hatte er eine disziplinierte Kampftruppe geformt. Aber die regionalen Führer der Kommunistischen Partei Griechenlands, der die ELAS unterstellt war, konnten ihm die Niederlage nicht verzeihen. Sie waren überzeugt, daß Prokopis ELAS-Gruppe eine entscheidende Schwachstelle hatte: Er hatte geduldet, daß die Murgana-Sektion von einem einheimischen Komitee geleitet wurde statt von Männern, die von den Parteiführern in Ioannina sorgfältig ausgewählt worden waren. Sie fanden, er lasse seiner Gruppe eine Selbständigkeit, die die Parteidisziplin unterminiere und ihre militärische Schlagkraft schwäche. Deswegen beschloß die Partei, die Zügel der Murgana-Partisanen kräftig anzuziehen.

Der Mann, der die Gruppe wieder zur Ordnung rufen sollte, war ein magerer, dunkelhäutiger, makedonischer Slawe, der den Namen «Inoes» benutzte. Verblüfft sahen die Dorfbewohner, wie ihr Lokalheld vor dem Fremden kroch. Inoes warf Prokopi Schwäche vor, weil er Männer in seine Organisation aufgenommen hatte, die nicht echte Anhänger der Partei waren.

Prokopi war über die Kritik empört. Das Dorf stehe hundertprozentig hinter ihm, protestierte er. «Wenn wir das Ortskomitee auflösen und alles in die Hände der Partei legen, verlieren wir ein paar unserer besten Männer, die keine Kommunisten sind!» Inoes ließ sich nicht überzeugen. Prokopi mußte die Murgana-Gruppe abgeben, und seine Männer wurden an das 15. ELAS-Regiment überstellt, eine Truppe, die fest in der Hand der Partei war. Innerhalb einer Woche packten, wie Prokopi befürchtet hatte, ein Dutzend der erfahrensten Kämpfer der Einheit, darunter ehemalige Armeeoffiziere und der Polizeisergeant Kaloyeropoulos, ihre Siebensachen und schlichen sich aus Lia fort, um in Keramitsa wiederaufzutauchen, wo sie sich den gegnerischen Streitkräften von Zervas' EDES anschlossen.

Doch Prokopi mußte noch mehr Demütigungen einstecken. Die Desertionen als Vorwand nehmend, trennte die Partei ihn von der Truppe, die er aufgestellt und zwei Jahre lang betreut hatte, und schickte ihn ins Exil, auf einen Posten in einem winzigen Dorf im Ioannina-Tal.

Derjenige, der von dieser Säuberung in Lia am meisten profitierte, war Costa Haidis, Eleni Gatzoyiannis' Cousin, der als der örtliche Kommunisten-Kommissar der mächtigste Mann der ganzen Umgebung wurde. Spiro Skevis kehrte aus Preveza zurück, wo er als

ELAS-Leutnant erfolgreicher gekämpft hatte als sein Bruder. Und da er jede Entscheidung der Partei unterstützte, wurde ihm der Befehl über eine Kompanie des 15. Regiments übertragen, die zum größten Teil aus Lioten bestand.

Überrascht von der Verlegung der einheimischen ELAS-Gruppe dämmerte es den Murgana-Dörflern allmählich, daß die Bewegung, hier im Ort von den Skevis-Brüdern gegründet, von geheimnisvollen Mächten kontrolliert wurde und weit über ihren eigenen, begrenzten Horizont hinausging. Täglich kamen neue *andartes* durch das Dorf, übernachteten zuweilen im Schulhaus oder quartierten sich in den Häusern der Einheimischen ein. Viele trugen fremdartige Uniformen und sprachen unbekannte Dialekte.

Gegen Ende des Sommers 1943 tauchte Prokopi Skevis, gründlich geläutert durch sein Exil im Ioannina-Tal, wieder in Lia auf. Eleni bemerkte, daß er härter geworden war, abweisender gegen die Einheimischen, und daß er kaum noch vom gemeinsamen Kampf der Alliierten und der *andartes* gegen die Deutschen sprach. Statt dessen befaßte er sich in seinen Reden ausschließlich damit, die «Monarcho-Faschisten» zu beschimpfen, womit er Zervas meinte; die Imperialisten, womit er die Königstreuen wie ihren Vater meinte; und die Blutsauger, die Ausbeuter der Massen. Zur Belohnung für seine neu erworbene, orthodoxe Ideologie wurde Prokopi zum Sekretär des Komitees der Kommunistischen Partei für die gesamte Präfektur der Thesprotia ernannt. Die meisten Lioten waren froh, daß der Begründer ihrer einheimischen Widerstandsbewegung wieder da war, und stolz auf den Aufstieg dieses Sohnes ihrer Heimat in den Reihen der ELAS.

Der ewige Krieg zwischen ELAS- und EDES-Partisanen hatte die gesamte Widerstandsbewegung so sehr gelähmt, daß im Juli auf Drängen der britischen Militärmission zwischen den Partisanentruppen ein Abkommen zur Beendigung der gegenseitigen Feindseligkeiten ausgehandelt wurde und beide sich bereit erklärten, sich unter den Befehl eines in Pertouli, Thessalien, etablierten gemeinsamen Hauptquartiers zu stellen, das sich aus Vertretern beider Widerstandsgruppen und der britischen Kommandoeinheiten zusammensetzte.

In der Murgana-Region hatte sich die EDES in Keramitsa eingegraben, während die ELAS die oberen Dörfer – Lia, Babouri und Tsamanta – im Griff hatte.

In der Hoffnung, die beiden Seiten vor einem neuerlichen Aufflammen der Feindseligkeiten bewahren und veranlassen zu können, sich auf den eigentlichen Feind, die Deutschen, zu konzentrieren, beschloß die britische Militärmission in Griechenland, Abordnungen in die Murgana-Berge zu entsenden, die zunehmend an strategischer Bedeutung gewannen. Im Fall einer alliierten Invasion an der griechischen Westküste, der Insel Korfu gegenüber, konnte eine starke Widerstandsarmee in der Murgana die Nachschubstraße der Deutschen zum Landegebiet sowohl von Albanien im Norden als auch von Ioannina im Osten blockieren. Überdies gab es in der Region eine von zwei Rückzugsrouten der Deutschen aus Griechenland: durch Albanien zur Adria. Die Deutschen bevorzugten diese Route, weil sie auf ihr Titos starke Partisanenarmee in Jugoslawien umgehen konnten, und die Alliierten wollten, daß sie geschlossen wurde.

Das britische Empire erschien in Lia in Gestalt der bizarren Person eines hochgewachsenen, nervösen, blonden Schotten von ungefähr fünfundvierzig Jahren namens Lieutenant John Anderson. Die Dorfbewohner nannten ihn schon bald «Captain Ian». Begleitet wurde er von einem weiteren Untertanen Seiner Majestät, dem Corporal Kenneth Smith, einem kräftigen, fröhlichen, dunkelhaarigen Nordengländer mit einem Funkgerät auf dem Rücken. Am außergewöhnlichsten jedoch war der Dolmetscher der beiden, ein schüchterner, milchkaffeebrauner Mann namens Peter Saramantis mit einem griechischen Matrosen als Vater und einer schwarzen Südafrikanerin als Mutter. Er erklärte den Dörflern, die Briten würden in Lia eine Mission der Alliierten einrichten und hätten zu diesem Zweck das Zweizimmerhaus der Fafoutis hinter dem Polizeiposten gemietet.

Nach der Ankunft der britischen Soldaten empfanden alle Bewohner des Dorfes einen gewissen Stolz und fühlten sich ein bißchen sicherer. Niemand konnte voraussehen, daß die Stationierung der Engländer die Spannungen zwischen ELAS und EDES nur noch verstärken und den Bürgerkrieg direkt vor ihre Haustüren bringen würde.

4

Genau wie die ELAS-Sketche die Monotonie des Alltagslebens in Lia durchbrochen hatten, bildete die Einrichtung eines britischen Kommandopostens eine aufregende Abwechslung für die Bewohner.

Noch nie hatte ein Ausländer unter ihnen gelebt, und so beobachteten die Lioten diese drei Engländer wie seltene und faszinierende zoologische Exemplare. Schwer zu glauben, daß das mächtige britische Weltreich, vor dem die Griechen so lange ehrfürchtige Scheu empfunden hatten, sich in der Person des hochgewachsenen, nervösen schottischen Captain, des stämmigen, lauten Funkers und des Mulatten-Dolmetschers manifestieren sollte. Die drei hatten zahlreiche Marotten. Erstens trugen sie kurze Hosen wie kleine Jungen. Außerdem rannten sie aus Trainingsgründen die Bergpfade rauf und runter. Als das zum erstenmal passierte, setzten sich alle Dörfler, die das zufällig sahen, sofort in dieselbe Richtung in Trab, fest überzeugt, die Deutschen seien ihnen auf den Fersen. Völlig verblüfft hörten sie, daß die Engländer zur Erholung liefen. Die Menschen hier oben verbanden die Berghänge ausschließlich mit Schwerarbeit und tiefer Erschöpfung und würden ebensowenig zu ihrem Vergnügen herumwandern oder -laufen, wie ein Fischer sich durch Schwimmen im Meer entspannen würde.

So seltsam die Gewohnheiten der Engländer aber auch sein mochten, die Lioten rechneten es sich zur Ehre an, daß sie da waren, riefen jedesmal, wenn sie den Offizieren begegneten: «Lang lebe England!» und drückten ihnen Obst und Gemüse in die Hand. Dimitri Stratis, Eleni Gatzoyiannis' Cousin zweiten Grades, erzählte ihr, die Briten hätten sein *cafenion* in der Nähe ihres Hauptquartiers gerettet. Er hätte beinahe schließen müssen, weil es keine Waren mehr zu verkaufen gab, da hätte ihm der Schotte angeboten, ihn in Goldsovereigns zu bezahlen, wenn er auf dem albanischen Schwarzmarkt italienisches Bier sowie einige andere Luxusartikel wie Marmelade und Kerzen besorge. Captain Ian, vertraute ihr Dimitri an, trinke eine erstaunliche Menge Bier.

Interessiert beobachteten die Dorfbewohner, wie die Briten ihren Haushalt einrichteten. Die Offiziere holten sich einen Koch aus dem Dorf Faneromeri, gaben ihm den Spitznamen «Henry» und installierten ihn in dem freistehenden Schuppen, der ihnen als Küche diente. Ein Zimmer des Fafoutis-Hauses benutzten sie als Schlafzimmer, das andere als Funkraum. Sie kauften sich ein Maultier, das sie nach Mussolinis Tocher «Edda» tauften. Und es wurde sogar gemunkelt, daß sie Bilder von nackten Frauen an die Wände des Schlafzimmers geheftet hätten.

Vater Zisis freute sich ebensosehr wie alle anderen, die Engländer begrüßen zu dürfen, und bot ihnen seine Dienste an; über den Auftrag, den sie ihm erteilten, war er jedoch fassungslos: Ihnen zwei Frauen aus dem Dorf als Haushälterinnen zu besorgen. Keine anständige Frau aus dem Dorf würde in der britischen Mission arbeiten, das wußte der Priester. Frauen konnten die Wohnungen von Männern, die nicht mit ihnen verwandt waren, nicht betreten, ohne ihrem Ruf einen nie wiedergutzumachenden Schaden zuzufügen, aber das konnte man den Engländern nicht klarmachen. Schließlich wollten sie den Haushälterinnen je einen britischen Goldsovereign pro Monat bezahlen sowie sie während der Arbeitszeit verköstigen. Dann fielen Vater Zisis die beiden letzten Töchter der Witwe Botsaris mit ihrem Bubikopf und den städtischen Manieren ein. Die waren doch tatsächlich so schamlos, die Männer, denen sie unterwegs begegneten, einfach zu grüßen! Sie brauchten verzweifelt Geld für Lebensmittel, und ihre Mutter war zu tief in die Trauer um ihre verstorbenen Kinder gesunken, um sich da einzumischen.

So wurden Angeliki Botsaris und ihre Schwester Constantina Haushälterinnen der englischen Mission in Lia, die vom Alliierten Hauptquartier in Kairo großspurig «Bovington Mission» getauft worden war. Da Angeliki eine Nachbarin der Familie Gatzoyiannis war, kam sie oft zu Eleni herüber und berichtete ihr von den geheimnisvollen Aktivitäten dort. Sie beschrieb die seltsamen Eßgewohnheiten der britischen Offiziere: Statt frischer Lebensmittel bevorzugten sie Eipulver, Büchsenfleisch und etwas, das sie Kakao nannten, und weigerten sich, ihren Salat mit Olivenöl anzumachen, weil das höchstens zum Füllen der Lampen gut sei. Aber sie waren fast übertrieben sauber und beunruhigend höflich.

Ehrfürchtig schilderte Angeliki, wie das Funkgerät Tag und Nacht ticke und Meldungen aus fernen Ländern bringe, die Ken, der Funker, übertragen müsse. Und flüsternd fügte sie hinzu, sie habe die beiden höheren Offiziere, Ian und Philip Nind, der am 17. September zusammen mit vierundzwanzig Fallschirmspringern gelandet und als letzter Mann zum britischen Kommandoposten gestoßen war, schon oft über diese Meldungen miteinander streiten sehen. Der Mulatten-Dolmetscher erklärte ihr, die beiden Männer stammten aus verschiedenen Gesellschaftsschichten Englands. Philip sei vornehm erzogen und reich. Obwohl ein Dutzend Jahre jünger als Ian, habe Philip es zuerst zum Captain gebracht, während Ian erst für diese Mission befördert worden sei. Ian sei ein mürrischer, mißtrauischer Mensch, berichtete Angeliki, der seinen Offizierskameraden nicht mochte; den Funker fand sie jedoch gutmütig, umgänglich und lustig, obwohl sie kein Wort von dem verstand, was er sagte. Die Familie Gatzoyiannis lauschte ihren Klatschereien so gespannt, als erfahre sie streng geheime Dinge von ungeheurer Bedeutung.

Eleni, die die englischen Offiziere auf dem Dorfplatz sitzen und Bier trinken sah, betrachtete sie bewundernd und hoffnunsvoll. Sie repräsentierten eine der großen Weltmächte und waren hier, das Dorf vor den Deutschen zu schützen. Außerdem hoffte sie, daß es ihnen gelang, weiteres unnötiges Blutvergießen zwischen den rivalisierenden Partisanengruppen, wie den Tod der beiden Jungen aus dem Dorf in der Schlacht gegen Zervas' Truppen in Keramitsa, zu verhindern.

Die Engländer akzeptierten die Huldigung der Dörfler, scheinbar ohne Prokopi und Spiro Skevis zu bemerken, die hochrot vor Wut in ihrer Nähe saßen. Nachdem die Ausländer ihr Bier getrunken und den Dorfplatz verlassen hatten, stand Prokopi Skevis auf und wandte sich an die Neugierigen. Er warnte sie, nicht alles zu glauben, was die Engländer sagten. «Vergeßt nicht, die EDES-Söldner des Verräters Zervas werden mit britischen Sovereigns bezahlt», sagte er hitzig. «Seid höflich zu den Engländern; sie haben das Geld, die Waffen und die Vorräte, die wir brauchen. Doch der Verbündete, der für uns den Krieg gewinnen wird, ist Rußland, nicht England.»

Kleinlaut nickten die Dorfbewohner und beschlossen, in Zukunft ihre Begeisterung für die Briten ein wenig zu dämpfen.

Die einheimischen ELAS-Partisanen, die sich auf dem Dorfplatz herumtrieben, fanden mehr als nur ideologische Gründe für ihren Haß auf die Engländer, als sie an jedem Morgen mit ansehen mußten, wie die beiden Botsaris-Töchter in ihren anliegenden, pastellfarbenen Großstadtkleidern, die zerfransten Tuchmäntel eng um sich gezogen, in der britischen Mission eintrafen. Wenn sie an den Partisanen vorbeikamen, die den Auftrag hatten, die Aktivitäten im britischen Hauptquartier zu beobachten, lächelte Angeliki ihnen stets freundlich zu und warf dabei die honigblonden Haare zurück. Sie starrten sie an wie ein Rudel hungriger Hunde ein Lamm auf der Schlachtbank. Die meisten ELAS-Partisanen waren junge Dörfler, die noch nie eine Frau gehabt hatten. In Dörfern wie Lia gab es keine Gelegenheit für sexuelle Abenteuer. Die einzig mögliche Vereinigung war die im Ehebett mit einer Frau, die die Eltern unter weitgehender Berücksichtigung der Aussteuer und keinem Gedanken an gegenseitige Zuneigung ausgesucht hatten. Die Verheirateten unter den ELAS-Männern beobachteten, wie sich der dünne Stoff von Angelikis bunten Kleidern beim Gehen an ihre ausladenden Hüften schmiegte. Ihre Haut war so weich und glatt wie eine reife Aprikose und duftete nach Zitronenblüten. Es war unmöglich, sie nicht mit ihren grobhäutigen, sehnigen Ehefrauen zu vergleichen, die Homespun trugen und sogar im Bett nach Stall rochen.

Trotz des Atheismus, der in ihrer Bewegung herrschte, waren die ELAS-Partisanen sexuellen Vorschriften unterworfen, die so streng waren wie in einem Kloster. «Euer Schwanz ist ausschließlich zum Pissen da!» belehrte *Kapetan* Aris oft seine Truppen. Eine Frau anfassen bedeutete, das Risiko standrechtlicher Erschießung einzugehen. Die Skevis-Männer draußen vor dem britischen Hauptquartier sahen in fiebriger Erregung zu, wie Angeliki und ihre Schwester Constantina einladend lächelten und im Quartier der Engländer aus und ein gingen. Sie stellten sich vor, was sich innerhalb dieser Mauern zwischen den schamlosen Botsaris-Mädchen und den Ausländern abspielte, und diese Gedanken erfüllten sie mit Neid und Haß.

Eine Woche nachdem Philip Nind mit seinen Männern eingetroffen war, waren die Engländer wie elektrisiert von einer Nachricht aus dem Hauptquartier, auf die sie schon hoffnungsvoll gewartet hatten.

Ken erhob sich von dem Tisch, an dem er die letzten Befehle entschlüsselt hatte, und hielt das Blatt mit zitternden Händen. Die Alliierten würden in ungefähr sieben Tagen auf Korfu landen, hieß es im Text, und Philips Aufgabe war es nun, mit seinen Männern einheimische Partisanen zu sammeln und mit ihrer Hilfe die Straße Ioannina-Igumenitsa zu sprengen, damit die deutschen Verstärkungen aus dem Inland die Insel nicht erreichen konnten.

Während Ian die Sprengsätze vorbereitete, bat Philip zunächst die Skevis-ELAS-Gruppe und dann das nächstgelegene EDES-Hauptquartier um Leute, die ihn zum Zielpunkt begleiteten, der innerhalb eines von den Moslem-Kollaborateuren der Deutschen gehaltenen Territoriums lag. Beide Gruppen weigerten sich, ihm mehr als je einen Mann als Führer zur Verfügung zu stellen, und diese beiden Partisanen machten sich, als sie das Cham-Territorium erreichten, sofort aus dem Staub. Nur achtundvierzig Stunden vor der erwarteten Invasion standen die verzweifelten britischen Offiziere ohne einen einzigen Partisanen da, der ihnen beim Sprengen der Straße half. Die Rettung kam in letzter Minute in Form einer Meldung aus Kairo, durch die die ganze Operation abgesagt wurde. Viel später erst erfuhren sie, daß die «Landung der Alliierten» eine Finte gewesen war, eine falsche Fährte, die Hitler ablenken und die Deutschen von anderen Fronten fernhalten sollte.

Ian und Philip hatten eine Lektion gelernt: Auf die einheimischen Partisanen konnte man sich im Ernstfall nicht verlassen. Sie beschlossen, Männer von beiden Partisanengruppen anzufordern, um sie persönlich für zukünftige Einsätze zu schulen. Während die Skevis-Brüder sich ganz klar weigerten, erklärten die EDES-Truppen in Keramitsa sich bereit, ihnen fünfzehn *andartes* zu überlassen.

Eine donnernde Explosion, die alle Fensterscheiben zum Klirren brachte, bewirkte, daß Eleni den Teller Bohnen fallen ließ, den sie gerade in der Hand hielt. Sie schien vom Ostrand des Dorfes zu kommen, und ihr erster Gedanke galt Nikola, der draußen spielte. Sie fand ihn im nahen Hof von Foto Bollis, zusammen mit Fotos kleinem Sohn Sotiris. Genau wie sein Cousin Mitsi war Foto Bollis ein fanatischer Kommunist. Er kam aus dem Haus und lächelte über Elenis angstvolles Gesicht, als sie ihren vierjährigen Sohn auf den Arm nahm. Auf das wiederholte Dröhnen der fernen Sprengungen hin hatten alle Dorfköter zu jaulen begonnen. «Das sind nur die

Briten. Die bringen ein paar EDES-Partisanen bei, wie man Löcher in die Berghänge sprengt», erklärte Bollis. «Die glauben, sie könnten aus diesen faschistischen Stiefelleckern Kommandosoldaten machen.»

Eleni hörte es verwundert. «Bei uns im Dorf sind EDES-*andartes*?» rief sie erstaunt. «Was sagt denn Spiro Skevis dazu?»

Foto Bollis zuckte die Achseln. «Was hat das mit Spiro zu tun?» sagte er ironisch. «Hast du denn noch nicht gehört? ELAS und EDES – wir sind jetzt alle gute Freunde, gemeinsam unter dem liebevollen Schutz der Engländer.»

Entnervt von den Explosionen, scheuchte Eleni Nikola nach Hause, während sie überlegte, was wohl hinter Fotos spöttischem Ton stecken mochte. Sie beschloß, am Abend ihre Freundin Alexandra Botsaris zu besuchen und zu sehen, ob sie von deren Tochter Angeliki Näheres erfahren konnte.

Als Eleni mit der Witwe Wintergrüntee trank, sah sie erschrocken, daß Angeliki und Constantina von dem stämmigen englischen Funker mit zwei scharf wirkenden Hunden an der Leine und einem Gewehr über der Schulter bis an die Haustür gebracht wurden. Ins Haus kam der Engländer nicht mit herein, sondern verschwand, sobald die Mädchen drinnen waren, im Dunkeln.

Eleni musterte sie neugierig. Zuerst die Explosionen, dachte sie, dann die Neuigkeit, daß die Briten EDES-Partisanen ausbildeten, und nun kommen die Botsaris-Töchter mit einem Leibwächter nach Hause. Sie fragte Angeliki, was da eigentlich vorgehe. Das junge Mädchen setzte sich seufzend hin. «Wenn du mich fragst», antwortete sie, «dann machen die Engländer einen Fehler, daß sie die EDES-Partisanen hierherbringen, aber sie sind fest entschlossen, eine Gruppe im Umgang mit Sprengstoff zu trainieren, und Skevis wollte ihnen keine von seinen Männern geben. Die Engländer sind zu vertrauensselig; sie dürften Skevis nicht glauben, daß er sie in Ruhe lassen wird.»

Angeliki berichtete Eleni, daß Skevis die britische Mission von Anfang an rund um die Uhr von Spionen hatte beobachten lassen, und wenn sie und ihre Schwester abends nach Hause gingen, wurden sie von den ELAS-Partisanen angehalten und ausgefragt, was sie im Haus gesehen und gehört hätten. «Ich hab nur gelächelt und behauptet, ich könnte kein Wort verstehen von dem, was da vorgeht», sagte Angeliki, «und das stimmt sogar. Außerdem sind wir fast immer in der Küche. Aber dann haben sie angefangen, uns zu durchsuchen, ob wir der EDES vielleicht Nachrichten und Geld von den Briten brächten. Da hab ich mich bei Captain Philip beschwert, und er hat Ken beauftragt, uns jeden Tag abzuholen und heimzubringen.»

Angeliki schüttelte ihr blondes Haar, und ihre Wangen färbten sich rosig. «Ich weiß, was die von uns denken – die halten uns für die Huren der Engländer», sagte sie. «Ich höre doch, was sie flüstern, wenn wir vorbeikommen. Und die anderen Leute im Dorf sind auch nicht besser; jeder nennt uns die ‹Mädchen vom süßen Wasser›, weil wir ins Hauptquartier der Briten gehen. Von mir aus können sie uns nennen, wie sie wollen. Ich weiß nur, daß die Engländer uns und unserer Mutter das Leben gerettet haben. Ohne das Geld, das sie uns bezahlen, hätten wir dieses Jahr nie überlebt. Wären sie früher gekommen, würden mein Bruder und meine Schwester jetzt vielleicht auch noch am Leben sein. Aber ich habe Angst um die Engländer; sie wissen nicht, daß Skevis Unheil plant.»

Angeliki sollte recht behalten. Am Abend des 12. Oktober, nur sieben Tage nachdem die britischen Offiziere mit der Ausbildung der Kommandoeinheit begonnen hatten, betranken sich die ausgeliehenen EDES-Partisanen mit Peter, dem Mulatten-Dolmetscher, ganz fürchterlich, weil sie eine neue Lieferung Pflaumenwein aus Povla feiern mußten, die in Dimitri Stratis' Kaffeehaus eingetroffen war, wo ihre Mahlzeiten von den Engländern bezahlt wurden. Ungefähr um halb acht strebten sie dem Schulhaus zu, in dem sie einquartiert waren, und sangen unterwegs Freischärlerlieder.

Die Offiziere im Hauptquartier hörten erschrocken Maschinengewehrfeuer und liefen zur Tür hinaus: Ihr Dolmetscher und die Männer ihrer Kommandoeinheit wurden mit erhobenen Händen die Straße entlanggetrieben, während Spiro Skevis' ELAS-*andartes* sie mit den Gewehrläufen vorwärtsstießen. Captain Philip zog den Dolmetscher aus der Reihe und erhob mit dessen Hilfe lautstarken Protest: Skevis habe sich doch einverstanden erklärt, die Kommandoeinheit in Ruhe zu lassen! Skevis behauptete kühl, die Männer seien seine Gefangenen, den Dolmetscher werde er dagegen freilassen. «Ich führe lediglich die Befehle des Hauptquartiers aus», erklärte er gelassen. «Sämtliche EDES-Männer sind zu verhaften.» ELAS und EDES hatten sich, ungeachtet des Waffenstillstands, den sie auf Drängen der Briten unterzeichnet hatten, in einen totalen Bürgerkrieg gestürzt. Und was die britische Kommandoeinheit betraf – deren Autorität erkannte die ELAS nicht mehr an.

Die rechten EDES-Streitkräfte rückten von Keramitsa aus in die Murgana-Berge vor, die einheimischen *andartes* zogen ab, die Dorfbewohner verbarrikadierten sich in ihren Häusern. Major Theodoros Sarantis, der Kommandant der EDES, schlug sein Hauptquartier in der Schule von Lia auf, und als die Lioten entdeckten, daß die EDES-Partisanen, entgegen den Voraussagen der Skevis-Brüder, nicht brandschatzten, plünderten und vergewaltigten, kamen sie wieder aus ihren Häusern hervor. Die englischen Offiziere und der Lehrer Minas Stratis genossen gemütliche Abende mit dem gewandten, zweisprachigen Major Sarantis. Und auch Kitso Haidis, der aus der gemieteten Mühle in Kefalovriso heimgekehrt war, um seine Runde in der familieneigenen Mühle in Lia zu übernehmen, saß gern mit Sarantis zusammen, weil dieser seine royalistische Einstellung teilte.

Am 14. November um Mitternacht wurde Major Sarantis, der EDES-Befehlshaber, im Schulhaus von Lia von einem Boten geweckt, der ihn warnte, die ELAS werde angreifen. Major Sarantis verschwand mit seinen Männern in Richtung Keramitsa. Minas ging mit ihnen, wurde in der regnerischen Nacht jedoch von ihnen getrennt und verirrte sich.

Am nächsten Morgen entdeckten die Einwohner von Lia, daß die ELAS ihr Dorf zurückerobert hatte und die Skevis-Gruppe um mehrere hundert ELAS-Partisanen verstärkt worden war, die sie noch nie gesehen hatten. Es gab einen Freudenausbruch, weil die einheimischen Partisanen wieder da waren, der jedoch sehr schnell in Angst umschlug, als sich herumsprach, die Partisanen trieben alle Personen zusammen, die sie verdächtigten, mit der EDES zu sympathisieren.

Der erste, der verhaftet wurde, war der achtzehnjährige Vasili Stratis, jüngerer Bruder des Lehrers Minas. Kitso Haidis wollte gerade zu seiner Mühle, als er zwei unbekannte ELAS-*andartes* vor seiner Tür entdeckte, die ihn sogleich ergriffen und wegführten. Er, Vasili Stratis, der Böttcher Vasili Nikou und Iorgos Boukouvalas, ein eulengesichtiger alter Mann, der an zwei Stöcken ging, weil er mit verwachsenen Füßen geboren war, wurden allesamt beschuldigt, Royalisten zu sein, ins Schulhaus gebracht und dort inhaftiert, zusammen mit Dutzenden von Männern aus den Nachbardörfern.

Am nächsten Morgen, als die Sonne den Nebel auflöste, begann sich eine Schar von Dorfbewohnern vor dem Schulhaus zu versammeln. Um die Mittagszeit hatte sich fast ganz Lia eingefunden. Die Zahl der Menschen und ihr Schweigen machten die bewaffneten *andartes*, die vor der Tür standen, nervös. Dörfler und Partisanen starrten einander an, während ihr Atem wie Rauch in die eisige Luft aufstieg, als plötzlich ein grauenhafter Schmerzenschor im westlichen Klassenzimmer der Schule ertönte: Dort wateten die Offiziere in die eng gedrängte Menge der Gefangenen hinein und bearbeiteten sie brutal mit Knüppeln. Sie prügelten auf die sich windende Masse von Köpfen, Armen und Beinen ein wie Drescher auf einen Berg Weizengarben. Ein Schauder durchlief die Menge draußen.

Dann wurde ganz langsam die Tür geöffnet, und die Wachtposten traten beiseite. Die vier Gefangenen aus Lia standen in der Öffnung und blinzelten ins Licht. Ein Stöhnen durchlief die Reihen, als die Lioten sahen, was man ihnen an Grausamkeiten zugefügt hatte.

Von den gefolterten Gefangenen wurden nur die vier Lioten freigelassen. Weitere einundzwanzig Männer aus mehreren Nachbardörfern wurden noch eine Woche länger im Schulhaus festgehalten und dann in einem Achttagemarsch nach einer Stadt im westlichen Makedonien gebracht, wo sie in ein Gefangenenlager kamen. Zwei von ihnen, ein griechischer Armee-Offizier, der in der EDES gekämpft hatte, und ein Lehrer aus Ieromeri, wurden zurückbehalten und außerhalb von Lia erschossen.

Der Traum von Revolution und Freiheit, wie er von den Skevis-Brüdern geschildert worden war, hatte sich in einen Alptraum verwandelt, und Angst legte sich über das Dorf. Die britische Kommandoeinheit spürte sie ebenso wie die Griechen. Von Angeliki erfuhr Eleni, daß die Offiziere, die sich in ihrem Haus verbarrikadiert hatten und von ihren Angestellten über die Folterungen und Exekutionen informiert worden waren, unter Spiro Skevis' psychologischer Kriegführung gegen sie allmählich zusammenbrachen. Skevis war fest überzeugt, daß Zervas' EDES-Streitkräfte von den Briten mit Lebensmitteln, Geld und Waffen versorgt wurden. Tag für Tag erschien er in der Mission und verlangte dasselbe für seine Männer. Jedesmal erklärten ihm die Offiziere, daß keine der beiden Partisanen-Gruppen von den Briten unterstützt würde, bis sie endlich aufhörten, sich gegenseitig zu bekämpfen.

Angeliki schilderte die klaustrophobische Atmosphäre im Hauptquartier. Skevis-Männer umschlichen das Haus Tag und Nacht und machten Geräusche, die die Bewohner einschüchtern sollten. Das kalte Dezemberwetter und die schweren Regenfälle verstärkten die gedrückte Stimmung noch. Captain Ian bekam eine Grippe mit hohem Fieber, und Angeliki wurde beauftragt, einen griechischen Arzt zu holen, der ihn mit Blutegeln behandelte.

Die Skevis-Partisanen überboten sich mit Schikanen gegen die Briten: Jetzt wollten sie Angeliki und ihre Schwester nicht einmal mehr zur Quelle gehen und Wasser holen lassen. Keiner der Bewohner wagte sich zum Klohäuschen. Der Dolmetscher hatte ihr erzählt, Captain Philip habe eines Nachts das offene Fenster benutzt, um sich zu erleichtern, und sei mit einem Strom griechischer Flüche und dem Anblick eines durchnäßten Mitsi Bollis belohnt worden, der in den Büschen herumkrabbelte.

Captain Ian gerate «ein bißchen außer Fassung», flüsterte Angeliki Eleni zu. Überall sehe er Feinde und beschuldige sogar sie und die anderen, ihn mit Olivenöl im Salat vergiften zu wollen. Eleni schüttelte den Kopf; sie fragte sich, welchen Schutz es für das Dorf selbst gebe, wenn sich schon die britischen Soldaten derart durch die einheimischen Skevis-Partisanen einschüchtern ließen.

Die Feindseligkeit zwischen den Briten und den ELAS-Partisanen erreichte ihren Höhepunkt, als Spiro und Prokopi Skevis eine Massendemonstration im Dorf organisierten, um den Engländern Versorgungsgüter und Geld abzupressen. Aus allen Murgana-Dörfern und aus noch größerer Entfernung strömten die ELAS-Sympathisanten herbei. Der Dorfplatz konnte die Tausenden von Demonstranten nicht fassen, die allesamt schrien: «Gebt uns Nahrung! Gebt uns Waffen! Gebt uns Medikamente! Wir kämpfen für euch, und ihr habt uns vergessen!» Es war die größte Versammlung in der Geschichte des Dorfes.

Eleni sah, daß die Stimmung der Demonstranten gefährlich war, und verbot ihren Kindern, das Haus zu verlassen, weil sie fürchtete, jemand könnte verletzt werden. Sie selbst ging mit ihren Nachbarn zum Dorfplatz hinunter und sah beunruhigt zu, wie die beiden britischen Offiziere mit ihrem Dolmetscher grimmig und bleich durch die Spießrutengasse der johlenden Griechen von ihrem Hauptquartier zum Dorfplatz schritten. Sie waren eindeutig verängstigt, und sie fragte sich, ob Ian mit seinem labilen seelischen Gleichgewicht die Demonstration durchstehen würde.

Vier Jahrzehnte später erinnerte sich Philip Nind noch deutlich an seine Befürchtungen. «Ich hatte mehr Angst vor Spiro Skevis als vor den Deutschen», sagte er, und in seinem damals geführten Tagebuch beschrieb er die Skevis-Brüder so: «Der ältere [Prokopi] war Politiker, bis obenhin voll von angelesenem Marxismus, der seinem Mund in eher belustigenden Zusammenhängen und Klischees zu entströmen pflegte. Der jüngere [Spiro] war der gefährlichste Mann, den ich in Griechenland kennengelernt habe. Er befehligte ein Bataillon, und das ausgezeichnet. Er war ein tatkräftiger, sehr kluger Mann; der Fanatismus jedoch hatte sein Denken auf eine höchst unangenehme Art und Weise verzerrt. Er war ein Sadist und hatte, soweit ich weiß, eine Vielzahl kaltblütigster Morde auf dem Gewissen; und alle Klagen in jener Gegend, die ELAS foltere ihre Opfer, kamen auf sein persönliches Konto.»

Die beiden britischen Offiziere versuchten sich in der brüllenden Menge auf den Füßen zu halten, bis Prokopi Skevis die Leute mit einer Handbewegung zum Schweigen brachte und auf einen Tisch stieg, um zu ihnen zu sprechen. Er redete sehr bewegend; die Engländer sollten die Bitten der ELAS um Geld und Unterstützung erfüllen, forderte er, damit sie Zervas, den Verräter, in die Knie zwingen könnten. Die Menge bejubelte jedes Wort.

Als sich der Applaus gelegt hatte, sah Eleni Captain Ian zusammen mit dem Dolmetscher mit unsicheren Bewegungen auf den Tisch klettern. Erstaunt hörte sie ihn schlichte, doch eindrucksvolle Worte sagen. «Wir sind Soldaten, die ihre Befehle haben; genau wie ihr tun wir nur, was uns befohlen wird!» rief er. «Ihr verlangt Waffen. Ihr beschwert euch darüber, daß kein Nachschub mehr abgeworfen wird. Das wird sich sofort ändern, sobald ihr euren Bürgerkrieg beendet habt und wieder den wahren Feind bekämpft!»

Plötzlich blinzelte er verblüfft, denn eine zornige Stimme aus der Menge ertönte. «Eine Frage, Captain!» rief jemand. «Wenn man gegen Verräter kämpft – nennt man das Bürgerkrieg?»

Nachdem ihm die Frage übersetzt worden war, machte Ian eine Pause und dachte angestrengt nach. Dann antwortete er mit einer Analogie, die bei diesen familienorientierten griechischen Bauern eindeutig ankam. «Mein Vater hat vier Söhne», begann er. «Wenn wir uns stritten, ergriff er, um was es auch gehen mochte, niemals Partei für den einen oder anderen. Er mußte versuchen, den Frieden in der Familie aufrechtzuerhalten, damit sie gemeinsam für unser aller Wohl arbeiten konnte. Wir brauchten die Stärke, die von der Einigkeit kommt.»

Spiro Skevis war zu wütend, um ihn weiterreden zu lassen. «Beantworte die Frage, Engländer!» schrie er. «Zervas ist ein Verräter! Nieder mit Zervas! Nieder mit Zervas!»

Die Menge zögerte einen Moment, doch dann stimmte sie in seinen Ruf ein. «Nieder mit Zervas!» schrie sie. «Tod!» Eleni sah, daß die Gesichter ihrer Nachbarn von Haß verzerrt waren, als sie zu trampeln und nach Blut zu schreien begannen. Für Eleni hatte Ians Parabel vernünftig und zutreffend geklungen. Sie dachte daran, wie Glykeria und Kanta, wenn sie den Mädchen auftrug, je eine Hälfte der Vordertreppe und der Terrasse zu fegen, miteinander gestritten hatten, wer den schmutzigeren, schwierigeren Teil habe, bis schließlich überhaupt nichts getan worden war und Eleni entnervt selber zum Besen griff. Genauso verließen sich ELAS und EDES darauf, daß die Alliierten die Deutschen hinwegfegten, bis nicht nur die Vordertreppe, sondern das ganze Haus sauber war. Dann wollten sie um die Herrschaft über das Haus kämpfen, und wenn sie sich weiterhin zankten wie kleine Kinder, konnte es darauf hinauslaufen, daß sie es vollständig zerstörten.

Die Menge jedoch hatte keine Lust, sich Parabeln oder Erklärungen anzuhören, und so mußte Eleni mit ansehen, wie sich die britischen Offiziere hastig den Weg zurück in den Schutz ihres Hauptquartiers bahnten, bevor die Demonstranten dazu übergingen, ihren Zorn an ihnen auszulassen.

Als Eleni Anfang Februar zum Botsaris-Haus hinabging, fand sie Angeliki in Tränen. Das junge Mädchen berichtete ihr, die Engländer bereiteten sich zum Abmarsch vor. Darüber waren die Schwestern untröstlich. Denn sie würden nicht nur ihr Einkommen verlieren, von dem sie alle gelebt hatten, sondern, wie sie erklärten, auch keinen Schutz mehr vor den Skevis-Partisanen haben, die sie für Verräterinnen und noch Schlimmeres hielten. Sie wußte nicht, wie sie und ihre Familie ohne die Kommandosoldaten weiterleben sollten, und hatte sie trotz ihrer exzentrischen Gewohnheiten aufrichtig liebgewonnen.

Am 26. Februar 1944, einem kalten, nebligen Morgen, verließen die Engländer endgültig das Dorf, und die Einwohner waren mehr als enttäuscht. Denn kaum waren die Soldaten außer Sicht, wurde in Lia gemunkelt, die Briten hätten sie ihrem Schicksal überlassen, weil die Deutschen im Anmarsch seien.

5

Der März brachte die Heimkehr der Schwalben und das Entwöhnen der Lämmer. Als die Deutschen nicht auf den Fersen der abziehenden Engländer in Lia erschienen, beruhigten sich die Dorfbewohner und begannen mit den Vorbereitungen fürs Osterfest.

Am 26. März, dem Tag nach Mariä Verkündigung, saß Eleni Gatzoyiannis mit ihrer Schwester auf der Treppe vor dem Haus ihrer Mutter in der wärmenden Sonne, während der vierjährige Nikola in der Nähe spielte. Nitsa rief den Jungen herbei und begann, ein Armband aus gedrehten roten und weißen Fäden zu lösen, das um seinen Arm gewunden war. «Jetzt, nach dem Verkündigungsfest, können wir dir das Märzband abnehmen und es für die Schwalben in den Baum hängen», erklärte sie. «Dann brauchst du den ganzen Sommer lang keine Angst vor Sonnenbrand und Insekten zu haben!»

Tief beeindruckt sah Nikola zu, wie seine Tante das schmutzige Band in den Walnußbaum nebenan hängte. Eleni sah es mit Belustigung und Verdruß. «Warum stopfst du meinem Sohn den Kopf mit derartigem Unsinn voll?» fragte sie. «Ein rotes Band wird ihn genausowenig vor Sonnenbrand schützen wie Knoblauch und ein Nagel in seiner Tasche vor den Wölfen!»

«Na schön, du kannst lesen und schreiben», gab Nitsa zurück, «aber es ist eines, etwas zu lernen, doch etwas ganz anderes, klug zu sein. Du lachst über meine Amulette, aber wenn ich nicht gewesen wäre, hättest du jetzt keinen Sohn, sondern wieder nur eine Tochter.»

Verdutzt drehte Eleni sich zu ihr um, und Megali warf ihrer älteren Tochter einen warnenden Blick zu, doch Nitsa war bereits völlig vertieft in das Drama ihres persönlichen Opfers. «Ach Gott, was ich alles durchgemacht habe, damit du einen Sohn bekommst!» rief sie mit erhobenen Händen und einem Mitleid heischenden Blick gen Himmel. «Ohne das Stück Nabelschnur, das ich dir zu essen gegeben habe, hättest du jetzt eine weitere Tochter vor dir!»

Eleni starrte sie fassungslos an. «*Was* soll ich gegessen haben?»

Nitsa nickte voll Stolz. «Bis nach Kostana mußte ich laufen, um von der Hebamme dort ein Stück Nabelschnur zu kaufen. Es mußte natürlich von einem erstgeborenen Sohn stammen, der innerhalb von vierzig Tagen nach Fotinis Geburt zur Welt gekommen war. Erinnerst du dich an den schönen Käsekuchen, den ich dir gebacken habe, mit den vielen frischen Eiern und guter Butter? Du hast gesagt, das sei der beste, den ich jemals gebacken hätte!»

Eleni wußte nicht, ob sie lachen oder sich erbrechen sollte, doch Nitsa hatte mit der Aufzählung ihrer Zauberkünste erst begonnen. Sie habe ein Stückchen von Fotinis Nabelschnur aufbewahrt, nachdem sie abgefallen war, und es am Neujahrstag in einen Laib Brot eingebacken, mit dem sie den Hahn gefüttert habe, berichtete sie. «Darum hat sich dein Unglück gewendet, und Nikola wurde als Junge geboren! Ich selbst kann ja weder Junge noch Mädchen bekommen», ergänzte sie traurig, «aber für dich habe ich alles getan, was ich konnte, und es hat geholfen!»

Megali erwartete, daß Eleni ihr hitziges Temperament zeigte, das sie von ihrem Vater geerbt hatte, statt dessen jedoch warf sie den Kopf in den Nacken und lachte, bis ihr die Tränen kamen, womit sie Nikola so sehr erschreckte, daß er herbeilief und an ihrem Rock zupfte. Nitsas selbstgefällige Miene wurde zornig, bis Eleni sie in den Arm nahm und lachend keuchte: «Nach allem, was du für mich getan hast, Schwester, wird Gott vielleicht ein Einsehen haben und dir ein Kind schenken.»

Nitsa bekreuzigte sich feierlich.

Die träge Vormittagsruhe wurde plötzlich von Rufen aus der Richtung des Petsis-Hauses durchbrochen. Nitsa steckte die Nase in die Luft wie ein witternder Jagdhund, und sie standen alle auf, um nachzusehen, warum Lambros Petsis' Tochter so aufgeregt war.

Petsis besaß in Ioannina eine kleine Kesselflickerwerkstatt und ein Haus; er teilte seine Zeit zwischen der Provinzhauptstadt und dem Dorf. Sein Sohn war nur ein bißchen älter als Nikola, doch seine dunkle, mandeläugige Tochter Milia, soeben achtzehn geworden, war sein Liebling.

Petsis kam, drei schwer beladene Maultiere am Zügel, gerade um die letzte Kurve der Straße. Während er sich allmählich näherte, konnten die immer zahlreicher werdenden Neugierigen nach und nach ausmachen, was er mitbrachte: ballenweise Samt, Seide und Wolle, blank geputzte Lederschuhe, die an den Sätteln baumelten, feine Leintücher, Überwürfe aus gewebter Spitze und Herrenanzüge. Nach vier Jahren, in denen sie ausgefranste Säume gedreht und Flicken aufgesetzt hatten, starrten sie jetzt voll Staunen, als Lambros Petsis so viele Luxusgüter heranschaffte, daß man damit einen König hätte auslösen können.

Vor seinem Hoftor angekommen, kletterte Petsis vom Maultier, um seine Tochter zu umarmen, die vor Aufregung zappelte. «Woher hast du das alles, Vater?» kreischte sie. «Wie konntest du dir das leisten?»

«Das hat alles nichts gekostet, meine *Sultana*», antwortete er grinsend. «Es reicht für zwei Aussteuern, und dann bleibt noch was für die Nachbarn übrig!»

Alle begannen durcheinanderzurufen.

«Ich hab's von den Juden», erklärte Petsis auf die vielen Fragen. «Gestern früh haben die Deutschen sie alle zusammengetrieben und zum See runtergebracht, wo sie sie auf Lastwagen verladen und abtransportiert haben. Was für ein Geschrei die gemacht haben! Es hätte eine Ikone zum Weinen gebracht! Die Familie, die über meiner Werkstatt wohnte, haben sie auch mitgenommen.» Er räusperte sich. «Die Häuser und Läden der Juden haben sie mit weit offenen Türen zurückgelassen. Besser wir als die Deutschen, haben alle gesagt. Die Juden kommen ja doch nicht zurück. Also haben wir uns genommen, was wir tragen konnten. Nur gut, daß ich mich beeilt habe. Noch vor Einbruch der Nacht haben die Deutschen alles zugemacht und zwei Jungen wegen Plünderns aufgehängt.»

Petsis, ein großzügiger Mensch, begann Geschenke an die ihn umdrängenden Frauen zu verteilen: eine Schürze, einen Kopfkissenbezug mit Monogramm, ein Kinderkleid, mit Rosenknospen bestickt. Als sein Blick sich mit Elenis traf, schlug er die Augen nieder. Dann sagte er: «Ich habe hier ein schönes Stück grünen Samt, und als ich den sah, dachte ich mir, das würde ein hübsches Kleid für Elenis älteste Tochter Olga geben.»

«Vielen Dank, Lambros», gab Eleni zurück, «aber das kann ich nicht annehmen.»

«Dann wenigstens eine Mütze für deinen einzigen Sohn», sagte er rasch und zeigte ihr eine aus grauer Wolle. «Ich hab ihn noch nie eine tragen sehen.»

«Nein, danke», erwiderte Eleni. «Die Kinder sind so viele Jahre ohne Mütze, ohne ein neues Kleid ausgekommen, daß sie jetzt warten können, bis der Krieg aus und Amerika wieder erreichbar ist.» Er war gekränkt, das sah sie deutlich. «Ich kann keine Kleider annehmen, die von Menschen stammen, die in den Tod geführt werden», erklärte sie ihm.

Sie merkte, daß sie ihm die Freude über sein großes Glück verdorben hatte, ergriff die Hand ihres Sohnes und ging davon. Als sie den Pfad hinaufstieg, hörte sie noch, daß einige Frauen Lambros baten, seine Geschenke zurückzunehmen. Gott straft jene, die die Toten bestehlen, sagten sie. Andere Frauen warfen ihnen vor, töricht zu sein. Es war doch nicht so, als hätte Lambros den Juden etwas angetan!

Am Abend des folgenden Tages hatten sich zwei Schneider und eine Näherin aus benachbarten Dörfern in der guten Stube des Petsis-Hauses niedergelassen und arbeiteten an Milias Aussteuer, fertigten lange, ärmellose Tuniken, kurze, schwarze Samtwesten, seidene Schürzen und zwanzig Kleider in den Farben des Regenbogens. Die Näherinnen bestickten dann anschließend alles mit Fäden aus echtem Gold und Silber.

Als die Aussteuer nahezu fertig war, fiel Milia eines Morgens zu Boden, als sei sie tot. Und als sie erwachte, war ihr Gesicht zu einer Grimasse verzerrt, die sie ihr Leben lang behalten sollte. Alle versuchten, den gebrochenen Vater zu trösten, er dürfe sich keine Vorwürfe machen.

Milia brachte kein Wort heraus; sie lag auf ihrem Strohsack und bedeutete ihren Eltern durch Gesten, daß sie am liebsten sterben wolle. Nach einigen Monaten lernte sie undeutliche Worte herauszulallen, die nur ihre Familie verstehen konnte. Inzwischen waren die Schneider in ihre Dörfer zurückgekehrt, und der zukünftige Bräutigam hatte das Weite gesucht.

Milias Tragödie ereignete sich kurz vor Ostern, das im Jahre 1944 auf den 16. April fiel. Krieg oder nicht, die Lioten waren fest entschlossen, Christi Auferstehung sowie auch die Tatsache zu feiern, daß sie ein weiteres Jahr überstanden hatten.

Am Samstag um Mitternacht verkündeten die Glocken der Kirche zur Heiligen Dreifaltigkeit die frohe Botschaft: «Er ist wahrhaftig auferstanden!»

Der Ostersonntag dämmerte strahlend und frisch herauf, obwohl auf der Schattenseite der Berggipfel noch Schnee lag. Eleni erwachte zeitig, um ihrem Nachbarn Tassos Bartzokis beim Zubereiten des Osterzickleins zu helfen, das sich die beiden Familien Teilen wollten. Tassos' Frau war im achten Monat schwanger und fühlte sich der schweren Arbeit des Kochens nicht gewachsen, also kochte Eleni den großen Topf heißer, zitronengewürzter, nach Dill duftender Suppe aus den Innereien des Tieres, mit der die lange Fastenzeit beendet wurde. Fotini und Glykeria waren schon seit Donnerstag damit beschäftigt, rotgefärbte Eier mit Olivenöl zu polieren.

Am nächsten Morgen, als der Suppentopf auf dem Herd noch warm war, kam ein ELAS-*andarte* auf den Dorfplatz gelaufen, und die Glocken läuteten die Nachricht ein, vor der alle sich seit so langer Zeit fürchteten: Ein Bataillon deutscher Soldaten war vom Großen Bergrücken her auf dem Marsch in die Murgana. Überall blieben die Reste des Ostermahls auf den Tischen zurück, während die Lioten ihre Maultiere mit Decken, Töpfen, Lebensmitteln und Wiegen beluden und sich auf den Weg in die Berge machten.

Vor der drohenden Invasion der Italiener drei Jahre zuvor hatten die Dörfler sich nur bis in die Höhlen zurückgezogen; die Angst vor den Deutschen war aber um so vieles größer, daß sie jetzt über die eigenen Berge hinweg bis auf die letzte ebene Lichtung vor der albanischen Grenze flohen.

Die verängstigten Lioten hasteten das Füllhorn grüner Vegetation zwischen dem Gipfel des Kastro und dem des Propheten Elias hinauf bis zu dem Hochplateau dahinter, wo ein verborgenes, gut geschütztes, flaches Gelände lag, ein Dreieck, das die Dörfler, nach der antiken Bezeichnung für Marktplatz, Agora nannten, obwohl es seit zweitausenddreihundert Jahren nicht mehr benutzt worden war. In diesem Versteck hofften die Flüchtlinge in Sicherheit vor den Deutschen zu sein.

Die Alten und Hilflosen wurden auf Bahren getragen oder auf Maultiere gebunden. Tassina Bartzokis schleppte sich mit der Last ihres ungeborenen Kindes hinter dem Esel her, der mit ihrem kranken Vater und Töpfen mit Speisen so schwer beladen war, daß er den Halt verlor und fast über die Klippen hinabgestürzt wäre. Eleni, die Nikola an der Hand den steilen Pfad hinaufzog, holte Megali ein, die ihre Ziegen vor sich hertrieb und laut über ihre eigensinnige Schwägerin Anastasia Haidis jammerte. Wenn die Deutschen ihre alten Knochen wollten, hatte die trotz des Protests ihrer Familie erklärt, könnten sie sie gern haben. «Ich habe mein Brot gegessen, ich habe mein Öl verbrannt.»

Als Anastasia die Menschenwoge die Bergflanke emporfluten sah, während sie mutterseelenallein zurückblieb, sah sie auf dem Hügel über sich eine Bewegung: Sie war also doch nicht so ganz allein. Die blinde Sophia Karapanou werkelte in ihrem Garten herum. Es gab niemanden, der sie zur Agora hinaufgebracht hätte, und die Alte war ebensowenig imstande, das Dorf zu verlassen, wie sie die große Platane hätte erklettern können. Anastasia beschloß, der armen Sophia einen Teller von dem Ragout zu bringen, das sie sich gerade kochte.

Die Ströme der Flüchtlinge aus den verschiedenen Teilen von Lia trafen sich an dem schmalen Paß zwischen den Gipfeln des Kastro und des Propheten Elias. Als sie dahineilten, hektisch durch den Einschnitt drängend, der zu ihrem Zufluchtsort führte, blickte die Gatzoyiannis-Familie nach rechts und sah eine Reihe von ELAS-*andartes* mit den Silhouetten ihrer Gewehre vor dem Sonnenlicht den Hang zum Propheten Elias emporklimmen.

In der Nacht fiel ein feiner Regen sowohl auf die Flüchtlinge als auch auf die Deutschen herab, die ihr Lager zwischen Babouri und Lia aufgeschlagen hatten, und am Morgen beschien die Sonne Berge, so sauber gewaschen wie am Tag ihrer Schöpfung. Die Deutschen, die in ihren Zelten naß geworden waren, erwachten gereizt und blickten mürrisch auf die noch im Morgendunst liegenden Vorberge hinab. Der Kommandant befahl einen zeitigen Aufbruch. Aufgrund seiner Geheimberichte wußte er, daß vor ihnen die Heimat der Skevis-Brüder lag, ein Dorf, das so konsequent auf der Seite der ELAS war, daß es «Klein-Moskau» genannt wurde. Er war auf Schwierigkeiten gefaßt.

Als das Bataillon die letzte Biegung des Weges nach Lia umrundete, sahen sie im Licht der ersten Sonnenstrahlen die grauen Schieferdächer des Dorfes vor sich liegen. Das Grün der Heide an der Bergflanke war betupft mit dem Goldgelb des Ginsters und dem Violett des Judasbaums. Und über allem wölbte sich ein Himmel mit schweren Regenwolken. Es war dieselbe übernatürliche Beleuchtung, wie sie einst von einem Kreter namens El Greco gemalt worden war, aber die Deutschen hatten keinen Blick dafür.

Nahe dem westlichen Rand des Dorfes war Anastasia Haidis früh aufgestanden und aus dem Haus gegangen, um der blinden Sophia Karapanou einen zugedeckten Kupfertopf mit Ragout zu bringen.

Das deutsche Bataillon marschierte ins Dorf, vorbei am verlassenen Petsis-Haus, und befand sich gerade vor dem Doppelhaus der Familie Haidis, als die Morgenstille vom Stakkato einer Maschinengewehrsalve hoch oben auf dem Propheten Elias zerrissen wurde, viel zu weit entfernt, um Schaden anrichten zu können; nur kleine Rauchtupfer stiegen in den Himmel auf.

Der deutsche Kommandant brüllte mit aufgeregter Stimme Befehle. Vielleicht wollten die Partisanen sie ja in die Schluchten und Felswände der Berge hineinlocken, wo sie ihnen überlegen waren; aber sie würden schon sehen, welchen Preis sie für ihre Überheblichkeit bezahlen mußten! Innerhalb von Minuten hatten die Deutschen ein halbes Dutzend Maschinengewehre und die gleiche Anzahl von Mörsern aufgebaut und alle auf den Propheten Elias gerichtet. Plötzlich begann die ganze Bergflanke unterhalb der Kapelle zu explodieren, als die Deutschen sie von oben bis unten unter Beschuß nahmen. Bald war der ganze Hang schwarz von Rauch.

Der Kommandant befahl, das Feuer einzustellen. Alle *andartes*, die sich noch dort oben befanden, mußten entweder getroffen worden oder geflohen sein. Jetzt wurde es Zeit, jene zu strafen, die ihnen Obdach gewährt hatten.

«Brennt das Dorf nieder!» befahl er.

Kaum hatte die Schießerei aufgehört, da lief Anastasia Haidis aus dem Haus der blinden Sophia hinaus. Sie spähte hinab und sah einen dünnen Rauchfaden über die Reihe der Zypressen emporsteigen. «Die brennen mein Haus nieder!» keuchte sie erschrocken auf. «Großer Gott, meine Ziegen sind im Keller!»

Sophia streckte tastend die Hand aus, um sie zurückzuhalten, doch Anastasia stolperte bereits, mit beiden Händen dem unsichtbaren Feind zuwinkend, den Pfad hinab. Eine Gruppe deutscher Soldaten sah zu, wie sie einem kreischenden Raben gleich auf sie zustürzte. «Habt Erbarmen mit meinem Haus, verschont meine Ziegen!» schrie sie, daß die Chams lächeln mußten. Sie warf sich gegen die Kellertür, hinter der die drei Ziegen meckerten. Einer der Chams trat auf sie zu, um sie zurückzuholen. «Verschwinde, Alte, sonst wirst du mit deinen Ziegen zusammen gebraten!»

Als sie mit ansehen mußte, wie die Flammen das Haus verschlangen, in dem sie gelebt hatte, seit sie mit vierzehn als Braut hierherkam, brach Anastasia zusammen, und die Männer ließen sie einfach fallen. Dann jedoch war sie auf einmal wieder auf den Beinen und hastete abermals zur Tür. Abermals zerrten sie sie zurück, und Anastasias Schreie übertönten sogar das Brüllen des Feuers, so daß sie bis hoch in die Berge zu hören waren. Die Luft trug die Schreie davon wie körperlose Geister: «Kinder, wo seid ihr? Rettet mich!» Oben, im Perivoli, saß Sophia wartend in ihrem Haus und lauschte mit dem überfeinen Ohr der Blinden auf jedes Stöhnen, das Anastasia ausstieß.

Angelockt von dem Lärm, kam der Kommandant dazu. Er hatte gerade die Runde durchs Dorf gemacht und war zufrieden mit der Entwicklung. Das Schulhaus und die Mehrheit der Häuser standen in Flammen. Voller Genugtuung musterte er das Unterdorf mit seinem Mittelpunkt, der Kirche zur Heiligen Jungfrau.

Überzeugt, daß die Kirche großartig brennen werde, kehrte er zum Ausgangspunkt seines Spaziergangs zurück, wo er einige seiner Männer um eine alte, schwarzgekleidete Frau versammelt fand, die im Griff zweier Chams zappelte.

Der Kommandant hatte beschlossen, seine Männer nicht ins Oberdorf zu schicken, weil er befürchtete, es könnten sich dort noch Partisanen versteckt halten, und gab sich damit zufrieden, das Unter- und Mitteldorf niederzubrennen. Allerdings war er enttäuscht darüber, daß kein Gefangener in diesem Rebellennest gemacht worden war, an dem er ein Exempel statuieren konnte.

Die beiden Chams waren es leid, die um sich schlagende und kreischende Anastasia festzuhalten. Auch für die Zuschauer war die Szene nicht mehr amüsant. Die Chams warfen dem Kommandanten einen fragenden Blick zu, und dieser nickte ganz leicht. Daraufhin hoben sie die alte Frau auf, als sei sie eine Puppe, und schleuderten sie durch eines der inzwischen leeren Fenster. Der Fußboden war verschwunden, daher fiel sie mit einem langen, unartikulierten Schrei, der den Menschen, die ihn in der Ferne hörten, die Haare zu Berge stehen ließ, direkt in die Flammenhölle des Kellers.

Der Kommandant gab den Befehl zum Sammeln. Hier gab es doch nichts mehr zu tun. Das Bataillon marschierte durchs Dorf und verschwand in Richtung Südosten, auf die Stelle zu, wo sich die Gatzoyiannis versteckt hatten.

Die Familie Gatzoyiannis war zu weit entfernt, um Anastasias Schreie zu hören, der Lärm des Sperrfeuers der Deutschen ließ sie jedoch in ihrem Versteck, einem ausgetrockneten, sandigen Bachbett, entsetzt verstummen. Sie saßen still, wagten sich kaum zu rühren und warteten.

Nach wenigen Minuten stieß Nitsa einen leisen Schrei aus, und alle blickten zum Himmel auf, wo ein dünner Rauchfinger in die Höhe stieg. «Sie brennen das Dorf nieder!» stieß Megali hervor und begann zu weinen. Eleni nahm sie in den Arm.

«Ich steige rauf zur St. Marina; ich muß nachsehen, was da passiert», erklärte Kitso Haidis.

«Ich komme mit, Vater», sagte Eleni schnell. Sofort wollten Glykeria und Kanta ebenfalls mitgehen.

Zögernd erlaubte sie Kanta, mitzukommen, wenn sie hinter ihr blieb und jederzeit fluchtbereit war. Zu der zehnjährigen Glykeria sagte sie: «Du bist so langsam wie eine Schildkröte, das weißt du genau! Du würdest nur erreichen, daß wir alle geschnappt werden.»

Andreas Kyrtas, Elenis Schwager, fürchtete sich, zurückzubleiben, fürchtete sich aber ebensosehr, mit ihnen zu gehen, und befand schließlich, man brauche seine militärische Sachkenntnis, um die Lage richtig einschätzen zu können. Nachdem sie Megali, Nitsa und Olga eingeschärft hatten, dicht bei den Kindern zu bleiben und dafür zu sorgen, daß die Tiere sich ruhig verhielten, kletterten Eleni, Kitso, Andreas und Kanta aus dem sandigen Bachbett den Hang zur St.-Marina-Kapelle empor.

«Wir steigen nur eben hoch genug, um sehen zu können, was da unten im Dorf brennt», sagte Eleni. Sie ergriff Kantas Hand und ging langsam weiter bis zu einem Punkt, da der Berghang, in dessen Einschnitt Lia geschmiegt war, allmählich ins Blickfeld kam. Voller Entsetzen blieb sie stehen. Die ganze untere Hälfte des Dorfes war unter dichtem Rauch verborgen, und die Kirche zur Heiligen Jungfrau stand in hellen Flammen.

Ihr Vater trat neben sie und spähte blinzelnd in die Ferne; dann entdeckte er das klaffende Loch, das einstmals sein Haus gewesen war, und brach mit einem Schrei in die Knie. Ein tiefes, qualvolles Schluchzen entrang sich seiner Brust, und wie ein tollwütiges Tier krallte er die Hände in den Boden. Das Verhalten des Großvaters flößte Kanta mehr Angst ein als der Anblick des brennenden Dorfes. Es war der Verlust seiner Selbstbeherrschung, der sie so sehr erschreckte; deswegen lief sie rasch den Berg hinauf, um seinen Ausbruch nicht mehr mit anhören zu müssen. Als sie den Hügelkamm erreicht hatte und hinabblickte, schlug sie auf einmal die Hände vor den Mund. Eleni eilte an ihre Seite.

Unter ihnen marschierten mehr Deutsche, als Kanta es jemals für möglich gehalten hatte; ihre Helme und Gewehrläufe reflektierten das Sonnenlicht so stark, daß ihr die Augen zu tränen begannen: eine Flut von Männern, die geradewegs auf sie zuströmte. Wie gelähmt starrte sie hinab, bis ihre Mutter sie bei den Schultern packte und mit sich flach auf den Boden zog.

Beim Anblick der Deutschen machte Kitso auf dem Absatz kehrt und winkte Andreas, der vom Fuß des Hügels zu ihnen heraufblickte, hektisch davon. Dann setzte sich der alte Mann so hastig in Trab, daß ihm die Füße wegrutschten und er den ganzen Hang hinabrollte. Andreas genügte ein einziger Blick auf Kitsos überstürzten Rückzug, um zu wissen, daß seine schlimmsten Befürchtungen eingetroffen waren: Die Deutschen waren gekommen. Flink wie eine Bergziege sprang er davon und schrie, als er durch die Gruppe im Flußbett schoß: «Die Deutschen sind mir auf den Fersen!» Fast ohne sein Tempo zu verringern, riß er Nikola von seinen Sandburgen hoch und hastete mit dem Jungen weiter.

Olga ließ den Löffel fallen, mit dem sie in ihrem Reispudding rührte, und zog Fotini in dieselbe Richtung. Glykeria lief ebenfalls hinter Andreas her. Megali und Nitsa waren so hysterisch geworden, daß sie in Kreisen liefen, Wolldecken aufhoben und sie wieder fallen ließen.

Alle folgten Andreas zu einem bewaldeten Gelände, bis er unter den Bäumen bei einem großen Felsbrocken haltmachte und die Mädchen erschöpft neben ihm zu Boden sanken. Als Megali mit den Wolldecken herangekeucht kam, fand Olga ihre Stimme wieder: «Was hast du gesehen, Onkel? Wo sind die anderen?»

«Die Deutschen waren so nah, daß sie uns hätten beißen können», hechelte er. «Deine Mutter und dein Großvater haben verdient, was ihnen zustößt, weil sie diesen Hügel hochgeklettert sind.»

Die Mädchen und Nikola begannen zu weinen, und dieses Geräusch wurde von den anderen Familienmitgliedern gehört, die auf der Suche nach ihnen waren. Lebensmittel und Tiere hatten sie im trockenen Flußbett zurücklassen müssen, die Familie aber kauerte sich unter dem Felsblock zusammen wie eine Schar Hühner, die vor dem Schatten des Habichts Schutz sucht.

Niemand erwähnte das brennende Dorf, nur Megali weinte die ganze Nacht – ein monotones, hohes, nasales Geräusch. Kitso machte nicht einmal den Versuch, sie zur Ruhe zu bringen. Er schien in Gedanken weit fort zu sein. Die Kinder weinten ebenfalls, weil sie froren und hungrig waren, aber sie kuschelten sich, Wärme suchend, eng aneinander und schliefen dann schließlich ein.

Am nächsten Morgen, als alle noch darüber staunten, daß sie den Deutschen um Haaresbreite entkommen waren, hatte Kitso Haidis nur einen Gedanken: zurück nach Lia. Er war besessen von der Idee, die Ruine seines Hauses zu sehen. Eleni, Andreas und Kanta, die am besten zu Fuß waren, beschlossen, zusammen mit ihm vorauszugehen, während die anderen die Tiere zusammensuchen und in die Berge hinaufbringen sollten.

Als die vier den Ortsrand von Lia erreichten, war es Nachmittag. Sie gehörten zu den ersten, die in das abgebrannte Dorf zurückkehrten. Das an Halluzinationen grenzende Gefühl, etwas Vertrautes so restlos verändert vorzufinden, nahm zu, je weiter sie vordrangen. Einige alte Frauen kratzten in der rauchenden Asche dessen herum, was einmal ihr Heim gewesen war, gruben hier und da einen brauchbaren Gegenstand aus und legten ihn beiseite. Das Haus der Haidis war fast das letzte am Westrand von Lia, und sie näherten sich ihm voll Furcht. Da der Pfad in einer Höhe von mehreren Metern oberhalb der Dachhöhe von Kitsos Haus um den Berg herumlief, konnten sie schon aus der Ferne sehen, daß nur noch die Wand stand, die seine von Anastasia Haidis' Hälfte trennte. Als sie die ausgebrannte Ruine sah, brach Eleni in Tränen aus, doch Kitso, beschämt über seine zuvor gezeigte Schwäche, nahm sich zusammen, damit er die Trümmer betrachten konnte, ohne eine Regung zu zeigen.

An dem Tag des Jahres 1895, als das Haus fertiggestellt und der letzte Stein eingefügt worden war, zählte Kitso fünfzehn Jahre. Im Schatten der weinumrankten Veranda hatte Kitso fast jeden Sonnenuntergang seines Lebens beobachtet.

Als er nach dem Tod des Vaters Hausherr wurde, führte er seine Braut hier zur Tür herein, und später bettete er in der guten Stube vier kleine Töchter in den Sarg. Auf dieses Haus war Kitso stolzer als auf jede Mühle, die er gebaut hatte, und nun war es zerstört. In jedem Zimmer hatten Erinnerungen gelebt, nicht weniger heilig als das Weihwasser und das Basilikum, mit dem der Priester am Tag der Einweihung die Ecken segnete.

Während Kitso nachdenklich in die Asche starrte, wurde ihm klar, daß er zwar schließlich ein neues Haus bauen würde, auf keinen Fall jedoch eines, das eine so tiefe Wunde in sein Herz reißen konnte. Das nahm er sich vor.

Eleni wischte sich mit der Schürze die Augen trocken und band das Maultier am Hoftor an. Sie befahl Kanta, sich auf die Torschwelle zu setzen und auf keinen Fall näher zu kommen, während die anderen die Trümmer durchsuchten.

Kanta war müde von dem langen Marsch, doch weit weniger bekümmert über den Verlust von Haus und Besitz ihres Großvaters als die Erwachsenen. Schließlich war ihr eigenes Haus noch heil, das hatten sie von St. Marina aus gesehen. Während sie dasaß und zusah, wie die Schatten länger wurden, hörte Kanta etwas, was Anastasia Haidis' Stimme glich, die sich im schrillen, klagenden Schrei der Dörfler erhob und von irgendwo weiter unten den Namen ihres Enkels rief: «Ooohhh, Fotooouuu!» Nach einer Weile kehrte Eleni zu Kanta zurück und berichtete ihr, daß Anastasia nicht zu finden sei.

«Sie ist da unten irgendwo», behauptete Kanta und zeigte hinab. «Ich hab' gehört, wie sie nach Fotis rief.»

Andreas stieg in die Schlucht hinab, um nach der alten Frau zu suchen. Eleni sah nach, ob sie sich vielleicht im Petsis-Haus nebenan aufhielt, doch es lag ebenfalls in Trümmern. Kanta blieb sitzen, wo sie war, doch als das Tageslicht abnahm, wurde ihr allmählich unbehaglich zumute. Dann hörte sie das Tappen eines Stocks und langsame, schlurfende Schritte unmittelbar vor ihr den Berg herabkommen. Kurz darauf erschien die gebeugte Gestalt der blinden Sophia Karapanou.

«Hierher!» rief Kanta, und die alte Frau blickte mit ihren milchigblauen, vom grünen Star zerstörten Augen in ihre Richtung. Unsicher kam sie herüber, legte die Hand auf Kantas Kopf und ließ sich dann vorsichtig auf dem Stein neben ihr nieder.

«Alle suchen Anastasia», berichtete Kanta. «Ich hab' gehört, wie sie von unten aus der Schlucht heraufrief.»

«Sie ist nicht in der Schlucht, sie ist im Haus», gab die Alte zurück.

«Aber das Haus ist nicht mehr da», erklärte Kanta der Blinden geduldig. «Die Deutschen haben es niedergebrannt, und dazu das halbe Dorf, und die Schule, und die Kirche zur Heiligen Jungfrau!»

«Ich weiß», entgegnete Sophia. «Und Anastasia haben sie auch verbrannt. Sie haben sie ins brennende Haus geworfen. Im Namen Gottes, wie sie geschrien hat!»

Kanta verspürte Übelkeit. «Aber ich hab sie doch eben gehört! Ich habe genau ihre Stimme gehört.»

«Das mag wohl sein, aber das war ihre Seele, die du gehört hast», behauptete die alte Frau. «Sie findet keine Ruhe, nachdem sie so gestorben ist. Sie ist ein umherirrender Vampir. Ihr müßt ihr einen Priester holen.»

Kanta rührte sich nicht, doch als die Mutter und der Großvater zurückkamen, erzählte sie ihnen, was die Blinde gesagt hatte. Sie wollten wieder zu den Ruinen zurück, aber sie rauchten noch, und es dunkelte bereits.

In der Abenddämmerung traf der Rest der Gruppe mitsamt den Tieren ein. Megali fiel fast vom Esel, als sie sah, was von ihrem Haus übriggeblieben war. Sie mußten sie weinend und alle Heiligen anrufend den Berg hinauf zu Elenis Haus tragen.

Es war beinahe unfaßbar zu sehen, daß ihr Haus nach allem, was sich ereignet hatte, immer noch unverändert war! Eleni eilte sofort zu der hohlen Eiche im Garten und fand ihre Schätze unversehrt. Die Ziegen meckerten vor Freude, als sie ihren vertrauten Stall wiedersahen. Megali wurde behutsam auf einen Stapel *velenzes* ans Feuer gelegt und schlief mit der Zeit ein, doch Kitso weigerte sich, ins Haus zu kommen. Niemand wußte, wo er die Nacht verbrachte.

Am nächsten Morgen kehrte der junge Fotis Haidis mit seiner Mutter von der Agora zurück und beteiligte sich an der Suche nach seiner Großmutter. Und Fotis war es auch, der in dem immer noch rauchenden Keller unter einem Berg herabgefallener Trümmer einen goldenen Ring schimmern sah. In dem Ring steckte ein Knochen.

Mit Händen voll Blasen hoben sie die Trümmer an und fanden darunter weitere Knochen sowie das Silberkreuz, das sie stets getragen hatte. Während sie arbeiteten, begannen die Frauen schon mit der Totenklage; das schrille Jammern lockte die Nachbarn herbei, die in den Gesang einstimmten und zugleich mit der Klage um die alte Anastasia, die nicht so sterben durfte, wie es ihren Jahren zustand, den Kummer um ihre niedergebrannten Häuser hinausschrien.

Der Trauerzug begann sich den Pfad zur St.-Demetrios-Kirche emporzuwinden. Er kam an Sophia vorbei, die mit zufriedenem Ausdruck auf dem blinden Gesicht an ihrem Tor stand und das Kreuz schlug. Bald würde ihre Freundin in Frieden ruhen.

Vor der Kirche begegneten die Trauernden einer Handvoll *andartes*, darunter Spiro Skevis und Mitsi Bollis, die von den Bergen herunterkamen. Beim Anblick des Trauerzuges blieben die Partisanen stehen, aber die Trauernden machten ebenfalls halt und wandten sich zu ihnen um. Keiner der Dorfbewohner sagte ein Wort, ihre Blicke jedoch luden die Last der Schuld an diesem Tod auf ihre Schultern.

«Wir haben sie doch schließlich vertrieben, oder?» stammelte Mitsi Bollis in das gespannte Schweigen hinein.

Niemand antwortete.

Acht Tage später kehrte auch Tassina auf einem Muli nach Lia zurück; auf dem Arm trug sie ihren neugeborenen Sohn, der Haralambos getauft werden sollte. Seine Geburt hatte mit Anastasias Todesschrei eingesetzt. Eleni war fest überzeugt, diese Geburt genau an dem Tag, da das Dorf niederbrannte, müsse ein Zeichen Gottes dafür sein, daß aus der Asche ein neuer Anfang entstehen werde.

Die Deutschen waren gekommen, und trotz aller tragischen Ereignisse hatte ihre Familie überlebt. Jeder Nachricht aus der Außenwelt war zu entnehmen, daß Hitlers Truppen besiegt wurden. Gerüchteweise hieß es, er werde seine Streitkräfte schon bald aus Griechenland abziehen.

Eleni wünschte, der Krieg möge bald enden, damit sie beginnen konnte, ihr Leben neu aufzubauen. Doch die *andartes*, so allgegenwärtig im Dorf wie die Schwalben, redeten ebenfalls von einem neuen Beginn. Und wie sie von einer «zweiten Runde» tuschelten, ließ befürchten, daß sie sich nicht auf den Frieden vorbereiteten, sondern auf einen neuen Krieg.

6

Anfang 1945 schien die aufgehende Sonne der ELAS endlich zu jenem neuen Morgen heraufgestiegen zu sein, den Prokopi Skevis so oft verheißen hatte. Das Abkommen von Varkiza jedoch, mit dem sich die besiegte Kommunistische Partei am 12. Februar verpflichtete, die ELAS zu entwaffnen, um dafür eine rechtmäßige politische Organisation in Griechenland bleiben zu dürfen, ließ diese Sonne platzen wie einen Heliumballon, und die ELAS-Partisanen mußten geschlagen und ihrer Waffen beraubt, die sie hatten abliefern müssen, in ihre Heimatdörfer zurückhumpeln.

Während das Abkommen von Varkiza für die ELAS-Kämpfer Niederlage und Verrat bedeutete, markierte es für Dorfbewohner wie Eleni Gatzoyiannis und ihre Familie das Ende des Krieges und den Beginn einer Phase der Hoffnung. Zum erstenmal nach vier Jahren waren sie in der Lage, die Trümmer ihres Lebens wieder zusammenzufügen, ihre Felder zu bestellen und auf Post von der Außenwelt zu warten.

Nachdem Athen nun nicht mehr vom Bürgerkrieg geschüttelt wurde, wußte Eleni, daß die Post bald wieder funktionieren und Briefe aus Amerika bringen würde: mit Nachricht von Christos, Geld für das dringend benötigte Saatgut zur Frühjahrsaussaat und vielleicht bald schon den kostbaren Papieren, die ihnen die Auswanderung nach Amerika ermöglichten. Zwar war der Magen immer noch leer, nun aber konnten sie von Träumen leben.

«In Amerika sind alle Menschen wohlgenährt», pflegte Eleni ihren Kindern zu erzählen. «Alle Leute haben Schuhe. Und jedesmal, wenn man was kauft, bekommt man umsonst eine Papiertüte dazu, in der man alles nach Hause trägt. Es gibt Menschen, die alles machen, sogar Maschinen, die den Schmutz im Haus fressen. Warmes und kaltes Wasser kommt aus einem Rohr, so daß man es nicht von der Quelle zu holen braucht. Es gibt Toiletten direkt im Haus, stets saubergewaschen von fließendem Wasser, das einem Wasserfall gleicht. Wenn sie wollen, können die Menschen jeden Tag baden.» Die Kinder hingen gebannt an ihren Lippen und wollten dieselben Einzelheiten immer noch einmal hören.

Olga war inzwischen siebzehn, und die Frauen des Dorfes hatten begonnen, Eleni Besuche abzustatten, um das junge Mädchen mit erfahrenen Blicken als potentielle Schwiegertochter zu taxieren. Sobald die Post wieder funktionierte, würde es genug Geld geben, um Olga eine Aussteuer zu kaufen, die mindestens so großartig war wie in den Tagträumen, die sie spann.

Tagtäglich fand Eleni einen Vorwand, um zur Alonia zu gehen und Spiro Michopoulos, den Kaffeehausbesitzer, zu fragen, ob der Postbote vielleicht zufällig einen Brief aus Amerika für sie gebracht habe.

Nur für die Familien des halben Dutzends unerschütterlicher ELAS-Anhänger war dieser Frühling bitter. Die Skevis-Brüder waren sich jedoch einig darin, wichtig sei nur, daß die Kommunistische Partei trotz ihrer Fehler bestehen bleibe, auch wenn die ELAS dafür geopfert werden müsse. Sie spiele auch ohne Waffen noch eine wichtige Rolle im großen Kampf. Als die ELAS-Regimenter aufgelöst wurden, befahlen ihnen die Offiziere, in ihre Dörfer zurückzukehren und sich mit allen Mitteln die Loyalität der Einwohner zu sichern.

Die ELAS-Partisanen waren mit der Warnung aus dem Kampf nach Hause geschickt worden, daß möglicherweise «Sicherheitstruppen» der Regierung eine Hexenjagd auf sie veranstalten würden. Obwohl das Abkommen von Varkiza eine Amnestie für alle politischen Verbrechen vorsah und in Athen für Sistierungen Haftbefehle erforderlich waren, galt dieser Pardon nicht für Gewaltverbrechen wie etwa Mord. Ehemalige ELAS-*andartes* entdeckten bald, daß die zahlreichen einheimischen, rechtsdominierten Sicherheitstruppen auf dem Land dieses Schlupfloch benutzten, um alte Rechnungen zu begleichen und Linke wegen Mordtaten zu verhaften, die sie angeblich in der Résistance verübt hatten. Wenn sie zuschlugen, häufig ohne Vorwarnung, füllten sich die Gefängnisse schnell bis zum Bersten. Knapp einen Monat nach einem von der ELAS aufgeführten Propagandastück, über das sich Kitso Haidis zum Vergnügen der Zuschauer lustig gemacht hatte, kam eine Kompanie griechischer Soldaten durch das Dorf, und die Nachricht von ihrem Anrücken genügte, um die einheimischen ELAS-Partisanen die Flucht ergreifen und in den Bergen Zuflucht suchen zu lassen, wo sie in Schluchten und Felsspalten kampierten und ihren Standort tagtäglich wechselten.

Während die *andartes* sich wegen der Sicherheitstruppen Sorgen machten, war Eleni über das Schweigen ihres Mannes beunruhigt. Der internationale Postverkehr war wieder aufgenommen worden, und viele Einwohner von Lia hatten schon von ihren Verwandten in den Vereinigten Staaten gehört; von Christos jedoch war kein Wort gekommen. Die einzige Erklärung, die ihr dafür einfallen wollte, war, daß ihm während der vier Jahre, da sie ohne Nachricht voneinander gewesen waren, etwas zugestoßen sein mußte. Die Angst, er könnte gestorben sein, nagte immer stärker an ihr, und während sie sich bemühte, die wenigen Lebensmittel, die sie noch hatten, möglichst zu strecken, machte sich auch der altbekannte Schmerz im Bauch wieder bemerkbar. Es war schwer genug gewesen, während des Krieges mit ansehen zu müssen, wie die Kinder immer zerlumpter herumliefen, nun aber war es unerträglich.

An einem Tag im Spätfrühling, als Eleni in ihrem kleinen Garten Salat pflückte und niedergeschlagen daran dachte, daß dies das einzige war, was es zum Abendessen geben würde, wurde sie plötzlich von einem unkontrollierbaren Weinkrampf geschüttelt. Kanta war im Haus, als sie das Weinen der Mutter hörte. Als sie zum Fenster hinausblickte, sah sie, wie Eleni Salatblätter aus dem Boden zog, wie eine Wahnsinnige in Fetzen riß und dazu immer wieder schrie: «Er ist tot! Er ist tot! Aiiee! Er ist tot und hat uns für immer verlassen!»

Während der ersten Friedensmonate liefen die Griechen noch wie Überlebende eines Holocaust herum: zerlumpt, barfuß und fast verhungert. Das Land war durch die Jahre der Okkupation und die Monate des Bürgerkriegs verheert worden; über 100 000 Häuser waren zerstört, 500 000 Griechen ermordet worden oder verhungert, und die staatliche Wirtschaft war bankrott. Das erste Hilfsversprechen kam von der «United Nations Relief and Rehabilitation Administration» (UNRRA), die Schiffsladungen von Lebensmitteln und Kleidung schickte.

Zur Verteilung dieser Hilfsgüter bediente die UNRRA sich regionaler Regierungsbeamter, die wiederum Dorfkomitees aus bekannten Antikommunisten zusammenstellten. In Lia gab es nur wenige Rechte zur Auswahl, fünf jedoch wurden trotzdem gefunden, darunter drei, die von der ELAS im Schulhaus gefangengehalten worden waren: der Böttcher Vasili Nikou, der Krüppel Boukouvalas und Kitso Haidis.

Jeden Monat wurde in Igumenitsa eine Schiffsladung Hilfsgüter ausgeladen und über Land nach Filiates gebracht. Dorthin begaben sich die Komiteemitglieder von Lia, um das Kontingent für ihr Dorf auszusortieren und es aufgrund ihrer Liste an die Familien zu verteilen. Es war ein anstrengender achtstündiger Marsch von Lia aus, aber die Dörfler hätten jede Entfernung überwunden, um in den Besitz der lebensrettenden Monatsration zu gelangen: 8 Pfund Mehl pro Person, ein halbes Pfund Zucker, 150 Gramm Reis, 150 Gramm Linsen, zwei Dosen Kondensmilch pro Kind, Milchpulver, Eier und, wenn man Glück hatte, ein paar Konserven. Zu sehr seltenen, doch unvergeßlichen Gelegenheiten gab es sogar Schokolade, Gebäck, Tee und Camel-Zigaretten.

Zunächst erschien es allen als eine Ehre, zum Mitglied des UNRRA-Komitees zur Verteilung der reichen Gaben ernannt worden zu sein, und Kitso überlegte unwillkürlich, ob er nicht hier und da ein oder zwei Konserven für sich persönlich abzweigen könnte; doch bald schon mußte er entdecken, daß die Probleme des neuen Amtes die Ehre weit überstiegen. Innerhalb weniger Wochen wurden die Mitglieder des Komitees die meistgehaßten Menschen im Dorf. Jeder, der die Ration seiner Familie abholen kam, jammerte Kitso von kranken Kindern und siechen Eltern vor und beschuldigte ihn, andere Dorfbewohner zu bevorzugen.

Kitso erwiderte jedesmal vollkommen wahrheitsgemäß: «Jeder bekommt dieselbe Menge!» Doch niemand glaubte ihm, und der Haß wucherte wie eine Schlingpflanze. Und je mehr er wuchs, desto fester wurde die Überzeugung im Dorf, Kitsos Keller müsse eine Schatzkammer voll gestohlener UNRRA-Waren sein, die er für sich, seine Töchter und Enkel versteckt habe. Dieser Verdacht rankte sich um die Familien aller fünf Komiteemitglieder und sollte zuletzt tödliche Blüten treiben.

Im Mai 1945, zum Zeitpunkt der ersten UNRRA-Verteilung, ermahnte Kitso Eleni, auf gar keinen Fall mit ihm zusammen nach Filiates zu gehen oder womöglich zu früh zu erscheinen, denn dann würde man ihm nur vorwerfen, er ziehe sie vor. So beschloß sie, den langen Marsch mit ihrer Schwägerin Alexo, Foto Gatzoyiannis' Frau, anzutreten, und gab schließlich auch Kantas Drängen nach, die darum bettelte, ebenfalls mitkommen zu dürfen.

Alexo, die sechs Kinder zu Hause hatte und deren Mann im günstigsten Fall ein äußerst unzuverlässiger Ernährer war, brauchte die UNRRA-Lebensmittel noch dringender als Eleni. Mit ihrer nie versiegenden guten Laune war Alexo Eleni schon lieb und wert geworden, lange bevor sie ihr bei Nikolas Geburt geholfen hatte. Als sie sahen, daß es ein Junge war, hatten sie einander lachend und weinend in den Armen gelegen, und Alexo war für Eleni inzwischen eher wie eine Schwester als wie eine Schwägerin.

Die beiden Frauen machten sich auf, den Berg hinab, in südwestlicher Richtung durch die Schluchten, und kamen bald in die Vorberge, über denen schwerer Frühlingsduft lag. Beide hatten sie sich einen Ast als Wanderstock geschnitten und marschierten mit den langen, gleichmäßigen Schritten der Bergsteiger. Die dreizehnjährige Kanta lief hin und her, pflückte die Federkronen des Löwenzahns und blies sie in alle Winde. Ein Kuckuck rief und lauschte dem eigenen Echo, und der würzige Geruch des blühenden Quittenbaums füllte die Luft.

Elenis Stimmung paßte überhaupt nicht zu diesem Tag. Sie fürchtete sich vor der Ankunft in Filiates, wo sie sich in eine Schlange einreihen und warten mußte, daß sie mildtätige Gaben von völlig Fremden in Empfang nehmen durfte. Früher einmal war sie es gewesen, die den armen Familien der Nachbarschaft mildtätige Gaben gebracht hatte.

Sie drehte sich nach Kanta um, die barfuß auf Fußsohlen ging, die so hart waren wie Leder, und ein Kleid aus brauner, altersglänzender Wolle trug, das aus einem abgelegten Kleid von Eleni genäht worden war. Die Flicken an den Ellbogen waren durchgewetzt und der kratzige Stoff war übersät mit Löwenzahnsamen. Christos, der Dandy, hätte sich geschämt, mit ihr gesehen zu werden, sinnierte Eleni, aber Christos war vermutlich tot und würde niemals erfahren, wie tief seine Familie im Dorf gesunken war.

Den Sonnenschein auf ihren Schultern empfand Eleni wie ein körperliches Gewicht, bis sie am frühen Nachmittag in Filiates eintrafen und sich zu der Verteilungsstelle, einem ehemaligen türkischen Gasthaus, durchfragten.

Während die beiden Frauen sich in die lange Schlange vor dem Gebäude einreihten, schlenderte Kanta in der Nähe umher, bewunderte die türkische Moschee und den Markt auf dem großen Platz. Sie gesellte sich zu einer Menge, die sich um ein Paar in der Khaki-Uniform der UNRRA mit den blauen Insignien der United Nations auf den Schultern drängte. Die Frau war zierlich und blond, mit weißen Wimpern, und erinnerte Kanta an die Fotos in den amerikanischen Zeitschriften, über denen sie einst träumend gesessen hatte.

Die beiden verteilten aus mehreren Kartons getragene Kleidung an die lärmende Menge. Fasziniert drängte sich Kanta weiter vor. Die Frau entdeckte sie und winkte ihr zu, näher zu kommen. Dann griff sie in einen Karton und suchte darin herum, bis sie ein leuchtendblaues Mädchenkleid mit kurzen, roten Puffärmeln fand. Die Frau faltete es zusammen, drückte es ihr mit einem leichten Tätscheln in die Hände, um ihr zu zeigen, daß es wirklich ihr gehöre.

Voll Angst, sie müsse es vielleicht zurückgeben, lief Kanta davon und rannte, bis sie einen winzigen Schuppen voll Heu entdeckte. Hier riß sie sich das kratzige braune Kleid vom Leib und zog statt dessen das blau-rote an. Mit den Händen strich sie sich über die flache Brust, genoß das Gefühl des feinen Materials, schleuderte das alte Kleid ins Heu und lief zum Platz zurück, um ihre Mutter zu suchen.

Eleni blieb der Mund offenstehen beim Anblick dieser neuen Pracht. Kanta richtete sich hoch auf und drehte sich nach rechts und links. «Gefällt es dir?» fragte sie aufgeregt. «Das hat mir eine freundliche Dame von der UNRRA gegeben. Ganz umsonst!»

Eleni betrachtete ihre Tochter, in einem Wohlfahrtskleid, das ein anderes kleines Mädchen, vermutlich in Amerika, getragen und dann ausgemustert hatte. Sie errötete. «Wo ist dein eigenes Kleid?» fuhr sie auf. «So kommst du mir nicht mit ins Dorf zurück! Was sollen die Leute denken – ein dreizehnjähriges Mädchen, und zeigt der ganzen Welt die nackten Arme!»

Den ganzen Vormittag und bis weit in den Nachmittag hinein blieben die Türen des Ausgabebüros geschlossen, und die Schlange der Wartenden rückte nicht weiter. Eleni, Alexo und Kanta saßen in der heißen Sonne. Kanta hatte das braune Kleid wieder angezogen, das blau-rote jedoch ganz klein zusammengefaltet und unter ihrem Rock versteckt. Eleni saß an die Schulter ihrer Schwägerin gelehnt, als sie einen Mann ihren Namen rufen hörte.

Als sie den Kopf hob, sah sie ihren Cousin, denselben Costa Haidis, der sich geweigert hatte, sie zu empfangen, als sie versuchte, ihren Vater aus dem Schulhaus-Gefängnis freizubekommen. Costas mageres Gesicht war vor Aufregung gerötet und unter den Achseln seines zerknitterten Anzugs prangten große Schweißflecken. Atemlos blieb er vor ihr stehen. Der überhebliche Kommissar war verschwunden; an seine Stelle war ein Mann mit gehetztem Blick getreten.

«Hallo, Costa! Ich dachte, du hättest dich mit den Skevis-Leuten oben in den Bergen versteckt», sagte Eleni.

«Denen hat keiner erlaubt, sich zu verstecken!» empörte er sich. «Die Parteipolitik lautet, sich der Polizei zu stellen und ihren Terror durch Konfrontation zu brechen. Genau das habe ich getan. Sie können uns nicht alle einsperren.»

«Und sie haben dich laufenlassen?»

«Diese Schweine haben mich ein bißchen rumgeprügelt und mir viele Fragen gestellt, aber schließlich haben sie mich entlassen. Hier kann die Polizei machen, was sie will, in Athen aber müssen sie vorsichtig sein, weil sie vom Ausland beobachtet werden. Deswegen gehe ich jetzt dorthin.» Er zeigte sofort wieder sein Lächeln. «Aber natürlich wollte ich mich von dir verabschieden, bevor ich das Dorf verließ. Ich dachte, du hättest vielleicht einen alten Anzug von Christos, den er nicht mehr braucht.»

Der Name ihres Mannes erinnerte Eleni wieder an ihre Angst. «Ich hab ihn verloren, Costa!» jammerte sie. «Kein Wort von ihm, seit die Post wieder kommt. Ich bin überzeugt, daß er tot ist, und kein Mensch sagt es mir!»

Mit strahlender Miene fingerte Costa in seinem Jackett herum. «Aber, meine liebe Cousine, deswegen bin ich ja auf der Suche nach dir! Ich habe so gute Nachrichten für dich, daß noch deine Enkel Blumen auf mein Grab legen werden!»

Er zeigte ihr einen Packen Briefe und Postkarten, ein Dutzend mindestens, bedeckt mit der sauberen, altmodischen Schrift, die Eleni so vertraut war. Von der ausgestreckten Hand sah sie zum Gesicht ihres Cousins empor, wartete auf eine Erklärung und flüsterte dann: «Ja, aber wieso hast *du* meine Post?»

Er grinste. «Als ich hierher kam, hab ich dem Postmeister gesagt, er soll alle Briefe für dich zurückhalten, damit ich sie dir persönlich bringen und deine Freude miterleben kann. Eben jedoch hab ich erfahren, daß du statt dessen hierhergekommen bist.»

Es dauerte einen Moment, bis sie begriff, was er gesagt hatte; dann flammte heißer Zorn in ihr auf, sie sprang hoch und riß ihm das Päckchen aus der Hand. Wütend spuckte sie ihm auf die spitzen Schuhe. «Du wolltest nur eine Belohnung kassieren!» schrie sie ihn an. «Weißt du, wie viele Jahre meines Lebens du mich gekostet hast?» Dann brach sie zusammen, und Costa machte sich unter den Blicken zahnlückiger Frauen verlegen davon.

Fünfzehn Briefe enthielt das Päckchen, jeder mit einer unbekannten Absender-Adresse. Christos schrieb:

Meine geliebte Eleni,
ich sende Dir Grüße und bete zu Gott, daß Du und meine lieben Kinder alle gesund seid und nicht von den furchtbaren Dingen betroffen, die wir hier lesen – Hungersnot und Tod. Mein Bruder ist Dir sicher eine Hilfe gewesen, genau so, wie ich ihm immer geholfen habe.

Christos lebte inzwischen auf einer Insel namens Staten, wie er ihr schrieb, ganz in der Nähe von New York City, und war Koch in einem kleinen Restaurant, das dem Schwiegersohn eines griechischen Priesters aus Povla gehörte.

Es sind nette Menschen hier, und sie behandeln mich gut – nicht wie diese Schlange Nassios, der mir immer versprochen hat, mich an seinem Restaurant zu beteiligen, es aber niemals getan hat, nicht mal, als er an den vielen Soldaten das ganz große Geld verdiente. Dann hab ich von diesem Job gehört und Nassios verlassen. Ich verdiene 90 Dollar pro Woche und wohne in einem Zimmer in der Nähe des Restaurants. Ich lege ein Kuvert mit meiner Adresse vorne drauf bei. Sobald ich von Dir höre, werde ich Dir über die Bank in Ioannina Geld schicken. Wie geht es unserem Sohn? Fragt er nach seinem Daddy? Ich küsse Deine Augen und die meiner Engelskinder. Dies schreibe ich, Dein Dich liebender Gatte.

Auch eine Ansichtskarte hatte er geschickt, ein eindrucksvolles Schwarzweißfoto des Empire State Building, hochaufragend wie die längste Kerze im Kandelaber der Kirche. Christos hatte einen Pfeil eingezeichnet, der die Aussichtsterrasse des Wolkenkratzers markierte, und hinten auf die Karte hatte er geschrieben:

Ich schreibe dies auf der Spitze des höchsten Gebäudes der Welt. Es hat 102 Stockwerke. Auf der einen Seite kann ich den Atlantik sehen und die Statue der Frau, die St. Freiheit genannt wird und die so groß ist, daß man hinaufklettern und in einem von ihren Fingern stehen kann. So sieht es aus, in Amerika.

Als sie nacheinander seine Briefe öffnete, wurde Eleni so aufgeregt, daß sie die tanzenden Worte nicht mehr entziffern konnte und Kanta bitten mußte, sie ihr vorzulesen. Nachdem sie jede Zeile gehört hatte, ging sie zu einem nahen Kiosk, um sich ein Blatt Briefpapier und einen Bleistift zu kaufen. «Mein lieber Mann», begann sie, auf dem Pflaster sitzend, und krauste vor angestrengtem Nachdenken die Stirn.

Ich danke Gott, daß es Dir gut geht! Mein Herz zerbrach fast, weil ich dachte, Du bist tot. Wenn sich nur die Berge herabneigen und die Bäume sich über den Ozean strecken könnten, damit ich Dir von Angesicht zu Angesicht berichten könnte, welch ein Elend wir in den letzten fünf Jahren gelitten haben! Foto hat uns überhaupt nicht geholfen, aber mein Vater hat uns genug Maismehl verschafft, um nicht zu verhungern. Die Deutschen haben die untere Hälfte des Dorfes niedergebrannt, auch das Haus meiner Eltern. Unsere Kinder sind so zerlumpt wie die Ärmsten im Dorf, aber mit Gottes Hilfe haben wir alle überlebt, und nun, da ich weiß, daß es Dir gut geht, werde ich St. Demetrios eine weiße Kerze stiften.

Sie erklärte ihm, wie dringend sie Geld brauchten und soviel Kleidung, wie er nur schicken könne; und dann setzte sie mit festerer Hand darunter, er möge sofort beginnen, die Papiere für ihre Auswanderung zu besorgen:

Du hast noch nie Deinen Sohn gesehen. Der Krieg hat mich gelehrt, wie falsch es ist, daß wir getrennt sind. In Amerika werden keine Häuser niedergebrannt, und die Menschen müssen nicht verhungern. Ich flehe Dich an, sorge sofort für unsere Überfahrt. Ich bitte Dich von ganzem Herzen darum.   Eleni

Als Eleni und Kanta wieder in Lia waren, rauften die Kinder sich darum, wer das Foto mit dem riesigen Turm halten durfte. In diesem hohen Haus lebte und wohnte ihr Vater, wie sie vermuteten. Nikola, fast sechs, studierte das Foto mit gerunzelter Stirn und zusammengekniffenen Augen, um das Gesicht des Vaters, den er noch nie gesehen hatte, in den stecknadelkopfgroßen Fenstern neben dem Pfeil auszumachen. Olga fürchtete, er werde in diesen schwarzen Straßenschluchten sicherlich in den Tod stürzen. Kanta, die logische, erkundigte sich, woher die Menschen in New York genug Holz bekämen, um all die Wolkenkratzer zu heizen, wo doch kein einziger Baum auf dem Bild zu sehen war.

«In Amerika ist alles leichter», erklärte Eleni. «Lastwagen bringen schwarze Steine – Kohlen – und schütten sie in einen großen Ofen wie den, in dem wir Brot backen, im Keller der Türme, und Rohre leiten den Dampf von dem Feuer in jedes Zimmer hinauf und machen es warm.»

«Brennende Steine!» staunte Glykeria. «Ich würde nie mehr Feuerholz sammeln müssen! Was für ein leichtes Leben!»

Nikola fand die amerikanischen Geschichten besser als die Märchen von Kriegern und Prinzen und Wölfen. Diejenige, die ihn am tiefsten beeindruckte, war die Geschichte von den Schwimmbeckenzimmern. «Wenn es zu heiß wird oder sie sich schmutzig fühlen und schwimmen gehen wollen», erzählte Eleni, «springen die Leute in ein Becken, so groß wie ein Zimmer. Genau wie der kleine Bewässerungsdamm bei der Quelle oben, nur dreißigmal größer.»

«In ihren Kleidern, Mama?» fragte Fotini.

«Mit speziellen Badekleidern, wie Unterwäsche», erwiderte sie verlegen. «Männer und Frauen benutzen dasselbe Becken. Aber anständige Frauen natürlich nicht.»

Über die Schwimmbeckenzimmer nachdenkend, schlief Nikola ein. Am nächsten Morgen, dessen spezielle Hitze ein Gewitter verhieß, erwachte er früh, lief der Mutter auf Schritt und Tritt nach und bombardierte sie mit endlosen Fragen. «Wenn die Zimmer voll Wasser sind, Mama, wie kommt es, daß das Wasser nicht rausläuft, wenn sie die Tür aufmachen?»

«Weil das Zimmer ein Loch im Boden hat», antwortete sie zerstreut. «Und jetzt hör auf, mir vor den Füßen rumzulaufen!»

Nikola ging hinaus, kletterte auf den weißen Sims über dem Torbogen und streckte sich aus. Dies war der Platz, von dem er mit drei Jahren heruntergefallen war, doch immer noch konnte er hier am besten nachdenken.

Glykeria und Kanta waren am frühen Morgen mit den Ziegen und Schafen zum Feld der Familie auf der Agora hinter der St.-Nikolaus-Kapelle hinaufgeschickt worden. Der Weizen war bereits geschnitten, und nun schoben sich hellgrüne Schößlinge, Gras und Unkraut durch die Stoppeln ans Licht. Die Zeit, bis das Feld wieder gepflügt und neu eingesät werden würde, war die einzige Zeit im Jahr, da die Mädchen die Tiere auf dem ebenen Stück Land frei grasen lassen und selbst unter einem Baum sitzen und sie von weitem beobachten konnten, ohne Angst haben zu müssen, daß ein Zicklein oder ein Lamm in eine Felsspalte fiel, von einem Wolf gerissen wurde oder sich über die Felder anderer Dorfbewohner hermachte.

Glykeria lag unter einer Steineiche, um sich von dem langen, steilen Weg zu erholen, und beäugte sehnsüchtig die prall gefüllten Taschen von Kantas Schürze. «Dieses endlose Klettern macht mich hungrig!» beschwerte sie sich.

«Ich habe dir geraten, dein Brot und deine Zwiebeln nicht schon unterwegs zu essen!» schalt Kanta. «Von mir kriegst du nichts, also frag mich gar nicht erst.»

Weit unten entdeckten sie Vasilo Barka, die einfältige Hirtin, die mit ihrer großen Herde der Tiere, die sie gegen Bezahlung hütete, ebenfalls zu diesen Feldern heraufkletterte. Als sie haltmachte, um sie an einer Quelle zu tränken, sahen Glykeria und Kanta, daß ein Junge namens Ianni vorbeikam und stehenblieb, um sich mit ihr zu unterhalten. Neckend versuchte er sie zu packen; dabei hörten sie ihr zorniges Gekreisch. Dann suchte Vasilo ihn mit Steinwürfen zu vertreiben, aber er lachte nur und lief davon.

Immer höher kam Vasilo mit ihrer Herde, bis die Mädchen hören konnten, wie sie zornig auf ihre Ziegen einschimpfte, als seien die Tiere menschliche Wesen. «Dreckiges Mannsvolk, alle wollen sie nur das eine! Versuchen immer, unter Vasilos Röcke zu kommen. Wollen die arme Vasilo ruinieren!»

Als sie auf der Weide ankam, rief Glykeria ihr neckend zu: «Du hast mit Ianni geredet, Vasilo! Was hat er gewollt?»

«Er hat gebettelt. Er hat gefleht!» lautete die Antwort.

«Aber um was denn, Vasilo – um was?» gaben beide Mädchen im Chor zurück.

Vasilo aber errötete nur und wandte sich wortlos ab.

Als Glykeria ihr daraufhin einen Spottvers nachrief, kam Vasilo, ihren Schäferstab drohend erhoben, hinter ihnen her, und die Mädchen kletterten lachend zur weißen St.-Nikolaus-Kapelle am westlichen Rand der Weide empor. Sie schlüpften in den Schatten hinter dem runden Vorsprung der Apsis, wo sie sich hinkauerten, sich, eng an die kühle Mauer gepreßt, möglichst klein machten und auf ihr rasendes Herzklopfen lauschten. Bald jedoch hörten sie ein anderes Geräusch – gedämpft, doch unverkennbar: Aus dem Allerheiligsten, das nur ein Priester betreten durfte, kam der hallende Rhythmus langsamer, schleppender Schritte. Hin und her wanderte der Eindringling. Das Geräusch kam näher. Die Mädchen starrten einander an. Trotz der Hitze hatten sie eine Gänsehaut auf den Armen.

Kanta spürte, wie ein Entsetzensschrei in ihrer Kehle aufstieg, und zuckte zusammen, als Glykeria ihren Arm packte und heiser wisperte: «Das ist der Geist von Sotirena. Hier oben ist sie doch erfroren!» Damit stürzten sie aus dem Schatten hervor, als spürten sie schon, wie Soterinas eiskalte Finger sich um ihren Hals legten. Fast hätten sie Vasilo umgerannt, die ihnen heftig keuchend entgegenkam.

«Lauf, Vasilo!» schrie Kanta. «In der Kapelle ist ein Geist!»

Vasilo blieb gelassen. «Ihr Mädchen seid wahrhaftig dümmer als ich! Ich sehe die ganze Zeit hier oben Geister und wünsche ihnen jedesmal einen guten Tag.»

Trotz Vasilos Selbstsicherheit flüchteten Kanta und Glykeria sich für den Rest des Nachmittags auf die Seite der Agora, die am weitesten von der Kapelle entfernt lag.

Während Eleni im Haus zu tun hatte, arbeitete Nikola seinen Plan aus. Nach dem Mittagessen, als alle es sich für die Siesta bequem machten, ging er ans Werk. Die Erde im Garten unmittelbar unterhalb des Hauses war zwar von kürzlichen Regenfällen aufgeweicht, für einen Sechsjährigen war es aber trotzdem nicht leicht, sie mit der Hacke aufzubrechen. Anschließend griff er zu einem Spaten und begann zu graben. Nach einer Stunde hielt er inne, um voller Stolz das Resultat zu begutachten: Er hatte ein rechteckiges Loch gemacht, so lang, wie er groß war, und auch fast so breit, und dazu dreißig Zentimeter tief – das größte, das er jemals geschafft hatte!

Darauf bedacht, fertig zu werden, bevor seine Mutter erwachte, holte Nikola sich einen Eimer und hastete zwölf Meter den Pfad hinauf, bis dahin, wo sich der Mühlbach zu einem flachen Teich erweiterte. Es war Schwerarbeit, den gefüllten Eimer zu seinem Loch zurückzuschleppen, aber er bemühte sich tapfer und schaffte es schließlich, ihn in das Loch zu kippen – nur um mit ansehen zu müssen, wie das Wasser in der Erde versickerte.

Um fünf Uhr, nach zwei Stunden Wasserschleppen, bedeckten fünf Zentimeter flüssiger Schlamm den Boden des Lochs. Es sah zwar nicht aus wie das Schwimmbecken seiner Träume, doch ihm war heiß, er war müde, und seine Hände starrten von Blasen. Es war an der Zeit, den Lohn für all die Stunden Schwerstarbeit zu genießen. Rasch schob er die Träger seiner gestreiften Kniehose, die die Mutter ihm genäht hatte, von den Schultern und knöpfte den Hosenschlitz auf. Das einzige andere Kleidungsstück war ein kurzärmeliges, weißes Strickhemd, das ihm zugleich als Nachthemd diente. Nun mußte es auch noch als Badekostüm herhalten. Mit dem Schrei eines angreifenden Kriegers warf er sich mit dem Gesicht voran in sein Schwimmbecken.

Tsavena, die alte Mutter Marina Kollious, die das Haus oberhalb der Gatzoyiannis bewohnte, erwachte von dem dringenden Bedürfnis, das Klosetthäuschen aufzusuchen. Von der kleinen Veranda aus hörte sie ein seltsames Geräusch und spähte in den Gatzoyiannis-Garten hinab. Aus der Erde ragte die obere Hälfte einer schokoladenbraunen Gestalt. Ihr erster Gedanke galt dem bösen *daoutis*, halb Ziegenbock, halb Kind, der in der Adventszeit Schafe und Ziegen zu Tode erschreckt.

«Oooooohhh, Eleni!» kreischte Tsavena mit einer Stimme, die die gesamte Nachbarschaft aus dem Schlaf hochschreckte. «Lauf, Eleni – lauf!»

Als sich die Nachbarn um das Schwimmbecken versammelten, gab Nikola sich größte Mühe, das vorzuführen, was er für Rückenschwimmen hielt. Er blickte empor zu dem Kreis der Gesichter, die zu ihm hinabspähten. Alle hatten den Mund vor Lachen weit aufgerissen. Und seine Mutter lachte am meisten von allen. Nikola fand, seine Bemühungen würden nicht ausreichend honoriert. «Ich wollte uns nur ein Schwimmbecken bauen, wie in Amerika», sagte er vorwurfsvoll und blinkte mühsam die Tränen zurück.

Die Schwimmbeckenepisode endete damit, daß Glykeria und Kanta ganz außer Atem nach Hause kamen, als Eleni und Olga noch damit beschäftigt waren, in dem Zuber, in dem sonst die Wäsche gekocht wurde, Nikola die Schlammkruste abzukratzen. Eleni schenkte dem Bericht der Mädchen über die Begegnung mit einem Geist nicht mehr Beachtung als Nikolas Plänen für eine Verbesserung des Schwimmbeckens. Eine Woche später jedoch, als sie hinaufstieg, um Tassi Mitros beim Pflügen ihrer Felder für die zweite Aussaat zu beaufsichtigen, begegnete Eleni dem Geist persönlich.

Sie kehrte in der Kapelle ein, um dem Namenspatron ihres Sohnes eine Kerze anzuzünden, und als sie vor dem Altar stand, entdeckte sie hinter der Ikonostase eine Bewegung. Mißtrauisch warf sie einen Blick ins Allerheiligste und fand dort, in einer Ecke kauernd, den weißhaarigen Müller Iorgi Mitros. «Was machst du denn da, Effendi?» fragte sie ihn verwundert.

«Ich verstecke mich vor dem aufkommenden Sturm, Eleni!» antwortete er. «Hast du irgend jemanden gesehen, der nach mir sucht?»

«Zwei Männer in Uniform haben nach dir gefragt», antwortete sie unschuldig. «Aber wovor fürchtest du dich? Du hast doch nichts verbrochen.»

Iorgi Mitros' frische Wangen erbleichten, und fluchend schlug er sich mit der Hand vor die Stirn. «Verdammt sei der Tag, an dem ich für die ELAS gesprochen habe!» stöhnte er. «Jetzt hetzen sie mich wie einen Hasen. Und ganz ohne Grund! Ich bin auf dem Weg nach Albanien, Eleni. Aber sag um Gottes willen niemandem, daß du mich gesehen hast!»

Auf dem Heimweg dachte Eleni traurig an das Elend des alten Mannes. Zu Hause wartete ihr Schwager Andreas.

«Du hast in den Feldern oben nicht zufällig Iorgi Mitros gesehen, wie?» erkundigte er sich.

«Warum? Was hat er getan?»

«Gar nichts.» Und Andreas erklärte ihr, daß Minas Stratis, der jetzt in Ioannina für den Militärischen Geheimdienst arbeitete, den Müller Mitros als Bürgermeister von Lia vorgeschlagen habe. «Sie suchen ihn schon seit Wochen, aber sie können ihn einfach nicht finden.»

So kam es, daß Iorgi Mitros sich selbst zu fünfzehn Jahren unsteten Wanderns durch Albanien und Jugoslawien verurteilte, während der Posten des Bürgermeisters an den Krüppel Boukouvalas fiel, der sich von den Schlägen im Schulhaus ausreichend erholt hatte, um das Steuer zu übernehmen.

Für jeden, der mit der ELAS sympathisiert hatte, war es eine Zeit der Angst und der Flucht. Es wurde von nächtlichen Razzien gemunkelt, von brutalen Repressalien in den größeren Städten des Südens. Eines Abends, zur Stunde der Dämmerung, hörte Eleni ein leises

Klopfen an der Hintertür, und als sie öffnete, stand draußen im Schatten, das Kopftuch tief ins Gesicht gezogen, ihre Cousine Antonova Paroussis aus Babouri. Antonova bat Eleni, ihren Cousin Nikola Paroussis und dessen Kameraden Costa Tzouras zu verstekken. Nikolas Mutter fürchtete, die beiden würden wegen ihrer Aktivitäten im Krieg verhaftet und womöglich umgebracht werden. «Von den ELAS-Häusern ist keines sicher», sagte Antonova zu Eleni, «hier aber werden sie bestimmt nicht suchen, weil dein Mann in Amerika und dein Vater ein Rechter ist. Bitte, Eleni, nur für ein paar Tage! Nur bis wir wissen, ob sie sich ohne Furcht stellen können oder außer Landes fliehen müssen! Tu's für seine Mutter und für mich, und eines Tages wird es dir an deinem eigenen Sohn vergolten.»

Zunächst zögerte Eleni. Sie durfte Olgas guten Ruf nicht gefährden, indem sie unverheiratete junge Männer unter demselben Dach mit ihr versteckte; doch Nikola Paroussis war schließlich ein Verwandter ihres Mannes, und sein Begleiter der Bruder von Christos' Freund in Amerika. Ihr Mann würde von ihr erwarten, daß sie den beiden half.

«Ich werde Olga zu meiner Schwester schicken und Costa und Nikola hierbehalten», erklärte Eleni schließlich. «Sie sind stets gute, gottesfürchtige Jungen gewesen.»

Sie steckte die beiden *andartes* in die Kammer hinter der Küche, und die jungen Männer, die sich tagsüber in den Vorratskellern unter dem Boden verbargen, erzählten am Abend den Kindern Geschichten und lehrten Nikola und Fotini, mit Kieseln Murmeln zu spielen.

Zwei Wochen später endete die Zeit des Versteckens. Nachdem ein verehrter ELAS-Held auf nicht ganz geklärte Weise umgekommen war, gingen die immer noch versteckten *andartes* in Scharen außer Landes, und die beiden Flüchtlinge in Elenis Haus schlossen sich dem Exodus an und zogen mit Mitsi Bollis und den Skevis-Brüdern nach Albanien. Dort ließen sie sich in einem Dorf nahe der Grenze nieder, um sich gelegentlich im Dunkeln zurückzuschleichen – schattenhafte Gestalten, hier und da wohl von Kindern gesehen, die sie für böse Geister hielten. Im Herbst verließen sie Albanien und meldeten sich beim Hauptquartier der griechischen Kommunisten in Bulkes, Jugoslawien.

Auf den ersten Brief, den Eleni an Christos geschrieben hatte, folgte eine postwendende Antwort, überquellend vor Erleichterung über die Nachricht, daß sie noch lebten. Vier große Schrankkoffer mit Kleidung und Geschenken seien bereits an sie unterwegs, schrieb er. Leider hätten eine plötzliche Blinddarmoperation sowie die Kosten für die vielen Sachen, die er ihnen schicke, sein Bankkonto total erschöpft, doch sobald er wieder genug gespart habe, um den gesetzlichen Vorschriften für das Nachholen der Familie zu entsprechen, werde er Eleni die Einwanderungspapiere schicken.

Die Hauptsorge ihres Mannes galt der Tugend seiner Töchter, wenn sie dem Hedonismus seiner Wahlheimat ausgesetzt wurden. «Du hast keine Ahnung, wie frei die Mädchen sich hier benehmen, sie laufen schon sehr früh mit fremden Jungen herum, ohne einen Bruder, der sie beschützt!» schrieb er. «Am besten wäre es, wenn Du für Olga eine Verbindung mit einem Mann guten Namens im Dorf herstellst und sie dort verheiratest. Dann ist sie in Sicherheit, und sobald ihr anderen bei mir in den Staaten seid, kann sie mit ihrem Ehemann nachkommen.»

Noch eine Verantwortung mehr, dachte Eleni. Christos begriff einfach nicht, wie schwer es sein würde, jemanden mit dem richtigen Familiennamen und -ruf zu finden, mit dem auch Olga zufrieden sein würde. Logisch allerdings war sein Plan, das mußte sie zugeben.

Während sie den Sommerweizen droschen, die Kartoffeln ausbuddelten und das dreitägige Fest des Propheten Elias begingen, wartete die ganze Familie gespannt auf das Eintreffen der Kisten. Endlich kam Nachricht aus Ioannina, sie könnten abgeholt werden. Eleni machte sich mit Andreas und dem Maultier auf den Weg, und als sie bei der Heimkehr das Tor des Gatzoyiannis-Hauses erreichten, wimmelte der Hof von neugierigen Nachbarn. Staunend standen sie um die Kisten herum. Sogar die Stricke, mit denen sie zugebunden waren, erweckten große Bewunderung! Es waren amerikanische Stricke, dick und stark wie Schlangen; deswegen lösten sie sie sehr vorsichtig, um Teile davon später verschenken zu können, denn nicht nur praktisch waren sie, sondern sie trugen auch den Glanz des goldenen Landes. Es gab Kleidung für jeden, nur die Familie von Foto Gatzoyiannis wurde nicht ganz so reichlich bedacht wie vor dem Krieg. Bunte Kleider und Stoffbahnen kamen zum Vorschein, exotische Schuhe, Halstücher und Seidenstrümpfe. Der ganze Reichtum Amerikas entquoll diesen Kisten, und einiges von seinen Geheimnissen dazu. Zum Beispiel eine runde, rosa Schachtel mit einer Quaste oben drauf und einem Pulver drinnen, das wunderbar duftete und zum Niesen reizte. Und eine große Glasflasche mit grellbunten, großen runden Tabletten. «Süßigkeiten», meinten einige. «Medizin», behaupteten andere.

«Laß mich probieren», forderte Kitso Haidis, «bevor deine Kinder sich vergiften!»

Und während die anderen gespannt warteten, biß er in eine Tablette hinein. Unter dem bunten Überzug schmeckte er Schokolade und eine Erdnuß. «Um sicherzugehen, werde ich lieber noch eine probieren», erklärte er. Und probierte so lange, bis die Flasche leer war.

Während Kitso die Süßigkeiten bekam, sicherten die Mädchen sich die teuren Krawatten, die Christos für ihn bestimmt hatte. Sie hielten die leuchtend bunten Seidendinger für modische Gürtel und schlangen sie sich unter dem neidischen Zähneknirschen ihrer Freundinnen um die Taille.

Für die ältesten Mädchen gab es elegante Kroko-Schuhe mit komisch aussehenden, hohen Absätzen. Die waren mindestens so gefährlich wie Stelzen, und Olga brach sie sich auch prompt, als sie die Schuhe zum erstenmal beim Weg bergauf zum Bach anzog, an dem die Frauen die Wäsche schlugen.

Am geheimnisvollsten jedoch war ein dickes Bündel bunter Federn am Ende eines langen Stockes. Niemand wußte, was das sein mochte, aber es leuchtete in allen Schattierungen von Orange und Rot. Eleni holte eine Glasvase und stellte das Ding in der guten Stube auf den Tisch.

Immer wieder kamen Leute zu ihr, sogar aus dem fernen Babouri. Und alle wurden in das von dem umgekehrt in seiner Glasvase stehenden Staubwedel beherrschte Zimmer geführt. Genau wie ein Blumenstrauß, nur daß er nicht welkt, meinten sie. Die Amerikaner denken aber auch an alles.

Für jeden Besucher fand Eleni ein kleines Geschenk: ein Paar Strümpfe, ein Taschentuch, ein Stück Stoff oder einige von den kostbaren Aspirintabletten. Tagelang kamen die Leute, um alles zu bestaunen. «Was für herrliche Dinge, Eleni!» sagten sie hingerissen. «Ihr seid die glücklichste Familie im ganzen Dorf!» Und hielten, als sie davongingen, einen winzigen Teil des Reichtums fest an sich gepreßt.

Einige Wochen später, an einem Tag, so heiß, daß sich der Staub nicht regte und die Zikaden kreischten, setzte Eleni Nikola auf

Merjo, das Muli, um mit dem Geld, das Christos geschickt hatte, im Dorf einige Vorräte zu kaufen. Als sie dort eintraf, wurde sie von Spiro Michopoulos von seinem *cafenion* her angerufen. Der Postbote hatte für sie einen Brief aus Amerika gebracht.

Als Eleni Christos' Brief las, ein Schreiben voll bitterer Vorwürfe und Zorn, war ihr Glücksgefühl plötzlich verschwunden. Kitso, ihr Vater, habe von ihrem Mann schriftlich fünfhundert englische Sovereigns als Bezahlung dafür verlangt, daß er die Familie während der Okkupationszeit ernährt hatte. «Ich war bereit, Deine Eltern bis zu ihrem Tod zu versorgen», schrieb Christos. «Und das war, wie Du mir sagtest, was Du mit Deinem Vater vereinbart hattest. Voll Dankbarkeit habe ich ihnen all diese Geschenke und Kleider geschickt, und nun verlangt er ein Vermögen in Gold! Was für ein Trick ist das? Warum hast Du mich in ein solches Problem hineingezogen? Wenn ich ihn bezahle, bin ich pleite und kann's mir nicht leisten, Dich und die Kinder herzuholen!»

Elenis Gedanken wirbelten. Wie konnte ihr Vater einen solchen Brief schreiben, ohne ihr etwas davon zu sagen? Das Einkaufen war vergessen; statt dessen lenkte sie das Maultier mit Nikola darauf zur Mühle ihres Vaters, in der er wohnte, bis sein Haus wiederaufgebaut sein würde.

Kitso zeigte sich von ihrem Zorn unberührt. Jawohl, er habe den Brief geschrieben, antwortete er achselzuckend. Der Wiederaufbau des Hauses fresse alles auf, was er besitze. Er sei ein alter Mann – zu alt, um weiterhin in der Mühle zu arbeiten. Er wolle ein eigenes Geschäft gründen, einen Laden auf der Alonia, und deswegen brauche er die Sovereigns. «Dein Mann schuldet mir etwas für das, was ich für dich getan habe», schloß er.

Eleni beschuldigte ihn, die eigene Tochter und seine Enkel auszubeuten, um selbst Reichtümer zu sammeln.

«Ich habe euch das Leben gerettet!» gab er barsch zurück. «Kannst du das leugnen?»

Am liebsten hätte sie ihn geohrfeigt, wie er es so oft mit ihr getan hatte. Tapfer schluckte sie ihre Tränen hinunter und warf ihm vor, ein geldgieriger, egoistischer alter Mann zu sein, der ausschließlich an sein eigenes Wohl denke.

Nikola sah, wie seine Mutter, einen harten, fremden Ausdruck auf dem Gesicht, zum Haus des Großvaters hinausstürmte und heftig mit der Gerte auf Merjo einschlug. Das weiße Maultier setzte sich schwerfällig in Trab. Es war groß wie ein Pferd und im Alter nahezu blind geworden; seine Beine waren steif und schorfig, und wenn es einen Berg hinaufging, verlieh es seinem Widerwillen offen Ausdruck.

Während Eleni an den Ruinen des Haidis-Hauses vorbei- und weiter bergauf ritt, sprach sie kein Wort. Hin und her gerissen zwischen ihrem Vater und ihrem Mann kam sie sich vor wie ein in der Falle des Jägers gefangener Hase, den die scharfen Eisenzähne schmerzen. Sie hatte doch nur ihre Kinder am Leben erhalten wollen – irgendwie! Und nun waren die Männer, die sie hätten schützen sollen, beide zugleich böse auf sie.

Unmittelbar unterhalb der St.-Demetrios-Kirche, wo der schmale Pfad zwischen zwei riesigen Felsblöcken durchführte, blieb Merjo plötzlich einfach stehen. Eleni peitschte seine Flanken, aber das Tier schien sich in einer Art Trance zu befinden; es stand so starr wie die Felsen zu beiden Seiten, Speichel tropfte von seinen Lefzen und seine triefenden Augen blickten trübe.

Wütend schrie sie Nikola zu, er solle von Merjo runterrutschen, und fing dann an, die Flanken des Maultiers mit aller Kraft zu bearbeiten, es kreischend zu verfluchen, als könne es jedes Wort verstehen. Der Stock zersplitterte; Merjos einzige Reaktion bestand jedoch darin, daß er mit einem Ausdruck sturer Boshaftigkeit die Ohren anlegte.

Auf einmal zersprang etwas in Elenis Kopf; sie begann zu schluchzen und die unbeweglichen weißen Flanken so lange mit Steinen zu bombardieren, bis endlich Blut kam. Aber selbst dann noch hob sie weiterhin Steine auf, um sie, blind vor Wut, in Richtung auf das Maultier zu schleudern.

Ungefähr eine Woche später fand die Familie Merjo in seinem Stall auf den Knien, unfähig, unter dem Gewicht seiner zweiundzwanzig Jahre aufzustehen. Seine Augen waren glanzlos, und er gab keinen Laut von sich. Sie verbrannten Stroh unter seinen Nüstern, aber er rührte sich nicht. Sie zwangen seine dicken, blutleeren Lefzen offen und gossen ihm Kamillentee ins Maul, aber er schluckte nicht. Als die Sonne höher stieg, hing sein Kopf bis auf den Boden. Zum Schluß schüttelte ihn ein schrecklicher Krampf, bis er wie eine gefällte Eiche umfiel und starb. Eleni begann zu weinen; und als Nikola und Fotini die Tränen der Mutter sahen, fingen sie ebenfalls an zu jammern.

Olga betrachtete die Szene belustigt. «Er war doch nur ein Maultier – ein altes Maultier!» rief sie erstaunt. «Warum macht ihr so ein Theater?»

«Aber er hat zur Familie gehört», versuchte Eleni ihren Kummer zu erklären. «Als ihr noch klein wart, hat er euch getragen. Den ganzen Krieg hat er mit uns zusammen erlebt.»

Olga wies darauf hin, daß der Kadaver sehr schnell steif werden würde; dann würden sie ihn nie mehr zur Stalltür hinauskriegen. Eleni schickte Fotini los, um Andreas zu holen, und begann einen Strick um Merjos Vorderbeine zu legen. Als ihr Schwager eintraf, schafften sie den Kadaver gemeinsam zur Tür hinaus, wobei die steifen Beine gegen den Türpfosten schlugen; doch als sie den steinigen Pfad erreichten, konnten sie ihn nicht mehr von der Stelle bewegen.

Immer noch von Schluchzen geschüttelt, befestigte Eleni einen zweiten Strick an Merjos Hinterbeinen und befahl Olga und Kanta, die sich im Klosetthäuschen versteckt hatten, kräftig daran zu ziehen. Daraufhin klappte der Kadaver wie ein Taschenmesser zusammen, so daß es ihnen mit viel Gezerre und ärgerlichem Geschrei gelang, ihn durchs Hoftor zu bugsieren. Mittlerweile hatte sich fast die gesamte Nachbarschaft versammelt, um nach dem Grund für den Aufruhr zu sehen, und feuerte sie mit Rufen an.

Es waren nur dreihundert Meter erst bergauf und dann seitwärts zu einer großen Klippe am Westrand des Dorfes, aber sie brauchten eine ganze Stunde, um den großen weißen Kadaver Zentimeter um Zentimeter hinaufzuschleifen. Olga und Andreas lachten, während die anderen weinten. Und die Nachbarn folgten ihnen wie ein richtiger Trauerzug.

Als sie Merjo zum Rand der Felswand geschafft hatten, kam die siebenjährige Alexandra Bollis den Pfad herab und entdeckte die makabre Szene. Von ihrer Mutter hatte sie gelernt, was man in solchen Situationen sagte. Also ging sie auf die Familie zu, deren Mitglieder schweißüberströmt dastanden und heftig keuchten. «Möge sein Tod euch Leben bringen, und möge er euch den Weg zum Paradies bereiten», zwitscherte sie feierlich und reichte Eleni die Hand. Die Zuschauer mußten lachen, und auch Eleni warf, obwohl ihre Wangen noch tränenfeucht waren, den Kopf in den Nacken und lachte laut mit.

Gemeinsam hockten sie sich an den Rand des Abgrunds, legten die

Hände auf Merjos Rücken und schoben ihn mit einem letzten «Hauruck!» über die Kante. Zuerst wollte er sich nicht bewegen lassen, dann rollte er langsam und majestätisch, unter einem wahren Geröllhagel, von der Klippe und drehte sich, die Beine wie Äste von sich gestreckt, in der Luft. Immer weiter drehte er sich, immer kleiner wurde er, bis er mit dem dumpfen Geräusch eines Weinschlauchs tief unten im Gestrüpp landete und eine Staubwolke sowie erschrockene Vögel aufstieben ließ. Dort blieb er liegen, bis Geier und Krähen seine Gebeine blankgepickt hatten.

Im Juli wurde Eleni von einer erstaunlichen Nachricht aus ihrer von Merjos Tod und dem Streit mit ihrem Vater ausgelösten deprimierten Stimmung gerissen: Stavroula Yakou hatte sich verlobt.

Stavroula war das größte und hübscheste Mädchen im Dorf, und doch glaubte niemand, daß sie je heiraten werde, denn ihre Familie stand ganz am Fuß der gesellschaftlichen Leiter, und sie hatte keine anständige Aussteuer zu erwarten. Als Stavroula sieben war, hatte ihr Vater Panaiotis, ein Kesselflicker, sich auf die Wanderschaft nach Kalambaka am Fuß der großen Meteora-Klippen gemacht, wo er arbeiten wollte, und dort entdeckt, daß es Frauen mit parfümiertem Haar und geöltem Körper gab, die ihm für Geld Sex verkauften. Da hatte Panaiotis beschlossen, nicht mehr nach Lia und zu seiner Frau Anastasia mit der groben Haut zurückzukehren.

Anastasia hatte sich und die beiden kleinen Mädchen nur knapp mit Haus- und Feldarbeiten für andere Leute über Wasser halten können. Ihr Anblick, wie sie an die Türen klopfte und um Arbeit bat, hatte Eleni stets mit einer Mischung aus Mitgefühl und Angst erfüllt, weil sie befürchtete, eines Tages könnte es ihr auch einmal so gehen. Bevor der Krieg ihre Geldsendungen stoppte, hatte sie Anastasia regelmäßig etwas zu tun gegeben und war niemals an ihrem Haus vorübergegangen, ohne ihr Öl oder Zucker zu bringen.

Wegen ihrer Armut und dem skandalösen Verhalten ihres Vaters schien Stavroula für ein Leben als alte Jungfer bestimmt zu sein; aber Stavroula war nicht nur schön, sondern auch recht energisch, und wenn es einen Ausweg aus ihrem Dilemma gab, war sie entschlossen, ihn zu finden.

Die Rettung erschien in Gestalt von Dimitri Dangas, der in einem Haus nur fünfhundert Meter von Stavroulas Elternhaus entfernt aufgewachsen war, jetzt aber in Chalkis, achtzig Kilometer nördlich von Athen am Euripos, in einer Bäckerei arbeitete. Dimitri, hochgewachsen, höflich und gutaussehend, war jünger als Stavroula und gehörte zu den wenigen Männern im Dorf, die sogar noch größer waren als sie selbst. Er hatte schwarzes, gelocktes Haar und hohe Wangenknochen, und seinem Vater, der sich in Chalkis als Kesselflicker niedergelassen hatte, war es gelungen, ihm diese schöne Stellung in der Bäckerei zu verschaffen: eine wahre Sicherheitsgarantie, denn wer hatte schon mal gehört, daß ein Bäcker hungerte?

Dimitri war für das alljährliche Fest des Propheten Elias zu Besuch gekommen und kam zufällig am Mühlbach vorbei, wo sich am Samstagvormittag die Frauen des Perivoli trafen, um ihre Wäsche zu kochen, zu schlagen und zu waschen, während sie den neuesten Klatsch austauschten.

Stavroula, die am farnbewachsenen Ufer einige Homespun-Kleider schlug, zog sofort seinen Blick auf sich. Sie hatte die Ärmel hochgekrempelt, und als sie das flache Holzpaddel hob und senkte, fiel das von den überhängenden Platanen gefilterte Sonnenlicht auf den goldenen Flaum auf ihrem runden Arm. Gold auf Weiß, dachte Dimitri, genau wie die goldenen, knusprigen Brote, die er aus feinstem Weizenmehl formte. Unversehens trat er auf einen trockenen Zweig, Stavroula fuhr herum, musterte ihn mit ihren eindrucksvollen, azurblauen Augen, und er war ihr so hoffnungslos verfallen, als hätte sie ihm einen Liebestrank verabreicht, gemixt aus der Milch einer Mutter und ihrer Tochter, die beide gleichzeitig ihr Baby stillten.

Dimitri wartete vor Stavroulas Tor, bis sie mit den frisch gewaschenen Kleidern an ihm vorbeikam. Trotz der Warnungen ihrer Mutter dachte sie nicht daran, seinen Gruß zu ignorieren, denn sie witterte eine Chance.

Bald schon verspürte Stavroula immer öfter das Bedürfnis, ihre Freundinnen zu besuchen oder des Nachts zum Klosetthäuschen zu gehen, denn diese Ausflüge benutzten Dimitri und sie, um sich heimlich zu treffen. Da Stavroula wußte, daß seine Eltern gegen ihre Verbindung sein würden, riet sie Dimitri, ihre Mutter persönlich um ihre Hand zu bitten, statt einen Heiratsvermittler einzuschalten. Er tat dies, und die arme Anastasia war trotz der außergewöhnlichen Tatsache, daß der Bräutigam für sich selber sprach, nur allzu froh, ihre zweiundzwanzigjährige Tochter diesem gutaussehenden Mann zu versprechen, der mit keinem Wort die Aussteuer erwähnte.

Vor die Tatsache der Verlobung gestellt, begann Alexandra Dangas, Dimitris Mutter, zu weinen, zu flehen und zu drohen. Sie schrieb an seinen Vater in Chalkis, und der antwortete: «Es gibt so viele angesehene Türen in Lia – hättest Du nicht an eine von ihnen klopfen können?»

Doch Dimitri konnte nicht weiter sehen als bis in die blaue Tiefe von Stavroulas Augen. Er drohte, sein Mädchen zu nehmen und für immer fortzugehen, wenn seine Eltern der Heirat nicht zustimmten. Angesichts dieser Drohung gab die Mutter schnell nach. Ihren Dimitri nie wiederzusehen, das wäre so gut wie der Tod für sie gewesen! Sie zwang sich, die positive Seite der Situation zu sehen: Stavroula war ein großes, kräftiges Mädchen. Sie würde prachtvolle Enkel gebären und sich im Haus nützlich machen. Es wurde Zeit, daß sie nach den vielen Jahrzehnten der Sklaverei den Lohn erntete, der einer Schwiegermutter zukam.

Die Schwiegermutter war das Kreuz, das jede dörfliche Braut in Griechenland tragen mußte — mit dem tröstlichen Gedanken, daß sie, so Gott wollte, selbst eines Tages Schwiegermutter sein würde. In Lia war es sogar Brauch, daß die Braut in der Hochzeitsnacht nicht bei ihrem Mann, sondern bei dessen Mutter schlief, um ihr zu zeigen, wem sie gehörte.

«Meine Schwiegermutter spricht über mich», sagen die griechischen Frauen, wenn ihnen beim Zwiebelschneiden die Tränen übers Gesicht laufen. Schwiegermütter waren notorisch grausam zu den jungen Frauen, die ihre Söhne ihnen ins Haus brachten. Tassia, eine Cousine von Eleni Gatzoyiannis, war die Schwiegertochter der berüchtigtsten Schwiegermutter des Dorfes, Kostena Makos, deren Söhne ihr drei junge Frauen ins Haus gebracht hatten, die alle drei ständig mit Blutergüssen im Dorf herumliefen: Folgen des schwiegermütterlichen Schürhakens.

Die erste, der Anastasia Yakou von der wunderbaren Verlobung ihrer Tochter erzählte, war Eleni Gatzoyiannis. Die beiden alten Freundinnen umarmten sich, und Anastasias Freude brachte einige Tränen zum Fließen. «Wir wissen ja beide, was es heißt, Mädchen ohne Vater großzuziehen, der sie lenkt und beschützt», sagte Anastasia. «Du hast uns immer geholfen, Eleni. Deswegen möchte Stavroula, daß dein Nikola der Junge ist, der auf der Aussteuertruhe sitzt, und Olga das ‹glückliche Mädchen›, das die Hochzeitsbrote dekoriert.»

Eleni war tief gerührt, daß ihre Kinder für diese wichtigen Rollen ausgewählt worden waren, und erbot sich, das Brautkleid aus einem Stück feinem Wollstoff zu nähen, das Christos ihnen geschickt hatte.

Mit dem Kochen wurde schon eine Woche vor der Hochzeit begonnen, und am Mittwoch bereiteten die Frauen der Nachbarschaft den Teig für die sechs großen Hochzeitsbrote vor. Am Donnerstag wurden die Brote, dick und rund wie Mühlsteine, zu den Gatzoyiannis gebracht, wo Olga sie mit Hilfe von zwei Löffeln mit Kreuzen und Liebesknoten, wilden Rosen und Turteltauben «bestickte» und die Dekorationen mit Jordan-Mandeln, dem Symbol der Fruchtbarkeit, besteckte.

Am Samstag versammelten sich die verheirateten Frauen im Haus des Bräutigams, um unter Gesang und schlüpfrigen Witzen das Brautbett vorzubereiten und jeden Schlafteppich in die vier Richtungen des Kreuzes zu drehen, bevor sie ihn an seinen Platz legten. Zuletzt wurde das Bett mit Reis und süßduftenden Blüten bestreut und Nikola – völlig verängstigt, weil er der Mittelpunkt von soviel übermütiger Fröhlichkeit war – in die Mitte gesetzt, während die Frauen Silbermünzen oder, wenn sie sich nicht mehr leisten konnten, Kupfermünzen auf die Matratze warfen. Nitsa steckte ein paar Zehen Knoblauch unter die Laken und flüsterte Nikola zu, wenn Stavroula zuerst einen Jungen bekomme, habe sie das nur ihrer Zauberkunst zu verdanken.

Der Hochzeitstag dämmerte klar und mild herauf, als die Familie und die Freundinnen der Braut Stavroula in das leuchtend maulbeerfarbene Kleid mit dem weiten Rock halfen. Für die drei magischen Dinge – Schere, Vorhängeschloß und Kamm –, die die Braut vor dem bösen Blick schützen sollten, hatte Eleni eine Geheimtasche eingenäht. Um Stavroulas schmale Taille wurde die große Spiralschließe aus Silberfiligran befestigt, die schon ihre Mutter getragen hatte, und über das Kleid kam die schwarze, goldbestickte Seidenschürze. Stavroulas weizenblondes Haar war ihr von einer alten Frau mit vielen fruchtbaren Jahren zu einem dicken Zopf geflochten worden; das burgunderrote, geblümte Hochzeitstuch, in dessen Ecken ein paar türkische Florine eingenäht waren, wurde ihr auf dem Kopf und hinter den Ohren befestigt, so daß ihr blondes Haar das Gesicht wie eine Aureole umrahmte. Zuletzt halfen sie ihr in die lange, schwarze, ärmellose Tunika, die bis zum Saum ihres Kleides reichte und einen senkrechten roten Streifen trug. Alle staunten über Stavroulas Gelassenheit und stellten fest, sie sei die erste Braut, die an diesem wichtigsten und einschüchterndsten Tag ihres Lebens nicht weine.

Die Freunde des Bräutigams stärkten sich mit Schwarzgebranntem für die traditionelle Entführung der Braut. Schließlich klopfte sich der Brautführer, zufrieden mit Dimitris Erscheinung, den Staub vom Anzug, steckte sich einen Basilikumzweig hinters Ohr und verkündete: «Der Adler fliegt los, um sich das Rebhuhn zu schnappen!»

Mit lautem Geschrei machten sich die Freunde des Bräutigams zur Belagerung auf; ihnen voraus flatterte das Kriegsbanner: eine griechische Flagge mit einer Querlatte an der Spitze, die drei Orangen für Fruchtbarkeit trug sowie einen Olivenzweig, verziert mit einem weißen Taschentuch für Harmonie. Die Schar sang die Strophen der melancholischen Klephten-Hochzeitslieder mit einem getragenen, langgezogenen Geheul, das mit einem klagenden, ansteigenden Schrei endete, der mehr einem Trauergesang glich als einem Hochzeitslied.

Als die Frauen den Lärm der herannahenden Männer vernahmen, packten sie Nikola in seinem neuen Anzug und den unbequemen amerikanischen Schuhen und setzten ihn auf die große Holztruhe, damit er die Aussteuer der Braut vor dem eindringenden Bräutigam schütze, bis sie entsprechend ausgelöst worden war. Der Junge krauste die Stirn unter dieser gewaltigen Verantwortung, während die Frauen freudig erregt lachten – sogar die Braut. Innerhalb weniger Minuten stand die Armee des Bräutigams im Hof der Yakous und sang klagend: «Wir sind gekommen, die Braut zu holen, und wenn ihr uns die Beute nicht herausgebt, nehmen wir sie uns mit Gewalt!»

Drinnen ergriff Anastasia vor lauter Nervosität Elenis Hand, während die Frauen triumphierend zurückgaben: «Meine Mutter verheiratet mich. Ich komme nicht mit Gewalt!»

Anastasia unterdrückte ihr Zittern und lud den Bräutigam offiziell ein, hereinzukommen und seine Braut zu fordern.

Stavroula erwartete ihn stehend, strahlend wie eine Ikone. Als die älteren Frauen bemerkten, daß sie ihrem Bräutigam zulächelte, bekreuzigten sie sich. Denn Stavroula verließ das Haus ihrer Mutter und ließ ihre Kindheit hinter sich: Das war ein Moment, in dem man weinte und nicht lächelte.

Als der Bräutigam kam, saß Nikola finster, mit untergeschlagenen Armen auf der Truhe. Dimitri, prachtvoll anzusehen in seinem dunklen Anzug, überreichte ihm zeremoniell drei Münzen, und Nikola ließ sich daraufhin bereitwillig herunterheben, während die

Freunde des Bräutigams die Hochzeitskiste und die Wäsche zu dem blumenbekränzten Maultier trugen, das vor dem Haus wartete.

Unter schrillem Wechselgesang klagender Hochzeitsstrophen folgten die Frauen den Männern in die Kirche. An der Kreuzung zwischen dem Haus ihrer Familie und dem des Bräutigams, blieb Stavroula stehen und wandte sich zurück, um das erste Hochzeitsbrot zu werfen, und zielte damit direkt auf Olga, die es unter vielen Scherzen und Glückwünschen fing.

In der Kirche kniete Stavroula mit gesenktem Kopf nieder, während der Brautführer dem Paar die mit Bändern verknüpften Orangenblütenkronen auf den Kopf setzte. Selbst ihre zukünftige Schwiegermutter mußte zugeben, daß sie noch nie eine so schöne Braut gesehen hatte. Doch als der Augenblick kam, da der Priester das Paar zum Jesaja-Tanz führte und der Bräutigam der Braut auf den Fuß treten mußte, um seine Herrschaft über sie zu betonen, zog Stavroula listig den Fuß zurück. Mit lautem Geräusch traf Dimitris Schuh den Fußboden, so daß die entsetzten Zuschauer vor Schreck aufschnauften.

Bei dem Fest, das im Hof des Bräutigams stattfand, feierte das ganze Dorf ausgelassen nicht nur die Hochzeit der armen Stavroula, sondern das Ende von Hunger, Not und Krieg. Gläser klangen voll Fröhlichkeit und füllten sich auf wunderbare Weise sofort, nachdem sie geleert waren. Knochen krachten, als das gebratene Zicklein zerlegt wurde: Die Augen wurden für den Bräutigam beiseite gelegt, dem sie Kraft verleihen sollten. Eleni beobachtete die akrobatischen Sprünge der jüngeren Männer, wenn sie das Taschentuch nahmen, um die Tänze anzuführen, und eindeutig bemüht waren, Eindruck auf Olga zu machen, die sittsam neben der Mutter saß.

Später behaupteten viele, die bei Stavroulas Hochzeit zu Gast gewesen waren, sie hätten damals schon böse Vorahnungen gehabt, denn ein so unbändiger Freudenausbruch *könne* nur Schlechtes nach sich ziehen. Doch damit verliehen sie nur dem typischen Fatalismus Ausdruck, den alle Griechen empfinden, wenn sie am glücklichsten sind – das ist auch der Grund, warum sie ausspucken, wenn es das Schicksal gut mit ihnen meint, warum sie die Spiegel verhängen und die Türen verschließen, wenn der Himmel ihnen einen Sohn schenkt. Sie wissen, daß das Leben stets ein paar Schicksalsschläge bereithält, um den Segen auszugleichen. Dieser Zynismus ist so verbreitet bei den Griechen, daß er sogar einen Namen hat: *baskania*.

Während die Festgäste, den Kopf in den Nacken gelegt, mit halb geschlossenen Augen und pulsierenden Adern an Schläfen und Hals die wilden, melancholischen Hochzeitslieder sangen, nahmen zuerst Braut und Bräutigam und anschließend Brautführer und Eltern nacheinander den Platz an der Spitze des Zuges ein. Nachdem Anastasia Yakou ihre Runde angeführt hatte, forderte sie Eleni auf, einen langsamen, graziösen *syrto* anzuführen. Als sie sich wieder hinsetzte, bemerkte ihre Cousine Eugenia Bollis, Mitsis Frau, gehässig: «Ja, ja, amüsier dich jetzt nur, Eleni. Wenn die dritte Runde kommt, werden andere den Tanz anführen.»

Eleni war keineswegs gekränkt, sondern sah ihre Cousine verständnislos an. «Was für eine dritte Runde?» fragte sie. Doch Eugenia antwortete nicht.

7

Die Wiederaufnahme des Bürgerkriegs begann damit, daß die Kommunistische Partei Griechenlands ihre Politik änderte. Obwohl aufgrund des Varkiza-Abkommens legal, fand die Partei es schwierig, unter der rechten Regierung in Athen durch politische Aktionen Kraft zu gewinnen. Am 21. Januar 1946 verurteilte Rußland im Sicherheitsrat der Vereinten Nationen die Verfolgung der Linken in Griechenland – 1219 von ihnen waren seit dem Varkiza-Abkommen getötet, 18 767 verhaftet worden –, und die griechischen Kommunisten nahmen dies als Beweis dafür, daß Rußland einen neuen bewaffneten Aufstand im Land unterstützen würde. Ein Boykott der ersten griechischen Nachkriegswahlen durch die Kommunisten und ein bewaffneter Überfall am Vorabend der Wahlen in der Stadt Litochoron waren der Funke, der die dritte und blutigste Runde des griechischen Bürgerkriegs auslöste. Als sich die Nachricht von diesem Überfall verbreitete, gruben die ELAS-*andartes* in ganz Griechenland ihre Waffen aus und machten sich auf den Weg in die Berge.

In Lia wurden der Beginn der dritten Runde und die Überfälle der wiederaufgestellten Armee der *andartes* auf makedonische Dörfer diskutiert wie Berichte über die Siege einer einheimischen Mannschaft in einem fremden Land. Obwohl die Dörfler für die Partisanen waren, lag Makedonien doch weit entfernt, und sie waren mehr als kriegsmüde.

Weitaus interessanter waren im Frühling 1946 die alltäglichen Nachrichten von Geburten, Todesfällen, Hochzeiten, Streitigkeiten um Feldgrenzen und die Auseinandersetzungen zwischen Stavroula Yakou und ihrer Schwiegermutter.

Die Schwarzseher von Stavroulas Hochzeit nickten weise. Die Braut hatte kaum die Türschwelle ihrer Schwiegermutter überschritten und dabei umsichtig mit dem rechten Fuß auf die Glücksmünze getreten, die dort hingelegt worden war, als der Ärger schon begann.

Von Anfang an wurde Alexandra Dangas klar, daß Stavroula nicht die junge Frau war, die man als Schwiegermutter tolerieren kann. Wenn sie des Morgens aufstand, um Feuer zu machen, murmelte sie vor sich hin und stapfte mit schweren Schritten umher, ging trotz der ständigen Ermahnungen zum Sparen verschwenderisch mit dem Olivenöl um und benutzte die Tatsache, daß sie schwanger wurde, um sich vor der Gartenarbeit und dem Schlagen der Wäsche zu drücken.

Dimitri neigte, schwankend wie ein Rohr im Wind, erst seiner Frau, dann wieder seiner Mutter zu, und verließ schließlich das Schlachtfeld endgültig, um nach Chalkis in die Bäckerei zurückzukehren. Von da an entwickelten sich die vereinzelten kleinen Gefechte immer häufiger zu stürmischen Szenen, die darin gipfelten, daß Stavroula nach Hause lief, um der Mutter ihr Herz auszuschütten, die sie jedoch umgehend zurückschickte. Während die Freundinnen Stavroulas Partei ergriffen – sie war schließlich schwanger, das arme Ding! –, schnalzten die meisten verheirateten Frauen mißbilligend mit der Zunge und waren sich einig darin, daß so etwas davon kommt, daß man es jungen Leuten gestattet, sich ihre Partner selbst zu wählen.

Eleni mußte feststellen, daß Olga hartnäckig zu Stavroula hielt, und befand, es sei an der Zeit, ihr das für eine Braut schickliche Betragen beizubringen, denn ihre Älteste zeigte bereits beunruhigende Ansätze von Eigensinn.

«Wenn du heiratest», erklärte Eleni ihr, «dann wünsche ich, daß deine Schwiegereltern mir gratulieren, weil ich dich zu einer so großartigen Braut erzogen habe. Alles, was dir dein Mann oder die Schwiegermutter auftragen, ist für dich Gesetz. Kein Murren! Nie darfst du Dinge, die du im Haus deiner Schwiegermutter hörst, jemandem weitererzählen, nicht einmal mir. Ich will nicht so mit Schande überhäuft werden, wie es Stavroula mit der armen Anastasia macht!»

Olga hörte pflichtschuldigst zu und versprach, dem Namen Gatzoyiannis durch ihr Verhalten neuen Glanz zu verleihen, doch Eleni wußte, daß ihre Älteste ein bißchen verwöhnt war, und versuchte sie vor eventuellen Fallen zu warnen.

«Deine Schwiegermutter wird deine Ehrlichkeit auf die Probe stellen und eine Münze fallen lassen, um abzuwarten, was passiert, wenn du ausfegst und sie findest; also achte darauf, daß du sie ihr sofort übergibst, statt sie in deine Tasche zu stecken», ermahnte sie Olga.

Christos besaß ein großes Waldstück unterhalb des Dorfes, das zwischen den Mädchen für ihre Mitgift aufgeteilt werden sollte, und Eleni riet ihnen: «Wenn ihr dorthin geht, um Brennholz zu sammeln, geht ihr jetzt noch am besten tief hinein und schneidet das Holz an verschiedenen Stellen. Dann könnt ihr es später, wenn ihr verheiratet und schwanger seid wie Stavroula und eure Schwiegermutter schickt euch nach Holz, an den leicht zugänglichen Plätzen holen.»

Im Dorf war man der Meinung, je weniger ein unschuldiges Mädchen vom Geschlechtsleben wisse, desto besser; doch Eleni versuchte das Thema Olga gegenüber anzuschneiden, denn sie wußte, wieviel Schaden eine zu plumpe Einführung anrichten konnte. Im benachbarten Dorf Kostana gab es ein Mädchen, das bei einer derartigen Gelegenheit zum Gegenstand eines beliebten zotigen Liedes geworden war. Das junge Mädchen namens Milia war von der Mutter nach dem Dorf Lista mitgenommen worden, wo die Mutter sie zu ihrer größten Überraschung mit einem Witwer mittleren Alters namens Stefo verheiratete.

In der Hochzeitsnacht schlief die Mutter der Braut im Zimmer unter jenem der Brautleute, bevor sie nach Kostana zurückkehrte. Kurz nachdem alle sich zurückgezogen hatten, kamen gräßliche Schreie aus dem Brautzimmer. «Mutter, Mutter – komm, rette mich!» schrie Milia verzweifelt. «Dieser Mann ist ein Teufel! Er hat einen großen roten Darm zwischen den Beinen und will mich damit erstechen!»

Immer lauter flehte sie die Mutter um Hilfe an, und bei jedem Ausbruch brüllte die verlegene Frau von unten herauf: «Schlag sie auf den Mund, Stefo!» Dieses Theater amüsierte die Nachbarn so sehr, daß sie ein Lied erfanden, betitelt «Der große rote Darm», mit einem mitreißenden Refrain: «Schlag sie auf den Mund, Stefo!» Und die Geschichte der verunglückten Hochzeitsnacht verbreitete sich wie ein Lauffeuer durch sämtliche Murgana-Dörfer.

Eleni war beinahe so unwissend in ihre eigene Hochzeitsnacht gegangen wie die unglückselige Milia und hatte sich, als sie sich am folgenden Morgen aus dem Brautbett erhob, ohne ein Wort auf den

Weg zum Haus ihrer Eltern gemacht. Sie war fest überzeugt, kein zweites Mal etwas so Furchtbares ertragen zu können.

Doch als Eleni zornerfüllt vom Haus ihres Mannes zum Haus der Haidis hinuntermarschierte, begegnete sie ihrer Cousine Tassia Makos, einer der drei unseligen Schwiegertöchter der berüchtigten Kostena Makos. Als Tassia fragte, wohin sie wolle, und Eleni antwortete, sie verlasse ihren erst vor weniger als vierundzwanzig Stunden Angetrauten, lächelte die Ältere ihr mit ihrem von den Schlägen der Schwiegermutter gezeichneten Gesicht traurig zu. «Du solltest lieber sofort umkehren, Eleni», sagte sie. «Wenn du jetzt nach Hause gehst, würden dich nur alle auslachen, und dein Vater würde dir das Fell über die Ohren ziehen.»

Später, als Eleni Mutter von fünf Kindern war und ihrer Nachbarin Olga Venetis von ihrer fehlgeschlagenen Rebellion erzählte, kicherte die Freundin, wie es verheiratete Frauen auf dem Dorf bei derartigen Geständnissen immer tun, und sagte, ihr eigener Mann habe sie acht Tage belagern müssen, bevor er ihre hartnäckig verteidigte Jungfräulichkeit erobert habe.

Angesichts all dieser verunglückten Einführungen in das Geschlechtsleben setzte sich Eleni eines Nachmittags, als die anderen Kinder aus dem Haus waren, mit Olga zusammen. Nachdem sie einmal tief Luft geholt und nach den richtigen Worten gesucht hatte, erklärte sie ihr, der Ehemann werde von ihr verlangen, daß sie im Bett mit ihm Dinge tue, die ihr vielleicht Angst machen würden. Sie erzählte Olga von ihren eigenen Ängsten am Morgen nach der Hochzeit und setzte tröstend hinzu: «Mit der Zeit wirst du dich daran gewöhnen und es allmählich sogar genießen.»

Doch Olga hatte keine Zeit, sich über die Geheimnisse des Brautbettes Gedanken zu machen. In ihren Augen war Hochzeit gleichbedeutend mit dem Kauf herrlicher Dinge für ihre Aussteuer, dem Empfang der Hochzeitskrone in ihrem schönen roten Brautkleid, dem Anführen der Dorfbewohner bei den Hochzeitstänzen und dem Zusammenleben mit einem Ehemann, so wohlhabend und angesehen, daß all ihre Freundinnen vom Waschplatz vor Eifersucht platzten. Olga hatte beschlossen, sich als Ehemann auf keinen Fall etwas Geringeres zu suchen als einen Lehrer, einen Arzt oder einen Anwalt.

Und sie wankte auch nicht in ihrem Entschluß, als Eleni sie daran erinnerte, daß der einzige Lehrer von Lia bereits verheiratet war und daß es in einem Umkreis von Kilometern nicht einen einzigen Arzt oder Anwalt gab. Resigniert bat ihre Mutter sie, doch eine der besseren Familien von Kesselflickern, Kaufleuten oder Müllern in Lia in Betracht zu ziehen, doch Olga reckte nur das Kinn, schnalzte mißbilligend mit der Zunge und erklärte, sie werde keinen Kompromiß eingehen.

Olga wurde von vielen Burschen umschwärmt, machte jedoch mit allen kurzen Prozeß. Der arme Sotiris Botsaris, ein hübscher Bengel, leider jedoch nur Kesselflicker, lungerte ständig ums Tor der Gatzoyiannis herum und versteckte Zettel unter Steinen, wo jeder sie finden konnte («Ich liebe Dich, wann kann ich Dich sehen?»), bis Eleni so zornig wurde, daß sie ihn abfing und ihm drohte, ihm das nächstemal, wenn er versuche, kompromittierende Briefchen für ihre Tochter zu hinterlassen, einen Eimer Ziegenmist über den Kopf zu stülpen.

So viele eifrige Vermittler erschienen vor Elenis Tür, um die Tugenden dieses oder jenes potentiellen Ehemanns zu besingen, daß sie das ganze Thema Verlobung von Herzen satt hatte. Jedesmal, wenn ein Name genannt wurde, steckte Olga die Nase in die Luft, während die dreizehnjährige Kanta begeistert piepste: «Dann nehme ich ihn!» Daraufhin stieß Eleni mit einer dramatischen Geste die Haustür auf und empfahl Olga, ins Kloster von Ieromeri zu gehen. «Du Schwarze!» tobte sie. «Wenn du nicht heiratest, werde ich Kanta verheiraten, und du kannst als alte Jungfer versauern!»

Während sich Eleni mit Olgas Eigensinn herumschlug, standen die Einwohner von Lia genauso wie ganz Griechenland vor der Volksabstimmung über die Monarchie vom 1. September 1946. Teils aufgrund des von den Sicherheitstruppen ausgeübten Drucks stimmten 68,7 Prozent der Wähler für König Georg. Die Rückkehr des Monarchen am 27. September ließ Zahl und Grausamkeit der Partisanen-Überfälle auf makedonische Dörfer ansteigen. Jedesmal wurden der örtliche Polizeiposten überfallen, die Beamten umgebracht, der Kommandant verstümmelt und die Rechten erschossen.

Im Herbst 1946 stieg die Zahl der unter General Markos Vafiadis kämpfenden Partisanen, zum Teil aufgrund von Zwangsrekrutierungen unter den Dorfbewohnern, auf 13 000, und im Dezember hatte der General seine Armee in regionale Kommandos eingeteilt, unter anderem eines für Epirus. Diese Truppen wurden umbenannt in Demokratische Armee Griechenlands oder kurz DAG.

Wie die Lioten erfuhren, gehörten auch Spiro Skevis und seine Anhänger zu diesen Kampftruppen, doch die ehemaligen ELAS-Sympathisanten, die im Dorf geblieben waren, gingen völlig in ihrem Friedensleben auf und zeigten sich nicht bereit, wieder zu ihm in die Berge zu gehen. Wie es ein ehemaliger Skevis-Partisan formulierte: «Das Gewehr ist schwer.»

Im März 1947 verkündete Präsident Harry Truman, die Vereinigten Staaten seien entschlossen, Griechenland mit 300 Millionen Dollar unter die Arme zu greifen, die zur Bekämpfung der von dessen kommunistischen Nachbarn unterstützten kommunistischen Aufständischen verwendet werden sollten. Die Truman-Doktrin weckte in Lia antiamerikanische Ressentiments, die sich auch auf die «Amerikana» in ihrer Mitte erstreckten.

Die von der Truman-Doktrin ausgelöste Amerikaner-Feindlichkeit verminderte jedoch keineswegs den Strom der Bewerber um Olgas Hand, und Olgas Weigerung, auch nur einen einzigen von ihnen in Betracht zu ziehen, trieb Eleni zur Raserei. Wenn sie nur ja sagen würde, könnte man alles in Bewegung setzen: die Aussteuer kaufen, die Hochzeit organisieren und Olga bei einer Familie in Athen oder Lia gut untergebracht wissen. Dann könnte Eleni mit den anderen Kindern beruhigt auswandern. Ein Jahr später oder so würde Olga dann zweifellos nachkommen und ihren Ehemann und vielleicht sogar ein Enkelkind mitbringen. Eleni machte sich Vorwürfe, weil sie es zuließ, daß Olga Einspruch gegen die Wahl eines Bräutigams erhob, aber sie hatte ein zu weiches Herz, um ihre Älteste zur Heirat mit einem Mann zu zwingen, den sie nicht wollte, und Christos, der dem Mädchen den Kopf hätte zurechtrücken können, war nicht da.

Unfähig, die Ungewißheit zu ertragen, entschloß sich Eleni, etwas zu tun, was nahezu jede Frau von Lia zum einen oder anderen Zeitpunkt in ihrem Leben schon einmal getan hatte, gewöhnlich, wenn sie sich mit einem Liebes- oder Eheproblem herumschlagen mußte: Eleni beschloß, eine Frau namens Konstantina Ballou aufzusuchen, die beinahe zwei Stunden vom Dorf entfernt in einer elenden Hütte hauste. Die dicke, gebückte alte Hexe war wegen ihrer unheimlichen Kunst, den Menschen aus dem getrockneten Satz in ihrer Kaffeetasse, dem *flijani*, wahrzusagen, in allen Murgana-Dörfern als «Flijanou» bekannt.

In jedem griechischen Dorf gab es zahlreiche alte Weiber, die behaupteten, aus dem Kaffeesatz wahrsagen zu können, doch keine kam an die Hellsichtigkeit der Flijanou heran. Wenn sie sich bei ihr Rat holen gingen, gaben die Dorffrauen immer vor, Futter für ihre Tiere schneiden zu müssen, und auch Eleni verriet, außer der eigenen Familie, keinem Menschen etwas von ihrer Absicht, ließ aber zu, daß Kanta sie auf dem langen Weg begleitete, während Olga bei den jüngeren Kindern blieb.

An dem Morgen, an dem sie sich auf den Weg machten, faltete Eleni fein gemahlenen Kaffee für zwei Tassen, eine für die Flijanou und eine für sich, in ein Stück Papier und steckte es in ihre Schürzentasche. Zur Mittagszeit saß sie in der schäbigen Hütte, umgeben von Walnüssen, Mais und Tomaten, Geschenken jener Klientinnen, die nicht mit Geld bezahlen konnten.

Geschickt füllte die Alte den langstieligen kupfernen Kaffeetopf mit Kaffee, Zucker und Wasser und hielt ihn übers Feuer, bis der Sud aufschäumte und den Raum mit seinem kräftigen Duft füllte. Sie schenkte Eleni und sich selbst je eine Tasse ein, und während die beiden Frauen tranken, plauderten sie über belanglose Dinge, wobei Eleni sich hütete, persönliche Einzelheiten preiszugeben.

Als Eleni ihre Tasse bis auf die dicke Schicht Kaffeesatz geleert hatte, nahm die Flijanou sie ihr aus der Hand und ließ den Brei ein wenig herumschwappen, um ihn gleichmäßig zu verteilen. Dann nickte sie ihrer Klientin zu. Eleni stürzte die Tasse umgekehrt auf die Untertasse, damit der Satz die Innenwände überziehen konnte. Rasch zeichnete die Flijanou mit ihren knochigen Fingern drei Kreuze auf den Tassenboden. Wieder plauderten sie mehrere Minuten, bis der Satz richtig getrocknet war und in der Tasse Arabesken und Muster wie Eisblumen an einem winterlichen Fenster bildete.

Eleni empfand immer einen Stich Unruhe, wenn jemand ihre Tasse ans Licht hielt, um darin zu lesen, obwohl sie, wie sie sich einredete, in Wirklichkeit nicht an die Wahrsagerei glaubte. Stirnrunzelnd drehte die Alte die Tasse in ihren knotigen, schmutzigen Händen, schürzte die Lippen und murmelte: «Po! Po! Po!» Dann stellte sie die Tasse hin und blickte Eleni an.

«Es tut mir leid, meine Liebe, aber dies ist keine gute Tasse.»

«Was siehst du, Alte?» fuhr Eleni auf. «Ich will etwas über meine Tochter erfahren!»

Abermals griff die Flijanou nach der Tasse und hielt sie dicht vor ihre Augen. «Wie ich sehe, hast du vier Töchter», sagte sie. «Hier ist die älteste.» Sie deutete hinein, doch für Eleni gab es da nichts als Kaffeesatz. «Du willst wissen, wen sie heiraten wird. Aber die Tasse zeigt, daß es ein Mann ist, den sie noch nicht kennt, und er kennt sie ebenfalls noch nicht. Er wird herabstoßen und sie sich holen, wie ein Adler sich eine Henne holt.»

«Warum ist es eine schlechte Tasse?» erkundigte sich Eleni.

Die Alte mit dem Medusenhaupt schüttelte den Kopf und sah noch einmal aufmerksam hinein. «Tut mir leid, meine Liebe, doch wie ich sehe, wird dein Haus in einem Jahr leer stehen, und alle Bewohner werden verschwunden sein.»

Elenis Herz tat einen Sprung. «Aber das kann doch nur bedeuten, daß mein Mann uns nach Amerika holt!» rief sie erregt.

Wieder schüttelte die Alte den Kopf. «Nein. Ich sehe Schlimmes. Das Oberhaupt der Familie ist fort. Das Haus ist leer. Ich sehe Tod... innerhalb von einem Jahr.»

Eleni bekam eine Gänsehaut. Christos wird sterben und uns mittellos zurücklassen, dachte sie unglücklich.

Im nächsten Moment war sie jedoch wütend auf sich selbst, weil sie sich den Unsinn der Alten überhaupt anhörte. «Ich frage dich, wen meine Tochter heiraten wird, und du antwortest mit Rätseln und Lügen!» schrie sie.

«Tut mir leid, meine Liebe», protestierte die Flijanou. «Ich sehe nicht gern eine schlechte Tasse, aber ich werde dir nicht einfach das sagen, was du gern hören willst, wie es andere Frauen häufig tun. Wenn wir es in drei Monaten noch einmal versuchen, sehen wir vielleicht eine bessere Tasse.»

Sie streckte die Hand aus.

Zornig legte Eleni ein paar Münzen hinein und eilte zum Tor hinaus, wo Kanta wartete und aus Langeweile Steinchen in den Abgrund warf. Sie fragte, was die Flijanou gesagt habe, und Eleni erzählte es ihr mit dem Zusatz, die Alte sei ein Scharlatan. Doch Kanta merkte, daß ihre Mutter erregt war, denn auf dem ganzen Heimweg verlieh sie ihrer Sorge Ausdruck, Christos könne sterben, um gleich darauf wieder laut zu überlegen, wer wohl der Adler sein möge, der Olga davontrage.

Kurz nach dem Besuch bei der Flijanou brachte Sotiris Venetis, der Postbote, einen braunen Umschlag für Eleni, den er nicht in Michopoulos' *cafenion* zurückließ, sondern persönlich bei ihr auf dem Berg ablieferte. Sie mußte unterschreiben, bevor er ihn ihr aushändigte, und das Kuvert trug das Adlerwappen der Botschaft der Vereinigten Staaten in Athen. Eleni öffnete den dicken Umschlag und starrte wortlos auf die vielen bedruckten Seiten voll griechischer und ausländischer Buchstaben, die sich ringelten wie Schlangen. Sie bildete sich ein zu spüren, wie ein elektrischer Strom von den Papieren durch ihre Finger floß, denn die Dokumente besaßen die Macht, ihre Familie ins goldene Land zu bringen.

In dem beigefügten Brief wurde ihr mitgeteilt, für sie und ihre Kinder sei ein Einwanderungsantrag gestellt worden, und nun müsse sie diese Papiere ausfüllen, vom Notar beglaubigen lassen und der Botschaft zusammen mit Dokumenten vorlegen, die die Geburt und den Verwandtschaftsgrad jedes einzelnen Familienmitglieds mit dem amerikanischen Staatsbürger belegten. Bei dem Gedanken daran, daß sämtliche offiziellen Dokumente des Dorfes verbrannt waren, als die Deutschen das Schulhaus in Brand gesteckt hatten, begann Eleni heftig zu zittern. Doch als sie den neuen Bürgermeister von Lia, den Krüppel Iorgos Boukouvalas, aufsuchte, versicherte er ihr, daß er ihr Ersatzpapiere ausstellen könne. Als diese fertig waren, machte sie sich auf den weiten Weg nach Filiates, um sich alles vom dortigen Notar ausfüllen und beglaubigen zu lassen.

Mit dem amerikanischen Kleid angetan, das Christos ihr vor zehn Jahren auf Korfu gekauft hatte, betrat Eleni das Büro des Notars in Filiates, dessen Name, Christos Konstantopoulos, in Goldlettern auf der Tür stand. Er war ein Mann mittleren Alters, mit einem blankgewetzten Anzug, schütterem Haar, Goldrandbrille, einem kleinen, herabhängenden Schnauzbart und dem klauenhaften langen Kleinfingernagel vornehmer Herren. Die Regale mit den ledergebundenen Gesetzbüchern hinter dem Schreibtisch waren alle schon durch ihr Gewicht dazu angetan, den Besucher einzuschüchtern.

Er griff nach Elenis Papieren, legte sie aber sofort auf den Tisch, als strömten sie einen üblen Geruch aus. «Wie ich sehe, haben Sie keine richtigen Geburtsurkunden», sagte er.

«Die sind von den Deutschen verbrannt worden», erklärte sie. «Unser Bürgermeister hat uns Papiere ausgestellt, in denen das bestätigt wird.»

«Aha», gab er gelangweilt zurück. «Seit wann lebt Ihr Mann in Amerika?»

Eleni hatte Angst vor direkten Fragen. Wenn sie die falsche

Antwort gab – würde das ihre Chancen für die Auswanderung zunichte machen? «Zum erstenmal ist er 1910 hingegangen», antwortete sie unsicher.

«Aha», sagte er abermals. Nach einer Pause, in der er den Stoß Papiere in der Hand wog, als müsse er ihr Gewicht schätzen, räusperte er sich und verkündete, als sei er ein Richter, der ein Urteil fällt: «Das wird Sie zweitausendfünfhundert Drachmen kosten.»

Unwillkürlich stieß Eleni einen erstaunten Ruf aus. Hastig begann sie zu rechnen. Im Jahr zuvor war, um die wahnwitzige Inflation zu stoppen, neues Geld herausgegeben und der Wechselkurs willkürlich sehr niedrig auf zwölf Drachmen pro Dollar angesetzt worden, womit sein Honorar über zweihundert Dollar ausmachte. Und sie hatte nur die dreihundert Dollar, die Christos für Olgas Aussteuer geschickt hatte.

«Soviel kann ich nicht bezahlen», stieß sie zitternd hervor.

«Das ist der Preis.» Damit wandte er sich ab, als könne man nicht von ihm verlangen, der Angelegenheit weitere Aufmerksamkeit zu schenken. «Es liegt bei Ihnen. Wollen Sie nach Amerika oder nicht?»

Eleni spürte, wie sie vor Zorn errötete, aber sie preßte die Lippen zusammen und erwog ihre Alternativen. Das wichtigste war, Olga zu verheiraten. Das Geld für das Ausfüllen der Papiere konnte Christos ihr später schicken. Mit all der Würde, die sie zustande brachte, erhob sich Eleni und nahm das kostbare Kuvert vom Schreibtisch. «Ich werde im Herbst wiederkommen, wenn ich genug Geld habe», erklärte sie, beschämt über den Kontrast zwischen ihrem Dorfakzent und seinem prätentiösen Athen-Gelispel.

«Wie Sie wollen», gab er zerstreut zurück, wandte sich in seinem Drehsessel endgültig um und kehrte ihr den Rücken zu.

Draußen, als Eleni blind durch die Kopfsteinpflasterstraßen dem Marktplatz zustolperte, hörte sie plötzlich ihren Namen, und als sie sich umwandte, entdeckte sie Minas Stratis, prächtig herausgeputzt in einem nagelneuen Tweedanzug, mit der altvertrauten goldenen Uhrkette quer über dem Bauch.

«Welch günstige Stunde bringt dich nach Filiates?» fragte Eleni, aufrichtig froh, nach dem Debakel im Büro des Notars ein freundliches Gesicht zu sehen. «Du siehst aus, als wärst du ins Parlament gewählt worden!»

«Nicht ganz», erwiderte er und spreizte sich ein bißchen. «Neben meinem Beruf als Lehrer in Ioannina arbeite ich, wie du vielleicht gehört hast, noch für den militärischen Geheimdienst, und ich bin mit einem Ermittlungsauftrag hier. Aber was führt *dich* hierher?»

Sie sprudelte heraus, was aus ihrem Traum von der Auswanderung nach Amerika geworden war, und Minas bestand darauf, sie in einem nahen Café zu einem Kaffee einzuladen. Als sie sich ein wenig beruhigt hatte, beugte er sich vor und sagte leise, um nicht von anderen belauscht zu werden: «Wenn du nicht auswanderst, Eleni, höre bitte auf meinen Rat und zieh mit deinen Kindern aus Lia fort! Die Partisanen rücken schon wieder gegen die Murgana vor. Es ist nur noch eine Frage der Zeit. Und falls du noch da bist, wenn sie kommen, wird es dir alles andere als gut ergehen. Überall in Nordgriechenland bringen sie Polizisten und Rechte um.»

«Wir sind eine Familie von Frauen und Kindern», wandte sie ein. «Warum sollten sie uns behelligen? Wir haben ihnen nichts getan!» Daß sie sogar zwei ELAS-*andartes* in ihrem Haus versteckt hatte, erwähnte sie nicht.

Minas legte warnend den Finger auf die Lippen. «Verkauf deinen Anteil an dem Geschäft in Ioannina, das Christos und meinem Vater gemeinsam gehört. Von dem Erlös solltest du mit deiner Familie nach Ioannina ziehen, bis die Papiere für Amerika fertig sind. Mein Vater hat ohnehin von Verkaufen gesprochen, daher weiß ich, daß er nichts dagegen haben wird.»

Eleni schüttelte den Kopf. «Wenn ich, eine Frau mit vier unverheirateten Töchtern und ohne Ehemann, nach Ioannina ginge, würden uns alle als Huren bezeichnen! Wir werden unsere Papiere im Herbst ausfertigen lassen, und ich werde dafür sorgen, daß Olga bis dahin mit einem Jungen aus einer guten Lia-Familie verlobt ist.»

Doch Minas' Worte hatten sie beunruhigt; deswegen schrieb Eleni, sobald sie wieder zu Hause war, einen besorgten Brief an Christos, in dem sie ihn bat, so bald wie möglich das Geld für den Notar zu schicken, und hinzufügte: «In Filiates habe ich Minas Stratis getroffen, der mich gewarnt hat, die Kommunisten würden wieder nach Lia kommen. Wir sollten das Dorf verlassen, bevor das geschieht, ich sollte mit den Kindern nach Ioannina gehen, aber ich habe Angst vor dem, was die Leute dazu sagen. Was soll ich tun?»

Einen Monat darauf, im Juni 1947, erhielt sie die Antwort ihres Mannes, einen Brief, der bei ihren Nachbarn im Perivoli immer wieder zitiert wurde. «Du hast kein Recht, irgendwohin zu gehen», schrieb er. «Wenn sie an der Quelle unmittelbar oberhalb des Hauses kämpfen, bleibst Du mit den Kindern eben im Haus. Wer sind denn schließlich diese *andartes*? Es sind Griechen, einige von ihnen aus unserem Dorf, die für ihre Rechte kämpfen. Ich habe mein Lebtag für meinen Lebensunterhalt gearbeitet und nie jemandem etwas getan. Warum sollten sie meiner Familie etwas antun?»

Nikola erinnert sich:
Ende Juni 1947 teilte mir meine Mutter mit, wir gingen jetzt nach Babouri, um meiner Patin Eugenia Economou Lebewohl zu sagen, die endlich die Einwanderungspapiere für sich und ihren Sohn Stavros erhalten habe und zu ihrem Ehemann Nassios in Worcester, Massachusetts, ausreisen könne. Auf dem Weg nach Babouri erkannte ich an der verkniffenen Miene meiner Mutter, daß dieser Besuch ihr sehr schwer werden würde. Ich selber freute mich auch nicht gerade darauf.

Mit meinen nahezu acht Jahren war ich mir der Tatsache, der Sohn eines Amerikaners zu sein, immer empfindlicher bewußt geworden. Seit der Verkündung der Truman-Doktrin vor mehreren Monaten pflegten mich die älteren Jungen von Lia ständig zu verhöhnen, ich sei der Sohn eines ausländischen Kapitalisten, der mit seinem Geld Waffen bezahle, die gegen die tapferen ELAS-Partisanen eingesetzt würden. Daher entwickelte ich einen geheimen Haß auf meinen Vater und wünschte, er würde uns entweder, wie Stavros' Vater, nach Amerika holen oder zu uns nach Griechenland kommen, damit ich mich nicht mehr gegen die Verachtung der Jungen wehren müßte.

Vor Stavros Economou, einem starken, stämmigen Jungen, vier Jahre älter als ich, hatte ich immer ein bißchen Angst gehabt. Als der einzige von Nassios Economous Söhnen, der das Säuglingsalter überlebt hatte, wurde Stavros von seiner in ihn vernarrten Mutter in der Überzeugung erzogen, er sei der Kronprinz von Babouri. Keines der Kinder im Dorf hätte es je gewagt, ihn mit seinem amerikanischen Vater aufzuziehen. Überdies wurde Stavros von den anderen Kindern zum Idol hochstilisiert, weil er die einzigen Spielsachen besaß, die wir alle jemals gesehen hatten. Wundervolle amerikanische Spielsachen: einen Lastwagen und ein Flugzeug, die auf dem Fußboden herumrasten, wenn man sie aufzog, und einen Brummkreisel in sämtlichen Regenbogenfarben. Mein Vater hatte mir nie etwas so Überflüssiges wie Spielzeug geschickt, immer nur praktische Dinge – Kleidungsstücke und Schuhe. Auch das nahm ich ihm übel.

Als wir in Babouri ankamen, empfing uns meine Patin in einem weißen Wollkleid europäischen Stils, das wegen seiner gewagten Farbe und dem modischen Schnitt *das* Dorfgespräch war. Während sie uns Süßigkeiten servierte, lächelte sie mit ihren Grübchen, spreizte sich stolz und plauderte über das Haus und die Möbel, die sie in Amerika vorfinden würde. Die höflichen Glückwünsche meiner Mutter klangen in meinen Ohren recht gezwungen. Ich wußte, wie schmerzlich es für sie war, daß Eugenia auf die Reise nach Amerika ging, während wir in der immer feindseligeren Atmosphäre von Lia zurückbleiben mußten.

Als ich Stavros suchte, fand ich ihn vor dem Haus, wo er hofhielt. Mit majestätischer Grandezza hatte er der Tochter des Postmeisters die drei berühmten Spielsachen vermacht. Alt und langweilig seien sie, behauptete er, höchstens noch gut genug für Babys, auf ihn warteten Dutzende von noch viel schöneren Spielsachen in Amerika, unter anderem eine elektrische Eisenbahn. Er trug, wie ein erwachsener Mann, neue Hosen aus Amerika – lange Hosen, nicht etwa kurze wie ich selbst. Ich drückte mich im Hintergrund herum und sah zu, wie die Kinder von Babouri vor ihm buckelten.

Als es Zeit zum Aufbruch war, rief meine Mutter mich ins Haus, damit ich meiner Patin den Abschiedskuß gab. Eugenia drückte mir ein weißes Spitzentaschentuch in die Hand: Sie habe es speziell als Abschiedsgeschenk für ihren Patensohn angefertigt, erklärte sie mir. Ich nahm es mißmutig entgegen und fragte mich, wieso sie glaubte, daß ich ein Taschentuch haben wolle. Dann umarmte sie meine Mutter, und beide Frauen begannen zu weinen, wohl weil ihnen klar wurde, daß sie einander möglicherweise nie wiedersehen würden. Meine Mutter ergriff Eugenias Hände und sagte mit unsicherer Stimme: «Wenn du Christos in Amerika siehst, sag ihm, er soll sich bitte beeilen. Sag ihm, wir ersehnen uns nichts anderes auf der Welt, als bald wieder mit ihm vereint zu sein.»

Dann packte sie mich, weil sie nicht wollte, daß Eugenia sah, wie weh ihr deren großes Glück tat, unvermittelt bei der Hand und zog mich hinaus. Als wir die erste Kurve der Straße erreichten, drehten wir uns noch einmal um und winkten meiner Patin und Stavros zu. Und als wir die Kurve hinter uns hatten, brach meine Mutter in haltloses Weinen aus. Mir war ebenfalls nach Weinen zumute: Ich hatte mir gewünscht, Stavros würde mir wenigstens das Flugzeug schenken.

Im heißen Juli wuchs Elenis Unzufriedenheit im gleichen Maße wie der Mais auf den Feldern, und das Monatsende brachte einen neuen und noch schlimmeren Streit mit ihrem Vater.

Eines Tages kam eine Tochter von Foto Gatzoyiannis zu Eleni. Sie war mit Dimitri Stratis verheiratet, dem Besitzer eines Kaffeehauses und Bruder von Minas und Vasili Stratis. Sie berichtete Eleni, ihr Schwiegervater, dem mit Christos zusammen ein Laden in einer belebten Einkaufsstraße von Ioannina gehörte, habe seine Hälfte an den Mieter verkauft, der wegen der strengen Mietkontrollgesetze der Nachkriegszeit nur eine winzige Miete zahlte. Eleni war sich sofort darüber klar, daß Christos' Anteil an dem Geschäft durch diesen Verkauf praktisch wertlos wurde, weil man, da der Mieter auch Mitbesitzer war, keinerlei Aussicht hatte, die Miete zu erhöhen, und sich auch niemand finden würde, der sich dort einkaufen wollte.

Plötzlich fiel Eleni ein, daß Christos ihrem Vater Vollmacht gegeben hatte, seine Geschäftsinteressen zu vertreten. Niemals hätte sie es für möglich gehalten, daß Kitso diese Vollmacht gegen sie verwenden würde. Sie eilte zum Haus ihres Vaters hinab, das auf dem Fundament des niedergebrannten errichtet worden war. Mit schweißdurchtränktem Hemd war Kitso damit beschäftigt, mit einem Vorschlaghammer Schindeln zu zerkleinern, die er zur Reparatur einer undichten Stelle im Dach benötigte.

Aufgeregt sprudelte Eleni heraus, was sie soeben gehört hatte: daß Stratis seinen Anteil an Christos' Geschäft an den Mieter verkauft habe. Stur und methodisch schwang Kitso den Hammer. «Und was soll ich dagegen tun?» fragte er sie. «Soll ich mein ganzes Leben damit verbringen, mich um eure Angelegenheiten zu kümmern?»

Eleni wurde übel, angesichts dieser Ungerechtigkeit. Christos habe ihm die Verantwortung übertragen, schrie sie. Er hätte ihre Interessen vertreten müssen. Nun aber sei der Laden wertlos. Kitso hielt inne, um sich das Gesicht zu trocknen. «Während des ganzen Krieges habe ich mich um seine Familie gekümmert, und was hab ich dafür gekriegt?» fragte er. «Gar nichts. Einen Scheißdreck schulde ich ihm! Ich habe Stratis gesagt, von mir aus könne er tun, was er will.»

Damit fuhr er fort, Schindeln zu zerkleinern, und Eleni mußte daran denken, wie er, als sie noch klein war, mit dem Beil den Kopf des türkischen Banditen gespalten hatte.

«Ich bin nach meiner Heirat nur hiergeblieben, um mich um dich und Mutter zu kümmern!» Sie kreischte es nahezu, und ihre Worte überstürzten sich. «Ich habe meine Kinder hier großgezogen, damit ihr nicht allein bleiben mußtet. Jetzt aber gehe ich mit ihnen nach Amerika, weil sie dorthin gehören, zu ihrem Vater. Ich werde dafür sorgen, daß du jeden einzelnen Sovereign bekommst, den wir dir schulden, wie du behauptest. Eines Tages aber wirst du dir noch wünschen, wenigstens den Saum meines Kleides sehen zu können, und sterben wirst du ganz allein – mit deinem Gold!»

Schweigend, mit ingrimmiger Verbissenheit, hämmerte Kitso auf die Schindeln ein und sah auch nicht auf, als sie sich umdrehte und davonlief.

Dieser letzte und schlimmste Streit mit ihrem Vater erschütterte Elenis inneres Gleichgewicht in seinen Grundfesten. Sie verbot ihren Kindern, den Großvater zu besuchen, obwohl Megali fast täglich zu ihnen kam. Oftmals hörten Nikola und die Mädchen die Mutter mitten in der Nacht weinen.

Gegen Ende des Sommers war Olgas Truhe in der guten Stube bis zum Rand gefüllt mit Kleidern, bestickten Hemden und Strümpfen, alles mit Nähmaschine und flinken Nadeln von Olga und ihrer Mutter gefertigt. Als Anfang August endlich der Tag kam, an dem sie nach Ioannina reisen wollten, um dort den Rest der Aussteuer zu kaufen, bat Eleni ihren Schwager Andreas, sie zu ihrem Schutz und aus Gründen des Anstands zu begleiten, weil sie mit ihrem Vater kein Wort mehr sprach. Olga, trunken vor Begeisterung, hatte noch nie eine Großstadt gesehen. Für dieses aufregende Ereignis kleidete sie sich besonders sorgfältig an: Sie wählte ein blaues Kleid mit den obligaten zwei schwarzen Streifen am unteren Saum und dazu die traditionelle lange, schwarze, ärmellose Tunika. Um den Kopf hatte sie sich ein schwarzes Tuch mit roten und rosa Blumen gebunden, die guten Schuhe trug sie in der Hand.

Bis nach Vrosina, wo die Straße begann, ritten sie auf dem Maultier und fanden dort einen Lastwagenfahrer, der sie bis nach Ioannina mitnahm. Olga war noch niemals zuvor mit einem Auto gefahren und kniff während der ganzen Fahrt die Augen zu.

Als sie sich der Stadt näherten, forderte Eleni sie auf, sich umzusehen. Aus den samtiggrünen, mit Popcorn-Schafen betupften Feldern erhoben sich die Häuser und Minaretts von Ioannina, und in der Mitte lag, glatt wie ein Spiegel, der See. Während sie über das Kopfsteinpflaster ratterten, bestaunte Olga offenen Mundes die Störche auf ihren Schornsteinnestern, die Zigeuner mit ihren Tanzbären und Eseln, die alten Frauen, die Lotterielose verkauften, und die kleinen Jungen, die Kaugummi feilboten.

Mit festem Griff packte Eleni Olgas Hand und führte sie durch den dichten Verkehr der Pferde, Maultiere, Lastwagen und Karren über die Averoff-Straße, die Venizelos-Straße hinauf zu einem Gasthaus namens Vrosgou's Hani, wo die Lioten bei ihren Ausflügen in die Großstadt gewöhnlich abstiegen. Wie alle Gebäude war es im türkischen Stil gehalten, mit einem Garten hinter dem Haus und einer blinden Fassade zur Straße hin, die nur im ersten Stock einige vergitterte Haremsfenster aufwies, von denen aus Frauen das Treiben unten beobachten konnten, ohne selbst gesehen zu werden.

Während Andreas ihre Habseligkeiten in die Zimmer hinauftrug, saßen Eleni und Olga im dreieckigen Garten des Iali Kafene gegenüber. Er lag fast einen Meter über der Straße und bot einen perfekten Blick auf die Vorübereilenden sowie die prächtigen neoklassizistischen Gebäude rechts und links, Phantasien aus schmiedeeisernen Balkons, Schnörkeln und Wasserspeiern. Als sie sich etwas zu essen bestellten, wappnete sich Eleni in Gedanken für das bevorstehende Einkaufsabenteuer. Die dreihundert Dollar, fest in ihr Taschentuch geknotet, lasteten schwer auf ihrer Brust.

Sie waren nach Ioannina gekommen, um die «Außen»-Aussteuer zu kaufen, Schlafteppiche, Wolldecken, Kissen, Bettwäsche und eine Matratze, die oben auf die Aussteuertruhe gepackt wurden, denn die «Innen»-Aussteuer – ausreichend Kleidung für ein Jahr – war fertig. Andere Dorfbewohnerinnen hatten Eleni die Namen der Vlach-Frauen gegeben, die in Heimarbeit die groben, leuchtend bunten Schlafteppiche, die *velenzes*, anfertigten.

Sie machten sich auf den Weg ins Viertel der Vlachs, eines geheimnisvollen, wortkargen Nomadenvolks von Hirten, die noch immer nicht nur Griechisch, sondern außerdem Latein sprachen. Die Vlachs waren sprichwörtlich verschlagen, webten aber auch die schönsten *velenzes*. Als sie sich an den winzigen Ladenhöhlen vorbeidrängten, deren Besitzer auf Stühlen mit weidengeflochtener Sitzfläche vor ihrer Tür saßen und sie hereinzulocken versuchten, machte Olga große Augen. Und im Viertel der Teppichweber riefen ihnen schwarzgekleidete alte Frauen und kleine Jungen von den Türschwellen aus zu: «Kommt herein, seht euch um! Die schönsten *velenzes* von Epirus!»

In jedem Haus prüfte Eleni in dem Raum, der fast ganz von dem riesigen Webstuhl ausgefüllt war und wo sich regenbogenfarbene Berge von *velenzes* stapelten, mit erfahrenem Griff das Gewicht der Teppiche, strich über den Flor, untersuchte die Unterseite auf Fehler und stellte Fragen über die Farben. Jede Frau nannte einen Preis – soundsoviel Drachmen pro Kilo –, und wenn Eleni mit Olga das Haus verließ, lief sie ihnen nach und bot ihnen an, den Preis um einige Drachmen pro Kilo zu senken. Doch dies war erst der erste Tag; viel zu früh, um ernsthaft zu kaufen.

Am zweiten Vormittag kehrten Mutter und Tochter zum Haus jener Frau zurück, deren Teppiche nach Elenis Ansicht handwerklich am besten gearbeitet waren. Aus dem Nichts erschienen Kaffeetassen. «Fühlen Sie nur den Flor», gurrte die Frau. «Nur erstklassige Wolle. Kein Gramm von Bauch oder Beinen. Und die Farben werden noch immer so leuchten, wenn diese wunderschöne Braut Großmutter ist.»

Das schönste Stück ihrer Kollektion war eine Braut-*velenza* – der Teppich, der über den Sattel des Maultiers mit der Aussteuer gelegt wird – mit einem vielfarbigen, kunstvollen geometrischen Muster, gewebt «mit einem silbernen Schwungrad». Olga verliebte sich sofort in das Stück, Eleni jedoch gab sich unbeeindruckt.

Nachdem sie zweimal aufgestanden waren und gehen wollten und zweimal mit Gewalt ins Haus zurückgezerrt worden waren, einigten Eleni und die Vlach-Frau sich auf einen Preis, bei dem beide überzeugt waren, die andere übervorteilt zu haben. Aber es gab noch andere Dinge zu kaufen: eine große, gestreifte Matratze, eine bunt geblümte Steppdecke für Winternächte, zwei Kopfkissen und einige geometrisch gemusterte Bettüberwürfe. In der zweiten Nacht, die sie in Ioannina verbrachten, schliefen Eleni und Olga den Schlaf siegreicher Krieger.

Bevor sie einen Lastwagen mieteten, um ihre Schätze nach Vrosina zurückzuschaffen, kehrten Eleni, Olga und Andreas auf eine letzte Mahlzeit im Iali Kafene ein. Als sie gerade mit einem Teller voll Forellen und Krebsen frisch aus dem See beschäftigt waren, entstand draußen Unruhe. Von ihrem Tisch aus sahen sie eine dicht gedrängte Menge Dörfler in Bauerntracht, die voll Aufregung auf etwas warteten. Als dann zwei offene Militärlastwagen die Venizelos-Straße entlanggerollt kamen und hielten, brachen die Zuschauer in Weinen und Klagen aus.

Die Lastwagen waren besetzt mit jungen Frauen, nicht älter als Olga, die ebenfalls weinten; ihre Gesichter waren zerkratzt, die Haare wirr und ungepflegt und nicht von Kopftüchern bedeckt. Eleni stand auf, um nachzusehen, was das bedeutete, doch Olga interessierte sich mehr für ihre erste Fischmahlzeit und blieb mit Andreas am Tisch sitzen. Nach einer Weile kehrte Eleni mit sorgenvoller Miene zu ihnen zurück.

«Sie gehören zu einer Gruppe von Mädchen aus den Dörfern der Pogoni-Region», berichtete sie und meinte damit einen Bezirk achtzig Kilometer nordwestlich von Ioannina. «Sie wurden vor zwei Monaten von den Partisanen geholt und gezwungen, Uniform anzuziehen und zu kämpfen. Die da draußen sind einige von jenen, die es geschafft haben, zur Nationalarmee zu fliehen.» Sie musterte Olga. Wie ihre Tochter waren auch die *andartinas* noch die reinsten Kinder, hatten aber die Augen von alten Frauen. «Du hättest sehen sollen, wie ihre Eltern weinten, als sie sie zu Gesicht bekamen», sagte sie. «Das schlimmste aber waren die Eltern, deren Töchter nicht dabei sind.»

Olga interessierte sich wenig für das Schicksal der unfreiwilligen Mädchen-Soldaten, bemerkte jedoch fasziniert, daß einige von ihnen Khakihosen trugen, und das schockierte sie mehr als die Tatsache, daß sie aus ihren Dörfern entführt worden waren. Olga war ganz in die Vorfreude auf ihre triumphale Rückkehr nach Lia mit ihrer neuen Aussteuer vertieft; Eleni jedoch konnte die Gesichter der Mädchen nicht vergessen. Die bewegende Wiedervereinigung mit ihren Eltern war der Beweis dafür, daß Minas Stratis mit seinen Voraussagen recht gehabt hatte. doch sogar er hatte ihr nicht gesagt, daß die *andartes* zwangsweise auch Mädchen rekrutierten. Wenn sie nun auch ihre eigenen Töchter zu holen versuchten? Aber Christos hatte ihr strengstens befohlen, das Haus nicht zu verlassen. Während der ganzen Fahrt nach Vrosina, wo sie den Esel zurückgelassen hatten, saß Eleni hinten im Lastwagen und dachte über diese neue Bedrohung nach.

Für Olga glichen die Auswirkungen der Reise nach Ioannina einer endlosen Namenstagsfeier. Jedes weibliche Wesen von Lia kam vorbei, um die neue, auf der Truhe aufgestapelte Aussteuer zu begutachten, den Flor der *velenzes* zu prüfen, die gute Handwerksarbeit zu bestaunen, winzige Gläser Ouzo oder Kaffee zu trinken und gute Wünsche für die zukünftige Verlobung anzubringen.

Als Stavroula Yakou kam, kümmerten sich die Gatzoyiannis-Mädchen besonders liebevoll um sie, denn ihr kleiner Sohn war einige

Monate zuvor tot geboren worden. Stavroula bewegte sich längst nicht mehr mit der alten lässigen Grazie, und unter ihren Augen lagen dunkle Ringe. Wie alle anderen bestaunte sie die kostbare Aussteuer und äußerte den konventionellen Wunsch: «Möge die Ehe feste Wurzeln haben!» Doch als sie das sagte, erschauerte Olga unwillkürlich. Stavroula sah sie an, wie ein Kanarienvogel im Käfig eine vorbeifliegende Schwalbe ansieht.

Wenn Olga in späteren Jahren an ihre Aussteuer dachte, sagte sie seufzend: «Ich hatte nur drei Monate lang Zeit, mich daran zu freuen.» Denn Ende November spülte die Flut des Krieges die Partisanentruppe nach Lia zurück, und mit dem Feiern der Festtage des normalen Lebens war es endgültig vorbei.

Während Olga in Ioannina ihre Aussteuer einkaufte, konzentrierte die DAG von Markos Vafiadis ihre Truppen in den Zagoria-Dörfern nördlich von Ioannina. Nach einem erfolglosen Überfall Ende Oktober auf Metsovo, die sechzig Kilometer nordöstlich von Ioannina gelegene Stadt, die das Tor zur einzigen Route über die Pindos-Berge bildete, zogen sich die *andartes* in ihre Schlupflöcher im Pindos-Massiv zurück. Es sah so aus, als würden die Männer des Epirus-Kommandos der DAG den Winter im Pindos-Gebirge verbringen und nur gelegentliche Ausfälle nach Süden und Osten wagen. Ende November jedoch verließen unerwartet, im Schutz dichten Nebels, sechs Bataillone die Pindos-Kette und marschierten westwärts mit dem Ziel, Epirus entlang der Ost-West-Achse in zwei Hälften zu teilen.

Diese Truppe von 1500 Partisanen beabsichtigte, sich in dem zerklüfteten Murgana-Gebirge niederzulassen, das sich entlang der griechisch-albanischen Grenze erstreckt, denselben Bergen, in denen auch Lia lag. Diese natürliche Festung konnten sie mühelos auch mit einer kleinen Truppe halten und hatten außerdem Zugang zu Albanien, um von dort Nachschub hereinzubringen und Verwundete über die Grenze hinauszuschaffen. Von der Murgana aus hofften die Partisanen südlich in Epirus vorzudringen, eine größere Stadt zu erobern und dort als ersten Schritt zu einer erneuten Machtübernahme in Griechenland eine provisorische Regierung zu bilden.

Am 27. November 1947 wurden die sechs in Lia stationierten Polizisten vom Präsidium in Filiates benachrichtigt, daß die Partisanentruppen anrückten. Sie erhielten Befehl, sämtliche Waffen und wichtigen Dokumente mitzunehmen, die sie tragen konnten, den Rest zu verstecken und sich sofort nach Filiates zurückzuziehen. Die Polizisten handelten schnell: Sie hatten von den verstümmelten Leichen der Gendarmen in anderen eroberten Dörfern gehört.

Während zwei von ihnen in einer Ecke des Feldes hinter der Polizeistation im Schutz einer Hecke und eines Schuppens ein Loch für die Waffen schaufelten, blickte der eine plötzlich auf und sah das magere, sonnenverbrannte Gesicht des siebzehnjährigen Andreas Michopoulos, das über die Mauer zwischen der Polizeistation und dem ehemaligen Haus des britischen Kommando-Hauptquartiers hinweg ironisch auf sie herabgrinste. Andreas Michopoulos war das schwarze Schaf unter den Jungen von Lia, derjenige, den man sofort verdächtigte, wenn irgendwo ein Aprikosenbaum geplündert oder mit einem wohlgezielten Steinwurf eine Herde in wilde Flucht gejagt worden war. «Er ist ein Teufel!» stöhnte seine Mutter oft und bekreuzigte sich dabei. «Ich kann auf ihm einen Besenstiel kaputtprügeln, und am nächsten Tag stellt er noch Schlimmeres an.»

Die Männer waren alles andere als erfreut darüber, daß Andreas sie beobachtete. Bei diesem jungen Unruhestifter mußte man darauf gefaßt sein, daß er den Partisanen aus reinem Trotz das Waffenversteck verriet.

«Du solltest lieber mit uns nach Filiates kommen, Andreas!» rief der Sergeant und winkte dem Jungen, zu ihnen herüberzukommen. «Du hast gerade das richtige Alter, um von den Partisanen zwangsrekrutiert zu werden, wenn sie dich sehen.»

«Ich laß es drauf ankommen», gab Andreas überheblich zurück.

«Komm lieber mit», wiederholte der Sergeant eindringlich. «Sonst müssen wir in Filiates melden, daß du darauf bestanden hast, hierzubleiben und den Partisanen zu helfen.»

Ins Gefängnis gesteckt werden wollte Andreas nun doch nicht riskieren; also zuckte er die Achseln und machte sich mit deutlichem Widerwillen mit den Polizisten auf den Weg nach Westen.

Die Vorgänge in der Polizeistation hatten sich im ganzen Dorf herumgesprochen, und alles war wie elektrisiert von der Nachricht, daß die Partisanen praktisch vor der Tür standen. Manche Lioten freuten sich, daß sie zurückkehrten, doch viele ehemalige ELAS-Sympathisanten machten sich bereit, zusammen mit den verängstigten Rechten zu fliehen, weil sie nicht zwangsrekrutiert werden wollten.

Auf dem Dorfplatz sah Spiro Michopoulos, der magere, blasse Junggeselle, dem das *cafenion* gehörte, erstaunt, daß sein rebellischer Neffe Andreas, der die *andartes* genauso bewunderte wie er, das Dorf in Gesellschaft der Polizisten verließ. Als Spiro hinüberschlenderte, um nachzusehen, was los war, wurde ihm klar, daß Andreas nicht ganz freiwillig mitging. «Du solltest auch mitkommen, Spiro», sagte der Sergeant zu dem Ladenbesitzer. «Die Partisanen heben alles aus, was Beine hat.»

Doch Spiro grinste. «So verzweifelt, daß sie mich nehmen, sind sie nun doch nicht», behauptete er und bezog sich dabei scherzhaft auf seine beinahe tödlich verlaufene Tuberkulose, die ihn zum Halbinvaliden gemacht hatte. «Außerdem möchte ich meinen Laden nicht allein lassen. Er ist mit Waren vollgestopft, und wenn ich nicht hier bin, um ein Auge auf alles zu haben, werden sie ihn plündern. Aber in ein paar Tagen werden sie sowieso weitergezogen sein.»

Als Tassina Bartzokis mit der Nachricht, die Partisanen rückten an, in ihr Haus gestürzt kam, dachte Eleni sofort an die weinenden *andartinas* in Ioannina. Ihr selbst blieb allerdings keine Wahl: Ihr Ehemann hatte ihr befohlen, unter gar keinen Umständen das Haus zu verlassen; aber sie überlegte hektisch, ob es nicht eine Möglichkeit gab, wenigstens die Kinder zu retten. Daß Olga, inzwischen neunzehn, und Kanta, fünfzehn, zwangsweise rekrutiert werden konnten, wußte sie. Instinktiv lief sie den Berg hinab zum Haus ihres Vaters. Sie war so sehr daran gewöhnt, in einer Krise den Rat eines Mannes einzuholen, daß sie in ihrer Angst die letzte, so bittere Auseinandersetzung mit ihm völlig vergessen hatte.

Als Eleni ihr Elternhaus erreichte, fand sie Megali ganz allein in einer Ecke, wo sie hilflos und verängstigt kauerte und bei jedem Geräusch zusammenzuckte. «Er ist fort, Eleni», wimmerte sie. «Er ist mit Foto Gatzoyiannis und vielen anderen Männern nach Filiates gegangen. Mir hat er befohlen, hierzubleiben. Die *andartes* würden den Frauen nichts tun, hat er gesagt, aber ich hab so große Angst!»

Sie konnte es kaum fassen, daß der Vater ohne ein Lebewohl einfach verschwunden war, obwohl Christos ihm die Verantwortung für die Sicherheit ihrer Familie übertragen hatte. Kitso hatte ihr so eindeutig den Rücken gekehrt, wie sie gedroht hatte, es mit ihm zu tun. Er hatte sie hilflos zurückgelassen und ihre Kinder der Gefahr ausgesetzt.

Eleni hatte das Gefühl, in einem dunklen Raum zu sein, einem Raum mit vielen Türen, und hinter jeder Tür zeigte sich ein winziger Lichtschimmer. Die eine Tür hatte der Vater ihr vor der Nase zugeschlagen, aber da war ja noch ihr Schwager Andreas. Eilig machte sie sich auf den Weg zu seinem Haus und entdeckte ihn vor der Polizeistation, wo er ein Maultier mit Aktenkisten belud. «Nimm Olga und Kanta mit, wenn du fortgehst», bat sie ihn. «Ich habe Angst vor dem, was die *andartes* mit ihnen machen werden!» Sie hielt inne. «Und Nikola möchte ich dir auch mitgeben», ergänzte sie dann. «Er ist hier nicht sicher, wenn die Kämpfe beginnen. Glykeria und Fotini werde ich bei mir behalten, damit sie nicht denken, ich hätte all meine Kinder fortgeschickt.»

Andreas warf ihr einen beunruhigten Blick zu und fuhr dann fort, Säcke voll Polizeiakten auf den Rücken des Maultiers zu laden. «Ich nehme euch alle mit oder gar keinen!» sagte er. «Es ist doch sinnlos, wenn die halbe Familie unten in Filiates sitzt und sich um dich und die anderen hier oben Sorgen macht.»

«Aber Christos hat mir befohlen, das Haus nicht zu verlassen!» rief Eleni. «Wenn wir alle fliehen, werden sie es in Brand stecken; doch einer Frau mit zwei kleinen Töchtern werden sie nichts tun.»

Andreas nickte erleichtert: endlich ein Grund, sich nicht mit den Kindern belasten zu müssen. «Du hast recht. Aber behalt alle Kinder bei dir im Haus, während sie da sind; dann werden sie dich nicht belästigen. Und wenn ich jetzt nicht sofort aufbreche, bin ich ein toter Mann.» Er versetzte dem Maultier einen Schlag auf die Flanke, und während Eleni zusah, wie ihr Schwager sich über den Dorfplatz davonmachte, schloß sich die zweite Tür vor ihr.

Sie nahm eine Abkürzung den Berg hinauf und zum Perivoli hinüber. Unterwegs holte sie Tassos Bartzokis ein, der gerade aus Ioannina zurückkehrte. Nachdem er erfahren hatte, daß die Partisanen ihnen praktisch im Nacken saßen, hastete er nach Hause, um ein paar Kleider zu holen und sich dem Exodus der Männer nach Filiates anzuschließen. Genau wie Eleni wußte auch Tassos, daß in den anderen Dörfern junge Mädchen zwangsrekrutiert worden waren, und fürchtete, daß seine Schwägerin Rano sowie ihre Freundinnen, die beiden älteren Gatzoyiannis-Töchter zu den Opfern gehören könnten. «Mach Olga und Kanta reisefertig», riet ihr Tassos, als sie sich auf dem Bergpfad trafen. «Ich verlasse das Dorf sofort und werde Rano und deine beiden Töchter mitnehmen.»

Unerwarteterweise öffnete sich eine Tür und überflutete Eleni mit hellem Licht. Als die Deutschen gekommen waren, hatte Tassos sich um sie gekümmert wie um seine eigene Familie. Während der schlimmsten Hungersnot hatte er ihnen aus Albanien Süßigkeiten mitgebracht, und nun bot er ihnen wieder die Rettung an. «Das hat mein Vater nicht zu mir gesagt», gab sie tief bewegt zurück.

«Geh nach Hause und hol die Mädchen», drängte Tassos. «Ich werde Rano zu Hause abholen und euch alle dort erwarten.»

Eleni lief los, aber je näher sie ihrem Haus kam, desto eindringlicher erinnerte sie sich an das, was Christos ihr geschrieben hatte: «Du hast kein Recht, irgendwohin zu gehen ... Bleib mit den Kindern in Deinem Haus ...»

Sie verlangsamte ihre Schritte. Was würde Christos – von den Dorfbewohnern ganz zu schweigen – sagen, wenn er erfuhr, daß sie die ältesten Mädchen mit einem Mann fortgeschickt hatte, der nicht mit ihnen verwandt war? Olga und Kanta durften ja nicht einmal mit Tassos reden, geschweige denn die ganze Nacht hindurch allein mit ihm reisen! Als sie schließlich das Haus erreichte, wußte Eleni mit Sicherheit, daß sie sie nicht fortschicken konnte, auch wenn Tassos ihnen ein wunderbarer Freund gewesen war. Also bog sie zum Bartzokis-Haus ab, wo sie Tassos antraf, der einen Sack mit seinen Sachen packte.

«Für dein Angebot, die Mädchen mitzunehmen, werde ich dir ewig dankbar sein, Tassos», erklärte sie, «aber ich habe beschlossen, sie doch lieber nicht fortzuschicken. Ich werde sie hier irgendwo versteckt halten, bis die Partisanen wieder abmarschiert sind.»

Als Rano dies hörte, entschied sie sich ebenfalls zum Bleiben. Olga Gatzoyiannis sei ihre beste Freundin, sie könnten sich zusammen verstecken, meinte sie. Außerdem wolle sie ihre Schwester nicht allein lassen, weil die wieder schwanger sei. Tassos verschwendete keine Zeit mit Diskussionen. Er brach auf und setzte sich sofort in Trab, um die Männer des Dorfes, die schon vorausgegangen waren, möglichst schnell einzuholen. Durch ihre Angst vor dem Gerede der Leute hatte Eleni die dritte Tür selbst ins Schloß geworfen.

Nahezu zwei Stunden waren seit der ersten Nachricht vom Anrücken der Partisanen vergangen, und innerhalb dieses Zeitraums hatten alle Männer – bis auf ein paar, die zumeist zu alt waren, um rekrutiert zu werden – das Dorf verlassen.

Eleni kehrte nach Hause zurück und setzte sich auf die kleine Veranda oben an der Treppe. Im Hof unten spielten Nikola und Fotini mit Steinchen, während Kanta und Glykeria sich über ihre Hausarbeit stritten. Olga saß im Schatten, brach grüne Bohnen und summte dabei vor sich hin. Keines der Kinder schien sich über den Anmarsch der Partisanen Gedanken zu machen, Eleni jedoch konnte das Gefühl sich nahenden Unheils nicht abschütteln. Plötzlich fiel ihr eine letzte Möglichkeit ein: Antonis Paroussis, der Kesselflicker, der in Babouri wohnte, war ein Cousin von Christos. Seine Frau Antonova war es gewesen, die Eleni gebeten hatte, die beiden ELAS-*andartes* bei sich zu verstecken. Jetzt schuldeten sie ihr einen Gefallen, und außerdem gehörten sie zur Familie. Wie Eleni wußte, war das Ehepaar pro-ELAS, aber Antonis, ein schwächlicher, scheuer Mann, war nicht erpicht darauf, in die Partisanenarmee gezwungen zu werden. Er würde wahrscheinlich genauso fliehen, wie es die Männer von Lia taten.

«Rasch, laß die Bohnen und pack ein paar Kleider in einen Sack!» rief Eleni Olga zu. «Du gehst mit Kanta und Nikola nach Babouri zu eurem Onkel Antonis Paroussis. Sag ihm, ich möchte, daß er euch nach Filiates mitnimmt, bis die Partisanen wieder abgezogen sind. Beeil dich, Mädchen! Beweg dich nur dieses eine Mal ein bißchen schneller, sonst ist es zu spät!»

So eilig hatte es Eleni, sie auf den Weg nach Babouri zu schicken, daß sie erst als die drei schon weit entfernt waren und ihre Gestalten inmitten von Ilex und Krüppelkiefern zu winzigen Punkten schrumpften, von einem schrecklichen Gefühl des Verlustes überfallen wurde. Nikola trug seine Schuhe in einer Hand, klammerte sich mit der anderen an Olga und drehte sich immer wieder zur Mutter um.

Eleni war kaum zu den beiden jüngeren Mädchen zurückgekehrt, als sie Tassina Bartzokis ans Tor hämmern und schreien hörte, die Partisanen seien bereits im Perivoli. Sie seien von Norden her über den Berg gekommen, berichtete sie, und die Frauen der Nachbarschaft wollten ihnen entgegengehen, um sie zu begrüßen. «Wir müssen sie willkommen heißen und gute Miene zum bösen Spiel machen», keuchte Tassina, eine Hand auf ihren schwangeren Bauch gepreßt. «Das hat in Babouri geklappt, als die Deutschen kamen. Vielleicht können wir uns auch jetzt damit retten.»

Eleni holte einen Krug Schwarzgebrannten und einen Beutel Walnußkerne aus dem Vorratsraum. Sie ermahnte Glykeria, gut auf

Fotini aufzupassen und ganz gleich, was geschehe, auf gar keinen Fall das Tor zu öffnen. Mit Tassina zusammen stieg sie am Waschplatz vorbei die paar hundert Meter dorthin empor, wo drei bärtige Fremde in ihren fadenscheinigen Uniformen an der Mauer der Mühle saßen und Zigaretten rauchten, während eine Gruppe von Frauen aus dem Dorf ihnen zusah. Eleni bot ihnen die Walnüsse und den *tsipouro* an, doch einer der Männer lehnte die Erfrischungen mit den Worten ab: «Da wir jetzt wieder hier sind, haben wir jede Menge Zeit zum Essen, zum Trinken und um alles über euch in Erfahrung zu bringen. Zunächst aber brauche ich ein paar Auskünfte.»

Er zog Notizbuch und Bleistift heraus. «Sind Polizisten im Dorf?»

«Nein», antwortete eine der Frauen. «Wir haben gehört, daß sie fort sind.»

«Wie viele Männer gibt es im Dorf?»

«Ein paar. Genau wissen wir es nicht», sagte Tassina. «Ihr wißt ja, daß die Männer von Lia ständig auf Arbeit unterwegs sind. Deshalb halten sich immer nur wenige hier auf.»

Der Partisan schrieb eine Weile in seinem Notizbuch; dann hob er den Kopf. «Ich möchte, daß eine von euch diesen Brief dem Genossen Skevis überbringt, der mit seinen Männern auf der Wiese hinter der Kapelle kampiert.»

Alle Frauen sahen Eleni an, doch keine von ihnen sagte ein Wort.

Der Partisan folgte den Blicken. «Du da, du wirst ihn raufbringen.» Damit reichte er ihr den Brief.

«Aber meine Kinder sind ganz allein!» protestierte sie.

«Olga kann doch auf sie aufpassen, nicht wahr?» warf Anastasia Yakou ein.

Eleni zögerte. Auf gar keinen Fall durfte sie zugeben, daß sie Olga und Kanta fortgeschickt hatte. Nachdenklich musterte sie die Gesichter der Frauen, die ihr genauso vertraut waren wie ihr eigenes. In ihren Augen jedoch entdeckte sie eine Kälte, die sie noch niemals zuvor an ihnen bemerkt hatte: Keine von ihnen wollte die gefährliche Aufgabe übernehmen, zu den *andartes* hinaufzugehen, und alle gemeinsam wandten sich gegen sie.

«Aber ich habe Angst, allein zu gehen!» rief Eleni verzweifelt. «Gebt mir wenigstens jemanden mit!» Sie blickte von einem steinernen Antlitz zum anderen und wandte sich dann an das einzige, das eine Andeutung von Mitleid zu zeigen schien – das ihrer entfernten

Verwandten Tsavena Makou. «Komm du mit mir, *zonia*», flehte Eleni, einen im Dorf gebräuchlichen Ausdruck für «Familienangehörige» verwendend. Tsavena nickte und trat zu ihr.

Der *andarte* mit dem Brief erklärte ihnen, sein Bataillon kampiere unter der Führung von Spiro Skevis höher den Berg hinauf in nördlicher Richtung «hinter der kleinen Kapelle auf der anderen Seite». Eleni nahm an, er meine die St.-Nikolaus-Kapelle, doch als sie und Tsavena dort ankamen, fanden sie keine Spur von den Männern.

Vielleicht meinte er eine andere Kapelle. Also wanderten sie auf dem Rücken der Bergkette weiter nach Osten und suchten verzweifelt nach den Partisanen, bis ihre Beinmuskeln sich verkrampften und ihr Atem in der dünnen Bergluft fast keuchend ging. Zwei Stunden nachdem sie aufgebrochen waren, entdeckten Eleni und Tsavena am Fuß des Berges Tserovetsi endlich den Rauch von Feuern eines großen Militärlagers.

Als sie das Lager erreichten, wo schattenhafte Gestalten um die Lagerfeuer hockten, starrte Eleni verwundert die Hunderte von Männern an, die sich in der Kälte des Novemberfrostes unter zerlöcherten Decken aneinanderdrängten. Als sie die ELAS-Partisanen zuletzt in Lia gesehen hatte, hatten sie saubere graue Uniformen und neue, den Italienern abgenommene Waffen getragen. Jetzt waren sie alle in Lumpen gekleidet, ihre Bärte waren verfilzt, einige waren barfuß, andere trugen Schuhe, die nur noch mit Bindfaden zusammengehalten wurden. Wie versteinert saßen sie da und betrachteten die Frauen mit furchteinflößenden Blicken. Keiner stand auf, um sie zu begrüßen.

Dann entstand eine Bewegung, und Eleni hörte, wie jemand in die Hände klatschte, als wolle er im Restaurant einen Kellner rufen. Als sie sich dem Geräusch zuwandte, entdeckte sie einen hageren, bärtigen blonden Mann, der in einen dicken, schweren Mantel gewickelt war. An seinen Augen erkannte sie Spiro Skevis, völlig verändert seit der Zeit, da er mit den anderen Lehrern zusammen auf dem Dorfplatz hofgehalten hatte. Jetzt war er, falls überhaupt möglich, sogar noch magerer, und das eisige Feuer in seinen Augen war das einzige, was in seinem erstarrten Gesicht noch lebte. Die Männer um ihn herum hätten wie Besessene ausgesehen, berichtete Eleni später: wie die Schweine, in die Jesus die bösen Geister fahren ließ.

Spiro winkte sie zu sich heran, und sie überreichte ihm den Zettel. «Willkommen daheim in der Murgana, Genosse Spiro», sagte sie und zwang sich, das Zittern in ihrer Stimme zu unterdrücken. «Ganz Lia wartet bereits auf dich.»

Er antwortete nicht, sondern entfaltete den Zettel. Langsam verbreitete sich ein Lächeln über sein Gesicht, ohne jedoch die Augen zu erreichen. Anschließend erhob er sich und rief den vor Kälte zitternden Kameraden zu: «Los, Leute, aufpacken! Sattelt die Tiere! Wir marschieren weiter!» Dann hielt er inne, hob beide Hände an den Mund und rief noch lauter: «Heute abend sind wir in meinem Heimatdorf. Das werden wir ausquetschen bis aufs Blut!»

Unter Flüchen, Gelächter und Stöhnen stemmten die Männer sich vom eiskalten Boden hoch und begannen die paar mageren Maultiere und Pferde zu satteln. Eleni sah zu, wagte Tsavena aber nicht zu fragen, was Spiro gemeint haben mochte.

Die Partisanentruppe folgte den beiden Frauen bis nach Lia, und als sie den Gipfel des Propheten Elias erreicht hatten, führte Spiro seine Männer ins Dorfzentrum hinab, während Eleni und Tsavena in ihre Häuser im Perivoli zurückkehrten.

Fußlahm vor Erschöpfung trat Eleni durchs Hoftor. Durch die geschlossene Tür rief sie, daß sie es sei, doch als ihr dann geöffnet wurde, hätte sie fast der Schlag getroffen, denn vor ihr stand ihre Tochter Olga. Und hinter Olga spielten Nikola und Kanta vergnügt mit den beiden anderen Mädchen. Auf dem ganzen Heimweg hatte Eleni sich mit dem Gedanken getröstet, daß wenigstens diese drei Kinder dem Schicksal entgehen würden, das sie in Spiro Skevis' Augen gelesen hatte, und nun waren sie wieder hier, mit ihr zusammen in der Falle gefangen!

«Was habt ihr hier zu Hause zu suchen!» schrie sie Olga an. «Habt ihr Antonis nicht gefunden?»

Olga war nach dem langen, erfolglosen Weg müde und gereizt. «Als wir zu den Paroussis kamen, war Antonis schon fort», berichtete sie. «Antonova meinte zwar, wenn wir uns beeilten, könnten wir ihn einholen, aber weil es dunkel wurde, fürchtete ich, daß wir ihn nicht mehr finden würden. Antonova behauptete, die Partisanen würden uns nichts tun. Sie sind auf unserer Seite, sagte sie. Also bin ich lieber zurückgekommen.»

Vor Verzweiflung und Müdigkeit war Eleni völlig vernichtet. «Du hättest allein gehen sollen», murmelte sie, hatte jedoch Nikola bereits in ihre Arme genommen und war nicht mehr fähig, ihn loszulassen. Als sie da saß, die Wange auf den Kopf ihres Sohnes gelegt, und zusah, wie das Feuer niederbrannte, wurde Eleni ganz krank vor Zorn. Ihr Vater hatte sie alle zusammen ohne ein Wort verlassen, um sich in Sicherheit zu bringen, während seine Frau, seine Tochter und seine Enkel ohne jeden Schutz zurückblieben. Ihr Schwager Andreas hatte die Verantwortung für ihre Kinder nicht übernehmen wollen. Sie selbst hatte, nur weil sie automatisch auf Anstand bedacht war, Tassos Bartzokis' Hilfsangebot ausgeschlagen. Wenn ihre Töchter mit Tassos zusammen das Dorf verlassen hätten, wären sie kompromittiert gewesen, doch hier bei ihr konnten ihnen weit schlimmere Dinge zustoßen. Und für sich hatte sie automatisch jeden Gedanken an eine Flucht der gesamten Familie zurückgewiesen, weil Christos ihr befohlen hatte, zu bleiben und das Haus zu retten. Nach dem, was er ihr geschrieben hatte, waren die *andartes* «Griechen, Mitbürger ... die für ihr Recht kämpfen ... Wieso sollten sie meiner Familie schaden?» Aber er hatte ihnen nie, wie sie heute, in die Augen gesehen. Er war seit zehn Jahren fort und lebte achttausend Kilometer weit entfernt – und diktierte ihr trotzdem, was sie zu tun hatte, als sei er ein Erzbischof! Sie hatte ihm gegenüber stets den Gehorsam bewiesen, den sie ihm als Ehefrau schuldete, und dennoch fragte sie sich jetzt, ob sie, da es um die Sicherheit der Kinder ging, nicht endlich einmal gegen ihn und die traditionellen Anstandsregeln des Dorfes, nach denen sie sich immer gerichtet hatte, hätte rebellieren sollen.

Als es stockdunkel war, kamen Tassina und Rano zu Eleni. Gleich darauf kopfte es noch einmal, sehr leise, ans Tor: Diesmal war es Grigori Tsavos, der fünfundsechzigjährige Feldhüter aus dem Haus direkt oberhalb von Eleni. Auch er wollte hören, was sie über ihre Begegnung mit den Partisanen zu berichten hatte.

«Ich komme gerade von der Alonia», erklärte Tsavos den Frauen und schüttelte den grauen Kopf. «Überall habe ich schlimme Zeichen gesehen. Als die *andartes* aus den Bergen kamen, tauchte plötzlich Andreas Michopoulos auf und sagte, er sei den Polizisten bei Povla entwischt. ‹Gebt mir eine Uniform und ein Gewehr, und ich zeige euch, wo alles versteckt ist!› rief er den Partisanen zu. Und er werde ihnen alle Stellen zeigen, wo sie Posten aufstellen müßten, damit sich niemand heimlich ins Dorf hinein- oder hinausschleichen könne.»

«Wir sollten jetzt gleich fortgehen, bevor diese Posten aufgestellt werden!» rief Tassina angstvoll aus.

«Wie willst du bei Nacht und in deinem Zustand einen Sieben-Stunden-Marsch bis nach Filiates durchhalten?» gab ihre Schwester Rano zurück.

Eleni starrte in die verlöschende Glut des Feuers. «Es ist zu spät», sagte sie dumpf. «Spiro Skevis kennt dieses Dorf bis in den hintersten Winkel. Wir sind schon in den Fängen des Löwen.»

Die letzte Tür hatte sich vor ihnen geschlossen, und nun gab es keine weiteren Chancen mehr. Sie waren allein im Dunkeln.

8

Noch in derselben Nacht, in der die Partisanen in Lia eintrafen, zogen sie gruppenweise durchs Dorf, hämmerten an die Tore der Häuser und verlangten von den verschreckten Bewohnern Brennholz, Brot und Unterkunft. Während die Eindringlinge in der guten Stube der Gatzoyiannis standen, sich am Feuer wärmten und darauf warteten, daß Eleni die Lebensmittel brachte, die sie gefordert hatten, spähten Fotini und Nikola verstohlen vom Flur aus hinein, um angstvoll ihre zerrissenen Uniformen, die ungepflegten Bärte und ihre wilden, im Feuerschein glühenden Augen zu bestaunen.

Am nächsten Morgen erschienen weitere Partisanen, die an die Häuser des Perivoli Mehl verteilten und den Frauen den Befehl überbrachten, Brot für die Truppen zu backen. «Aber glaubt ja nicht, ihr könntet etwas von dem Mehl für euch selbst abzweigen», warnten sie Eleni. «Die fertigen Brote werden von uns gewogen.»

Einige Stunden später, als Eleni und Olga in ihrem Holztrog Teig kneteten, kamen abermals zwei *andartes* und befahlen ihnen, das fertige Brot in Stücke zu schneiden und zu einer Art Zwieback zu rösten, damit die Partisanen es mitnehmen konnten, ohne daß es schimmlig wurde. «Beeilt euch!» verlangte einer der beiden, ein magerer blonder Mann mit zerzaustem, nikotinfleckigem Bart. «Viele von uns müssen gleich an die Front.»

Als Eleni ihn musterte, wich er ihrem Blick aus. «Nikola!» rief sie erstaunt. «Bist du das, hinter diesem Bart?»

Sie hatte Nikola Paroussis erkannt, den stillen jungen Verwandten, den sie in ihrem Vorratskeller versteckt hatte, den höflichen Jungen, der Nikola und Fotini zwei Jahre zuvor beigebracht hatte, wie man Murmeln spielte. Jetzt jedoch wirkte er mit seinem ausgemergelten, von der Sonne verwitterten Gesicht um zehn Jahre gealtert. «Ja», antwortete er achselzuckend.

«Aber Kind, Nikola – ich hätte dich fast nicht wiedererkannt!» sagte Eleni. «Du siehst soviel älter aus als der Junge von damals, der zwei Wochen bei mir gewohnt, mit uns gegessen und mit den Kindern gespielt hat!»

Es war Nikola sichtlich peinlich, daran erinnert zu werden, daß er in ihrer Schuld stand. «Die Zeiten haben sich geändert, Amerikana», erklärte er. «Jetzt sind die Faschisten auf der Flucht, und wir brauchen Brot für unsere Männer – schnell!» Damit war er fort und überließ es Eleni, sich Gedanken über die Veränderung zu machen, die mit ihm vorgegangen war.

Wenige Tage nach seiner Ankunft ließ Spiro Skevis durch die Glocken der Kirche zur Heiligen Dreifaltigkeit eine obligatorische Versammlung auf dem Dorfplatz ankündigen. Er faßte sich kurz, ohne die blumige Rhetorik seines Bruders. Die DAG stehe mitten im Kampf für die Unabhängigkeit des Landes und die Rechte des Volkes, erläuterte er den versammelten Dorfbewohnern. «Und ihr alle werdet die Ehre haben, an diesem großen Kampf teilzunehmen.» Er musterte die beunruhigten Gesichter – fast ausschließlich Frauen und Kinder. «Unsere Freunde, die sich uns anschließen, haben nichts zu befürchten», fuhr er fort. «Doch unsere Feinde, die davongegangen sind, um mit den Monarcho-Faschisten zusammenzuarbeiten, werden ihrer Strafe nicht entgehen, und mögen sie noch so weit laufen!»

Falls sich die Dorfbewohner fragten, welche Rolle sie in diesem großen Kampf spielen sollten, so erhielten sie bald schon die Antwort darauf. Jeder einzelne bekam eine Aufgabe zugewiesen. Zuallererst belohnte er die wenigen Männer, die im Dorf geblieben waren, indem er mehrere von ihnen in den Verwaltungsausschuß des Dorfes berief. Und zum Vorsitzenden des Komitees bestimmte er Spiro Michopoulos.

Michopoulos gehörte zu den wenigen Lioten, die sich die in den Gebirgsdörfern am meisten gefürchtete Krankheit zugezogen und sie überstanden hatten: die Tuberkulose. Geholt hatte er sie sich, als er mit zwanzig Jahren mit seinem Bruder als Böttcher auf Wanderschaft ging. Die Behandlung der Tuberkulose war drastisch: Der Kranke wurde in ein Zimmer gesperrt, durfte keinen Kontakt mit anderen Menschen haben, und das Essen wurde ihm so lange durchs Fenster gereicht, bis er starb; darauf wurden seine Kleider, sein Bett und all seine Habseligkeiten verbrannt und sein Haus mit stark rauchendem Feuer desinfiziert. Oder er wurde auf die höchstgelegenen Weiden geschickt, wo er mit den Tieren zusammenlebte, auf dem Erdboden schlief, Milch direkt vom Schaf trank und frisches Fleisch aß, bis ihn die Elemente, denen er ausgesetzt war, entweder umbrachten oder heilten.

Spiro hatte mit Hilfe der zweiten Methode überlebt, aus der er mit vorzeitig ergrautem Haar und einer anhaltenden Schwäche hervorgegangen war, die es ihm unmöglich machte, als Böttcher weiterzuarbeiten. Sein Bruder half ihm, am Dorfplatz ein kleines Geschäft und Kaffeehaus einzurichten, und nachdem Spiro aufgehört hatte zu husten, waren die Lioten ausreichend von seiner Heilung überzeugt, um sein *cafenion* anzunehmen. Während der fünf Jahre, in denen er wie ein Aussätziger behandelt wurde, hatte Spiro das unterwürfige Verhalten eines Menschen angenommen, der nicht so recht weiß, ob er willkommen ist. Auf eine unauffällige Art war er stets bemüht, anderen kleine Gefälligkeiten zu erweisen, doch immer so, daß er nicht Gefahr lief, zurückgewiesen zu werden. Jetzt zum Dorfvorsteher ernannt zu werden, war für Spiro Michopoulos eine Ehre, von der er nicht einmal zu träumen gewagt hätte.

Wie Spiro Skevis versprochen hatte, bekamen alle Dorfbewohner eine Aufgabe: jedes Haus beherbergte Partisanen, jede Frau kochte für die Truppen, und jedes Kind sammelte Brennholz für sie.

Das Haus von Elenis Freundin Olga Venetis, ein Stückchen weiter den Pfad hinab, war beschlagnahmt und zur Verpflegungsstelle bestimmt worden, während das Nachbarhaus als Schlachthof benutzt wurde; die Familien, denen die Häuser gehörten, wurden kurzerhand vor die Tür gesetzt.

Einer der ersten Befehle der Partisanen bestimmte, daß jede Familie fünfundzwanzig Kilo Mais an die Truppe abtreten müsse. Als die Frauen ihr Kontingent in der neuen Verpflegungsstelle ablieferten, stellten sie zu ihrem Entsetzen fest, daß das von den Partisanen beschlagnahmte Vieh in der St.-Demetrios-Kirche eingestellt worden war, wo die Frauen fast täglich Kerzen anzündeten und beteten. Nun drängten sich unter den frommen Fresken und Ikonen, den bronzenen Kandelabern und der vergoldeten Holz-Ikonostase dicht an dicht muhende Kühe.

Wie Eleni fand, konnte sie sich im Vergleich zu den meisten

Nachbarn noch glücklich schätzen, weil ihr Elias Gagas, ein Lehrer aus der benachbarten Stadt Vischini, mit seiner Familie zur Einquartierung zugeteilt wurde. Als Gagas – in Zivilkleidern – in Begleitung seiner Frau, zweier Töchter im Teenager-Alter und eines kleinen Sohnes erschien, packte Eleni alles, was ihrer Familie gehörte, in die beiden Räume um, die den alten Teil des Hauses bildeten: die Küche und den anschließenden Vorratsraum. So hatten die Gäste die gute Stube sowie das Zimmer daneben zur Verfügung, das sie bisher als zusätzlichen Vorratsraum und zuweilen auch als Schlafzimmer benutzt hatten.

Die Neuankömmlinge schienen höflich und zuvorkommend zu sein. Die beiden Töchter, ungefähr so alt wie Olga und Kanta, waren gut erzogen und gebildet. Demitris, der kleine Junge, der nur ein Jahr älter war als Nikola, litt häufig an Heimweh. Dann kochte ihm Eleni zum Trost ein paar Eier, zog ihn auf ihren Schoß und erzählte ihm Märchen, bis seine Tränen getrocknet waren. Wenn die drei Gagas-Kinder sich abends in Reih und Glied zum Zähneputzen aufstellten, beobachteten Fotini und Nikola das Ritual mit Staunen.

Elias Gagas faßte die Dorfkinder unter zehn Jahren in einer Einzimmerschule zusammen, die er in einem Haus am Dorfplatz leitete, da ja das Schulhaus ausgebrannt war. Es gab weder Pulte noch Bücher oder Wandtafeln, doch Gagas verstand es, den Unterricht auch nur mit Bleistiften und Zetteln interessant zu gestalten. Es machte Nikola Spaß, die Lieder der Kommunisten zu lernen und Geschichten über die russischen Brüder zu hören.

Während die Kinder eine kommunistische Erziehung genossen, wurden die Mütter nahezu täglich zur Verpflegungsstelle befohlen, deren Leiter Dimitris Bolofis war, ein ehemaliger Schlachter, den sie wegen des riesigen Hackebeils, des *hanjari*, das er ständig schwang, «Hanjaras» nannten.

Eines Tages, kurz nach der Ankunft der *andartes*, rief Petros Papanikolas die Frauen von Lia – aus jedem Haus eine – auf dem Dorfplatz zusammen, um sie nach Kerasovo in Marsch zu setzen, einem blühenden Weiler neunzehn Kilometer nordöstlich von Lia, wo sie ihre Esel mit sämtlichen Lebensmitteln, Kleidern und Vorräten beladen sollten, die sie in der verlassenen Ortschaft fanden. Die Sachen waren für die Partisanen bestimmt, doch alles, was sie darüber hinaus auf dem eigenen Rücken tragen konnten, sollten sie behalten dürfen.

Als sie Kerasovo erreichten, sahen Eleni und ihre Freundin Olga Venetis erstaunt, daß aus dem Ort eine Geisterstadt von imposanten zweistöckigen Steinhäusern mit eisernen Balkons und sauberen Heuschuppen und Scheunen geworden war. «Mein Gott, waren wir doch Idioten!» rief Olga Venetis aus. «Warum sind wir bloß in Lia geblieben, um unsere elenden Hütten zu schützen, während Menschen mit solchen Häusern all ihren Besitz zurückgelassen haben, um sich in Sicherheit zu bringen?!»

Die Frauen von Lia waren bis lange nach Mitternacht damit beschäftigt, Beutestücke auf ihre Maultiere und den eigenen Rücken zu laden, und machten sich anschließend, ohne zu essen oder sich auszuruhen, auf den Heimweg. Unter ihrer Last schwankend, mit vor Erschöpfung verkrampften Muskeln, trafen sie bei Tagesanbruch in der Verpflegungsstelle ein, wo sie von Hanjaras in Empfang genommen wurden. Der Schlachter schien äußerst zufrieden mit ihnen zu sein. «Ihr könnt gleich hier alles abladen», wies er sie an.

«Aber man hat uns gesagt, wir dürften behalten, was wir auf dem eigenen Rücken mitbringen», protestierte Rano, deren Stimme laut durch die Morgenstille klang. «Wir haben die ganze Nacht gebraucht, um die Sachen über die Berge zu schleppen.»

Hanjaras lächelte unbeeindruckt. «Diese Erlaubnis ist widerrufen worden», behauptete er. «Wir brauchen alles für unsere Brüder, die draußen im Kampf stehen.»

Von diesem Tag an hatten die Frauen von Lia kein Vertrauen mehr zu Hanjaras, der aber leider als der Mann, der die Verteilung von Proviant an die Truppen leitete, zu den Mächtigsten im Dorf gehörte. Immerhin lernten sie sehr schnell, sich Hanjaras' einzige Schwäche zunutze zu machen: die Tatsache, daß er ein Herz für Kinder hatte.

Sämtliche Waren, die in den Geschäften der eroberten Städte und Dörfer requiriert wurden, gelangten zu Hanjaras' Verpflegungsstelle – Waren, zu denen sogar Kleinkram wie Kaugummi, Süßigkeiten, Haarspangen, Amulette, Haarbänder und kleine Plastikspielsachen gehörte, die er an die Kinder von Lia zu verteilen pflegte. Auch Nikola und Fotini zählten zu jenen, die in der Hoffnung, von dem stämmigen Schlachter ein kleines Geschenk zu erhalten, vor der Verpflegungsstelle herumlungerten. Fotini verwahrte die kleinen Schätze, die er ihr gab, sorgfältig in einem verknoteten Taschentuch, das sie an einem Geheimplatz versteckte.

Wenn die Partisanen schlachteten, warfen sie, sehnsüchtig beobachtet von den Dorffrauen, die eine sättigende Suppe oder Wurst daraus zubereitet hätten, Lunge, Magen und andere Innereien achtlos beiseite. Hanjaras weigerte sich, den Frauen diesen Abfall zu überlassen. «Die Demokratische Armee gibt ihren Leuten keine Abfälle zu essen!» donnerte er und warf alles den Hunden vor. Die Frauen merkten jedoch, daß die Kinder, die sie zum Betteln hinschickten, oft triumphierend mit einer bluttriefenden Lunge oder einem Lammkopf für den Suppentopf heimkamen.

Der Weizen, den die Frauen aus Kerasovo geholt hatten, wurde zu Mehl verarbeitet und an die Häuser des Dorfes verteilt, damit die Frauen Brot daraus backten. Eleni ließ sich von Olga helfen; ihre Mutter jedoch, das wußte sie, würde sich schwertun mit der vielen Backerei; deswegen schickte sie Kanta zum Haidis-Haus, damit sie Megali helfen konnte.

Bevor sie sich auf den Weg machte, band Kanta sich sorgfältig ihr schwarzes Tuch um den Kopf und die untere Gesichtshälfte. Denn seit der Ankunft der *andartes* bestand Eleni darauf, daß Olga und Kanta ihre Kopftücher erst über die untere Gesichtshälfte legten, bevor sie sie im Nacken verknoteten, so daß nur Augen und Nase zu sehen waren. So hatten die Griechinnen stets ihre Schönheit vor den Eroberern versteckt, vor allem vor den Türken, die häufig Dörfer überfielen, um sich hübsche Mädchen für den Harem und junge Burschen für die Janitscharen-Garde des Sultans zu holen.

Kanta war von Natur aus blaß, Olga jedoch hatte rote Wangen; deswegen zeigte Eleni ihr, wie man sich Asche ins Gesicht rieb, um die Farbe zu dämpfen. Mit dem schwarzen Kopftuch und ihrem schweren Homespun-Kleid konnte Olga genausogut eine dicke Großmutter sein wie ein heiratsfähiges neunzehnjähriges Mädchen. «Wenn jemand dich fragt, warum du dein Kopftuch so trägst», riet Eleni ihr, «antwortest du, weil du einen Tumor am Hals hast.» Der Tumor war keine Erfindung. Wie viele Einwohner von Lia litt Olga nämlich durch den Jodmangel des Wassers am Kropf, und wenn sie müde war, hatte sie eine sichtbare Schwellung seitlich unterm Kinn.

Als Kanta zu ihrer Großmutter kam, wirkte sie mit dem Kopftuch vor dem Gesicht wie eine griechische Nonne. Bald waren sie und Megali mit dem Kneten des Brotteigs fertig und ließen die Laibe unter einem sauberen Tuch stehen, damit sie aufgingen. Plötzlich hämmerte es an die Tür. Als Megali öffnete, wurde sie von zwei *andartes* beiseite gestoßen.

Die Gerüchte über die UNRRA-Vorräte, die Kitso, wie alle behaupteten, versteckt haben sollte, waren auch den Partisanenoffizieren zu Ohren gekommen, und nun hatten sie zwei Mann ausgeschickt, die sie konfiszieren sollten. Sofort begannen sie damit, sämtliche Lebensmittel aus der Speisekammer zu reißen. Vor Megalis und Kantas Augen wurde alles Eßbare hinausgetragen. Dann stiegen die Männer in den Keller hinab und leerten die handgefertigten Fässer und Kisten von allem, was Kitso für den Winter eingelagert hatte. Anschließend gruben sie auf der Suche nach seinem Schatz sogar den Lehmboden des Kellers auf.

Nachdem sie dort nichts gefunden hatten, kehrten die *andartes* wieder nach oben zurück und machten sich daran, die Strohsäcke aufzuschneiden, das Futter aus den Kleidungsstücken zu reißen und sogar das Kerosin mitzunehmen, das zum Feuermachen gebraucht wurde. Megali hockte in einer Ecke, doch als einer der Männer ein halb gegessenes Stück Brot einsteckte, kreischte sie los: «Wollt ihr mir nicht mal eine Brotkruste lassen?» Der größere von beiden ohrfeigte sie mit solcher Wucht, daß sie zur Seite fiel und mit dem Kopf hart gegen die Wand schlug. Auf Megalis Wange zeichneten sich die Finger des Partisanen ab, und dort, wo ihre Zähne die Lippe zerfetzt hatten, floß ihr ein Blutfaden aus dem Mund.

Als Kanta wütend aufsprang, fiel ihr durch die Bewegung das Kopftuch vom Gesicht. «Schämst du dich nicht, eine alte Frau zu schlagen?» schrie sie empört.

Der Partisan machte Miene, sich auf Kanta zu stürzen, und warnte sie: «Verschwinde und halt den Mund, sonst handelst du dir von mir dasselbe ein!» Kanta zog ihre weinende Großmutter zur Tür hinaus und nahm sie mit nach Hause.

Als Eleni das geschwollene Gesicht ihrer Mutter sah, brach sie bestürzt in Tränen aus. Dann beschlossen alle gemeinsam, daß Megali zu Eleni und ihren Kindern ziehen sollte. Kanta und Glykeria wurden hinuntergeschickt, die ungebackenen Brote zu holen. Als die Mädchen wiederkamen, ging Eleni ihnen entgegen und sah entsetzt, daß aus einem Haus im unteren Teil des Perivoli eine Rauchsäule aufstieg. Es gehörte Vater Theodoros Karapanou, dem Priester, der das Amt übernommen hatte, nachdem Vater Zisis während der Besatzungszeit in einem ELAS-Gefängnis gestorben war. Der neue Priester war der Sohn der blinden Sophia Karapanou. Als Vater Theodoros mit den anderen Männern von Lia aus dem Dorf floh, war die alte Sophia wieder einmal zu Hause geblieben. Eleftheria, ihre Schwiegertochter, blieb bei ihr, um sich um sie zu kümmern, denn sie war überzeugt, die Partisanen würden ihr nichts antun, weil ihr Bruder zu den anrückenden *andartes* gehörte.

Doch Spiro Skevis beabsichtigte, auch den zweiten Teil seines Versprechens zu halten: daß die Feinde der Demokratischen Armee bestraft würden, so weit sie auch davonlaufen mochten. In jedem Dorf, das sie eroberten, nahmen die Partisanen zuallererst Rache an den einflußreichen Einwohnern, die es vorgezogen hatten zu fliehen, statt zu bleiben und sie willkommen zu heißen. In winzigen Dörfern wie Lia waren die einflußreichsten Einwohner immer der Priester, der Ortsvorsteher und der Lehrer. Vater Theodoros' Haus war das erste, das in Brand gesteckt wurde, doch weil Eleftherias Bruder zu den Partisanen gehörte, wurde sie ein paar Minuten vorher gewarnt.

Sofort begann die junge Frau umherzuhasten, hier nach einem Foto, dort nach einer *velenza* zu greifen, Kleider von den Haken zu reißen und an einer Holzkiste voll Mais zu zerren, die sie nicht von der Stelle bewegen konnte. Die Blinde, die den Tumult hörte, streckte die Hand aus und versuchte ihre hysterische Schwiegertochter festzuhalten. «Wer ist da, Kind?» fragte Sophia mit zittriger Stimme. «Wer ist gekommen?»

«Wir müssen fort, Mutter!» gab Eleftheria zurück. «Sie wollen unser Haus niederbrennen.»

«O mein Gott, die Deutschen sind zurückgekommen!» schrie Sophia verzweifelt.

«Nein, nicht die Deutschen!»

Sophia hockte sich ans Feuer, schlug sich die Schürze über den Kopf und wiegte sich jammernd hin und her, während erregte Menschen an ihr vorübereilten.

Schließlich blieb jemand bei ihr stehen, nahm Sophia wie ein Kind auf die Arme und trug sie hinaus, als die Partisanen schon alles mit Kerosin zu tränken begannen. Ihre Retterin war Angeliki Botsaris, das junge Mädchen, das bei den britischen Kommandasoldaten gearbeitet hatte. Nach ihrer Eheschließung mit einem fliegenden Händler, der zwei Jahre jünger war als sie, hieß sie nun Angeliki Daikos. Obwohl sie mit ihrem zweiten Kind im dritten Monat schwanger ging, trug Angeliki die blinde Alte auf den Armen in ihr eigenes Haus hinüber und versuchte sie zu trösten.

Eleni erschauerte, als sie das Haus des Priesters brennen sah, und fragte sich, wen von den Dörflern die Rache der Partisanen als nächstes treffen werde. Lange brauchte sie nicht zu rätseln, denn kurz darauf stieg die zweite Rauchsäule gen Himmel: Es war das Haus des Lehrers Demos Bessias.

Als sie das Haus von Minas Stratis in Brand steckten, war Spiro Skevis persönlich anwesend. Minas hatte Frau und Kinder lange vor dem Anmarsch der Partisanen in Sicherheit gebracht, denn er wußte, daß Skevis alles tun würde, um ihn dafür zu strafen, daß er ihm letztesmal entkommen war. Christina jedoch, Minas' Mutter, wollte in Lia bleiben, weil sie hoffte, den Familienbesitz retten zu können.

Bevor sie im Stratis-Haus Feuer legten, ging Spiro Skevis durch alle Räume und betrachtete mit zufriedenem Lächeln den Besitz des Mannes, der immer schon sein Rivale gewesen war. Minas hatte die einzige Bibliothek zusammengetragen, die das Dorf jemals gesehen hatte: eine ganze Bücherwand. «So viele Bücher! Viel zu viele für einen Lehrer», flüsterten die Dorfbewohner. «Sogar zu viele für einen Professor! Wer weiß, was er mit all diesen Büchern wirklich macht!»

Vor allem diese Bibliothek wollte Spiro in Flammen aufgehen sehen, zunächst jedoch suchte er noch etwas anderes. Wie er wußte, hatte Minas jahrelang Kaninchen gezüchtet. Mit der Gründlichkeit eines Gelehrten hatte er Aufzeichnungen über ihre Markierungen, ihr Fell und ihre Nachkommenschaft gemacht. Im Keller fand Skevis das preisgekrönte Angorakaninchenpaar, das Minas in Ioannina gekauft hatte, um es mit der Dorfrasse zu kreuzen.

Spiro griff sich die zitternden Fellknäuel mit den roten Augen, die die Tiere vor Angst verdrehten, und ging mit ihnen hinaus. Draußen nahm er einen Lederriemen, fesselte sie an den Füßen und hängte die strampelnden, schrill quietschenden Tiere über den Sattel des Pferdes, das sein Bursche für ihn bereithielt.

Diese Kaninchen waren das Symbol für Minas' Niederlage. Spiro saß auf, während die Kaninchen vor ihm baumelten, und gab den Partisanen, die mit Fackeln in der Hand auf seine Befehle warteten, ein Zeichen. «Brennt es nieder!» rief er ihnen zu und wendete das Pferd, um im Triumph durchs Dorf zu reiten.

Während Eleni mit ihren Kindern dem Rauch der brennenden Häuser nachsah, kam Nitsa keuchend den Berg heraufgehastet. «Boukouvalas' Haus steht in Flammen!» rief sie ihnen zu. «Minas' Haus ist eingestürzt, und Christina steht stumm daneben und sieht zu, wie es brennt!»

«Arme Christina! Wo wird sie denn jetzt wohnen?» fragte Eleni voll Mitleid mit ihrer Cousine, die schon soviel gelitten hatte.

«Sie kann im Küchenschuppen wohnen, den haben sie nicht niedergebrannt», erklärte Nitsa. «Um die gute Christina brauchst du dir keine Gedanken zu machen; die wird's überleben. Aber hör zu, was Skevis *mir* angetan hat!»

Nachdem sie die Häuser der vier Dorfhonoratioren in Brand gesteckt hatten, begannen die Partisanen die Mitglieder der MAY, der zivilen Sicherheitstruppe, herauszusuchen, zu der auch Nitsas Mann gehörte. Als Spiro Skevis zu Nitsa kam, saß diese gerade auf der Vortreppe. Im Gesprächston teilte er ihr mit, daß er ihren Mann eines Tages fast umgebracht hätte, als Andreas mit einer Patrouille der MAY in den Bergen auf ELAS-Flüchtlinge Jagd machte und direkt vor einem Felsblock anhielt, hinter dem Spiro sich versteckt hatte. «Hätte Andreas sich umgedreht und mich gesehen, wärst du jetzt Witwe», erklärte Spiro belustigt. Nitsa zitterte, bis er sich verabschiedete; sie war überzeugt, daß er ihr das zur Warnung erzählt hatte. Sobald er fort war, packte sie ihre Sachen und machte sich auf zum Perivoli, um bei Eleni Zuflucht zu suchen.

Jetzt waren sie ein Haushalt aus drei Frauen und fünf Kindern, in zwei Räumen zusammengepfercht: der Küche und der kleinen Vorratskammer dahinter. Die Küche war nur etwa zwölf Quadratmeter groß, so daß sie eng aneinandergedrängt schlafen mußten. Auf einer Seite des Kamins schliefen Megali und Eleni mit Nikola in der Mitte unter einer gemeinsamen *velenza*. Auf der anderen Seite schlief Nitsa unmittelbar am Feuer, daneben Fotini, Olga, Glykeria und Kanta.

Obwohl alle Einwohner unter der Besatzung durch die Partisanen zu leiden hatten, begann Eleni in der zweiten Dezemberwoche zu argwöhnen, daß man ihr eine Sonderbehandlung zuteil werden ließ. Draußen fiel eiskalter Regen, als ein junger *andarte* an ihre Tür klopfte und sie fragte, ob er sich an ihrem Feuer trocknen dürfe. Sie führte ihn in die Küche und bot ihm ein gekochtes Ei an. Während er vor dem Feuer stand, entdeckte er das Foto von Christos in seinem blanken Messingrahmen. Er erkundigte sich, wo ihr Mann sei, und sie erklärte ihm, daß er in Amerika lebe.

«Nun sieh doch mal den Goldrand an seiner Brille!» sagte der junge Partisan, der das Bild in die Hand genommen hatte. «Weißt du, wie lange ein Arbeiter schuften muß, bis er sich so was leisten kann?

Dein Mann ist eindeutig ein Kapitalist und hat sich die Brille mit dem Blut der Arbeiter erkauft.»

Eleni erstarrte. «Du irrst dich, Kind», antwortete sie rasch. «Mein Christos arbeitet als Koch in einem Restaurant, das einem anderen Mann gehört.»

«Ich halte ihn für einen Blutsauger», gab der Mann barsch zurück. Dann drehte er den billigen Rahmen um und zog das Foto heraus. Hinter der Schwarzweißaufnahme von Christos steckte ein zweites Bild. Zu ihrem Entsetzen entdeckte Eleni, daß es sich um Königin Friederike handelte, die Frau des vor kurzem gekrönten Königs Paul, der den Thron bestiegen hatte, nachdem sein Bruder Georg am 1. April 1947 gestorben war. Die junge Königin mit den Perlenreihen an ihrem weißen Hals wirkte überaus hoheitsvoll.

Mit triumphierendem Grinsen wandte sich der Partisan zu Eleni um. «Sieh mal an, was wir da haben, Amerikana! Wer hat die deutsche Hure da drin versteckt – dein Vater?»

Woher weiß dieses Kind von den royalistischen Neigungen meines Vaters, fragte sich Eleni. «Ich wußte nicht mal, daß das Bild dort war», antwortete sie. «Als Christos mir sein Foto schickte, gab ich es jemandem mit, der nach Filiates ging, damit er mir einen Rahmen kaufte. Du weißt doch, daß sie dort Rahmen mit Fotos von Königen, Königinnen oder Kriegshelden verkaufen; es muß die ganze Zeit dort gesteckt haben, ohne daß ich etwas davon ahnte.»

Sie tat diese Episode als Zufall ab, bis einige Tage später ans Tor gehämmert wurde. Als sie öffnete, stand ein hochgewachsener, gutaussehender junger Mann in Leutnantsuniform vor ihr, der sie musterte, als sei sie das höchst interessante Exemplar einer sehr seltenen Insektenart.

Der Mann war ein einunddreißigjähriger Lehrer namens Sotiris Alexiou, der sich den Decknamen «Sotiris Drapetis» zugelegt hatte. Die Dorfbewohner sollten Sotiris bald als den sadistischen Abwehroffizier für Lia kennenlernen.

Wortlos stieß Sotiris Eleni beiseite und begann, das Haus zu durchsuchen, öffnete jede Schachtel und Schublade, warf den Inhalt auf den Boden und drehte alle Matratzen um. Ihr wurde klar, daß irgend jemand sie denunziert haben mußte.

Vor Sotiris her eilte Eleni in die kleine Vorratskammer hinter der Küche, wo Olga an ihrem gewohnten Platz auf der Truhe saß, die ihre «Innen»-Aussteuer enthielt und nach dem Einzug der Familie

Gagas aus der guten Stube hierhergeschafft worden war. «Schnell, verschwinde!» zischte Eleni ihr zu. «Er kommt gleich rein und wird alles durchsuchen.»

Mit einem erschrockenen Blick auf die *velenzes* und Decken aus Ioannina, die sie einzeln fest aufgerollt hatte, floh Olga in die Küche hinüber, wo Glykeria sich versteckt hielt. Sotiris folgte der Mutter auf dem Fuß. Er zog ein Messer heraus, durchschnitt die Kordel, die die *velenzes* zusammenhielt, warf sie eine nach der anderen auf den Boden und tastete zwischen ihnen herum.

Nachdem auch die letzte Decke am Boden lag, wandte Sotiris sich zu Eleni um und befahl: «Mach die Truhe auf!» Hektisch suchte sie nach dem Schlüssel zum Vorhängeschloß – in ihren Taschen, in der Nische mit den Streichhölzern, in der Schachtel mit den Briefen von Christos, über der Tür, überall, wo sie Schlüssel aufzubewahren pflegte; aber sie zitterte so stark, daß sie nicht richtig denken konnte.

«Schneller, Frau!» schrie Sotiris, während sie hin und her hastete. Ärgerlich über die Verzögerung ging er in die gute Stube und holte den Schürhaken vom Kamin. Angstvoll wich Eleni zurück, als er ihn schwang. Doch er hämmerte nur auf das Vorhängeschloß ein, bis es unter den Schlägen endlich aufsprang. In einer wahren Raserei riß Sotiris alles heraus, warf Kleider, Unterröcke, Strümpfe, Kissenbezüge, eine gehäkelte Tischdecke auf den Lehmboden, bis die Truhe ausgeräumt war.

Dann wandte er sich heftig keuchend abermals an Eleni, die angstvoll in der Türöffnung zwischen Küche und Kammer stand. «Ich werde jetzt deinen Garten durchsuchen, Amerikana», erklärte er. «Und wenn ich irgendwo eine Waffe finde, bring ich dich um!»

Die Worte «Waffe» und «Amerikana» schossen Eleni wie Eiszapfen durchs Herz. Irgend jemand mußte der Sicherheitspolizei gesagt haben: «Die Amerikana hat eine Waffe auf ihrem Grundstück versteckt.» Und wieder empfand sie schmerzhaft das Anderssein, das in dem Wort «Amerikana» lag: Obwohl sie das Dorf nie verlassen hatte, war sie die Ausländerin, die Frau, deren wohlhabender Ehemann in einem fernen Land lebte, wo man sein Geld nicht beschlagnahmen konnte. Sie fragte sich, wer sie wohl denunziert hatte und wie weit dieser Haß noch gehen mochte.

«Hast du in unserem Haus Waffen gefunden, Effendi?» fragte sie. «Wir haben keine Männer hier, keine Soldaten und auch keine Waffen. Ich versichere dir, daß du im Haus nichts finden wirst, doch für den Garten kann ich nicht garantieren. Wenn nun jemand dort eine Waffe vergraben hat, um mich in Schwierigkeiten zu bringen?»

Sotiris zuckte die Achseln. «Dann bete, daß ich nichts finde. Bring mir einen Spaten!»

Sobald er zur Tür hinaus war, begann Eleni auf und ab zu gehen. «Sie werden uns umbringen», sagte sie mehrmals. Dann rief sie Glykeria aus der Küche und spie auf den Boden. «Bevor dieser Speichel getrocknet ist, möchte ich dich hier mit Sioli Skevis sehen! Sag ihm, es geht um Leben und Tod. Zum Glück habe ich noch etwas Fleisch in der Vorratskammer! Wo sind die Kräuter, die du heute morgen geholt hast?»

Als Glykeria außer Atem zurückkehrte und den zähen alten Vater von Spiro und Prokopi Skevis praktisch am Ärmel mitzog, duftete es im ganzen Haus nach gebratenem, mit Oregano und Minze gewürztem Ziegenfleisch. Draußen im Garten war Sotiris, assistiert von zwei weiteren *andartes*, damit beschäftigt, Löcher zu graben. Als Eleni Sioli sah, begann sie zu weinen. «Bitte, Effendi, sieh dir die Männer da draußen an! Sie suchen nach Waffen. Im Haus haben sie nichts gefunden, aber ich fürchte, daß jemand vielleicht eine im Garten versteckt hat.»

Sioli Skevis war, trotz jenes Tricks, mit dem er den Erzbischof überrumpelt hatte, damit Spiro in die Schule von Vela aufgenommen wurde, ein frommer Mann. «Keine Angst», sagte er tröstend. «Ich bin hier, und ganz gleich, was sie finden, kein Mensch wird dir ein Härchen krümmen.» Er machte es sich in einer Ecke bequem. «Was rieche ich denn da?» erkundigte er sich.

Bis Sotiris verärgert den Spaten hinwarf, hatte Sioli den größten Teil des Fleisches verdrückt und döste mit gelöstem Gürtel selig am Feuer vor sich hin. Sotiris hatte einen ganzen Nachmittag verschwendet und nichts gefunden; Eleni jedoch hatte erfahren, daß jemand im Dorf ihr Böses wollte. Die sonst so vertrauten Gesichter ihrer Nachbarn würden für sie nie wieder so aussehen wie bisher.

Vielleicht hatte Sioli Skevis seinem Sohn Spiro von den Problemen der Amerikana erzählt, oder Spiro hatte das Gefühl, seinen Kontakt mit dieser Familie, die so großen Einfluß im Dorf hatte, festigen zu müssen. Jedenfalls kam der Bataillonskommandant einige Tage nach dem Sotiris-Zwischenfall auf einem Pferd, das sein Bursche am Zügel führte, den steilen Pfad zum Perivoli heraufgeritten und hielt vor dem

Haus der Gatzoyiannis, wo der Bursche strammstand und das Pferd hielt, als Spiro absaß. Er war jetzt wieder sauber und glattrasiert, seine Uniform war gebügelt und sein Verhalten völlig anders als an dem Tag, da Eleni ihn seinen Männern in grimmigem Triumph hatte erklären hören, jetzt würden sie sein Heimatdorf bis aufs Blut ausquetschen.

Kanta, die im Gemüsegarten arbeitete, starrte verwundert die prächtige Gestalt an, die da zum Tor hereinkam. Sie erkannte ihn sofort, denn er hatte die zweite Klasse jedesmal dann als Hilfslehrer unterrichtet, wenn Minas Stratis auswärts zu tun hatte. Auch Spiro erinnerte sich an sie, obwohl sie inzwischen ein junges Mädchen von fünfzehn Jahren geworden war. Als sie mit gesenktem Kopf und ohne ihn anzusehen «Guten Tag» murmelte, fragte er sie: «Du bist Alexandra, nicht wahr? Du warst eine von meinen besten Schülerinnen.»

Sie sah ihn immer noch nicht an.

«Wir brauchen intelligente Mädchen in der Bewegung», fuhr er mit neckendem Lächeln fort. «Ich werde dir einen Hauptmann zum Heiraten suchen. Wie würde dir das gefallen?»

«Ich bin noch zu jung zum Heiraten, Effendi», antwortete sie, den Blick auf seine Stiefel geheftet.

«Dann eben in zwei Jahren», gab er zurück. «Ein hübscher junger Hauptmann wäre dir doch ganz bestimmt recht, nicht wahr?»

Jetzt gewann Kantas Sinn für Humor die Oberhand. «Das wäre großartig, wenn eure Armee den Krieg gewinnt!» sagte sie. «Doch wenn ihr verliert, wird der Hauptmann wohl als Schafhirte enden.»

«Keine Angst, wir werden siegen», versicherte er frohgemut. «Sieh mal dort!» Er zeigte auf die Berge, die den Talkessel umschlossen. «Siehst du Velouna, Plokista und Taverra?» Seine Geste umfaßte den Horizont von Ost bis West. «Sämtliche Berge sind in unserer Hand. Die Faschisten schmelzen vor unserem Ansturm dahin wie Eis im Frühling. Bald haben wir das ganze Land erobert. Dein junger Hauptmann könnte durchaus als Minister in der Regierung enden, statt als Schafhirte.» Er musterte sie durchdringend. «Ich glaube, du hast eine ältere Schwester, nicht wahr?»

Kanta antwortete nicht. Wie sie wußte, hatte sich Olga, das Kopftuch vor ihrem Gesicht, in der Vorratskammer versteckt.

«Du solltest deiner Schwester raten, sich zu verheiraten.» Jetzt lächelte Spiro nicht mehr. «Da euer Vater in Amerika ist, braucht sie dringend männlichen Schutz.»

Eleni war aus dem Haus gekommen, um den hohen Gast zu begrüßen, und hatte die Bemerkung gehört. Eilig bat sie Spiro ins Haus und rief Olga aus der Kammer, damit sie dem Major eine Tasse Kaffee, ein Glas Wasser und etwas Gebäck serviere. Als Olga das Tablett hereinbrachte, sah sie, daß Eleni Spiro den letzten Brief zu lesen gab, den Christos geschrieben hatte – den Brief, in dem es hieß, sie dürfe das Haus unter gar keinen Umständen verlassen, und die *andartes* seien «Mitbürger aus dem Dorf, die für ihre Rechte kämpfen». Olga sah Spiro leise lachen. «Christos, du alter Gauner!» sagte er. Dann blickte er zu Eleni auf und setzte hinzu: «Ich wußte gar nicht, daß er auf unserer Seite ist.»

Eleni lächelte und schwieg, bedeutete Olga aber, den Kaffee zu servieren. Sobald das junge Mädchen Spiro versorgt hatte, verließ es das Zimmer. Niemand wußte, wovon Eleni und Spiro anschließend sprachen, doch Kanta hörte, daß Spiro vor sich hinpfiff, als er das Haus verließ und sein Pferd bestieg.

Einige Tage nach Spiros Besuch geriet das ganze Dorf in Erregung, als weibliche Guerillas, alles in allem ungefähr einhundert, in einer langen, unregelmäßigen Reihe vom Propheten Elias herabgestiegen kamen und mit *andartes* an der Spitze und am Schluß der Gruppe sowie je einem zu beiden Seiten durch den Perivoli zogen. Die *andartinas* marschierten, ihre Gewehre auf dem Rücken, im Gleichschritt unmittelbar am Tor der Gatzoyiannis vorbei, ohne das aufgeregte Stimmengewirr der Dorfbewohner zu beachten, die zusammenströmten, um sie zu bestaunen.

Auch die Gatzoyiannis-Kinder liefen hinaus, um sie anzustarren, sogar Olga, die das Haus seit der Ankunft der Partisanen nicht mehr verlassen hatte. Die *andartinas* waren Dorfmädchen im Teenager-Alter und in den Zwanzigern, mit dicken Zöpfen, die ihnen auf den Rücken hingen, doch angetan waren sie mit Khaki-Uniformen, zu denen – die Dorfbewohner konnten es kaum fassen – Männerhosen gehörten! Nicht einmal nackt hätten sie eine größere Sensation sein können. Nikola war völlig verwirrt; er hielt diese Soldaten für halb männliche und halb weibliche Fabelwesen. Keines der Gatzoyiannis-Kinder sollte den Anblick dieser Frauen in Hosen jemals vergessen.

Doch Eleni nahm kaum wahr, was die jungen Mädchen trugen. Sie forschte in ihren Gesichtern, dachte an die weinenden Dörfler, die sie in Ioannina gesehen hatte.

Dicht unterhalb des Gatzoyiannis-Hauses gaben die männlichen Offiziere das Kommando zum Halten und befahlen den Mädchen, wegzutreten und sich in den Gärten mehrerer Häuser, unter anderem dem der Tassina Bartzokis, auszuruhen. Eleni scheuchte ihre Kinder ins Haus zurück und eilte den Pfad hinab, dorthin, wo ihre Nachbarinnen den *andartinas* Wasser zum Trinken brachten.

Die Mädchen lagen mit jener Lethargie auf dem Boden, an der man die totale Erschöpfung erkennt. Eleni setzte sich zu einer Gruppe, die nicht älter wirkte als Olga. Sie wandte sich an ein Mädchen mit rundem Kindergesicht und fragte es nach seinem Namen. Die Kleine nannte ihn ihr und setzte hinzu, sie komme aus dem Dorf Vatsounia.

«Aber du siehst so jung aus!» sagte Eleni. «Hast du gar keine Angst? Ich habe zwei Töchter ungefähr in deinem Alter. Wenn die zur Armee gehen wollten, würde ich es ihnen verbieten. Deine Mutter muß sich doch furchtbare Sorgen machen!»

Zum erstenmal richtete das Mädchen den Blick ihrer schwarzumringten Augen auf sie. «Glauben Sie denn, meine Mutter hätte eine andere Wahl gehabt?»

«Man hat euch gewaltsam geholt?» fragte Eleni. «All diese Mädchen?»

«Alle Mädchen über fünfzehn, die unverheiratet sind», flüsterte das Mädchen. «Und jetzt gehen Sie! Wenn sie merken, daß wir miteinander sprechen, bringen sie uns beide um!»

Sobald die Soldatinnen den Befehl zum Weitermarsch erhielten, lief Eleni nach Hause zurück. Jetzt begriff sie, was Spiro Skevis gemeint hatte, als er sagte, Olga solle sich verheiraten, damit sie beschützt sei.

Eleni rief Olga und Kanta zu sich in die Küche, und als sie ihnen ins Gesicht sah, brach sie in Tränen aus. «Sie werden euch holen! Ich wußte es ja!» schluchzte sie. «Warum seid ihr nicht fortgegangen, als ich euch nach Babouri geschickt habe! Was soll denn nun aus euch werden?»

Verständnislos sahen die Mädchen sie an. Kurz darauf stürmte Tassina Bartzokis herein, ebenfalls in Tränen. Sobald sie Olga sah, weinte sie: «Lieber sähe ich dich und Rano im Bewässerungsteich ertrinken, als daß ihr geholt werdet wie diese armen Mädchen!»

Die ganze Nacht blieben Eleni und ihre Töchter auf und versuchten, einen Plan zu entwerfen, wie sie der Zwangsrekrutierung entgehen könnten. Eleni konnte die Gesichter der *andartinas* nicht vergessen und stellte sich vor, wie ihre Töchter, die noch nie mit einem fremden Mann gesprochen hatten, gezwungen wurden, Hosen zu tragen, Seite an Seite mit den Partisanen zu schlafen und an der Front um ihr Leben zu kämpfen. Gegen Morgen war sie zwar bleich, aber gefaßt. «Geht Rano holen», befahl sie ihnen. «Wir werden euch so verstecken, daß sie euch niemals finden. Bald ziehen sie wieder ab, dann seid ihr in Sicherheit.»

Das Versteck, für das sie sich entschieden hatte, lag auf dem Kastro, einem der beiden Gipfel über dem Dorf, auf dem seit dreihundert vor Christi die antike Akropolis stand. Sie war von blonden, blauäugigen, hochstirnigen Doriern als Festung und Zufluchtsort gebaut worden, in dem die Bewohner der Siedlungen weiter unten bei drohenden feindlichen Überfällen Unterschlupf fanden. Hier hatten sie Stiere geschlachtet und Zeus um Schutz angefleht, und hier glaubten die Archäologen vor hundert Jahren die Ruine des Orakels von Dodona gefunden zu haben, bevor sie sich auf eine andere Grabungsstätte, hundert Kilometer weiter südlich, einigten.

Bis zum Gipfel des Kastro brauchten sie, senkrecht über die Baumgrenze hinauskletternd, eine gute Stunde. Die Akropolis war ursprünglich von einer hohen Mauer umgeben gewesen, und auf einer Seite fielen die Felsen senkrecht ab und waren unmöglich zu erklettern. Doch wenn ein Kletterer sich Hand über Hand an Vorsprüngen und Büschen fünfzehn Meter hinabließ, erreichte er einen natürlichen Balkon, den die Alten mit einer kleinen Mauer befestigt hatten, ein Ausguck, von dem ein Posten kilometerweit ins Land hinein sehen und einen Überraschungsangriff von Norden her verhindern konnte.

Dieser winzige Vorsprung an der glatten Nordwand des Berges war so von Krüppelkiefern überwuchert, daß niemand etwas von ihm ahnte. Olga, Kanta und Rano glitten über die Kante und ließen sich, starr vor Angst, ohne nach unten zu blicken und in dem Bewußtsein, daß ein einziger Fehltritt sie in die gähnende Tiefe stürzen lassen konnte, langsam auf ihn hinab. Eng zusammengedrängt auf diesem Balkon, der gerade ausreichend Platz für sie bot, waren sie so gut wie unsichtbar. Rano behauptete, wenn die Partisanen sie holen kämen, werde sie sich in die Tiefe stürzen, wie es die Frauen von Souli damals getan hatten, um der Entehrung durch die Türken zu entgehen. Olga erklärte Rano für verrückt. Kanta klagte, sie friere und habe Hunger.

In der Nacht kreischte der Wind um ihren Hochsitz. Die Luft war wie Eiswasser, und das Rascheln und Heulen in den alten Festungsmauern über ihnen erinnerte Kanta an die fürchterlichen Geister, die in diesen Ruinen hausen sollten. Tief unter ihnen kreisten Falken und Krähen über dem Abgrund, in dem ein Bach glitzerte wie die Spur einer silbernen Haarnadel im Gras.

Dort oben kauerten sie drei Tage lang und schliefen, den Rücken an die Felswand gelehnt, die Beine vom Gestrüpp zerkratzt, im Sitzen. Nicht einmal, um sich zu erleichtern, konnten sie den Platz verlassen: Der Felsvorsprung war ihre gesamte Welt.

Jeden Tag kletterten entweder Glykeria oder Angeliki auf den Kastro und warfen nach einem Zuruf, um sich zu vergewissern, daß die Flüchtlinge noch dort waren, Brot und Käse, die in ein Tuch geknotet waren, hinab. Die drei Mädchen hatten zwar Wolldecken gegen die Kälte, doch ihre Lippen waren blaugefroren, und die dahintreibenden Schneeflocken verkrusteten ihre Wimpern. Sie weinten viel und sprachen davon, was ihre Familien zu Hause jetzt vermutlich aßen, und wie warm es dort am Feuer sei. Schließlich rebellierte Kanta. «Sollen sie mich doch holen!» rief sie, daß ihre Stimme weit in die große Stille hinabhallte. «Immer noch besser, als zu erfrieren!» Und ohne ein weiteres Wort begann sie, Hand über Hand, an die Felsvorsprünge und Sträucher geklammert, emporzuklettern. Bei Kantas Fahnenflucht verließ auch die beiden älteren Mädchen der Mut, und sie begannen ihr nachzusteigen.

Als es dunkel war, schlich Kanta sich nach Hause zurück und klopfte leise an die Hintertür. Eleni zog sie sofort herein. «Sie sind gekommen und haben nach euch beiden gefragt», berichtete sie ihr. «Sie haben eine Namenliste. Ich habe gesagt, ihr wärt mit der Herde auf der Weide. Ihr könnt jetzt nicht nach Hause kommen!»

Sie ging in dem schmalen Flur auf und ab, bis ihr ein anderes Versteck einfiel: die Grube im Garten von Ranos Haus. Es war eine riesige Grube, die die Familie in der Besatzungszeit gegraben hatte, um Kisten mit Wertsachen darin zu verstecken, falls die Deutschen das Dorf einnahmen. Nach dem Krieg waren die Kisten ausgegraben worden, aber die Grube war geblieben und so zugewachsen, daß sie inzwischen nahezu unsichtbar war.

Die drei Mädchen krochen in die Grube, nur hundert Meter vom Haustor der Gatzoyiannis entfernt, und Eleni versorgte sie mit noch mehr Decken und einem Topf würziger gekochter Linsen. Anfangs schien es hier viel besser zu sein: Sie waren vor dem Wind geschützt, und ihre Körper spendeten die Wärme, die sie so dringend brauchten.

Sie beratschlagten, wer in der Mitte sitzen durfte, und vereinbarten, alle paar Stunden die Plätze zu tauschen. Um sich wach zu halten, erzählten sie sich Geistergeschichten und Klatsch über die anderen Dorfmädchen, doch endlich schliefen sie trotzdem ein, und es fing an zu regnen. Obwohl der Dezemberniederschlag in dieser Höhe nicht zu Schnee wurde, wirkte er kälter als auf dem Kastro. Die Grube stank wie ein Grab, und in der Nacht krochen ihnen schleimige Tiere über die Füße, die im aufkommenden Tageslicht irisierende Spuren hinterließen. Ihre Entschlossenheit ließ deutlich nach. Sie waren Kinder, und sie wollten nach Hause.

Zwei Tage vergingen in der Grube, doch als Glykeria am dritten mit der Abendmahlzeit kam, baten sie sie, Eleni nach einem besseren Versteck zu fragen. Kanta beschwerte sich, ihre Füße seien wie Holz. Sie könne nicht aufstehen, selbst wenn sie es versuche. Sie hätten es satt, lebendig begraben zu sein.

Kurz darauf erschien Eleni und hielt einen Topf in der Hand, der verheißungsvoll nach Fleisch duftete. Sie habe ein warmes Versteck für sie gefunden, berichtete sie und brachte sie in den Kellerstall von Vangeli Botsaris, zwei Häuser oberhalb des ihren, bewohnt von drei samtäugigen Ziegen, die sie verdutzt anglotzten, als sie ihre Füße in den Dunghaufen steckten, der wohlige Wärme ausstrahlte. Den Gestank nahmen sie überhaupt nicht wahr: Zu lange hatten sie mit dem Gestank ihrer eigenen, ungewaschenen Körper leben müssen.

Hier war es weit besser als auf dem Kastro und in der Grube, und doch verbrachten die drei hier nur einen Tag und eine Nacht, ständig im Schlaf gestört vom Husten der Ziegen, bis Eleni mit wild flatterndem Haar unter dem Kopftuch heraufgerannt kam und rief, die Mädchen müßten sofort nach Hause kommen, oder sie würden alle erschossen. «Ich soll euch holen, haben sie gesagt, oder ich müsse sterben.»

Olga und Kanta liefen nach Hause und schabten sich, so gut es ging, den Ziegendung von den Beinen. Da Olga die Älteste war, machte Eleni sich um sie größere Sorgen als um die anderen. Als Olga noch klein war, hatte Eleni des Nachts immer wieder eine Lampe angezündet und sie beobachtet, wie sie, die winzigen Händchen fest geschlossen, in der hölzernen Wiege lag und die Lippen bewegte, wenn sie vom Trinken träumte. Eleni hatte furchtbare Angst davor, das Kind im Schlaf zu erdrücken, und stillte sie stets im Sitzen. Wie sie hatte munkeln hören, war ihre zweite Schwester gestorben, als Megali sich im Schlaf auf ihr Baby wälzte.

Olga war immer verwöhnt und verhätschelt worden, und nun sollte sie ihr genommen werden, um Soldat zu spielen. Mit vierzehn in die Pubertät gekommen, besaß ihr Körper bereits weibliche Kurven, während Kanta, inzwischen fünfzehn, überhaupt noch nicht reif und für ihr Alter relativ klein war. Olga schlief immer wie eine Tote – wer wußte denn, was die Partisanen ihr im Schlaf antun würden? Kanta dagegen besaß einen leichten Schlaf und eine angeborene Klugheit, die Olga leider ganz und gar fehlte.

Elenis Gedanken rasten wie eine Maus in der Falle. Während Megali und Nitsa die Mädchen beweinten, als wären sie schon tot, war Eleni bemüht, nicht die Beherrschung zu verlieren. Sie überlegte, was aus Olga werden würde, wenn sie in die Berge getrieben wurde, um dort neben den Partisanen zu schlafen und mit der Waffe in der Hand zu kämpfen. Und kam schließlich zu einem grausigen Entschluß: Lieber wollte sie ihre Tochter verkrüppelt, aber lebendig haben als tot oder vergewaltigt! Sobald sie diesen Entschluß gefaßt hatte, rief Eleni die Familie zusammen – sogar Nikola und Fotini, die zwar hörten, was sie sagte, es aber noch nicht begriffen.

Wenn Olga nicht gehen konnte, würden die Partisanen sie nicht holen, erklärte Eleni. Olga nickte – verängstigt, aber stolz darauf, Mittelpunkt der Aufmerksamkeit zu sein. Sie würden ihr kochendes Wasser über den Fuß gießen, fuhr Eleni ingrimmig fort, und den Partisanen gegenüber behaupten, es sei ein Unfall gewesen.

Als sie den Kessel aufs Feuer stellte, versuchte Olga sich zu wappnen. Der einzige körperliche Schmerz, den sie jemals erlebt hatte, war jener gewesen, als sie aus dem Walnußbaum gefallen war und sich zwei Finger gebrochen hatte; aber so sehr sie sich auch darum bemühte, sie konnte sich einfach nicht erinnern, was für ein Gefühl das gewesen war.

Als das Wasser kochte, reichte Eleni Olga ein Tuch und befahl ihr, es in den Mund zu nehmen, damit sie nicht schrie und die Nachbarschaft alarmierte. Dann legte sie Olgas nackten rechten Fuß auf einen Schemel und stellte einen großen Topf zum Auffangen des Wassers darunter. Olga war immer sehr stolz gewesen auf ihre zierlichen Hände und Füße, die so zart waren wie die eines Kindes. Eleni nahm den Topf mit beiden Händen und schloß die Augen. Alle beobachteten sie gespannt.

Nikola erinnert sich:
Die angespannten Gesichter meiner Mutter, meiner Schwestern und meiner Großmutter wirkten im roten Schimmer der Flammen fremd. Unwillkürlich hatte ich mir die Faust in den Mund gesteckt – fast so, wie Olga sich den Lappen. Meine Mutter holte tief Luft und goß das Wasser über den ausgestreckten Fuß, während meine Tante das Bein festhielt, damit Olga es nicht fortziehen konnte. Sekundenlang herrschte Stille; dann begann Olga trotz des Lappens hohe, quietschende Schreie auszustoßen, die mich an die Angstlaute eines Zickleins beim Schlachten erinnerten.

Wir standen alle da und starrten den Fuß an, während Olga sich stumm mit dem Tuch die Tränen abwischte. Obenauf wurde ihre Haut sofort tiefrot und bekam dicke Blasen. Nach einer Weile tauschten meine Mutter und meine Tante einen Blick, denn sie merkten, daß ihr Plan fehlgeschlagen war: Olgas Füße waren vom Barfußgehen so hart geworden, daß die Verbrühung nicht schlimm genug wirkte. Die Partisanen würden sie trotzdem mitnehmen.

Meine Mutter ließ sich schwerfällig auf einem Stuhl nieder; sie sah elend aus. Ich entdeckte, wie ihr Blick zum Kamin hinüberwanderte, neben dem ein Schürhaken an der Wand lehnte. Sie stand auf, holte den Haken und hielt ihn ins Feuer. Die anderen begriffen eher als ich, was sie da tat, und keuchten auf. Olga begann leise zu weinen. Als die Spitze des Schürhakens glutrot war und meine Mutter auf Olga zukam, wich ich zurück. Olga verzog das Gesicht wie ein Kind, das einen Schlag erwartet, und kniff die Augen zu. Meine Mutter beugte sich über ihren Fuß. Unterhalb des Knöchels pochte ein Puls. Ihr Gesicht schien plötzlich zu altern; sie wandte sich ab und ließ den Schürhaken fallen. «Ich kann's nicht», flüsterte sie stöhnend. Ich merkte, daß ich den Atem angehalten hatte, und stieß ihn explosionsartig aus.

In die Stille hinein sagte meine Großmutter: «Aber ich kann's. Wenn ich damit meine Enkelin rette, kann ich's.» Alle drehten wir uns verblüfft zu der zerbrechlichen, vogelzarten Alten um, die sonst immer so hilflos wirkte. Sie nahm den Schürhaken, erhitzte ihn noch einmal im Feuer und steckte ihn in die Dose mit der Salzsäure, die wir zum Reinigen der Innenseite angebrannter Töpfe benutzten. Dann wandte sie sich heftig zitternd zu Olga um, die, das Tuch völlig vergessend, langsam vom Stuhl rutschte. Meine Tante drückte sie mit beiden Händen an den Schultern zu Boden. Meine Mutter packte den blasenbedeckten Fuß beim Knöchel und wandte den Blick ab. Ich hatte das Gefühl, einen Alptraum zu erleben; so etwas konnten sie doch unmöglich tun! Ich schloß die Augen, damit das Bild verschwand.

Die Luft wurde erfüllt vom Zischen des Schürhakens, der auf das Fleisch traf. Gleich darauf begann Olga zu schreien, aber ihr Schrei wurde sofort von meiner Tante erstickt, die ihr das Tuch auf den Mund preßte. Von meiner Mutter kam ebenfalls ein tiefes Stöhnen. Als ich die Augen aufmachte, sah ich, wie meine Großmutter den Schürhaken, an dem ein Hautfetzen klebte, von Olgas Fuß löste und deutlich sichtbar rohes Fleisch hinterließ, in das glänzendweiße Sehnen gebettet waren. Ein stechender Gestank herrschte im Zimmer, der mich noch heute im Traum verfolgt.

Als Olga ihren Fuß besah, begann sie abermals zu schreien, doch Eleni, deren eigenes Gesicht noch tränennaß war, drehte den Kopf ihrer Tochter sanft in die andere Richtung und kühlte ihr mit einem feuchten Tuch die Wangen. Megali eilte hinaus und kehrte mit einem Kohlkopf zurück. Vorsichtig packte sie den Fuß in Kohlblätter, damit er anschwoll, denn die frischen Blätter wirkten auf die offene Wunde wie Alkohol. Olga wand sich stöhnend vor Schmerz, während Eleni und Nitsa sie festzuhalten versuchten. Als sie ihr Werk beendet hatte, wickelte Megali den Fuß in ein weißes Tuch.

Fast die ganze Nacht lang lag Olga schluchzend auf dem Schoß ihrer Mutter. Kanta konnte ebensowenig schlafen. Das Geräusch des Schürhakens und der Gestank des brennenden Fleisches gingen ihr nicht aus dem Kopf, und als sie gegen Morgen einschlummerte, fuhr sie aus einem Alptraum empor, in dem riesige, bärtige Soldaten sie verfolgten. Sie wußte, daß die Mutter beschlossen hatte, Olga zu retten und sie fortzuschicken, weil sie jünger war und mit geringerer Wahrscheinlichkeit vergewaltigt werden würde. Sie fühlte sich unendlich einsam.

Als Olga am nächsten Morgen den Verband und die Kohlblätter abgenommen wurden, schrie sie abermals. Der Fuß war so geschwollen, daß er überhaupt nicht mehr wie ein Fuß aussah. Einen Knöchel gab es nicht mehr. Die Wunde eiterte, und bösartige rote Striche liefen an ihrem Bein empor. Nicht einmal sitzen konnte Olga, geschweige denn stehen. Behutsam machten sie ihr einen frischen Verband um den Fuß und ließen sie auf dem Strohsack liegen.

Später am selben Tag ging Eleni zu Tassinas Haus hinüber, das von den Partisanen als Sanitätsstation benutzt wurde. Sie fragte den Partisanenarzt, ob er wohl so freundlich sein und sich den Fuß ihrer Tochter ansehen würde. Ein Küchenunfall, erklärte sie, ein Stück Kohle sei aus der Feuerstelle gerollt und habe ihr die Oberseite des Fußes verbrannt. «Wir haben sofort Mäuseöl drauf getan –» Eleni meinte die im Dorf übliche Behandlung von Brandwunden mit einem Öl, in das eine tote Maus gehängt worden war –, «aber irgend etwas scheint nicht zu stimmen. Der Fuß ist fürchterlich geschwollen.»

Der Arzt erklärte sich einverstanden, und als er den Verband abnahm, sah man den Schock auf seinem Gesicht. «Der Fuß ist entzündet, sie kann ihn verlieren!» sagte er. «Ich werde Ihnen eine Salbe geben – Schluß mit diesem Bauern-Unsinn! Sie müssen die Wunde sauberhalten und täglich den Verband wechseln. Sie darf mindestens einige Wochen lang nicht auftreten. In ein paar Tagen werde ich wiederkommen.»

Zufrieden gratulierten sie sich zu dem Erfolg. Eleni hatte ihre Rolle so gut gespielt, daß der Arzt keinen Verdacht zu schöpfen schien. Am darauffolgenden Tag jedoch erschienen zwei *andartes* mit einer Liste aller unverheirateten Mädchen über fünfzehn im Dorf. Der Arzt hatte ihnen Olgas «Unfall» gemeldet, und nun verlangten sie, daß der Verband abgenommen wurde. Als Eleni sie beim Anblick des Fußes zusammenzucken sah, wußte sie, daß ihre Tochter gerettet war. Die Partisanen jedoch schienen wütend zu sein und befahlen, bevor sie wieder verschwanden: «Dann wirst du eben dafür sorgen, daß deine zweite Tochter Alexandra morgen früh zum Abmarsch mit der Demokratischen Volksarmee bereit ist!»

9

Ende Dezember 1947 beherrschten die kommunistischen Partisanen das gesamte Murgana-Massiv, das sich zweiunddreißig Kilometer weit an der Grenze zwischen Griechenland und Albanien entlangzog, sowie die Grammos-Berge am Nordende des Pindos-Gebirges, wo die Provinzen Epirus und Makedonien aneinanderstoßen. Von diesen Stützpunkten aus vermochten sie die gesamte Nordwestregion Griechenlands zu bedrohen, darunter die Hauptstadt von Epirus, Ioannina.

Die Regierungstruppen versuchten mit ihrer überlegenen Mannschaftsstärke, die Partisanen-Stellungen in der Murgana anzugreifen. Unversehens lagen die besetzten Dörfer wie Lia mitten im Mahlstrom des Bürgerkriegs.

Der Tag, an dem die Partisanen zum Haus der Gatzoyiannis kamen und Eleni befahlen, ihre zweite Tochter für den Abmarsch mit der Demokratischen Volksarmee bereitzumachen, war der 14. Dezember 1947, elf Tage vor Weihnachten. Eleni hatte Olga zwar retten können, doch Kanta, das wußte sie, war verloren. Die Stunden bis zum Morgengrauen verbrachte Eleni damit, um die Tochter zu trauern, die ihr am ähnlichsten war.

Olga und Glykeria hatten die gerundeten Konturen und weichen Züge ihres Vaters geerbt, Kanta jedoch war eckig und schlank, mit den gleichen hohen Wangenknochen, dem gleichen scharf gezeichneten Mund und den gleichen tiefliegenden, empfindsamen Augen wie ihre Mutter. Zwei Tage vor der Eroberung des Dorfes durch die Partisanen war sie fünfzehn geworden, wirkte aber immer noch sehr kindlich, zierlich und flachbrüstig wie ein Knabe.

Mutter und Tochter saßen zusammen, konnten beide nicht schlafen, und Eleni streichelte Kantas Haar. «Wenn du in Ohnmacht fällst, so tust, als ob du krank wärst, und vorgibst, zu dumm zu sein, um etwas zu begreifen, wirst du ihnen vielleicht lästig und sie lassen dich gehen», riet sie ihr. «Sag ihnen, du hast Angst vor Gewehren. Wie können sie ein Baby wie dich an die Front schicken?» Sie hielt inne, um ihre Worte genau zu wägen, und fuhr dann fort: «Halt dich bei Nacht so weit von den Partisanen entfernt wie möglich. Wenn du nicht aufpaßt und im falschen Augenblick einschläfst, könntest du dadurch für immer geschädigt werden.»

Eleni wehrte sich gegen die Vorstellung, daß Kanta vergewaltigt oder erschossen werden könnte, und tröstete sich mit der Gewißheit, daß sie zwar das zierlichste von allen Mädchen, mit Sicherheit aber auch das intelligenteste war. Bis sie das Kopftuch umbinden mußte, war Kanta die beste von allen Schülerinnen gewesen. Genau wie Eleni hatte sie stets den brennenden Wunsch gehegt, dem Dorf zu entfliehen und die Welt draußen zu entdecken. Und auch so anspruchsvoll wie ihre Mutter war Kanta. Sie beschwerte sich über den unangenehmen Geruch ihrer Schwestern, weigerte sich, etwas zu essen, das Nitsa gekocht hatte, und machte sarkastische Bemerkungen über die schlampige Kleidung der Tante und ihre schmutzigen Fingernägel.

Obwohl sie dünn war wie ein Hirtenstab, liebte Kanta gutes Essen genauso fanatisch wie Olga schöne Kleider. Zu einem Tag bei der Herde auf den Bergweiden konnte Eleni sie nur überreden, wenn sie ihr ein besonders gutes Abendessen versprach. Einmal, als ihr der Geduldsfaden riß, belegte Eleni ihre zwei ältesten Töchter halbwegs im Scherz mit einem Fluch. «Du», sagte sie zu Olga, «mögest Kisten voll Kleider haben, wenn du erwachsen bist, und nie etwas zum Anziehen finden! Und du, Schwarze», wandte sie sich an Kanta, «mögest eine Kammer voll köstlicher Speisen haben und nie zufrieden sein mit dem, was du zu essen hast!»

Eleni gab Kantas Launen häufig nach, weil sie wußte, daß sie empfindlicher war als die anderen Kinder, zu sensibel, um an Beerdigungen teilzunehmen, oder beim ersten Anzeichen von Tränen oder Zorn zur Tür hinausstürzte. Von klein auf hatte Kanta Anfälle von Alpträumen, Schlafwandeln, nervösen Magenschmerzen und Ohnmachten gehabt. In der Erinnerung an all das fragte sich Eleni, wie sie das Leben als *andartina* jemals aushalten sollte. Sie konnte nur darum beten, daß die Intelligenz und die Hartnäckigkeit, die in diesem kleinen Körper verborgen lagen, auch ihre Rettung sein würden.

Als Kanta schließlich doch einschlief, deckte Eleni sie behutsam zu und ging im Zimmer umher, um alle möglichen Sachen herauszusuchen. Sie legte zwei warme Wolljacken bereit, die sie gestrickt hatte, dazu ein Paar dicke, handgestrickte Wollstrümpfe. Als der Himmel im Osten sich violett färbte und Kanta erwachte, stand ihr noch der Schreck über einen Alptraum in den Augen. Liebevoll tröstend sprach Eleni auf sie ein und begann sie anzuziehen, als ob sie ein Baby wäre.

Sie wickelte die Reste eines Gemüseauflaufs in ein Tuch und legte noch Käse und getrocknete Feigen dazu. Dann nahm sie ein rautenförmiges, perlenbesticktes Kissen in Briefmarkengröße, das ein Bild des heiligen Nikolaus enthielt, und befestigte es unter Kantas Kleid an ihrem Hemd.

Während Kanta mit einer Tasse Tee dasaß, zerriß plötzlich ein Schrei die eisige Morgenluft, der aus einem Haus hoch über ihnen kam: Die Partisanen hatten mit der Rekrutierung der Mädchen ganz oben auf dem Perivoli begonnen. Eleni lief hinaus und entdeckte, daß die Männer mehrere junge Frauen mit ihren Gewehrkolben den Pfad hinabstießen, während die Mütter der Mädchen hinterherliefen und dabei klagten wie für die Toten. Hastig eilte sie ins Haus zurück, wo Kanta blaß und still mit ihrem Paket auf dem Schoß dasaß und wartete.

«Vom Tag deiner Geburt an hoffte ich, dich dieses Haus als Braut verlassen zu sehen, und nicht, um in den Krieg zu ziehen», sagte Eleni voll Trauer.

Die Schreie kamen näher: Die Partisanen waren im Nachbarhaus und schleppten Rano heraus; ihre Schwester Tassina Bartzokis, die jetzt im achten Monat war, folgte ihr weinend. Die Partisanen richteten die Gewehre auf Tassina und befahlen ihr, ins Haus zurückzukehren. Dann stürmten sie den Hof der Gatzoyiannis, wo sich zwei Mann zu beiden Seiten des Tors postierten, während zwei andere ins Haus eindrangen.

Olga lag auf einem Strohsack, den verletzten Fuß auf einem Schemel, während Nikola und Fotini sich in die Ecken verkrochen. Der Rest der Familie drängte sich um Kanta, doch sie stand auf und sagte gelassen zum Anführer der Partisanen: «Ich bin bereit. Ihr braucht mich nicht zu schlagen.»

Obwohl ihre Unterlippe zitterte, schüttelte Kanta die Hände ihrer Familie ab und nahm ihr Paket. Flankiert von zwei Partisanen, jeder um einen Kopf größer als sie, verließ sie mit unbedeckten Haaren das Haus. Ihr Kopftuch hatte sie zurückgelassen.

Die Familie folgte ihr, am Tor jedoch versperrte ihnen einer der beiden Wachtposten mit seinem Gewehr den Weg. Kanta blickte über die Schulter zu ihnen zurück. «Hör auf zu weinen, Mama», sagte sie, «mir wird schon nichts passieren.»

Eleni versuchte, den Gewehrlauf beiseite zu schieben, Nikola jedoch schlüpfte darunter durch, drehte sich um und musterte die beiden Posten. Wie er feststellte, stand der linke von ihnen, ein Teenager, zwar steif aufgerichtet da, hielt sein Gewehr im Anschlag, und in seinem Gesicht zuckte kein Muskel, dabei aber liefen ihm die Tränen über die Wangen.

In jammernden Gruppen, von den Gewehrkolben der Partisanen vorwärtsgestoßen, wurden fast vierzig unverheiratete Frauen auf den Dorfplatz hinuntergetrieben. Sie wurden in ein ehemaliges Kaffeehaus mit angeschlossener Gemischtwarenhandlung gebracht, das von der Armee übernommen worden war, und hockten dort den ganzen Vormittag, während immer mehr Mädchen, mehr fremde Frauen aus fernen Dörfern zu ihnen in den Raum gezwungen wurden.

Kanta saß, ihr Paket auf dem Schoß, neben der besten Freundin ihrer Schwester, Rano Athanassiou, einer gutgebauten jungen Frau von fünfundzwanzig Jahren mit dunklem Haar und klugem Gesicht. Da ihre Mutter gestorben war, als sie ganz klein war, und ihr Vater kränkelte, hatte das Leben Rano stark gemacht, und Kanta suchte instinktiv bei ihr Schutz.

Um Mittag waren die weiten Räume mit nahezu achtzig neu ausgehobenen Frauen gefüllt, die, von einer Handvoll Partisanen bewacht, überall auf dem Boden saßen. Ein Mann mit sandfarbenem Haar, schmalem Schnurrbart und ironischen braunen Augen nahm an einem Holztisch Platz und verlangte Ruhe. Die Frauen sollten ihn bald als Alekos kennenlernen, einen ihrer drei Ausbilder.

«Ruhe!» befahl er. «Hört auf zu jammern und paßt auf! Von heute an seid ihr Soldaten der Demokratischen Armee und habt die ehrenvolle Aufgabe, euch an dem Kampf zu beteiligen, der Griechenland die Freiheit bringt.»

Mehrere Minuten lang sprach er über die Sache und die Partei, über Verräter, Monarcho-Faschisten und Pflicht, aber das alles bedeutete für Kanta nichts. Als er endete, sah sie verblüfft, daß Rano die Hand hob. Der Leutnant nickte, und sie stand auf.

«Dürfte ich im Namen von uns allen ein paar Worte sagen, Genosse?» fragte Rano, und Kanta staunte über ihren Mut.

«Sprich nur», erwiderte der Partisan mit verkniffenem Lächeln.

«Wir möchten euch beim Kampf für unser Land helfen», erklärte Rano. «Wir möchten uns auf hundert Arten nützlich machen. Wir werden nähen und kochen und eure Kleider waschen und flicken. Wir werden Kranke pflegen und Verwundete versorgen. Aber bitte, gebt uns keine Gewehre! Was verstehen wir Frauen schon von Waffen?»

Der Leutnant wurde puterrot und hob die fest geschlossene Faust. «Wir wollen nicht, daß griechische Frauen hinter uns stehen und Socken stopfen!» brüllte er. «Wir wollen, daß ihr an unserer Seite steht und mit uns kämpft!»

Dabei schlug er mit der Faust auf den Tisch, um sie sogleich mit einem Fluch wieder zurückzuziehen und auf das Blut zu starren, das in seinen Khaki-Ärmel rann: Er hatte sich an einem Nagel verletzt, der aus der rohen Tischplatte ragte. Es wurde ganz still, und Kanta spürte, wie Rano neben ihr zitterte.

Immer schwerer lastete das Schweigen, bis endlich der sandblonde Partisan ein Taschentuch herauszog und es um seine Wunde wickelte. Dann gab er den Wachen einen Wink, und die Frauen wurden hinaus und über den Platz zu einem anderen ehemaligen Kaffeehaus geführt, wo sie kaserniert werden sollten.

In dieser Nacht schliefen die achtzig jungen Mädchen, jeweils zu mehreren unter einer Decke, auf dem Fußboden, während Partisanen bei ihnen Wache standen. Wegen der bitterkalten Dezembertemperatur trug Kanta beide Strickjacken über ihrem Kleid und schmiegte sich eng an Rano, eine der wenigen, die sich nicht in den Schlaf weinten.

Am nächsten Morgen wurden sie vor Tagesanbruch von einem Signalhorn geweckt und für zwei Stunden Frühsport im Gänsemarsch den Berg hinabgeführt. Danach bekamen sie ein Frühstück aus Wintergrüntee in Blechtassen und Maisbrei, der auf Blechteller geschöpft wurde. Als sie die kurze Mahlzeit beendet hatten, begannen die Mädchen, das Geschirr zum Abwaschen zu sammeln, ein Sergeant jedoch, den sie bald nur noch «Frixos» (der Verrückte) nannten, gebot ihnen Einhalt. «Das Kochgeschirr wird gereinigt, indem man einen Strumpf auszieht und es damit auswischt», erklärte er. «In der Demokratischen Armee wird kein Geschirr gespült.»

Auf den Chor der Protestrufe hin hob er die Hand. «Im Kampf

werdet ihr vielleicht vom Boden essen müssen – die Speisen mit Dreck vermischt, ja sogar mit Blut», sagte er. «Es ist euer eigenes Geschirr, euer eigener Löffel, euer eigener Strumpf, euer eigener Mund. Gewöhnt euch daran!»

Angeekelt betrachtete Kanta die erstarrenden Breireste in ihrem Kochgeschirr. Während sie langsam einen ihrer Strickstrümpfe auszog, wurde ihr übel. Diese Übelkeit verstärkte sich noch, als fünf Stunden später das Mittagessen ausgeteilt wurde: ein riesiger Topf Suppe mit zweifelhaften Fleischstückchen in einer fettigen Brühe. Unauffällig drückte sie sich in eine Ecke und aß die Reste, die ihr die Mutter mitgegeben hatte.

Die ersten Tage ihrer militärischen Ausbildung verschwammen in der Qual schmerzender Muskeln, Anfällen trockenen Würgens aufgrund des Hungerns und so totaler Erschöpfung, daß Kanta nur noch benommen zitterte. Die Rekruten durften nur sechs Stunden schlafen – von Mitternacht bis zum Wecken – und wurden sofort zum Frühsport geschickt. Nach dem Frühstück mußten sie ihre ungeladenen Gewehre und Maschinengewehre so lange reinigen und wieder zusammensetzen, bis sie jeden Handgriff im Schlaf beherrschten. Kanta jedoch kämpfte vergeblich mit den gefährlichen Metallstücken und wurde nie rechtzeitig fertig.

Sie lernten eine Anhöhe stürmen, während die Partisanen über ihre Köpfe hinwegschossen, damit sie sich beim Robben tief an die Erde preßten. Und jeweils vormittags gab es Schießausbildung. Beim erstenmal ließ Kanta beim Knall des Schusses und dem schmerzhaften Rückstoß das Gewehr fallen und brach in Tränen aus. «Los, los, *kouchiko!*» höhnte Frixos, den Spitznamen verwendend, den die Partisanen ihr verliehen hatten, weil sie die Kleinste war. «Wie willst du eine *andartina* werden, wenn du vor dem eigenen Gewehr Angst hast?»

Sie lernten Mörser zusammensetzen und abfeuern, Handgranaten werfen, Hindernisse überwinden und Schützenlöcher graben. Zu Kantas Erstaunen wurde hier Milia Drouboyiannis, die stille, mollige achtzehnjährige Tochter des Kesselflickers Nassios Drouboyiannis, zum großen Star. Bisher war Milia stets schüchtern und verdrossen gewesen, hatte sich in der Schule nicht besonders intelligent gezeigt und ihren runden Kopf auf dem zu kurzen Hals immer ein wenig schief gehalten, als wäre sie schwerhörig. Jetzt jedoch verwandelte sie sich in eine fanatische kleine Partisanin, brüllte laut, wenn sie mit dem Bajonett einen Hügel emporstürmte, um es einem Feind in den Bauch zu rammen, gewann jedes Wettschießen und warf drei Handgranaten hintereinander mitten ins Ziel. Milia war die erste von ihnen, die den Rat des Ausbilders befolgte und sich die langen Zöpfe abschnitt, während die anderen schaudernd zusahen.

Von sechs Uhr früh bis Mitternacht durften die Mädchen sich nur während der halbstündigen Mittagspause und der zwei politischen Unterweisungen vormittags und nachmittags hinsetzen, bei denen sie über Ziele und Philosophie der DAG und der Kommunistischen Partei aufgeklärt wurden. Erteilt wurde dieser Unterricht von Alekos sowie einem großspurigen Partisan, den alle nur «Hauptmann» nannten und der im Zivilleben Anwalt war; beide hatten eine Schwäche für Metaphern. Bevor das Gras wachsen könne, dozierten die Ausbilder, müsse man die Brennesseln ausrotten, was hieß, wie Kanta bald lernen sollte, die griechische Nationalarmee, die blutsaugerischen Kapitalisten, die degenerierte Königsfamilie der Glücksburger und alle anderen zu vernichten, die sich den Zielen der Revolutionskämpfer entgegenstellten.

Während der ersten Ausbildungstage lief Eleni im Dorf herum und versuchte in Erfahrung zu bringen, wie es ihrer Tochter erging. Sie hoffte, die Partisanen würden sie sofort zurückschicken, wenn sie sahen, um wieviel kleiner sie war als die anderen, aber sie wartete vergebens. Als sie am nächsten Morgen vom Dorfplatz her das ferne «Eins-zwei, Eins-zwei» der Ausbilder hörte, lief sie zum Exerzierplatz hinab, doch die bewaffneten Wachtposten hielten sie an. «Niemand darf mit den Rekruten Kontakt aufnehmen», wurde ihr mitgeteilt. Wenn sie im Laufe der folgenden Tage das entfernte Geknatter von Gewehrschüssen oder die Explosion einer Granate hörte, sah Eleni jedesmal in Gedanken vor sich, wie Kanta bei einem Ausbildungsunfall in Stücke zerrissen wurde.

Mehrere Tage nach Kantas Zwangsrekrutierung wurde die Familie vom plötzlichen Abzug des Lehrers Elias Gagas und seiner Familie überrascht sowie von der Nachricht, das Gatzoyiannis-Haus sei zum Hauptquartier der Partisanen von Lia bestimmt worden. Es sollte als Quartier und Büro des Obersten Chronis Petritis dienen, der unmittelbar dem Oberbefehlshaber des gesamten Epirus-Kommandos in Babouri unterstand.

Am nächsten Morgen warteten Nikola und Fotini bereits am Tor, als Petritis mit seinem Adjutanten und Burschen erschien, begleitet von einem halben Dutzend Partisanen, die seine Ausrüstung trugen, darunter einen Schaltkasten für die Feldtelefone.

Nikola erinnert sich:
Petritis war ein kleiner, stämmiger, gepflegter Mann mit dunklen Locken und der selbstgefälligen Miene eines wohlgenährten Spaniels; auf mich jedoch wirkte er einfach überwältigend, als ich ihm wie ein Schatten in die gute Stube folgte, wo das Messingbett glänzte und das Feuer loderte. Petritis' erste Handlung dort erfüllte mich mit Bewunderung: Er nahm ein Stück Pappe und drehte es zu einem Kegel, den er über die tropfende Kerosinlampe auf dem nackten Holztisch stülpte. Urplötzlich war das Lampenlicht doppelt so hell und fiel konzentriert auf die Stelle, an der er einige Akten abgelegt hatte. Ich hatte noch nie einen Lampenschirm gesehen und konnte es gar nicht erwarten, meinen Freunden gegenüber mit der Genialität des Offiziers zu prahlen, der bei uns einquartiert worden war. In der kommunistischen Schule lernten wir, die DAG-Soldaten seien dem Feind in jeder Hinsicht überlegen; daher war ich stolz darauf, daß Petritis bei uns war, und fühlte mich von ihm beschützt. Mir schien, eine Armee mit so klugen Offizieren könne den Krieg gar nicht verlieren, doch bald schon sollten mir sowohl die Bewunderung für Petritis als auch der Glaube an seine Armee vergehen.

Eleni bemerkte den Lampenschirm kaum, als sie dem Oberst in aller Eile Brennholz, Decken, Walnüsse in Honig und etwas von ihrem kostbaren Kaffeevorrat brachte. In dem Moment, da Petritis ihr Haus betrat, war ein Funke Hoffnung in Elenis Brust aufgeflammt. Dieser Mann war mächtig genug, Kanta vom Militärdienst befreien zu lassen, und sie war entschlossen, ihn möglichst bald für sich zu gewinnen.

Das Auftauchen des Obersten schien tatsächlich ein Glücksfall zu sein. Eleni hatte keine Ahnung davon, daß er jener ELAS-Kommandant war, der während der Okkupation die Verhaftung der EDES-Sympathisanten angeordnet hatte, bei der ihr Vater Kitso verprügelt, Vasili Stratis fast totgeschlagen und ein junger Mann aus Tsamanta ermordet worden war, weil ihm ein Nagel am Ende eines Knüppels ins Gehirn drang. Petritis wirkte nicht wie ein Mörder. Seine wohlgenährte Gestalt und die beiden blitzenden Goldzähne bewiesen, daß er ein weltgewandter, gebildeter Mann war, und so war die Familie durchaus nicht erstaunt, via den Dorfklatsch zu erfahren, daß er früher Lehrer gewesen war.

Antonis, sein Adjutant, sprach mit anatolischem Akzent und war ebenfalls gebildet. Jedesmal, wenn er Nikola ansah, bekam er traurige Augen. Nach und nach erfuhr Eleni, daß Antonis ein Lehrer aus Konstantinopel war, der anläßlich eines Besuchs bei seinen Eltern im nahen Vischini gegen seinen Willen für die DAG rekrutiert worden war. In Konstantinopel warteten seine Frau und ein Sohn in Nikolas Alter auf ihn, die er beide seit fast einem Jahr nicht mehr gesehen hatte. Schon bald fiel Eleni auf, daß Antonis sich Nikola gegenüber wie ein Beschützer verhielt, ihn schalt, wenn er zu hoch in den Walnußbaum kletterte oder bei Regen ohne Schuhe hinauslief, und sie wußte, daß er sich nach seinem eigenen Sohn sehnte. Sie spürte, daß er der sensibelste der Partisanen war, und hoffte, ihn bei ihren Bemühungen um Petritis' Hilfe einspannen zu können.

Ein Teil dieser Bemühungen bestand darin, daß Eleni Petritis mit kleinen Aufmerksamkeiten überschüttete. Bei erster Gelegenheit zeigte sie ihm den letzten Brief ihres Mannes, wie sie ihn ja auch Spiro Skevis gezeigt hatte. Petritis las ihn und reichte ihn ihr mit beifälligem Nicken zurück.

Als Petritis eines Tages dazukam, wie Eleni über dem Brottrog weinte, nahm sie all ihren Mut zusammen und erzählte ihm, daß Kanta als *andartina* konskribiert worden war. «Sie ist loyal, aber sie ist noch so jung – gerade erst fünfzehn – und so mager und anfällig!» schluchzte Eleni.

«Keine Angst, es wird ihr schon gutgehen», gab Petritis zurück, und Eleni vermeinte, eine Spur Mitgefühl herauszuhören.

Aber es ging Kanta gar nicht gut; sie hungerte, weil sie sich nicht überwinden konnte, aus dem gemeinsamen Topf zu essen. Rano wußte, wie sehr sie litt, und steckte ihr manchmal eine Kleinigkeit zu, die sie einem der Partisanen abgeschwatzt hatte: eine Zwiebel, eine Gurke oder ein Ei.

Während einer politischen Schulung glitt Kanta graziös zu Boden und rieb sich die schmerzenden Beinmuskeln.

«Nach der Revolution werden die Frauen Seite an Seite mit den Männern arbeiten», erklärte der Hauptmann. «Frauen werden lernen, Flugzeuge zu fliegen, Autos zu fahren, ja sogar Anwalt zu werden. Und sie werden für ihre Arbeit genauso bezahlt werden wie die Männer. Die Frauen werden ihr eigenes Geld verdienen!»

Diese neuartige Idee gefiel Kanta, und sie begann trotz ihrer Schmerzen zu überlegen, was sie sich kaufen würde. Mit geschlossenen Augen träumte sie von kurzen, seidenen, amerikanischen Kleidern, von Tischen, die nahezu brachen unter der Fülle köstlicher Leckerbissen, Ragouts von gebratenem Hasenfleisch mit Zwiebeln wie Perlen und einer dicken Sauce, die den Löffel überzog. Wie lange war es her, daß sie zuletzt Fleisch gegessen hatte?

Ihr Traum wurde von einer Wendung des Vortrags unterbrochen, bei der sie zusammenzuckte.

«Warum ißt die Familie von Minas Stratis Fleisch, während ihr nichts anderes habt als Maisbrei?» donnerte Alekos. «Warum hat die Amerikana eine Vierzimmervilla, während die Familie Yakou in einer winzigen Hütte haust? Nach der Revolution werden alle dasselbe essen, und wenn eine Familie drei Zimmer hat, werden wir eines davon den Armen geben.»

Kanta spürte die vorwurfsvollen Blicke der Mädchen ringsum. Sie argwöhnte, daß sie ihre Familie bereits als Teil jener Brennesseln zu sehen begannen, die ausgerottet werden mußten, bevor das Gras wachsen konnte.

Sie schützte sich, indem sie einfach nicht zuhörte. Sobald Alekos auf seinen Lieblingsklischees herumzuhämmern begann, versenkte sie sich in ihre Tagträume. Sie schloß die Augen und stellte sich vor, mit ihrer Mutter in der nach Hefe duftenden Küche zu sein, das Butterfaß zu drehen und zu beobachten, wie die Schicht aus Sahne und goldgelben Butterklumpen an die Oberfläche der Milch zu steigen begann.

Kanta merkte gar nicht, daß sie im Sitzen eingeschlafen war, bis sie von einer schallenden Ohrfeige zur Seite geschleudert wurde. «Langweilen wir dich so sehr, daß du während der Schulung schläfst?» fragte Alekos ironisch-fürsorglich. «Wenn du die Ziele der Demokratischen Armee so uninteressant findest, wie wär's denn, wenn du zur Abwechslung mal die Zeit damit verbringst, auf den Propheten Elias zu laufen und wieder zurück?» Er deutete auf die winzige Kapelle hoch oben auf dem Gipfel und rückte sein Gewehr zurecht. «Marsch, marsch!» fuhr er sie an. «Lauf los und werde ja nicht langsamer! Wir werden dich von hier aus beobachten.»

Kanta sah die erwartungsvollen Blicke der Mädchen, einige spöttisch, einige mitleidig. Niemand glaubte, daß sie es so weit hinauf und wieder herunter schaffen würde. Sie stand auf und setzte sich, barfuß, wie sie war, in Trab. Bald krabbelte sie auf Händen und Knien die steile Bergflanke empor, sich an Büsche klammernd und am ganzen Leib zitternd vor Sauerstoffmangel, nur vage ihrer schmerzhaften Schrunden an Knien und Füßen bewußt. Wenn sie jetzt hinfiel, würde sie nicht wieder aufstehen können, das wußte sie; also biß sie sich auf die Lippen, bis sie bluteten, um ihre ganze Energie auf eine einzige Aufgabe zu konzentrieren: nicht innezuhalten. Sie mußte ihnen beweisen, daß man ihren Willen nicht brechen konnte. Als Kanta schließlich auf den Kirchhof zurückgewankt kam, entdeckten einige Mädchen, kurz bevor sie zusammenbrach, ein leichtes, triumphierendes Lächeln auf ihrem Gesicht.

Hätte Eleni an jenem Tag im Garten gearbeitet und zum Propheten Elias emporgeblickt, sie hätte die Strafübung ihrer Tochter mit ansehen können; aber sie saß nachdenklich in der Küche.
 Es hatte sich sehr schnell herausgestellt, daß Petritis der Gatzoyiannis-Familie durch seine Gegenwart das Leben nur schwerer machte. Sie waren auf zwei kleine Räume angewiesen – Küche und Vorratskammer –, den ursprünglichen Teil des Hauses. Nacht für Nacht wurden sie von Petritis gestört, der in sein Telefon schrie, und von den schweren Schritten seiner Kuriere. Waren die Meldungen über die Kämpfe schlecht, ließ er alle in seiner Umgebung dafür bezahlen. Eleni wurde ständig ermahnt, dafür zu sorgen, daß die Kinder Ruhe hielten, weil diese sonst bestraft würden.
 Das schlimmste aber war der Anblick und der Duft der Speisen, die von Petritis' Burschen, einem jungen Mann namens Christos, zubereitet wurden. Die Familie lebte von Maisbrei, Bohnen und Milch, denn der größte Teil ihrer Wintervorräte war von den Partisanen beschlagnahmt worden. Eines Abends bereitete der Bursche für die Offiziere einen riesigen Topf Spaghetti zu, während Fotini und Nikola hungrig an der Küchentür herumlungerten und jede seiner Bewegungen verfolgten. Zuerst kochte er die Spaghetti, dann briet er sie in einer Pfanne voll brutzelnder Butter und bestreute sie mit einem Schneesturm von Käse. Als Eleni aus der Vorratskammer herübersah, entdeckte sie den Ausdruck auf den Gesichtern ihrer Kinder. «Bitte, Genosse Christos», sagte sie, «könntest du den beiden Kleinen nicht ein winziges bißchen abgeben? Sie haben seit der Zeit vor dem Krieg keine Spaghetti mehr gesehen.»

«Sei still, Frau, sonst hört uns Oberst Petritis!» zischte der junge Partisan mit einem verstohlenen Blick über die Schulter. «Ich darf mir selbst nicht mal einen Bissen nehmen, geschweige denn deinen Kindern etwas abgeben! Und jetzt schaff die beiden hier raus, sonst kriegen wir alle zusammen noch Ärger!»

Nikola las Hilflosigkeit und Zorn im Gesicht seiner Mutter, als sie den Kindern mit einer heftigen Gebärde bedeutete, in die Vorratskammer hinüberzugehen. Flüsternd ermahnte sie sie, nie mehr einen Fuß in die Küche zu setzen, solange der Offiziersbursche sich darin aufhielt. Nikola spürte ihren Schmerz und wünschte, er wäre ein Mann, damit er sie vor der grausamen Tyrannei des kleinen Obersten beschützen könnte, der das Messingbett seines Vaters beschlagnahmt hatte und seine Mutter herumkommandierte wie einen Dienstboten.

Ungefähr ein bis zwei Tage später hörte Eleni Petritis wütend brüllen und sah, daß er alle Wachtposten zu sich ins Büro befahl, bevor er selbst zur Tür hinausstürmte. Kurz darauf wurde Eleni von Antonis in die gute Stube befohlen.

Der Oberst vermisse einige von seinen persönlichen Sachen, erklärte ihr der Adjutant: Patronen, ein Rasiermesser und sogar Tabak. Der Oberst vermute einen Verräter unter seinen Männern, die ja nicht alle Freiwillige seien. Er werde eine gründliche Untersuchung durchführen.

Antonis wartete einen Moment und meinte dann, es sei doch seltsam, daß der Dieb sich am Rasiermesser und am Tabak des Obersten vergriffen habe. Möglicherweise handele es sich um einen Dummejungenstreich. Eleni erstarrte. «So etwas würden meine Kinder niemals tun!» erklärte sie kalt. «Oberst Petritis ist Gast in unserem Haus.»

«Fragen Sie sie trotzdem», bat Antonis. «Es wäre tragisch, wenn ein Unschuldiger die Folgen eines Kinderstreichs büßen müßte.»

Eleni sah, daß er genauso große Angst hatte, wie sie selbst. Sie trat ans Fenster und rief die Kinder herein. Der Anflug von Panik in ihrer Stimme bewirkte, daß sie sich sofort in Trab setzten.

In der Küche berichtete Eleni ihnen, was passiert war, und sah dabei, daß Nikola, im Gegensatz zu seinen Schwestern, ihren Blicken auswich und sich angelegentlich mit dem Schürhaken befaßte. Sie rief ihn zu sich und ergriff seine Hände.

«Du weißt doch, daß Oberst Petritis ein sehr mächtiger Mann ist, nicht wahr?» fragte sie ihn. Er nickte, ohne sie anzusehen.

«Und du möchtest doch nicht, daß er Kanta etwas antut, nicht wahr?»

Als Nikola sie jetzt ansah, funkelte eine Andeutung von Verschlagenheit in seinem Blick. «Wenn ich ihm seine Sachen zurückgebe», fragte er, «wird er dann Kanta heimkommen lassen?»

Eleni verbarg ihren Schrecken und sprach mit ruhiger Stimme liebevoll auf ihn ein. Es dauerte fast eine Viertelstunde, doch schließlich legte er ein Geständnis ab.

Als die Nachbarn zum Mittagessen nach Hause kamen, wurden sie Zeugen einer seltsamen Prozession: Nikola mit seiner Mutter an der Spitze, dann Antonis und Petritis sowie ein halbes Dutzend Partisanen mit Spaten – alle mit todernstem Gesicht.

Nach wenigen Minuten schon hatten sie nach Nikolas beschämten Anweisungen die Beute im unteren Teil des Gartens zutage gefördert. Einer der Partisanen langte in die Grube und zog eine durchnäßte braune Socke mit vielen Ausbuchtungen hervor. Antonis schüttete den Inhalt auf den Boden, und alle starrten den Jungen an.

Plötzlich packte Eleni ihren Sohn bei einem Ohr, zerrte daran und schrie auf ihn ein: «Du kleines Miststück! Du schwarzer Teufel! Wie kommst du dazu, dich an den Sachen von Oberst Petritis zu vergreifen? Der Oberst ist ein willkommener Gast in unserem Haus, und du machst so etwas!» Sie holte aus und versetzte ihm eine Ohrfeige, daß ihre Finger tiefrote Abdrücke hinterließen.

Das war das einzige Mal, daß sie ihn jemals geschlagen hatte. Nikolas Schmerz wurde überlagert vom Schock, vom absolut unvorstellbaren Schock der Erkenntnis, daß sie sich gegen ihn wenden konnte, aber er würde ihr nicht die Genugtuung bereiten, sie seine Tränen sehen zu lassen. Er hatte es für sie getan, aus Rache an dem Mann, der sie tyrannisierte und einschüchterte. Erst Jahre später wurde ihm klar, daß sie ihn nur deswegen geschlagen hatte, weil sie hoffte, dadurch die Strafe abzuwenden, die Petritis ihm zu verabfolgen gedachte.

Und es klappte. Petritis begnügte sich mit einer Warnung: «Von heute an wird deine Familie auf ihrer Seite des Hauses bleiben, und du wirst deine Kinder an die Kandare nehmen. Sonst kann es sehr unangenehm für euch werden.» Eleni war sich darüber klar, daß Nikola ihre Chancen, Kanta mit Hilfe des Obersten zu befreien, mit seinem Streich endgültig zunichte gemacht hatte. Müde kehrte sie ins Haus zurück, die trostlose Dezemberlandschaft von der Farbe einer

Kohlezeichnung, die ihre Verzweiflung spiegelte, hinter sich lassend.

Auf dem Weg zur Haustür zeichnete sich für Eleni jedoch ein ganz schwacher Hoffnungsschimmer ab: Nikola Paroussis, der bärtige junge Partisan, war zwar zur Tür hinausgestürmt, als sie ihn daran erinnerte, daß sie ihn während der Okkupation bei sich versteckt hatte, doch das änderte nichts an der Tatsache, daß er ihr etwas schuldete.

Ungefähr eine Woche nachdem man sie aus den Armen ihrer Familie gerissen hatte, wurden die weiblichen Rekruten einer weiteren Schmach unterworfen – jener Schmach, vor der sie sich von Anfang an am meisten gefürchtet hatten: Jede von ihnen bekam eine Khaki-Uniform, manche davon blutgetränkt und durchlöchert, eindeutig von einem Toten stammend. Von nun an, hieß es, würden sie die Frauenkleider ablegen und wie Soldaten der Demokratischen Armee auftreten – in Hosen. Einige Mädchen kicherten, die meisten aber erröteten vor Scham, als sie die viel zu weiten Beinkleider anzogen. Die kleineren Mädchen wie Kanta mußten die Hosenbeine mehrfach aufkrempeln, bevor sie sie in die schweren, eisenbeschlagenen Stiefel stecken konnten.

Kanta selbst wäre lieber im Hemd über den Dorfplatz marschiert als in Hosen; zu ihrem Erstaunen jedoch schienen ein paar Mädchen sich über den neuen Staat zu freuen, imitierten den überheblichen Gang der Männer und schulterten ihre Gewehre in einer unbewußten Nachahmung männlicher Härte. Mädchen wie Rano und Milia Drouboyiannis schienen mit den weiten wollenen Frauenkleidern, die sie ihr Leben lang getragen hatten, auch ihre züchtige Zurückhaltung abzulegen.

Die Ausbilder teilten ihnen mit, die nachmittägliche politische Schulung werde diesmal durch eine Tanzvorführung auf dem Dorfplatz ersetzt: Die *andartinas* sollten in ihren neuen Uniformen mit geschulterten Gewehren tanzen. Und vor allem lächeln sollten sie dabei, um allen zu zeigen, wie glücklich sie waren, Soldaten der Demokratischen Armee zu sein.

Während die Kirchenglocken alle Einwohner zum Dorfplatz riefen, klammerten die *andartinas* sich schutzsuchend aneinander. Schockiert starrten die Dörfler ihre einheimischen Mädchen in dieser schamlosen Aufmachung an. Eleni, die mit ihrer nächsten Nachbarin kam, suchte verzweifelt, bis sie endlich Kanta entdeckt hatte, die sich hinter Rano versteckte.

Frixos stellte die nervösen Mädchen in einer Reihe auf, bei der Kanta, die Kleinste, das Schlußlicht bildete. Als alle eingetroffen waren, begannen die Partisanen zu singen und im martialischen Rhythmus ihrer Revolutionslieder in die Hände zu klatschen.

Auf ein Zeichen von Alekos begann das Mädchen, das die Führung hatte und ein weißes Taschentuch in der Hand trug, mit den schnellen Schritten des *kalamatianos*: drei Schritte nach rechts, zwei nach links und dann einen knicksenden Schritt zurück, bevor die Reihe sich wieder nach vorne bewegte. Kanta, die rechte Hand auf die Schulter des Mädchens vor ihr gelegt, wurde vom Gewicht der Waffe auf ihrem Rücken immer wieder aus dem Gleichgewicht gebracht. Ihre Hände waren feucht, und sie vermochte nicht Schritt zu halten. Blutrot im Gesicht, trat sie aus der Reihe und schlich sich zu Frixos hinüber. «Bitte, Genosse Sergeant, darf ich nicht ohne mein Gewehr tanzen?»

Ärgerlich winkte er sie in die Reihe zurück. «Du mußt lernen, dein Gewehr als Teil deines Körpers zu betrachten», sagte er. «Reih dich wieder ein, und vergiß nicht zu lächeln!»

Mit zur Grimasse erstarrtem Gesicht gab Kanta sich die größte Mühe, geriet aber immer wieder aus dem Takt und mußte hüpfen, um die anderen einzuholen. Sie sah ihre Mutter mit schmerzerfüllter Miene in der vordersten Reihe stehen.

Die Reihe der Tänzerinnen wand sich zur Spirale, und Kanta wurde an den verwunderten Gesichtern der Dorfbewohner vorübergezerrt. Als sie sich ihrer Mutter näherte, streckte Eleni die Hände aus, als wolle sie ihr helfen. Der Ausdruck auf dem Gesicht ihrer Mutter verriet Kanta, wie sie in dieser unanständigen Hose aussah. Sie ließ den Kopf hängen, und Eleni sah die Tränen ihrer Tochter zu Boden tropfen.

Einige Tage vor Weihnachten wurde die Aktivität um Petritis hektisch: grimmig dreinblickende, kampfverschmutzte Partisanen kamen mitten in der Nacht, und es gab gedämpfte Diskussionen und viel Geschrei. Eleni hatte das Gefühl, daß sich ein Gewitter zusammenbraute. Eines Nachts hörte sie Petritis ins Feldtelefon brüllen: «Wir werden so viele schicken, wie wir können, aber wir müssen genug zurückbehalten, um unsere eigenen Stellungen nicht zu gefährden.»

Wenige Tage später sammelten sich mehrere Partisanen-Einheiten auf dem Dorfplatz; ihre Ausrüstung trugen sie teils auf dem Rücken, teils hatten sie sie auf beschlagnahmte Esel gepackt. Vor den Augen der beunruhigten Dorfbewohner stiegen sie in Einerreihe nach Nordosten in die Berge und verschwanden hinter dem Propheten Elias. Eindeutig stand eine Schlacht bevor — aber wo?

Am Weihnachtstag absolvierten die *andartinas* ihr gewohntes Ausbildungsprogramm, aber die Ausbilder waren nicht bei der Sache. Die Mädchen hatten genug gehört, um zu ahnen, daß etwas Wichtiges bevorstand. Niemand erklärte ihnen, daß die Partisanen vor der Nase von General Markos an diesem Vormittag bei Konitsa die erste große Schlacht des Bürgerkriegs geschlagen hatten. Den ganzen Tag lang trafen auf dem Exerzierplatz Kuriere von Petritis ein und flüsterten Alekos und Frixos Meldungen ins Ohr, die den beiden gut zu gefallen schienen. Die Mädchen schliefen in dieser Nacht umgeben von gewisperten Gerüchten und Spekulationen.

Als sie am nächsten Morgen vor Tagesanbruch erwachten, hörten sie in den Vorbergen unterhalb Lias auf den drei Gipfeln, die den gegenüberliegenden Rand des Talkessels bildeten und wo sich die vorgeschobenen Linien der Partisanen befanden, das Dröhnen der Schlacht. Die Mädchen drängten hinaus und entdeckten weit im Süden Rauch und Feuer. Wie Zuschauer auf den obersten Rängen eines Amphitheaters beobachteten sie die rote Leuchtspur der Mörsergranaten, das unregelmäßige, hektische Aufblitzen der Maschinengewehre und gelegentlich den graziösen Bogen einer blauen Leuchtkugel: Um zu verhindern, daß die Murgana-Partisanen Verstärkung nach Konitsa schickten, hatten die Regierungstruppen die Kommunisten in kleinere Gefechte in den Vorbergen verwickelt.

In dieser Nacht erhielten die *andartinas* Befehl zum Packen; sie würden verlegt. Die Front rückte näher, also würden sie über ihre heimatlichen Bergketten nach Vatsounia marschieren, acht Kilometer weit nordöstlich. Ihre Maschinengewehre müßten sie selbst tragen; sie sollten sich abwechseln. Kanta gehörte zur ersten Gruppe, der je eins der schweren MG auf den Rücken geschnallt wurde.

Der Schlafmangel, der Schlachtenlärm und der Verdacht, daß sie verlegt wurden, um an den Kämpfen teilzunehmen, raubte ihnen die Kraft. Tief gebeugt unter der Last der Waffe, den ätzenden Geschmack der Angst im Mund, kämpfte Kanta sich zum Gipfel des Propheten Elias empor. Sie hatte Mühe, im Dunkeln den Anschluß nicht zu verlieren, fürchtete ständig, zu stolpern und unter dem schweren MG zusammenzubrechen.

Doch es war Afrodite Fafoutis, die magere Siebzehnjährige unmittelbar vor Kanta, die ohnmächtig zusammenbrach, bevor sie den ebenen Dreschplatz auf dem Plateau unterhalb der Kapelle des Propheten erreicht hatten. Das junge Mädchen blieb, obwohl die Offiziere sie fluchend mit den Stiefeln bearbeiteten, regungslos liegen. Daraufhin gaben sie unmittelbar an ihrem Ohr einen Schuß ab, um zu sehen, ob sie simulierte, doch als sie nicht einmal zusammenzuckte, nahmen sie ihr zornig das MG vom Rücken und befahlen den anderen, weiterzumarschieren. Afrodite ließen sie liegen, wo sie gefallen war. Ein-, zweimal blickte Kanta sich noch nach ihr um, bis der bleiche Fleck ihres Gesichts im Dunkeln versank. Und da sie steif und fest an Geister glaubte, hatte sie das Gefühl, die Nacht sei belebt von körperlosen, grinsenden Totengestalten, die nur darauf warteten, daß sie einen Fußbreit vom Pfad abkam.

Als sie fünf Minuten Rast machten, um ihre Lasten zu übergeben, hörte Kanta ein Pferd näher kommen. Jemand zündete eine Kerosinlaterne an, und aus dem Dunkel tauchte ein Reiter auf: Nikola Paroussis, der hagere, blondbärtige junge *andarte*, den ihre Mutter zwei Jahre zuvor in ihrer Vorratskammer versteckt hatte. Er saß ab, sprach mit den Offizieren und ging sodann die Reihe der Mädchen entlang. Als er zu Kanta kam, lächelte er und fragte sie: «Na, wie geht's, Kleine? Haben sie schon eine *andartina* aus dir gemacht?»

Sein freundlicher Ton bewirkte, daß sie all ihre Ängste hervorsprudelte. «Ach, Nikola, ich werde sterben! Ich kann das Gewehr nicht tragen, ich kann nicht aus dem gemeinsamen Topf essen. Ich verhungere allmählich, und ich will nach Hause!»

Er zwinkerte ihr verschwörerisch zu und machte ihr das «Kopf hoch!»-Zeichen. Dann verschwand er wieder im Dunkel, während Kanta hinter ihm herstarrte.

Als die Einwohner von Lia am Morgen des 27. Dezember erwachten, hörten sie, daß die Schlacht im Süden näher kam und von den gegenüberliegenden Gipfeln bis in die Vorberge unter ihnen vorgerückt war. Und Eleni machte im Laufe des Vormittags eine Entdeckung, bei der sie blaß wurde. Glykeria kam ins Haus gelaufen und schrie: «Mama, die *andartinas* sind nicht mehr da! Heute nacht haben sie Kanta weggebracht!»

Die Mütter des Perivoli standen in erregt flüsternden Gruppen zusammen, voll Angst, ihre Töchter könnten in die Schlacht geschickt worden sein, die sie da unten toben hörten. Gegen Mittag jedoch erreichte sie die beruhigende Nachricht, die Mädchen seien gesehen worden, wie sie in die entgegengesetzte Richtung, nach Nordosten, marschierten.

Es dauerte die ganze Nacht, bis die *andartinas* Vatsounia erreichten, wo sie in der Schule, durch einen weiten Platz von den kleinen Steinhäusern getrennt, kaserniert wurden. Völlig durchfroren und erschöpft fielen sie zu Boden, wo sie standen, und schliefen die wenigen Stunden, die ihnen noch blieben, bis der Weckruf sie bei Morgengrauen aufscheuchen würde.

Nachdem sie von zu Hause nach Vatsounia verlegt worden waren, ging eine kaum erkennbare Veränderung mit ihnen vor. Kanta selbst fühlte sich elender und einsamer denn je, weil sie wußte, daß ihre Mutter keine Ahnung hatte, wo sie war, aber es entging ihr nicht, daß sich die anderen Mädchen auf verwirrende Weise wandelten. Einige versuchten die anderen auszustechen und die Ausbilder mit ihrer Treffsicherheit beim Schießen zu beeindrucken. Statt gemeinsam zu plaudern und zu jammern, teilten sie sich in Cliquen, plapperten die Propagandaphrasen der politischen Schulung nach und tuschelten über die Mädchen, die sie des Verrats an ihrer Sache verdächtigten. Sogar Rano schien anders geworden zu sein – irgendwie härter und im Gespräch mit den männlichen Partisanen freier.

Einige Mädchen aus dem Dorf, wie etwa Milia Drouboyiannis, die errötet wären, wenn ein vorbeikommender Schäfer ihnen auch nur einen guten Tag gewünscht hätte, begannen jetzt offen mit den Männern zu flirten. Kanta hatte den Rat ihrer Mutter, sich bei Nacht möglichst von den Partisanen-Posten fernzuhalten, nicht vergessen und lag häufig ganz allein in einer Ecke, wo sie sich zwang, die Augen offenzuhalten, bis sie sicher war, daß alle Männer, die sich im selben Raum befanden, eingeschlafen waren.

Eines Nachts beobachtete sie, wie eine hübsche Blondine von ungefähr zwanzig Jahren sich neben einem jungen *andarte* ausstreckte – so dicht, daß sie ihn praktisch berührte. Kanta sah, wie das Gesicht des Mannes einen verkniffenen Ausdruck annahm, bis er sich umdrehte und vorgab, eingeschlafen zu sein.

Die älteren Mädchen vermuteten oft flüsternd, daß man den Männern etwas gegeben habe, das ihren Geschlechtstrieb unterdrückte, Kanta jedoch vermutete als Grund für ihre Keuschheit eher die

Tatsache, daß jeder *andarte*, den man eines Techtelmechtels mit einer Frau verdächtigte, vor ein Standgericht kam und auf der Stelle erschossen wurde. Sie hatte selbst gesehen, wie der Leichnam eines der Vergewaltigung beschuldigten Partisanen auf dem Rücken eines Pferdes von Dorf zu Dorf geführt wurde, um das Schicksal all jener zu demonstrieren, die sich nicht an das DAG-Gesetz der Enthaltsamkeit hielten.

In jener Nacht blieb Kanta noch viele Stunden lang wach, sah zu, wie das Mädchen aus ihrem Dorf und der junge Partisan nebeneinander schliefen, und dachte über die erstaunlichen Dinge nach, die sie in den zwei Wochen erlebt und erfahren hatte, seit sie aus ihrem Elternhaus fortgeholt worden war.

Während die unverheirateten Frauen von Lia zu Partisanen ausgebildet wurden, bürdete man den verheirateten, je mehr sich der Krieg dem Dorf näherte, immer mehr Lasten auf. Da es im Gatzoyiannis-Haus vier erwachsene Frauen gab – Eleni, ihre Mutter Megali, ihre Schwester Nitsa und Olga –, kamen die Boten der Partisanen nahezu jeden Tag, um eine von ihnen zum Arbeitsdienst abzuholen. Doch Olga war immer noch durch die Brandwunde an ihrem Fuß behindert, Megali behauptete weinend, sie sei zu alt dafür, und dann verkündete Nitsa eines Abends Ende Dezember, sie werde nun auch keine Schwerarbeit mehr verrichten können: sie sei schwanger.

Diese Mitteilung, vorgetragen voll Genugtuung über das Staunen, das sie hervorrief, schlug bei der Familie wie eine Bombe ein. Alle lächelten unsicher, fest überzeugt, es sei ein Scherz. Für Nitsa jedoch war das Thema Schwangerschaft alles andere als ein Scherz. Seit fünfundzwanzig Jahren betete sie Tag für Tag um ein Kind. Sie hatte geweihte Kerzendochte und Stücke von Nabelschnüren verschluckt, ihren Strohsack mit dicken Knoblauchknollen vollgestopft, bei den Hexen der Umgebung zahllose Fläschchen mit Zauberwasser gekauft. Und im letzten Oktober, einen Monat bevor ihr Mann mit den anderen Männern zusammen das Dorf verließ, hatte sie ihren stärksten Zauber zelebriert.

Sie hatte ein langes Hanfseil mit weichem Wachs bestrichen und daraus eine hundert Meter lange, geschmeidige «Kerze» gemacht, die sie rings um die ausgebrannte Ruine der Kirche zur Heiligen Jungfrau legte. Dann hatte sie das eine Ende angezündet und sich einen ganzen Tag und eine ganze Nacht lang im Schneidersitz in den Mittelpunkt der Ruine gehockt, bis die Flamme ganz um die Kirche herumgelaufen war. Und dieser Zauber hatte, wie Nitsa ihrer verblüfften Mutter und Schwester erklärte, schließlich gewirkt. «Die Heilige Jungfrau hat an mir ein Wunder vollbracht, sie hat ein Kind in meinen Leib gepflanzt, und ich weigere mich, mein Glück aufs Spiel zu setzen, indem ich Schweres hebe, mich bücke oder sonst etwas tue, das eine Fehlgeburt herbeiführen könnte», verkündete sie hochtrabend.

«Gott gebe, daß es wirklich so ist, Schwester», antwortete Eleni, «aber du bist vierundvierzig Jahre alt! Woher weißt du, daß es nicht die Wechseljahre sind?»

«Unsinn!» erwiderte Nitsa gelassen. «Alle Anzeichen einer Schwangerschaft sind vorhanden: Meine Monatsblutung hat aufgehört, meine Brüste sind von Milch geschwollen, mein Bauch ist schon so dick geworden, daß ich meine Röcke nicht mehr schließen kann, und wenn ich ein Bleigewicht an einem Faden über meinen Bauch halte, pendelt es hin und her. Nein, nein, es gibt nicht den geringsten Zweifel. Und deswegen kann ich es nicht mehr riskieren, Schwerarbeit zu leisten.»

Nitsas Schwangerschaft wurde zum Hauptgesprächsthema im Perivoli. Alle Frauen waren sich einig darin, daß sie tatsächlich danach aussehe, und ihr Bauch nahm so schnell an Umfang zu, daß schon von Zwillingen gemunkelt wurde. Sie nahm den wiegenden Gang aller Griechinnen an, die stolz auf ihre Schwangerschaft sind – durchgedrücktes Kreuz, weit vorgestreckter Bauch –, und schritt mit der majestätischen Schwerfälligkeit eines Elefanten dahin. Das Wunderkind werde im August zur Welt kommen, teilte sie mit.

So wurde Eleni zur einzigen Frau im Haus, die noch in der Lage war, den der Familie aufgezwungenen Anteil am Arbeitsdienst zu leisten. Kaum ein Tag verging, an dem sie nicht von morgens bis abends für die Partisanen arbeitete, kochte, Brennholz sammelte, Nachschub oder Meldungen transportierte, Uniformen flickte und Befestigungsanlagen baute. Und seit am Weihnachtstag die Kämpfe in den Vorbergen begonnen hatten, fiel den Frauen von Lia noch eine weitere Aufgabe zu, die Eleni bedrückender fand als alle anderen: der Verwundetentransport.

Nahezu jeden Tag kamen Partisanen aus den Vorbergen herauf, die Kameraden mit Schuß- und Splitterwunden brachten. Diese Verwundeten mußten die Frauen in Etappen bis nach Babouri tragen, wo ein neues Team sie übernehmen und nach Tsamanta schaffen würde, während eine dritte Abteilung Frauen sie dann nach Albanien in medizinische Obhut brachte. Nachdem die Regierungstruppen näher rückten und am 30. Dezember Tsamanta einnahmen, fiel die westliche Route nach Albanien aus, und die Verwundeten mußten in die entgegengesetzte Richtung, nordöstlich nach Vatsounia, transportiert werden.

Die Bahren bestanden aus einem Stück Segeltuch zwischen zwei langen Stangen und wurden jeweils von vier Frauen getragen. Doch so sehr sich die Trägerinnen auch bemühten, vorsichtig zu sein – die Verwundeten stöhnten bei jedem Stoß. Die Hände der Frauen waren voll Blasen; schmerzhafte Muskelkrämpfe zogen sich quer über ihre Schultern und bis in die Beine hinab.

Bergauf kämpften sie gegen das Gewicht, kamen häufig ganz zum Stehen und schwankten sekundenlang auf den Füßen, bis es ihnen gelang, ihre Beine wieder zum Gehen zu zwingen. Ging es bergab, verknoteten sich ihre Oberschenkelmuskeln vor Anstrengung, nicht ins Laufen zu geraten, die Bahre waagrecht zu halten und vorsichtig zu gehen. War der Mann schwer, schafften die Frauen höchstens ein paar hundert Meter, bis sie anhalten mußten, um wieder zu Atem zu kommen. Sie marschierten verbissen im Gleichschritt, gepeinigt vom Gestank des Blutes und der anderen Flüssigkeiten, die aus dem verwundeten Körper sickerten. War der Mann bei Bewußtsein, schlug er oft um sich, fluchte und verwechselte sie mit faschistischen Soldaten. Und alle, ob Mann oder Frau, wiederholten immer denselben, mitleiderregenden Refrain: «Wasser! Um Gottes willen, Wasser!»

Eines Tages wurde Eleni mit drei anderen Frauen beauftragt, einen Verwundeten bis nach Vatsounia zu tragen. Wie sie wußte, würde der Marsch nach Vatsounia und zurück beinahe den ganzen Tag dauern; deswegen hatte sie sich für den Heimweg eine Kante Brot, zwei hartgekochte Eier und ein Stück Käse in die Tasche gesteckt.

Der Partisan lebte noch, als sie ihr Ziel von Norden her über die Berge erreichten. Tief unten, hinter dem Dorfplatz, sah Eleni auf dem Schulhof zwei Reihen in Formation marschierender Gestalten. Sie hörte den Befehl: «Eins-zwei! Eins-zwei!» Und hätte beinahe die Bahre fallen lassen. Sobald die Frauen ihre Last beim Partisanenarzt abgeliefert hatten, eilte Eleni zum Dorfplatz hinab. Zuerst erkannte sie Ranos hochgewachsene Gestalt, und gleich darauf, in der vorderen Reihe, auch die winzige Kanta. Erschrocken sah sie, wie dünn ihre Tochter geworden war, und tastete in ihrer Tasche nach dem Proviant, den sie mitgenommen hatte: wenigstens etwas, das sie ihr geben konnte!

Die *andartinas* waren beim Gewehrexerzieren, als Kanta ihren Namen hörte und, als sie sich umwandte, in ungefähr dreihundert Meter Entfernung ihre Mutter am Berghang stehen sah. Bei ihrem Anblick brach Kanta aus den Reihen der Mädchen aus und lief auf die Gestalt im braunen Kleid und dem schwarzen Kopftuch zu. Einer der Partisanen hielt sie jedoch zurück, packte sie bei den Schultern und stieß sie vor sich her bis zum Schulhaus, wo ihr Kopf mit dumpfem Geräusch gegen die Mauer prallte. «Was bildest du dir ein, *kouchiko*? Hältst du dich für was Besonderes?» schrie er sie an. «Zurück ins Glied!»

Eleni wollte auf ihre Tochter zulaufen, ein zweiter Partisan jedoch verstellte auch ihr den Weg. «Was willst du?» fragte er sie.

«Nur meiner Tochter ein bißchen zu essen bringen.»

«Niemand darf mit den Rekruten sprechen», fuhr er sie an. «Sie werden gut verköstigt. Verschwinde, geh dahin, wo du hergekommen bist!»

Eleni sah, wie Kanta mit dem Kopf gegen die Schulhausmauer gestoßen wurde. Aus der Ferne, über die Schultern der Männer hinweg, die sie festhielten, umarmten sie sich mit den Blicken. Instinktiv wollte Eleni sich gegen die Hände wehren, die ihre Tochter gepackt hatten, doch dann würde Kanta nur Schwierigkeiten bekommen. Also blieb sie, wo sie war, bis ihre Tochter sich wieder eingereiht hatte. Als Eleni es nicht länger mit ansehen konnte, wandte sie sich zum Gehen.

Als Kanta sah, wie ihre Mutter davongejagt wurde, ohne daß sie ein einziges Wort oder eine Berührung mit ihr hätte tauschen können, spürte sie, wie ihre letzte, schwache Hoffnung schwand. Einsamkeit und Erschöpfung wurden noch schwerer zu ertragen, und sie war so unterernährt, daß sie einen richtigen Wasserbauch hatte. Kanta fand sich mit der Tatsache ab, daß sie sterben werde.

Während der nächsten Tage fiel die Temperatur auf unter Null, und Kanta litt furchtbar unter der Kälte; die Partisanen hatten ihr eine der beiden Strickjacken fortgenommen, weil es nicht fair sei, daß die Tochter der Amerikana zwei habe, während andere keine besaßen. Als Kanta eines Abends mit zwei anderen Mädchen dicht beieinander an einem Feuer saß und sich an einem einzigen Holzscheit zu wärmen suchte, entdeckte sie auf der anderen Seite des Dorfplatzes ein kleines Steinhaus, aus dessen Schornstein Rauch aufstieg. Dort war es warm, dort gab es vielleicht sogar etwas zu essen! Der Überlebenswille ist schwer zu besiegen, mit fünfzehn Jahren: Kanta merkte, daß sie weiterleben wollte und daß die einzige, die sie vor dem Tod retten konnte, sie selber war.

Sie griff nach ihrem ungeladenen Gewehr und hängte es sich über die Schulter. «Nehmt eure Gewehre und kommt mit!» forderte sie die beiden anderen auf. «Und sagt bitte nichts. Laßt mich reden.»

Die beiden Mädchen, um mehrere Jahre älter als Kanta, sahen sie verwundert an, gehorchten aber. Stumm, die ungeladenen Gewehre umgehängt, überquerten sie den Platz. Mit dem Gewehrkolben schlug Kanta an die Tür des Häuschens. Drinnen fragte eine zitternde Stimme: «Wer ist da?»

«Aufmachen!» befahl Kanta.

«Ich kann nicht», antwortete die Stimme.

Kanta schlug kräftiger zu. «Aufmachen, im Namen der Demokratischen Armee Griechenlands!» verlangte sie.

Die Tür wurde ein paar Zentimeter weit geöffnet und ein Augenpaar spähte heraus. «Was willst du, mein Kind?» erkundigte sich eine zitternde Stimme, eindeutig erstaunt beim Anblick des kleinen Mädchens mit der grimmigen Miene.

Kanta schob den Fuß in die Tür, packte das Gewehr mit beiden Händen und drückte. Drinnen sah sie zu ihrer Genugtuung ein helles Feuer sowie zwei alte Frauen mit schwarzen Kopftüchern über dem weißen Haar, die sich glichen wie ein Ei dem anderen.

«Habt ihr Brennholz, Großmütter?» fuhr Kanta sie an und trat ins Haus. «Wir brauchen Brennholz!»

«Aber ja, Kinder, nehmt euch nur!» antwortete diejenige, die ihnen geöffnet hatte. Ihre Schwester eilte zu dem sauberen Holzstoß neben dem Kamin und holte es ihnen.

Kanta wurde fast schwindlig, so fiel der Hunger über sie her. «Habt ihr Brot? Bringt uns Brot!» befahl sie den Alten. Die erste verschwand und kam mit einem runden, knusprigen Brotlaib zurück.

Ermutigt von ihrem Erfolg, wagte sich Kanta weiter vor. «Habt ihr Milch? Habt ihr Kartoffeln? Bringt uns die Milch und legt die Kartoffeln ins Feuer!»

«Aber ja, mein Mädchen», sagte die Alte eilfertig. «Alles, was wir besitzen, gehört euch.» Sie gab der anderen einen Wink, und die schlurfte davon, um kurz darauf mit drei Kartoffeln wiederzukommen, die sie auf die glühenden Kohlen legte. Während die *andartinas* darauf warteten, daß die Kartoffeln gar wurden, tranken sie die Milchschüssel leer. Als sie nicht länger warten konnten, verlangte Kanta die Kartoffeln und knotete sie in ihr Taschentuch. Kaum waren die *andartinas* draußen, da hörten sie, wie der Riegel vorgelegt wurde. Auf dem Rückweg über den Platz bog sich Kanta vor Lachen, während die beiden anderen sie mit offenem Mund anstarrten. «Wenn die Partisanen davon erfahren, stellen sie uns an die Wand!» warnte die eine.

«Die werden schon nichts erfahren», behauptete Kanta mit mehr Überzeugung im Ton, als sie wirklich empfand.

Sie setzten sich wieder an ihr Feuer. Kanta öffnete das Taschentuch und schob sich eine der heißen Kartoffeln in den Mund. Das älteste Mädchen, Stavroula Yakous Schwester, sah ihr voller Entsetzen zu. «Du bist verrückt!» flüsterte sie. «Weißt du, was du da eben getan hast? Genau dasselbe wie das, was die Partisanen unseren Familien angetan haben.»

Aber Kanta hörte nicht zu; sie war ausschließlich auf den Geschmack der runden, angekohlten, halbgaren Kartoffel in ihren Händen konzentriert.

Am achten Tag der Ausbildung in Vatsounia bauten sich bei der politischen Schulung am Nachmittag alle drei Ausbilder vor den Rekruten auf, und Kanta stellte verwundert fest, daß Nikola Paroussis bei ihnen war. Sie hatte ihn seit dem Nachtmarsch nach Vatsounia nicht mehr gesehen. Leutnant Alekos setzte die Mädchen vom Stand der Partisanen-Offensive in Kenntnis, wie er es seit ihrer Ankunft in Vatsounia laufend getan hatte.

«Ihr habt von dem ruhmreichen Kampf gehört, den wir an zwei Fronten führten», begann er. «Obwohl General Markos Konitsa nicht nehmen konnte, fügte er dem Feind dort großen Schaden zu; die Zahl der Gefallenen beim Gegner geht in die Hunderte. Gleichzeitig wurde der Angriff der Monarcho-Faschisten auf unsere eigenen Divisionen in den Vorbergen unterhalb der Murgana siegreich zurückgeschlagen, so daß sie mit eingezogenem Schwanz hinter den Großen Bergrücken geflohen sind.» Er hielt inne. «Eure Ausbildungszeit ist nun fast beendet», fuhr er dann voller Stolz fort, «und ihr werdet in wenigen Tagen zu Kompanien an beiden Fronten abkommandiert werden. Der Zeitpunkt ist da, die Spreu vom Weizen zu trennen und jene unter euch auszusondern, denen es an Kraft und Engagement zum Kampf an der Seite unserer tapferen Soldaten fehlt. Die folgenden Mädchen vortreten!»

Von einer Liste las er ab: «Athanassiou, Rano. Ziarras, Marianthe. Gatzoyiannis, Chryssoula.» Kanta zuckte zusammen, doch es war ihre Cousine, die aufgerufen wurde. Acht weitere Namen. Kanta wartete mit trockenem Mund. Alekos' Blick wanderte über die schweigenden Mädchen und blieb an ihr hängen. «Gatzoyiannis, Alexandra.»

Langsam erhob sich Kanta und trat zu der Reihe verängstigter Mädchen. Sekundenlang musterte Alekos sie verächtlich. «Holt eure Sachen», befahl er. «Ihr marschiert sofort ab.» Und als er ihre Mienen sah, setzte er noch hinzu: «Ihr könnt gehen! Nach Hause!»

Kanta merkte plötzlich, daß ihr der Mund offen stand, und klappte ihn zu. Sie versuchte, einen vernünftigen Gedanken zu fassen. Dies mußte ein neuer Test sein, und wenn man den nicht bestand, konnte es schlimm ausgehen.

«Wir wollen aber nicht fort», protestierte sie rasch. «Wir wollen kämpfen! Wir wollen bei der Befreiung unseres Landes helfen!» Die anderen Mädchen stimmten ein und beteuerten ihre Loyalität.

Alekos sah Kanta vorwurfsvoll an. «Du bist zu jung, zu schwach! Du kannst nicht mit dem Gewehr umgehen. In einer Schlacht wie bei Konitsa könnte deine Unfähigkeit einen Genossen das Leben kosten.»

«Ich werde mich bessern!» flehte Kanta. Dann sah sie unmittelbar hinter Alekos Nikola Paroussis stehen. Er begegnete ihrem Blick und bewegte den Kopf mit fest verkniffenem Mund hin und her. Er wollte ihr sagen, sie solle nicht weiter diskutieren, sondern den Mund halten und nach Hause gehen, solange sie noch Gelegenheit dazu hatte.

Kanta begann zu zittern. War es möglich, daß man sie wirklich gehen ließ, einfach so? Dann merkte sie, daß Alekos immer noch mit ihr sprach. «Vielleicht nächstes Jahr, wenn du älter bist.» Das klang schon viel freundlicher. «Von heute an gehörst du zur Reserve, und wenn die Armee dich braucht, wirst du gerufen. Vorläufig aber bist du zu jung für den Krieg.»

«Ich will nicht fort!» weinte Chryssoula Gatzoyiannis plötzlich. «Ich will mit meinen Genossen kämpfen!» Kanta wandte sich zu ihrer

Cousine um. Wie sie wußte, ging es Chryssoula, gerade erst siebzehn und völlig ausgemergelt, ebenso schlecht wie ihr selbst. Sie versuchte ihrem Blick zu begegnen, ihr anzudeuten, daß es doch keine Falle sei, daß sie schnell fortgehen solle. Aber Chryssoula wandte den flehenden Blick nicht von Alekos. «Ich will nicht nach Hause!» jammerte sie. «Bitte gebt mir noch eine Chance!»

Er zuckte die Achseln. «Wie du willst.» Chryssoula kehrte zu den sitzenden Mädchen zurück.

«*Ich* bin nicht zu jung», erklärte Rano herausfordernd. «Warum schickt ihr mich nach Hause?»

Alekos wurde böse. «Weil wir wissen, wem die Sympathien deiner Familie gelten!» fuhr er sie an. «Du hast so getan, als ob du auf unserer Seite wärst, innerlich aber bist du schwarz. Wir wollen keine Fünfte Kolonne in der Demokratischen Armee. Du bist gefährlicher als jene, die schwach und unerfahren sind!»

Rano biß sich auf die Lippen. Verängstigt durch seinen Zorn, immer noch eine Falle befürchtend, händigten die ausgesonderten Mädchen Frixos ihre Gewehre aus und kehrten ins Schulhaus zurück, um wieder die Sachen anzuziehen, in denen sie gekommen waren. Bevor sie sich auf den Heimweg machte, nahm Kanta ihre Cousine Chryssoula beiseite. «Warum wolltest du nicht mitgehen?» fragte sie flüsternd. «Dies ist doch eine Chance, dich zu retten.»

Chryssoula wandte den Kopf ab. «Wenn ich nach Hause ginge, wäre ich nur ein Maul mehr, das meine Mutter füttern müßte», erklärte sie. «Wenn ich aber hierbleibe und sie von meiner Loyalität überzeuge, wird meine Familie von den *andartes* in unserem Dorf vielleicht besser behandelt.»

Kanta starrte sie an, mußte einsehen, daß sie recht hatte, und ihr Jubel wich einem gewissen Schuldbewußtsein. Vielleicht war es auch ihre Pflicht, *andartina* zu bleiben, den schlechten Ruf, in dem ihre Familie bei den Kommunisten stand, zu verbessern. Aber dann dachte sie an den Maisbrei und den ungewaschenen Blechteller, an die Angst, die Erschöpfung und die Demütigungen, und wußte, daß sie es nicht fertigbrachte. Zu groß war die Sehnsucht nach ihrer Mutter. Sie gab ihrer Cousine einen flüchtigen Kuß und ging davon. Chryssoula Gatzoyiannis fiel sechs Monate später im Kampf.

Eleni kniete gerade am Ufer des Waschteichs und schlug nasse Wäsche, als sie von weiter unten jemanden rufen hörte und sah, daß ihre Nachbarin Marina Kolliou wild gestikulierend auf sie zugelaufen kam. «Schnell, Eleni», schrie die Frau. «Ein paar *andartinas* kommen über den Berg!»

Eleni ließ ihre Wäsche liegen und lief die Schlucht hinauf, bis sie den Pfad sehen konnte, der sich zwischen dem Propheten Elias und dem Kastro ins Tal hinabwand. Ungefähr ein Dutzend Gestalten konnte sie ausmachen, noch zu weit entfernt, um sie zu erkennen. Mitten durch das Gestrüpp hastete sie zu dem Plateau hinauf, wo am Tag des Propheten der Tanz stattfand. Als sie den Platz von der einen Seite her betrat, erschienen die Mädchen gerade am gegenüberliegenden Rand der Lichtung. Platschend lief Eleni so schnell durch den eiskalten Bach, der sie von ihnen trennte, daß ihr das schwarze Tuch vom Kopf flog, und lief mit ausgestreckten Armen weiter, bis sie die Tochter an ihre Brust drücken konnte.

Auf dem ganzen Heimweg streichelte Eleni ungläubig immer wieder Kantas Gesicht und wischte ihr die Tränen ab, während die eigenen ihr ungehindert über die Wangen strömten.

Als Kanta von der Partisanen-Ausbildung zurückkehrte, war sie noch nervöser als zuvor. Trotz aller Fragen ihrer Schwestern weigerte sie sich, zu erzählen, wie es ihr in diesen Wochen ergangen war. Olga jedoch bemerkte, daß einige der übrigen heimgekehrten *andartinas* sich auf eine andere Art verändert hatten, darunter ihre Freundin Rano. Während Olga sich noch immer im Haus versteckte und nur mit dem Kopftuch vor dem Gesicht herauskam, trug Rano das ihre so weit hinten auf dem Kopf, daß man einen großen Teil ihrer Haare sah, bewegte sich mit einer ganz neuen Selbstsicherheit im Dorf und tauschte sogar Grüße mit einigen Partisanen, denen sie begegnete. Hätte Olga die Freundin nicht so gut gekannt, sie hätte geargwöhnt, daß Rano flirtete.

Eines Tages sah sie Rano mit glühenden Wangen und sorgfältig frisiertem Haar in ihrem besten Kleid aus dem Haus kommen. Sie wollte zur Verpflegungsstelle der Partisanen, berichtete sie, um zu sehen, ob sie dort nicht eine Schüssel Eier, die ihre Schwester Tassina ihr gegeben hatte, gegen etwas Seife zum Baden der Kinder eintauschen könne.

Etwas später saß Olga mit ihrer Mutter, Megali, Nitsa und den beiden nächsten Nachbarinnen – Anastasia Yakou und Marina Kolliou – in der Gatzoyiannis-Küche bei einem Glas Wintergrüntee und ein bißchen Klatsch, als Rano aufgeregt hereinplatzte. «Tante Eleni», flüsterte sie, «könnte ich dich bitte mal sprechen?» Während die anderen Frauen vielsagende Blicke tauschten, folgte Eleni ihr in den Garten.

Als sie außer Hörweite waren, berichtete Rano Eleni, was sie zufällig gehört hatte, als sie gerade an die Tür der Verpflegungsstelle klopfen wollte: die Stimme des Quartiermeisters Hanjaras, der in eines der Feldtelefone schrie. «Jawohl, ich werde sofort dafür sorgen», sagte er. «Heute abend noch, wenn Sie wollen. Wir werden das ganze Haus der Amerikana auf den Kopf stellen.»

«Sofort, als ich das hörte, bin ich losgelaufen», sagte Rano, noch immer die Eierschüssel im Arm. «Bis sie kommen, könnt ihr alles, was ihr wollt, in unserem Haus verstecken. Packt möglichst alles ein und werft es über den Zaun in unseren Garten. Ich werde die Sachen unter der Matratze meines Vaters verstecken; da werden sie sie niemals suchen, jedenfalls nicht, solange er obendrauf liegt.»

Sofort dachte Eleni an Olgas Aussteuer, den wertvollsten Besitz der Familie. Wenn die Partisanen die Teppiche, die Wolldecken und die Wäsche mitnahmen, die sie mit dem letzten Geld von Christos gekauft hatte, würde Olga nie einen Mann finden. Außerdem hatte Christos noch einige schöne amerikanische Anzüge und Hemden zurückgelassen. Eleni umarmte Rano und versprach, ihr die Sachen sofort zu übergeben, wenn die Besucherinnen gegangen waren. Als sie in die Küche zurückkehrte, erkundigte sich ihre Mutter scharf: «Was hat Rano dir erzählt, daß du so blaß geworden bist?»

Eleni berichtete, was Rano gehört hatte, und Marina Kolliou sprang sofort auf. «Wenn sie euer Haus durchsuchen», sagte sie nervös, «werden sie vielleicht auch zu uns kommen. Ich muß meiner Mutter sagen, daß sie ein paar Sachen versteckt.»

Anastasia Yakou reagierte gelassener auf die Nachricht; sie besaß ohnehin nichts, was den Partisanen ins Auge stechen mochte. Dennoch ging sie sofort nach Hause, wo ihre Tochter sie erwartete, um sich wie stets über ihre tyrannische Schwiegermutter zu beschweren. Anastasia ließ Stavroula ewiges Schweigen schwören und erzählte ihr dann, was sich soeben in der Gatzoyiannis-Küche abgespielt hatte. Stavroula zuckte nur die Achseln. «Wenn du mich fragst», entgegnete sie, «geht es der Amerikana am besten von allen Leuten im Dorf. Ihr Mann braucht nicht zu kämpfen wie meiner. Durch einen Trick hat sie es geschafft, Olga vor der Rekrutierung zu den *andartinas* zu bewahren, und hat Kanta wiederbekommen, obwohl meine Schwester immer noch dort ist – und nun hat sie die Nachbarinnen dazu gebracht, Olgas Aussteuer zu verstecken!»

«Hüte deine Zunge!» schalt Anastasia. «Aus dir spricht doch nur der pure Neid! War Eleni nicht von allen Nachbarinnen am freundlichsten zu uns? Hat Olga nicht deine Hochzeitsbrote verziert und Nikola nicht auf deiner Aussteuertruhe gesessen? Warum mißgönnst du ihnen ein bißchen Glück?»

Stavroula antwortete nicht. Seit ihre Ehe sich für sie als Enttäuschung herausgestellt hatte und ihr neugeborener Sohn gestorben war, fraß der Gedanke an die Privilegien der Amerikana, die armen Familien wie der ihren vorenthalten wurden, an ihrem Herzen. Nachdem die Kommunisten eine neue Ordnung versprachen und mit den alten Privilegien aufräumen wollten, beabsichtigte Stavroula, sich für die Benachteiligungen der Vergangenheit entschädigen zu lassen. Obwohl ihr Mann auf der Seite der Nationalen kämpfte, glaubte Stavroula der Partisanen-Propaganda. Wenn die alte Ordnung gestürzt wurde, wollte sie auf der Seite der Sieger stehen. Sie war das ärmste Mädchen des Dorfes gewesen, doch ihre Waffen waren Schönheit und Intelligenz, und die würde sie rücksichtslos einsetzen, um die einflußreichste Frau am Ort zu werden.

Stavroula sah die bestürzte Miene der Mutter, verriet aber kein Wort von ihren Plänen. Sie sagte nur: «Eines Tages wird das Glück die Amerikana verlassen, und dann wird sie feststellen, daß sie ein bißchen zu schlau war. Du kennst doch das Sprichwort: ‹Der Fuchs, der zu schlau ist, gerät mit allen vier Füßen in die Falle.›»

10

Die Tatsache, daß es der Demokratischen Armee nicht gelungen war, Konitsa zu erobern, erwies sich als ein verheerender Schlag für die Partisanen. Sie hob die Kampfmoral ihrer Feinde, schreckte ihre Sympathisanten in den Städten ab, sich ihnen anzuschließen, und weckte so große Zweifel an der geplanten Zukunft ihrer Revolution, daß kein einziges Land, nicht einmal im Ostblock, ihre provisorische Regierung, die wurzellos in den Bergen saß; anerkennen wollte.

Nachdem die DAG keine Rekruten mehr fand, schwand auch ihre Hoffnung auf die Eroberung größerer Städte. Die Aufständischen versuchten gar nicht mehr, größere Bevölkerungszentren anzugreifen, sondern beschränkten sich darauf, die Bergfestungen der Murgana, die sich in ihrer Hand befanden und deren Mittelpunkt Lia darstellte, mit allen Mitteln zu verteidigen.

Im Januar und Februar 1948 wurde der gedämpfte Kanonendonner entfernter Artilleriestellungen ebenso Teil des Lebens in Lia wie das Geläut der Ziegenglocken und das Morgenlied der Hähne. Das ständige Grummeln, ganz ähnlich dem unterirdischen Grollen vor einem Erdbeben, nahm jeden Abend an Stärke zu, wenn die Stoßtrupps der Partisanen aus der Murgana durchs Tal und hinauf ins Niemandsland der gegenüberliegenden Hänge schlichen, um Störangriffe gegen die Regierungstruppen zu führen.

Nach der Niederlage bei Konitsa war den Murgana-Partisanen klar, daß ein Gegenangriff erfolgen würde; deswegen bauten sie in den ersten Monaten des Jahres 1948 in fieberhafter Eile Verteidigungsanlagen aus, um ihre Position in der «Partisanen-Festung», wie sie die Murgana in ihren Liedern nannten, zu sichern. In den Bergen oberhalb von Lia und im Dorf selbst legten sie überall Befestigungen an, kommandierten Gruppen von Dorfbewohnerinnen zum Schleppen von Steinen und Balken ab, zum Betonmischen und Ziehen von Gräben, die für Mörserstellungen und Maschinengewehrnester gebraucht wurden.

Im ganzen Dorf schossen an jenen Stellen, die einen guten Blick auf die Vorberge boten, unheimlich wirkende Bunker mit einem Sehschlitz in Richtung Süden aus dem Boden. Allein im Perivoli, wo sich die Operationsbasis der Partisanen befand, gab es ein halbes Dutzend davon, und die gesamte Murgana-Kette war mit über 2500 Befestigungsanlagen bestückt. Den Bewohnern von Lia war klar, daß die Partisanen eine Belagerung ihrer Festung erwarteten.

Und noch ein weiterer Vorbote des Krieges machte sich im Lebensrhythmus des Dorfes bemerkbar: Jeden Tag gegen Mittag erschien in der Ferne, von Osten her, eine Formation von vier schlanken Spitfires, von denen zwei die Murgana-Gipfel nördlich von Lia entlangflogen und die Artillerienester der Partisanen in den Felsen bombardierten, während die anderen beiden, dem Grat des Großen Bergrückens am südlichen Horizont folgend, die Frontlinie der Partisanen-Stellungen in den südlichen Vorbergen beschossen.

Der Spürhund der Bomber war ein einzelner Harvard-Aufklärer, der jeden Morgen bei Tagesanbruch, gesteuert von einem waghalsigen Piloten, der aufgrund seiner Kunst bei den Dorfjungen schnell zur Legende wurde, direkt über das Dorf hinwegflog. Die Partisanen hatten den Piloten wegen seiner regelmäßigen Morgenrunde «Galatas» getauft, den «Milchmann»; die Dörfler jedoch, die keine Ahnung von Milchmännern und ihren Gewohnheiten hatten, glaubten tatsächlich, der Mann heiße Galatas.

Der Milchmann hatte die Aufgabe, Partisanen-Stellungen und -Ansammlungen in dem gebirgigen Terrain unten auszukundschaften, die später am Tag dann von Bombern angegriffen wurden. Angekündigt vom Dröhnen des Motors, brach Galatas mit seiner einmotorigen Maschine durch den Einschnitt zwischen dem Propheten Elias und dem Kastro, duckte sich, nur sechzig Meter über dem Erdboden, unter dem Flakfeuer hindurch, das von den Berggipfeln kam, brauste dicht über den Dächern der Häuser dahin und wackelte spöttisch oder auch grüßend mit den Flügeln – so tief unten, daß die Kinder nicht nur den Tarnanstrich und den blauen Bauch seiner Maschine, sondern sogar sein Gesicht deutlich erkennen konnten. Sie winkten, schrien laut: «Galatas!» und beobachteten ihn eher bewundernd als ängstlich, bis er wieder verschwunden, in den Himmel hinaufgestiegen war wie ein Adler.

Als Galatas mit seinen Frühflügen begann, rief Oberst Petritis Eleni zu sich ins Büro und erteilte ihr einen Befehl: Jeden Morgen, sobald die Maschine zu hören war, werde er die Wachtposten vor dem Tor des Gatzoyiannis-Hauses hereinholen, und sie werde ihre drei jüngeren Kinder Nikola, Fotini und Glykeria zum Spielen in den Garten schicken. Es sei völlig ungefährlich, versicherte ihr Petritis; Galatas habe keine Bomben an Bord, nur Kameras, und wenn er Frauen und spielende Kinder im Garten sehe, würden die Faschisten das Haus nicht bombardieren. Doch wenn sie ahnten, daß es ein Hauptquartier der Partisanen sei, würden sie es bestimmt aufs Korn nehmen.

Für die Kinder war es ein lustiges Spiel. Sowie Galatas mit seiner Maschine zwischen den noch im Morgendunst liegenden Berggipfeln hervorkam, begannen sie begeistert zu winken. Eleni jedoch stand auf der Schwelle und konnte, wenn sie den großen Vogel vorbeifliegen sah, nur noch an Feuerregen und Tod denken.

Seit die Gefahr einer bevorstehenden Schlacht in der Luft lag, waren die Kinder von Lia versessen auf Kriegsspiele und imitierten vergnügt das Töten ringsum. Im Perivoli wurden die Schlachten vom Sohn des Müllers Tassi Mitros organisiert, einem braunen, kräftigen Zwölfjährigen namens Niko, der wegen seiner Waghalsigkeit und seiner Begabung für phantasievolles Fluchen von den kleineren Jungen bewundert wurde. Immer war er es, der ein Kampfspiel ankündigte und die Jungen in zwei Mannschaften einteilte: die Partisanen und die Faschisten, wobei er selbst natürlich Kommandant der Partisanen war.

Nikola Gatzoyiannis empfand eine ehrfürchtige Scheu vor dem Älteren und hoffte jedesmal, Niko Mitros werde ihn für seine Partisanen-Seite auswählen. Aber genau wie sein Freund Lakis Bartzokis, Tassinas Sohn, der ebenfalls erst acht Jahre alt und überdies zierlich war, wurde er immer der Faschistenpartei zugeteilt. Ob dies geschah, weil er und Lakis jünger und schwächer waren als die anderen oder weil ihre Familien als Sympathisanten der Nationalisten galten, wußte Nikola nicht genau, doch er vermutete, daß wohl beides eine Rolle spielte.

Seit ein Wintersturm reichlich Schnee für die Herstellung von Munition zurückgelassen hatte, liefen die Schlachten nach einem festen Schema ab. Die beiden Mannschaften gruben sich je auf einer Seite einer niedrigen Steinmauer ein und produzierten einen Vorrat an Eisgeschossen. Wie in der Wirklichkeit wurde den «Faschisten» stets die ungünstigere Stellung hangabwärts zugewiesen.

Zuerst gab es gegenseitige Beschimpfungen, Imitationen der Spottrufe, die von den Gegnern in den Vorbergen allnächtlich durch Megaphone ausgetauscht wurden. «Hahnreie! Arschlecker!» brüllten Niko Mitros und seine Bande durch zusammengerollte Schulhefte, und die «Faschisten» schrien zurück: «Haferschleimfresser! Wichser! Misttreter!» Schließlich steckte ein Scharfschütze den Kopf über die Mauer und wurde sofort von einem Schneeballhagel empfangen. Bekam er einen Treffer ab, war er tot. Hatte die eine Mannschaft den Gegner ausreichend dezimiert, wurde die Mauer mit einem Schneeball-Dauerfeuer gestürmt und der Gegner vernichtet.

Gewöhnlich führte Niko Mitros den Angriff auf die unglückseligen «Faschisten», während Nikola und Lakis alles vergaßen, was sie über Abwehrfeuer gelernt hatten, und sich, den Kopf von den Armen geschützt, zu einer Kugel zusammenrollten. Das Spiel endete damit, daß die «Faschisten» blaue Flecken, Schrammen und blaue Augen davontrugen und daß Lakis weinend zu seiner Mutter lief. Nikola, blaß und stumm, weigerte sich, Mitleid mit seinem Waffenbruder zu zeigen und zuzugeben, daß Niko Mitros sie ganz speziell aufs Korn zu nehmen pflegte. «Daran ist Lakis selber schuld», behauptete er, «weil er 'ne alte Heulsuse ist.» Er sehnte sich danach, in der gegnerischen Mannschaft, der Siegermannschaft, mitzukämpfen und in Niko Mitros' Blick Bewunderung statt Verachtung zu lesen.

Als einziger männlicher Sproß in einem Frauenhaushalt und ohne ein erwachsenes Vorbild außer dem strengen, tyrannischen Großvater hatte Nikola gelernt, seine Gefühle hinter einem Schutzpanzer des Schweigens zu verstecken, seine Probleme und Ängste für sich zu behalten. Er hatte die im Dorf übliche Auffassung übernommen, daß der Mann stark, entschlossen und wortkarg sein müsse, während die Frauen schwankende Halme seien, die sich mit jedem Wind neigten und Opfer ihrer Emotionen seien.

Außerdem war sich Nikola schon sehr früh klar darüber, daß er seinen Mangel an Körperkraft durch Klugheit wettmachen mußte, und schwor sich, so schlau zu werden wie sein Großvater. Nun konzentrierte er seine Willenskraft auf die Aufgabe, Niko Mitros' Bewunderung zu erringen.

Wie Nikola wußte, litt er unter einem zweifachen Handikap: seiner geringen Größe und der Tatsache, daß sein Vater in Amerika lebte. Insgeheim verehrte Nikola den Vater, den er noch nie gesehen hatte, dessen Bild jedoch majestätisch auf dem Kaminsims thronte, und immer wieder durchforschte er sein mageres Gesicht in dem kleinen Handspiegel nach einer Ähnlichkeit mit der rundlichen Würde des Vaters. Später jedoch begann er Christos' Foto eher vorwurfsvoll zu betrachten. Wäre mein Vater nach Rußland gegangen statt nach Amerika, dache er, würde Niko Mitros mich vielleicht auf der Partisanen-Seite mitkämpfen lassen. Doch er konnte seinen Vater ebensowenig verleugnen wie etwas an der Tatsache ändern, daß sein Großvater ein «Faschist» war. Er würde Niko Mitros trotz dieser Nachteile für sich gewinnen müssen.

Nikolas Beteiligung an den Kriegsspielen fand eines Tages ein plötzliches Ende, als eine verirrte Bombe beinahe die Wiese oberhalb des Perivoli getroffen hätte, auf der sich die Möchtegern-Partisanen und -Faschisten bekämpften. Zornig verbot Eleni Nikola, außerhalb des Grundstücks zu spielen, wo sie ein Auge auf ihn haben konnte. Das war der Anfang vieler langer, einsamer Stunden, in denen er, während der Schnee dahinschmolz, in seinem Gefängnis auf und ab ging und von den Heldentaten träumte, die ihm den Ruf eines furchtlosen Kriegers eintragen würden.

Eines Tages Ende Februar begleitete Nikola die Mutter zu einem Besuch bei Tassina Bartzokis gegenüber, wo er eine Auseinandersetzung zwischen zwei Partisanen erlebte, die einen tiefen Eindruck auf ihn machte. Lakis war auch dabei, doch Nikola ignorierte ihn, weil er mit Heulsusen nichts zu tun haben wollte.

Im Haus der Bartzokis war ein Partisanen-Hauptmann namens Harisis Stravos einquartiert, ein in der ganzen Murgana berüchtigter Mann, der vor der Kirche seines Dorfes einmal eine junge Frau erstochen hatte, weil sie ihn nicht heiraten wollte. Als die Deutschen Griechenland besetzten, wurde Stravos aus dem Gefängnis entlassen und ging zur ELAS. Seine Neigung, jeden zu erstechen, den er gefangennahm, wurde weithin bekannt, und daß er sich weigerte, Gefangene zu machen, führte zu seiner Degradierung in der DAG.

Während Tassina und Eleni in der Küche saßen und plauderten, schlenderte Nikola in den Garten hinaus, wo er den berüchtigten Stravos und einen anderen Partisanen-Hauptmann beim Wettschießen auf einen Knoten am Stamm eines Walnußbaumes in fünfzig

Schritt Entfernung fand. Der dunkle, muskulöse Stravos erinnerte Nikola an Niko Mitros. Sein Gegner war blond, schmal und leise, aber er traf den Knoten mit seinen ersten beiden Schüssen genau in der Mitte, während Stravos zweimal schoß und fehlte. «Das ist nicht fair!» behauptete Stravos. «Du hast die bessere Waffe als ich.» Sein Gesicht war rot.

Kühl überreichte der blonde Hauptmann Stravos mit einer angedeuteten Verneigung seine Pistole. Nikola merkte sich diese Geste; neben der ironischen Gelassenheit des Mannes wirkte Stravos' unbeherrschtes Poltern lächerlich.

Ärgerlich vor sich hinmurmelnd, zielte Stravos sorgfältig und schoß. Und fehlte. Die zweite Kugel traf weit daneben. Da verlor er ganz die Beherrschung. Er stürmte zur Seite hinüber, packte die Pistole am Lauf und schmetterte sie so heftig gegen die Steinmauer, daß sie zerbrach. Der andere Hauptmann beobachtete ihn mit schmalem Lächeln.

Plötzlich sah Nikola die Lösung für sein Problem: Wenn er nicht kämpfen konnte, würde er eben ein Präzisionsschütze werden! Sobald er ein Ziel besser treffen konnte als Niko Mitros, würden die anderen Jungen ihn als Partisanen haben wollen.

Von nun an verbrachte Nikola jeden Tag viele Stunden allein mit seiner Schleuder im Garten, wo er mit Steinen auf Lehmbrocken schoß, die er auf die Mauer gesetzt hatte. Der Schnee war geschmolzen, und aus dem elastischen Holz des Weidenbaumes Schleudern zu schnitzen, gehörte für die Jungen ebenso zu den Riten des Frühlings wie die Fastenzeit. Nikola trainierte mit Steinen verschiedener Größe und nahm Maß, bis er genau wußte, um wieviel höher er zielen mußte, um das Absinken des Steins auf seiner Flugbahn zu kompensieren. Schließlich traf er das Ziel bei fünf Versuchen viermal.

Als Niko Mitros eines Tages mit seiner Mutter kam, war er bereit. Seine eigene Schleuder im Gürtel, ging Niko in den Garten hinaus, wo Nikola damit beschäftigt war, einen Lehmklumpen nach dem anderen von der Gartenmauer zu schießen. Niko Mitros sah eine Weile zu und forderte ihn dann zum Wettkampf heraus. Dies war die Auseinandersetzung, von der Nikola so oft geträumt hatte. Er überließ es dem Herausforderer, das Ziel auszusuchen. Der Ältere deutete auf den Maulbeerbaum am Südende des Gartens, in dem mehrere Krähen hockten. «Meinst du, du kannst eine von denen treffen?»

«Wahrscheinlich», antwortete Nikola in der lässigen Art des blonden Partisanen-Hauptmanns. Beide Jungen zielten und schossen gleichzeitig, aber die Vögel stoben laut schimpfend und ohne getroffen zu sein in einer schwarzen Wolke auf.

«Scheiße!» schimpfte Niko Mitros. «Die Sonne hat mich geblendet. Worauf wollen wir jetzt schießen?»

Nikola blickte in die Runde. Er wollte nicht, daß sein Gegner die Lust verlor, bevor er es ihm gezeigt hatte. Auf der Mauer neben dem Tor entdeckte er eine kleine, grauschwarze Drossel, die er gesundgepflegt hatte, nachdem er sie mit gebrochenem Flügel gefunden hatte, und die ihm vertraute.

«Siehst du den Vogel da drüben?» fragte er, hart und kühl zugleich. «Paß auf!»

Der Vogel würde sich nicht bewegen, das wußte er aus Erfahrung. Er nahm einen besonders winzigen Stein vom Boden, damit er der Drossel bestimmt nicht weh tat. Während er sorgfältig zielte, beobachtete sie ihn mit einem Auge. Das Gummi der Schleuder schnappte, und das Geschoß flog pfeifend los. Nikola war aufrichtig überrascht, als der Vogel von der Mauer fiel. Er lief hinüber und hob ihn auf. Als er ihn in der Hand hielt, unglaublich leicht, eine Handvoll Federn, wußte er sofort, daß er tot war. Wütend schleuderte er den Leichnam von sich. Niko Mitros verlieh seiner Bewunderung mit einem Pfiff Ausdruck, der wie eine Rakete klang. «Großartiger Schuß!» Nikola wartete auf die süße Genugtuung, mit der er gerechnet hatte, doch er war lediglich benommen. Gleich darauf merkte er, daß er weinen mußte. Er lief davon, mit dem Ärmel seine Augen trocknend, und als er hinter dem Haus verschwand, hörte er das Lachen des Älteren.

Nikola machte erst wieder halt, als er in den Binsen versteckt lag, die am Ufer des Waschteichs wuchsen. Er barg das Gesicht in seinen Armen; nach einer Weile drehte er sich auf den Rücken, um die schwachen Strahlen der Wintersonne zu beobachten, die durch die Binsen filterten. Bilder des toten Vogels, des weinenden Lakis und von sich selbst, wie er sich unter dem Hagel der Schneebälle duckte, wirbelten durch seinen Kopf. Er versuchte sie zu ordnen. Hart zu sein wie Niko Mitros und die Partisanen, die dieser nachahmte, bedeutete also, Vergnügen an den Leiden der Schwächeren zu finden; doch Nikola konnte nicht aufhören, den Schmerz des Opfers nachzufühlen. Eines stand fest: Seine Chancen, in die Partisanen-Mannschaft gewählt zu werden, waren dahin. Er war nicht ganz sicher, ob ihm das leid tat.

Während die Anzeichen des heranrückenden Krieges die Kinder faszinierten und ihre Spiele beeinflußten, reagierten die Erwachsenen mit steigender Angst. Eleni hatte den Eindruck, daß die Regierungsflugzeuge jeden Tag näher kamen und das Pfeifen und Grummeln der Artillerie jede Nacht lauter wurde, so daß es sie aus dem Schlaf schreckte. Im Licht der Glut im Kamin saß sie dann da, betrachtete die Gesichter ihrer schlafenden Kinder und stellte sich die Kämpfe vor, die in den fernen Bergen tobten. Alle Dorfbewohner wußten, daß es nur noch eine Frage der Zeit war, bis der Topf überkochte und sie in die Kämpfe verwickelt wurden. Warum hätten die Partisanen wohl sonst so hektisch an der Befestigung der Bergkette gearbeitet?

Bis in den Schlaf wurde Eleni von ihren Ängsten verfolgt, und eines Nachts hatte sie einen Traum, der sie so furchtbar erschreckte, daß sie ihn am folgenden Morgen ihrer Familie erzählte. Es war, als sei sie vom Schrillen der Handglocke am Tor geweckt worden. Sie sah sich im Dunkeln aufstehen und hinausgehen, um den Riegel zu öffnen. Und dort auf dem vom Silber des Mondlichts übergossenen Pfad stand die rundliche, lächelnde Gestalt ihrer längst verstorbenen Schwiegermutter Fotini.

Die Alte streckte die Hand aus und berührte Elenis Wange mit eisigen Fingern. «Hallo, kleine Braut», sagte sie liebevoll, mit einer Stimme wie das Rascheln trockener Blätter. «Ich habe Sehnsucht nach dir! Ich kam gerade hier vorbei und habe geklingelt, um dir zu sagen, daß du alles bereitmachen sollst, weil ich dich bald abholen werde. Aber jetzt geh ins Haus zurück und schlaf weiter. Du hast noch Zeit; ich muß erst Tsavena holen.»

Den ganzen Tag grübelte Eleni an diesem Traum herum. Tsavena, die alte Frau, die Nikola aus seinem handgefertigten Schwimmbecken hatte auftauchen sehen, war die Mutter ihrer Nachbarin Marina Kolliou. «Das bedeutet, daß ich sterben muß, und Tsavena noch vor mir», sagte Eleni zu Nitsa. «Vielleicht durch eine Bombe bei den Schanzarbeiten oder durch eine Kugel beim Verwundetentransport. Wenn ich sterbe – was wird aus den Kindern?»

«Was weißt du denn schon von Träumen!» höhnte Nitsa. «Das will ich doch hoffen, daß Tsavena vor dir stirbt; sie ist schließlich neunzig! Ihr Öl ist schon fast ganz verbrannt. Du hast vermutlich wieder mal auf der linken Schulter geschlafen. Wie oft habe ich dir erklärt, daß das nicht gut für die Verdauung ist! Deine Schwiegermutter war nur eine gebratene Zwiebel, die den falschen Weg genommen hat.»

Das Codewort der Regierungstruppen für ihren sorgfältig vorbereiteten Angriff auf die «uneinnehmbare Festung» Murgana lautete «Pergamos», nach einer antiken griechischen Stadt in Kleinasien, wo die Griechen im Jahre 1919 die Türken wider alle Erwartungen besiegt hatten. Unternehmen Pergamos sollte am 25. Februar 1948 beginnen.

An jenem Tag begannen drei Bataillone Regierungssoldaten im Norden aus dem Pogoni-Gebiet durch die Berge nach Süden vorzurücken und drängten die Partisanen, auf die sie trafen, entweder nach Albanien hinein oder in Richtung Lia.

Am 28. Februar begann die Masse der Regierungstruppen von Süden her in die Vorberge hinabzurücken, wo die zahlenmäßig weit unterlegenen Partisanen nur zurückweichen und versuchen konnten, den Feind mit Hinterhalten und Nachtüberfällen zu stören. Drei Tage lang wehrten sich die Partisanen verzweifelt gegen das unerbittliche Vorrücken der regierungstreuen Kampfmaschinerie. Doch das Unternehmen Pergamos entwickelte sich genau nach Plan: Ganz langsam schloß sich die Zange von Norden und Süden her. Die in Babouri stationierten Befehlshaber der kommunistischen Streitkräfte beschlossen, ihr Hauptquartier hoch in die Berge oberhalb Lias zu verlegen, wo sie durch die große Zahl ihrer Kämpfer im Osten und Westen und die natürliche Senke in der Bergkette, in die Lia geschmiegt lag, besser geschützt waren. Und sollte es zum Schlimmsten kommen, konnten sie sich bis an die albanische Grenze zurückziehen.

Am Morgen des 1. März bewegte sich eine Art Prozession den Pfad vor dem Haus der Gatzoyiannis hinauf, die sämtliche Familienmitglieder neugierig vor die Tür lockte: Die drei höchsten Führer des gesamten Epirus-Kommandos, flankiert von ihrem Stab und ihrer Ausrüstung, kamen hoch zu Pferd vorbeigeritten, um in den Bergen oberhalb des Perivoli Schutz zu suchen.

Das Auftauchen der drei Befehlshaber vor dem Haus löste drinnen hektische Aktivitäten aus. Oberst Petritis beeilte sich, seinen Vorgesetzten in die Berge zu folgen, und sobald er, sein Adjutant und sein Bursche gepackt hatten, verschwanden sie, um niemals wiederzukommen.

Eleni, die auf der Veranda stand, sah die Kolonne der kriegsmüden Partisanen, von denen einige ihre verwundeten Kameraden trugen, den Pfad emporsteigen und bildete sich ein, Zeichen der Niederlage in ihren Gesichtern zu entdecken. Ein einziger Blick nach Süden ließ erkennen, daß die Regierungstruppen bereits den fernen Großen Bergrücken sowie seine Nachbarn Plokista und Taverra eingenommen hatten.

Die Front war bis in die Vorberge, immer näher aufs Dorf zu, vorgeschoben worden. Wie sie wußte, würden mit den Regierungstruppen auch Männer aus Lia kommen, vielleicht sogar einige von denen, die nach Filiates geflohen waren: ihr Vater und ihre Schwäger Foto Gatzoyiannis und Andreas Kyrkas.

Der Augenblick nahte, der das Schicksal der Familie entscheiden würde, denn wenn die Soldaten so hoch heraufkamen, konnte Eleni mit den Kindern hinter ihre Linien in die Vorberge hinab, über den Großen Bergrücken und weiter nach Filiates fliehen, wo ihre Verwandten warten und ihnen helfen würden. Von Filiates aus brauchte sie dann nur noch Christos zu telegrafieren, und er würde Geld schicken, damit sie nach Amerika fahren konnten. Zuerst jedoch mußten sie durch die Linien gelangen.

Während sie den Rückzug der Partisanen vor ihrer Tür beobachtete, schmiedete Eleni einen Plan. Sobald feststand, daß die Regierungstruppen den Ortsrand von Lia erreichen würden, wollte sie mit ihrer Familie ins leere Haus ihrer Mutter im Unterdorf umziehen, um näher bei den Regierungssoldaten und weiter vom Partisanen-Hauptquartier entfernt zu sein. Falls jemand sie fragen sollte, hatten sie eine logische Erklärung dafür: Das Haidis-Haus in seiner kleinen Senke am Berghang war wesentlich besser geschützt vor den Kanonen der Nationalisten, die sich das Partisanen-Hauptquartier im Perivoli und weiter oben zum Ziel nehmen würden.

In dieser Nacht lag die ganze Familie wach und lauschte auf den Schlachtenlärm, der sich von Süden näherte, ohne zu ahnen, daß die kritischste Phase der Schlacht sich völlig lautlos unmittelbar nördlich von ihnen auf der anderen Seite ihres eigenen Berges abspielte.

Am 3. März, als die Silhouetten der Berge sich vor dem dunklen Purpurhimmel nördlich von Lia abzuzeichnen begannen, wurde die Dunkelheit plötzlich von hoch aufsteigenden, grünen Leuchtkugeln erhellt, die quer über den Himmel zogen und die erschrockenen Gesichter der Partisanen in den Gräben und die schlaflosen Dörfler in ihren Fenstern mit Todesblässe übergossen. Dies war das Signal an die nationalistischen Verstärkungen, daß Skitari erobert worden war.

Die Dorfbewohner starrten dem grünen Schein verwirrt nach, die Partisanen jedoch wurden von einer wilden Hektik erfaßt. Sie begriffen, daß die Nationalisten ihre Linien durchbrochen hatten und sie von Norden her angriffen, während sie sich auf den Süden konzentrierten. Ein verzweifeltes Wettrennen begann: Aus der ganzen Murgana hasteten die Partisanen nach Skitari, um die Kommandotruppen auf der Höhe zu umzingeln und abzuschneiden, bevor Verstärkung eintreffen konnte. Selbst die Leibwächter der drei Befehlshaber wurden in das Rennen geschickt, das über den Propheten Elias nach Skitari ging.

Als Eleni die grünen Leuchtkugeln und die Panik der Partisanen sah, wurde ihr klar, daß der Moment zur Flucht gekommen war. Sie schüttelte die Kinder wach und befahl ihnen, sich zum Umzug in Megalis Haus im Unterdorf fertigzumachen, aber auf gar keinen Fall etwas mitzunehmen, nur Lebensmittel für einen einzigen Tag, damit die Partisanen nicht argwöhnisch wurden. Als die Mutter einmal nicht hinsah, stopfte sich Olga jedoch ihr rotes Lieblingskopftuch ins Oberteil ihres Kleides, und Kanta zog unter ihren Sachen zwei Spitzenhemden an.

Gerade als sie fertig waren und gehen wollten, klopfte es an die Tür. Draußen stand ein Partisan mit einem schweren Sack Mehl auf dem Rücken. «Wohin wollt ihr?» fragte er.

«In das Haus meiner Mutter im Unterdorf; dort sind wir sicherer vor den Granaten», erklärte Eleni.

Er stieß einen ungeduldigen Laut aus. «Wir kämpfen hier um unser Leben! Die Männer brauchen Lebensmittel und Munition, und jedes Haus im Perivoli muß heute noch Brot liefern. Also los, an die Arbeit!»

Sobald er fort war, schickte Eleni den Rest der Familie voraus, um im Haidis-Haus auf sie zu warten. Wenn sie mit dem Backen fertig sei, werde sie nachkommen. Nach Einbruch der Dunkelheit könnten sie dann fliehen. Mit Megali und Nitsa an der Spitze machten sich die Kinder auf den Weg und drängten sich jedesmal schutzsuchend zusammen, wenn eine Granate vom fernen Bergrücken her kreischend über ihren Köpfen dahinzog, um in den Bergen oberhalb des Perivoli zu explodieren.

Im Keller des Haidis-Hauses, wo sie auf ihre Mutter warteten, schmiegten sich die Gatzoyiannis-Kinder, von den nervösen Ziegen und Schafen nur durch eine halbhohe Holzwand getrennt, eng aneinander. Sie versuchten, das Pfeifen der Granaten über ihnen zu ignorieren, das sich von einem fernen, leisen Singen zu einem ohrenbetäubenden Kreischen steigerte, bevor der Einschlag den Boden unter ihren Füßen erschütterte. Kanta verkrampfte ihre Hände im Schoß, damit keiner sah, wie sehr sie zitterten. Der ganze Schrecken ihrer Partisanen-Ausbildung war mit dem Sperrfeuer der Artillerie zurückgekehrt. Immer wieder befürchtete sie, daß eine Granate zu kurz flog und direkt auf dem Dach landete. Doch wie sie wußte, war ihre Mutter im Perivoli in weit größerer Gefahr. Olga versuchte, die jüngeren Kinder mit Phantasien darüber abzulenken, was sie alles tun würden, wenn sie in Amerika waren. Nitsa unterbrach sie immer wieder mit furchtbarem Gestöhn und dem Gejammer, das Trauma der Schlacht werde bei ihr noch eine Fehlgeburt auslösen. Megali wiegte sich in einer Ecke vor und zurück und beschimpfte ihren abwesenden Ehemann. «Du Seele des Teufels!» klagte sie. «Wie konntest du mich hier nur so sterben lassen!»

Ein donnerndes Poltern an der Kellertür ließ sie alle erschrocken aufspringen. Als Olga öffnete, standen draußen zwei aufgeregte, schmutzverkrustete Partisanen mit Gewehren. «Wir räumen das Unterdorf!» riefen sie. «Die Bewohner müssen ihre Häuser verlassen und weiter oben Schutz suchen. Die Faschisten sind schon fast da! Macht euch sofort auf den Weg!»

Die Tür wurde zugeworfen, und die Familie blieb in erregter Unentschlossenheit zurück. Wenn sie jetzt in ihr Haus heimkehrten, gaben sie jede Fluchtmöglichkeit auf; außerdem wollte keiner von ihnen das Wagnis eingehen, in diesem Geschoßhagel im Dunkeln den Bergpfad emporzusteigen. Megali weigerte sich rundweg, ihr Haus zu verlassen, und Nitsa stieß ein schrilles Geheul aus. Olga schlug vor, zum Haus ihrer Tante Alexo ganz unten im Dorf zu laufen, doch Kanta behauptete, es sei Selbstmord, durch die Linien gelangen zu wollen. Schließlich fand jemand eine bessere Lösung: Sie wollten zu den Botsaris gehen und dort um Obdach bitten. Deren Haus lag unmittelbar über ihnen und ein wenig östlich, direkt hinter dem Pfad, der das Oberdorf vom Unterdorf trennte.

Seit Alexandra Botsaris 1941 auf der Flucht vor der Hungersnot in Athen ihre Kinder hierhergebracht hatte, war die armselige Hütte einigermaßen repariert worden. Angeliki war, nachdem ihr Mann geflohen war und sich den Regierungstruppen angeschlossen hatte, wieder zu ihrer verwitweten Mutter gezogen. Sie nahm das Leben immer noch mit derselben unverwüstlichen Tapferkeit, die sie zum Liebling der britischen Kommandosoldaten gemacht hatte. Auch sie würde bestimmt versuchen, zu ihrem Mann auf die andere Seite zu fliehen, fanden die Gatzoyiannis-Kinder, und ihnen zweifellos helfen, wenn der richtige Augenblick kam.

Die Kinder suchten ihre Sachen zusammen und machten sich bereit, die hundert Meter zum Botsaris-Haus zu sprinten, aber Fotini zögerte und begann zu weinen. «Und was ist mit Mutter?» jammerte sie. «Was ist, wenn sie hierherkommt, und wir sind nicht da?»

«Sobald wird bei Angeliki sind, lauf ich zum Haus rauf und sage ihr, wo wir sind», versuchte Olga sie zu beruhigen.

Hand in Hand tauchten sie ein in eine Landschaft wie aus der Hölle. Über ihren Köpfen flüsterten und kreischten Artilleriegeschosse in rotem Bogen dahin; von Granaten getroffene Bäume rauchten, der beißende Pulverdampf der Schlacht brannte ihnen in der Nase, und das ferne Grummeln der Mörser erschütterte den Boden wie das Herannahen eines riesigen Eisenbahnzugs. Im Osten, bei der Kirche zum Heiligen Freitag, wo Partisanen und Soldaten in Einzelkämpfe verwickelt waren, knatterten Maschinengewehre, unterbrochen gelegentlich vom hohlen Plop einer Granate, wie fernes Feuerwerk.

Während sie liefen, kamen das harte, trockene Geräusch der Mörser und das Jaulen einer Granate gefährlich nahe. Immer lauter wurde das Kreischen, so laut, daß sie erstarrten. Verwirrt sahen sie in die Runde; dann warfen sie sich hastig zu Boden. Kanta hatte bei den Partisanen gelernt, wie man sich hinwarf. «Auf den Bauch!» schrie sie, als sich die Granate zu senken begann, doch Glykeria hatte ihren Kopf zwischen die Knie geklemmt wie ein Vogel Strauß und das Hinterteil hoch in die Luft gereckt. «Runter mit dem Arsch, verdammt noch mal!» schrie Kanta.

Die Explosion betäubte sie, Splitter und Dreck flogen ihnen um die Ohren. Dann herrschte Stille. Sie machten sich auf einen weiteren Einschlag gefaßt, warteten verkrampft und hoben endlich behutsam den Kopf. Dann sprinteten sie blindlings auf das matte Licht zu, das im Kellerfenster der Botsaris schimmerte, und warfen sich in einem wirren Knäuel gegen die Tür.

Angeliki, hochschwanger, saß mit ihrer hysterischen Mutter und ihrer schreienden zweijährigen Tochter im Keller. Glücklich, für die bevorstehenden Stunden Gesellschaft zu haben, zog sie die Verängstigten herein. Sie habe das Gefühl, ihr Mann sei bei den Angreifern und werde sie holen kommen, sagte Angeliki.

«Wir gehen auch fort!» rief Olga. «Aber zuerst müssen wir Mama finden. Die Partisanen haben sie gezwungen, oben im Perivoli Brot für sie zu backen, aber wir müssen uns zum Aufbruch fertigmachen. Sie werden bald hier sein.»

Das letzte Tageslicht war fast verblaßt, und in dem übelriechenden, dampfenden Keller konnten sie während der Gefechtspausen hören, wie die beiden Armeen einander durch ihre Megaphone beschimpften. «Faschisten! Hahnreie!» riefen die Partisanen, zwei Wörter, die sich auf griechisch reimen. Die Antwort der Nationalisten ertönte genauso nahe: «Wir werden eure Köpfe als Souvenirs nach Ioannina mitnehmen!»

Nikola erschauerte, denn er wußte, daß die Soldaten tatsächlich oft Feindesköpfe als Trophäen sammelten.

«Sie sind schon fast in der Schlucht unten!» rief Olga. «Ich muß zu Mama!»

«Du kannst jetzt nicht raus!» kreischte Megali. «Du kommst keine zehn Schritte weit!»

«Ich laufe nur bis zum Makos-Haus und versuche von dort aus zu rufen», erklärte Olga.

Damit schlüpfte sie zur Tür hinaus, mitten in das Toben der Schlacht. Die Granatwerfer und Maschinengewehre konzentrierten sich auf den Perivoli, und das Dorfzentrum war vom Stakkato der Handfeuerwaffen erfüllt. Kugeln zischten über Olgas Kopf hinweg, während sie, die Hände über die Ohren gepreßt und alle Heiligen um Schutz anflehend, dahinhetzte. Sie schaffte es bis zum Makos-Feld auf einem Landvorsprung oberhalb der Schlucht, von wo aus sie hundert Meter weiter oben, hier und da vom geisterhaften Glühen einer Leuchtkugel erhellt, ihr Elternhaus sehen konnte. Drinnen war alles dunkel. Beide Hände an den Mund gelegt, wartete Olga auf eine Feuerpause, um dann zu schreien: «Ooohhh, Mama! Ooohhh, Mama!» Keine Antwort.

Als die Artillerie den Perivoli zu beschießen begonnen hatte und rings um sie herum Granaten explodierten, war Eleni zur Tür hinausgestürzt und die fünfzehn Meter zum höher gelegenen Nachbarhaus gelaufen, wo Marina Kolliou ebenfalls Brot backen mußte. Die beiden Frauen umklammerten einander, überließen das Brot seinem

Schicksal und zwängten sich in den Vorratskeller unter der Falltür in der Küche. Von diesem Versteck aus konnte Eleni die Tochter unmöglich rufen hören.

Olga schrie nach ihrer Mutter, bis ihre Kehle wund war und ihr die Tränen übers Gesicht strömten. Dann gab sie auf, lief geduckt unter den Geschoßschwärmen hindurch und brach, als sie das Botsaris-Haus erreichte, schluchzend zusammen. Ihre Mutter sei wahrscheinlich tot, keuchte sie. Diese Nachricht zog einen allgemeinen Ausbruch von Hysterie nach sich. Nikola versteckte sich im hintersten Winkel, hielt sich die Ohren zu und versuchte, nicht zu hören, was seine Schwestern über den Tod der Mutter sagten.

Als es ganz dunkel geworden war, kämpften Partisanen und Regierungstruppen im Ostteil des Dorfes von Mann zu Mann und von Haus zu Haus. Die *andartes* schossen zum Teil von den Einmannbunkern aus. Die Partisanen auf den Höhen des Perivoli erwiderten das Artilleriefeuer der Regierungstruppen mit einer solchen Heftigkeit, daß die Soldaten nicht über die Schlucht hinaus vordringen konnten, die den Ostteil des Dorfes vom Westteil trennte.

Eleni wartete im Vorratskeller unter Marina Kollious Küche bis eine Stunde nach Sonnenuntergang auf eine Kampfpause; doch länger durfte sie nicht warten, wenn sie ihre Kinder im Haidis-Haus holen und mit ihnen fliehen wollte. Sie ignorierte die Warnungen ihrer Freundin, wickelte sich das schwarze Kopftuch ums Gesicht, um sich im Dunkeln möglichst unsichtbar zu machen, und schlich sich zu ihrem eigenen Haus, huschte von ihrem Garten aus die terrassierten Felder hinunter, schlug dabei einen Bogen nach Westen, fort von der schlimmsten Schießerei, und wandte sich dann wieder nach Osten. Als sie das Haidis-Haus erreichte, fand sie es leer und verschlossen. In panischer Angst lief sie ums Haus herum und hämmerte an alle Kellerfenster, doch ihre Schläge hallten nur hohl in der Dunkelheit wider.

Ihre Kinder waren von diesem Armageddon verschlungen worden! Eleni lief zum Tor hinaus und zum Haus ihrer Freundin Vasiliki Petsis ein Stück weiter östlich hinüber, doch das war ebenfalls verschlossen. Dann entdeckte sie auf der anderen Seite des Pfades, der das Dorf teilte, ein schwaches Licht im Kellerfenster des Kesselflickers Iorgios Mallios. Sie hastete hinüber, hämmerte an die Tür und schrie. Als ihr geöffnet wurde, sah sie, daß der winzige Raum gefüllt war mit Menschen, die sie in der nur von einer Kerze erhellten

Dunkelheit anstarrten. Vasiliki Petsis war hier, doch von ihren Kindern fand Eleni, die sich durch die Menge drängte, keine Spur.

«Die Partisanen haben das ganze Unterdorf evakuiert», berichtete Vasiliki. «Deswegen bin ich hier, und deswegen ist das Haidis-Haus leer. Aber wer weiß, wo deine Familie hingegangen ist? Die Partisanen haben gesagt, die Soldaten hätten schon die Kirche zur Heiligen Jungfrau erobert. Deine Schwägerin wohnt darunter, also sind sie vielleicht bei ihr untergekommen.»

Das erschien Eleni vernünftig: Sie waren ganz unten ins Dorf gegangen, um dort, am äußersten Rand der Freiheit, mit ihrer Schwägerin Alexo auf sie zu warten. Aber sie setzten ihr Leben aufs Spiel, wenn sie die Schlucht am Rand der Kampfzone durchquerten. Sie atmete tief durch und wandte sich zum Gehen. Wenn ihre Kinder das konnten, dann konnte sie es ebenfalls. Vielleicht holte sie sie ja unterwegs ein. Sobald sie heil zu Alexos Haus gelangten, lag die bequeme Straße in die Freiheit vor ihnen.

Sogar im Dunkeln fand Eleni den Weg durchs Haidis-Bohnenfeld in die Schlucht hinab und auf dem kleinen Holzsteg über den Bach. Sie würde auf der anderen Seite wieder hinaufklettern müssen, also dem Kampfgebiet gefährlich nahe kommen, und dann dem Pfad, der am Rand der Schlucht entlangführte, wieder südwärts bis zu Alexos Haus folgen.

Je tiefer sie in den Abgrund hinabstieg, dem Geräusch des plätschernden Wassers zu, desto sicherer fühlte sie sich, denn nun flogen die Geschosse der Geschütze sowie die Mörsergranaten hoch über ihrem Kopf zum Perivoli, und ihr schien, als seien die Einzelkämpfe nicht weiter westwärts gekommen als bis zum Schulhaus am Dorfplatz. Als sie auf der anderen Seite der Schlucht emporklomm, sah Eleni aus jener Richtung die Flammen brennender Häuser und die Glühwürmchen-Funken von Gewehrschüssen. Auf dem schmalen Pfad am Rand der Schlucht eilte sie südwärts, tastete sich vorsichtig weiter, denn ein einziger Fehltritt genügte, und sie würde in die Tiefe stürzen. Gelegentlich trat sie einen Stein oder Erdklumpen los und hörte ihn mehrmals aufprallen, bevor er unten ins Wasser klatschte. Die linke Hand ausgestreckt, tastete sie sich am Hang entlang, der sich neben dem Pfad emporzog, ständig bereit, sofort nach einem Ast zu greifen, falls sie ausrutschte.

Von Zeit zu Zeit illuminierte eine rote Leuchtspur die Landschaft; dann drückte sie sich jedesmal tief in den Schatten der Büsche.

Gerade als Eleni die letzte Außenbiegung des Pfades vor dem Grundstück ihrer Schwägerin erreichte, lehnte sie sich gegen den Felshang, griff hinter sich, um festen Halt zu finden, und berührte einen Arm. Entsetzt erstickte sie einen Schrei. Das Licht der Leuchtkugel war verloschen, und dennoch sah sie eine dunkle Gestalt, die halb sitzend, mit schlaffen Gliedern, den Kopf auf die Schulter geneigt wie eine Lumpenpuppe, schräg am Hang lehnte. Eleni wußte sofort, daß der Mann tot war: Unter dem Stoff hatte sie die wächserne Kälte des Fleisches gespürt. Ihre Zähne begannen zu klappern; sie warf sich herum, stürzte davon und stolperte, ohne sich länger am Felshang abzustützen, den schmalen Pfad nur noch instinktiv entlang.

Das Licht im Fenster von Alexos Haus lockte sie mit der Verheißung, daß dort ihre Kinder warteten. Kaum schaffte sie es, ihren Namen zu rufen, als sie sich erschöpft an die Tür lehnte. Jemand öffnete, und sie sah das freundliche, beunruhigte Gesicht ihrer Schwägerin, die mit großen Augen zu ihr herausspähte. «Aber Eleni, wie kommst du denn hierher?» rief Alexo erstaunt. «Und wo sind die Kinder?»

Eleni wäre fast zusammengebrochen, aber Alexo fing sie auf und führte sie zu einem Stuhl. Müde sah sich Eleni im Keller um. Außer Alexos elfjähriger Tochter Niki waren ein halbes Dutzend Nachbarn hier. Schließlich stieß sie mühsam heraus: «Ich dachte, meine Kinder wären hierhergekommen, damit wir alle zusammen fortgehen könnten. Wenn sie nicht hier sind, habe ich sie verloren.»

Alexo brachte ihr ein winziges Glas Raki und hielt es ihr an die Lippen. «Die Soldaten waren hier, in unserem Haus», berichtete sie. «Ich habe gefragt, ob wir fortgehen sollten, und sie sagten, wir sollen bis zum Morgen warten. Bis dahin werden sie das ganze Dorf erobert haben, Eleni. Bleib lieber bei uns, bis morgen früh; dann sind die Partisanen fort, und du kannst deine Kinder suchen.»

«Du hast ja keine Ahnung, was da oben los ist», weinte Eleni. «Ich kann sie nicht mitten in all dem allein lassen!» Ihre Gedanken rasten wirr von einem Bild zum anderen: der Leichnam, den sie berührt hatte, ihre Kinder, die blutend in einer Schlucht lagen und nach ihr riefen, Nikola, verängstigt und ganz allein.

Alexo hielt Eleni, die unkontrolliert zitterte, fürsorglich im Arm. Schließlich hatte sie den Schwächeanfall überwunden und zwang sich, wieder ins Dunkel hinauszugehen.

«Du wirst sterben – irgend jemand wird dich für einen Soldaten halten!» protestierte Alexo, als ihre Schwägerin sich aufraffte. Doch als sie sah, daß Eleni nicht zuhörte, brachte sie ihr eine Fackel – ein Stück Brennholz aus dem Kamin, das an einem Ende glühte – und riet ihr, es als Signal zu schwenken, damit die Soldaten merkten, daß sie nicht zum Feind gehörte. Eleni nahm es dankbar entgegen: Selbst ein Stück brennendes Holz schien ihr eine Art Schutz gegen das Entsetzen zu sein, das in der Nacht auf sie lauerte.

Als sie, die Fackel vor sich haltend, den Rückweg über den gefährlichen Pfad antrat, schien der Schlachtenlärm näher gerückt zu sein. Sie versuchte sich nicht vorzustellen, wie der Leichnam im Licht der Fackel aussehen würde, aber sie kam gar nicht so weit. Eine dunkle Silhouette trat ihr in den Weg und fragte: «Wer sind Sie? Wohin wollen Sie?» Als Eleni die Fackel hob, sah sie auf dem Hang über sich weitere dunkle Gestalten.

«Eleni Gatzoyiannis, Ehefrau von Christos, aus dem Perivoli», antwortete sie, über die Schlucht hinwegdeutend. «Ich suche meine Kinder.»

Die Gestalt kam näher, bis sie die Kroninsignien an seiner zweispitzigen Mütze sah. «Sie können nicht weitergehen», sagte er. «Die Partisanen-Linien ziehen sich quer über die obere Hälfte des Dorfes. Das Schußfeld reicht von hier bis dort.»

«Aber meine Kinder sind da drüben!» rief Eleni verzweifelt.

«Morgen früh haben wir das ganze Dorf erobert», versicherte der Soldat. «Warten Sie bitte so lange.»

Eleni machte kehrt, doch sobald sie außer Sichtweite des Soldaten war, begann sie den steilen Hang der Schlucht senkrecht hinabzuklettern, hielt sich an Büschen und Krüppelkiefern fest und tastete sich Schrittchen um Schrittchen den Felssturz hinab auf den Bach zu, der tief unten rauschte. Irgendwie schaffte sie es, die Fackel nicht zu verlieren. Als sie endlich den Bach erreichte, hastete sie in das eisige Wasser und begann stromaufwärts zu waten, um das Bachbett an einer seichten Stelle zu durchqueren, damit sie den Holzsteg nicht zu benutzen brauchte. Sie arbeitete sich bis zum Wasserfall vor, wo sie hinauskletterte, indem sie sich an den Sträuchern hinaufzog, und kam schließlich dort heraus, wo der Pfad, der das Dorf teilte, unmittelbar oberhalb des Haidis-Hauses verlief. Von dort aus konnte sie sehen, wie die Partisanen direkt unter ihr auf die Regierungssoldaten schossen. Fast Schulter an Schulter lagen sie, einige mit Gewehren, andere mit Maschinengewehren. Eleni sah ein, daß sie das Haidis-Haus, jetzt mitten im Niemandsland, nicht mehr erreichen konnte. Hilflos sah sie in die Runde und entdeckte unmittelbar über sich einen Lichtschimmer im Keller des Botsaris-Hauses.

Unter Tränen der Erschöpfung stieg Eleni zur Kellertür der Botsaris hinauf und klopfte. Sie hörte Schritte; dann wurde die Tür einen Spaltbreit geöffnet. Ein Schrei, und die Tür wurde ganz aufgerissen: Eleni sah Olga vor sich und brach zusammen.

Später saß Eleni zitternd da, während Nikola sich in den Schutz ihrer Arme schmiegte. Ganz langsam verwandelte sich ihre Freude über die Wiedervereinigung mit den Kindern in Zorn. «Wißt ihr, was ich euretwegen heute nacht mitgemacht habe?» rief Eleni empört. «Wärt ihr im Haidis-Haus geblieben, wie wir es geplant hatten, wären wir jetzt in Sicherheit und auf dem Weg nach Filiates!»

«Aber die Partisanen wollten uns nicht bleiben lassen!» protestierte Olga. «Sie haben das ganze Unterdorf evakuiert. Deswegen sind wir hierhergekommen.» Und sie schilderte, wie sie versucht hatte, Eleni vom Makos-Haus aus zu rufen. Als Eleni das hörte, machte sie ihrer Tochter Vorwürfe, weil sie sich in eine so große Gefahr begeben hatte.

«Aber jetzt bist du da, und wir sind alle zusammen und können fort!» sagte Olga.

Eleni schüttelte den Kopf. «Das ist unmöglich! Wir alle zusammen werden es niemals schaffen, durch die Linien der Partisanen zu kommen. Sie kämpfen Schulter an Schulter unmittelbar unterhalb dieses Hauses.» Einen Augenblick starrte sie nach draußen in die Finsternis, dachte daran, wie nahe sie der Freiheit gewesen war; dann zog sie Nikola fester an sich. «Macht nichts», behauptete sie. «Wir werden warten und beten, daß die Soldaten sie an uns vorbei den Berg hinauftreiben. Alexo sagt, daß sie bis morgen früh das ganze Dorf erobert haben werden. Dann können wir fort.»

Die Regierungssoldaten kamen nie über die untere Grenze des Haidis-Grundstücks hinaus. Am 3. März um zwei Uhr früh hatte sich das Schlachtenglück gewendet, und die Regierungstruppen befanden sich auf dem Rückzug.

Als die Lioten sich morgens im ersten Tageslicht hinauswagten, hing Pulvergestank in der Luft, und der Berghang unterhalb ihres Dorfes war mit Leichen und Kampftrümmern übersät. Die Soldaten waren bis zur Anhöhe von St. Marina in den Vorbergen hinaufgetrieben worden, wo sie noch immer von der Partisanen-Artillerie beschossen wurden.

Die Entwarnung kam bei Morgengrauen, als die Partisanen durchs ganze Dorf marschierten und durch ihre Megaphone verkündeten, die Faschisten seien triumphal in die Flucht geschlagen worden und alle könnten in ihre Häuser zurückkehren. Erschöpft machte sich die Gatzoyiannis-Familie auf den Heimweg zum Haidis-Haus. Die Kinder hofften immer noch, daß die Soldaten einen erneuten Vorstoß wagten, Eleni jedoch argwöhnte, daß ihnen die letzte Chance zur Flucht durch die Finger geschlüpft war.

Im Laufe der nächsten Tage, während die Zivilisten noch völlig verunsichert waren und von Gerüchten lebten, wurde gemunkelt, daß drei Frauen, die im östlichen Teil von Lia wohnten, im Durcheinander der Schlacht und der unmittelbaren Folgen das geschafft hatten, was den Gatzoyiannis mißlungen war: Sie hatten sich davongeschlichen. Obwohl die Partisanen offiziell nichts über die Flucht verlauten ließen, tuschelten die Dorfbewohner tagelang davon, und viele von ihnen waren neidisch, weil sie nicht den Mut oder die Gelegenheit gehabt hatten, es ihnen gleichzutun. Die Besatzung der Partisanen-Beobachtungsposten rings ums Dorf wurde verdoppelt, um weitere Desertionen unmöglich zu machen, und Eleni wußte, daß nun jede Chance, ihre Familie aus Lia hinauszubringen, verpaßt war.

Ungefähr fünf Tage nach der Schlacht von Povla riefen die Kirchenglocken die Dorfbewohner zu einer obligatorischen Versammlung, die anders war als alle früheren. Statt Tanz, Gesang und Sketches wurde ihnen ein echtes Drama geboten. Als sie auf der Alonia eintrafen, saßen dort vier Männer auf Stühlen. Die drei links waren Fremde in elegantem Zivil. Auf einem Stuhl für sich allein saß rechts ein barfüßiger Soldat mit geschwollenen, verfärbten Füßen, zerrissener Uniform und vor dem Körper gefesselten Händen.

Als die Lioten versammelt waren und die Szene stumm betrachteten, erhob sich einer der drei Zivilisten. Mit seinen theatralischen Gebärden, dem geschniegelten Äußeren und der bewegenden Stimme hätte er gut Kantor einer Kirche sein können. In Wirklichkeit war er ein ehemaliger Friedensrichter aus Konitsa, der jetzt in der Justizabteilung des Partisanen-Kommandos Epirus als Untersuchungsbeamter und Militärrichter arbeitete und gerade vier bei Povla gefangengenommene Nationalisten-Offiziere abgeurteilt hatte. Er war groß, mit einer ausgeprägten Römernase, unnatürlich kleinen Ohren und zurückweichendem, graumeliertem Haar. Sobald er mit seiner tiefen, sonoren Stimme zu sprechen begann, die bis in den hintersten Winkel des Platzes drang, wurde es totenstill. Selbst der gefesselte Soldat hob erschrocken den Kopf. Es war das erstemal, daß sie die Stimme von «Katis» hörten, das ist ein albanisches Wort und bedeutet «Richter».

Der Richter mit der auffallenden Stimme erklärte den Einwohnern von Lia, sie würden jetzt sehen, wie das Volk Justiz übe. Dieser Verräter, der nach dem erfolglosen Angriff der Faschisten aufgegriffen worden sei, werde nun vor ein Volksgericht gestellt.

Niemand wußte, wovon er redete. Die Lioten hatten noch nie eine Gerichtsverhandlung erlebt und keine Ahnung, welche Rolle die Männer vor ihnen spielten – bis auf den Gefangenen natürlich. Der Hochgewachsene, der den Vorsitz zu haben schien, las die Verbrechen des Angeklagten von einem Zettel ab. Dann wandte er sich an den Soldaten und begann ihm Fragen zu stellen, die von dem jungen Mann zögernd beantwortet wurden, als sei er ein Student, der ein Examen ablegen muß, auf das er sich nicht vorbereitet hat. Der Vorname des Soldaten war Evangelos – den Rest verstand Eleni nicht –, und man beschuldigte ihn des Verrats an Griechenland und dem Volk während der vergangenen fünf Jahre, zuerst in der Besatzungszeit als Angehöriger der Streitkräfte des Kollaborateurs Zervas und jetzt als Soldat der monarcho-faschistischen Armee.

«Trifft es zu, daß du mit Zervas gekämpft hast?» fragte ihn Katis. Der Soldat nickte, unverwandt die Lippen des Sprechers anstarrend, ohne die Menge der Zuschauer zu beachten.

«Bist du freiwillig mit Zervas gegangen, oder unter Zwang?»

«Freiwillig», erwiderte der Soldat unsicher. «Aber ich habe eine Frau und einen kleinen Jungen zu ernähren und brauchte das Geld.»

Nach einigen weiteren Fragen schien Katis endlich zufrieden zu sein. Er legte den Zettel hin und winkte den beiden anderen Männern, die von ihren Stühlen aufstanden und mit ihm hinter die riesige Platane am Rand des Dorfplatzes traten. Während sie miteinander flüsterten, musterten die versammelten Dörfler den Gefangenen, der sich auf seinem Stuhl umgedreht hatte und zu der Stelle hinüberstarrte, wo die drei Männer verschwunden waren. Er war so blaß wie Pergament, und sein Haar klebte in Büscheln an seiner Stirn. Seine Augen waren blaugeschlagen, und im ganzen Gesicht hatte er dunkelrote und blaue Flecken. Sein Atem ging hörbar keuchend.

Nach einigen Minuten kehrten die drei Männer zurück und nahmen ihre Plätze ein. Katis erhob sich. «Der Volksgerichtshof erklärt diesen Verräter für schuldig», verkündigte er. «Das Urteil lautet auf Tod.»

Mit lautem Krach glitt der Soldat plötzlich vom Stuhl und warf ihn dabei um. Zwei Partisanen traten vor und zerrten ihn hoch, jeder mit einer Hand unter seiner Achsel, während ein dritter den Stuhl aufrichtete. Aber sie mußten hinter dem Gefangenen stehenbleiben und ihn an den Schultern festhalten, damit er nicht umkippte.

Einer der Partisanen versuchte ihn zu beruhigen, zog eine Zigarette heraus, steckte sie dem Mann zwischen die Lippen und wollte dann ein Streichholz anreißen, doch die Zigarette fiel zu Boden. Der Partisan steckte sie dem Gefangenen wieder in den Mund, aber sie fiel wieder heraus, und so wischte er angewidert den Speichel ab und steckte sie ein.

Alle sahen schweigend zu, warteten ab, was der nächste Akt dieses Dramas bringen würde. «Hat es nicht schon genug Tote gegeben?» ertönte die Stimme eines alten Mannes. Es war der Bauer Sioli Skevis, der Vater von Spiro und Prokopi.

Katis, der Richter, wandte sich an den grauhaarigen Alten. «Daß einer von deinen Söhnen zu unseren Befehlshabern gehört, bedeutet nicht, daß du dich in die Rechtsprechung einmischen darfst!» fuhr er ihn an. «Wir führen hier den Willen des Volkes aus, das keine Verräter in seinen Reihen duldet. Frag deine Nachbarn, was die wollen. Ich werde ihre Entscheidung respektieren. Vier Männer aus Lia sind während der Okkupation umgekommen, getötet von Zervas' Kugeln, vielleicht aus dem Gewehr dieses Mannes. Soll er wirklich am Leben bleiben?»

Katis sah sich in der Menge um und wählte seine Jury sorgfältig. Sein Blick fiel auf Calliope Bardaka, die rundliche, hübsche junge Witwe, deren Mann verschwunden war, als er während der Besatzungszeit den ELAS-Truppen eine Meldung brachte. «Dein Mann ist durch die Hände der Zervas-Söldner gestorben», donnerte er, «und hat dich mit deinen hungernden Kindern allein gelassen. Was meinst du, was wir mit ihm tun sollen?»

«Hinrichten!» erwiderte Calliope ohne Zögern.

«Und du?» fragte Katis Elia Poulos, den Kesselflicker, der während der Schlacht, als die Nationalisten den Rückzug antraten, nach Lia zurückgekehrt war. «Was meinst du?»

«Hinrichten!» rief Elia Poulos.

Katis ließ seinen Blick über die Zuschauer wandern. Eleni machte sich ganz klein und betete, daß er sie nicht ansehen möge. Sein Blick machte bei Spiro Michopoulos halt, dem tuberkulösen Kaffeehausbesitzer, der von den Partisanen zum Dorfvorsteher ernannt worden war. Michopoulos blickte unsicher drein.

«Du, Dorfvorsteher», fragte Katis, «welches Schicksal hat dieser Mann deiner Meinung nach verdient?»

«Ja, äh... Was immer der Volksgerichtshof entscheidet», stotterte Michopoulos, der sich hilfesuchend umschaute.

«Das reicht nicht, Genosse!» fuhr Katis auf. «Sollen wir ihn hinrichten oder nicht?»

Eine lange Pause entstand; dann hörten die Dörfler Michopoulos leise antworten: «Ja.»

Katis stellte seine Frage noch einigen weiteren ausgewählten Zeugen. Und erhielt jedesmal dieselbe Antwort.

Während die Befragung weiterging, musterte der Gefangene die Gesichter der Antwortenden eindringlich, als erwarte er, daß irgend jemand für ihn sprechen werde, mit jeder Antwort jedoch sank seine Hoffnung. Eleni schwitzte bei dem Gedanken daran, was sie sagen würde, wenn der Richter sie aufrufen sollte.

Katis' kleine, glänzende Augen kamen ihr, als er nacheinander jedes Gesicht studierte, immer näher. Dann hielt er inne. Er deutete auf Stavroula Yakou, die dicht neben Eleni stand. «Deine Schwester kämpft als *andartina* für die Demokratische Armee», rief Katis Stavroula zu, «und dieser Mann hier gehört zu jenen, die gekommen waren, um sie zu töten. Welches Schicksal wählst du für ihn?»

Stavroula errötete; die Sonne glänzte auf ihrem weizengelben Haar, das zum Teil unter einem kornblumenblauen Kopftuch verborgen war. Nie hatte sie schöner ausgesehen; sie glich einem Bild der Heiligen Jungfrau auf einer Ikone. Der Soldat auf seinem Stuhl starrte die Erscheinung mit plötzlich auflebender Hoffnung an. Stavroula blickte dem Richter offen ins Gesicht und reckte das Kinn.

«Hinrichten», antwortete sie.

11

Pedomasoma ist ein zusammengesetztes Wort, das «Einsammeln der Kinder» bedeutet. Es wurde im März 1948 in den griechischen Wortschatz aufgenommen, als die Provisorische Kommunistische Regierung eine neue Maßnahme über den Rundfunk verkündete: Alle Kinder in den besetzten Gebieten Nordgriechenlands zwischen drei und vierzehn Jahren sollten gesammelt und in jene «Volksdemokratien» hinter dem Eisernen Vorhang geschickt werden, die sich erboten hatten, sie aufzunehmen. Es hieß, diese Entscheidung sei getroffen worden, um die Kinder in den Kriegsgebieten vor den Grausamkeiten der angreifenden faschistischen Soldaten zu schützen: vor dem Hunger durch Vernichtung der Ernte, Bombardierungen und Plünderungen.

Außerdem würde die Tatsache, daß ihre Kinder als Geiseln in Ländern des kommunistischen Ostblocks lebten, die Loyalität der in den Gebirgsdörfern zurückgebliebenen Eltern garantieren. Und schließlich würden die Kinder mit der Weltanschauung der Partei indoktriniert und später die kommunistischen Kader der jungen griechischen Militanten auffüllen.

Die Entführung der Kinder war der Tropfen, der das Faß zum Überlaufen brachte: Die Bewohner der besetzten Dörfer wandten sich gegen die Partisanen, und diese verloren die breite Basis der Unterstützung durch das Volk, die sie einst in Nordgriechenland genossen hatten. Zunehmende Gewalttätigkeiten der Partisanen beschleunigten noch die Desillusionierung der Zivilbevölkerung.

Bis Ende 1948 waren über 28 000 griechische Kinder ihren Eltern entrissen und in auf den ganzen Ostblock verteilten Lagern untergebracht worden. Aus den Murgana-Dörfern wurden dreihundert Kinder nach Albanien, Bulgarien und Jugoslawien geschickt. Viele kehrten nie zurück. Ein Dutzend ehemaliger Lia-Kinder sind immer noch über die kommunistischen Länder verstreut, von Polen über Rumänien bis nach Taschkent. Dennoch behaupten viele griechische Kommunisten heute, es habe nie so etwas wie die *pedomasoma* gegeben, und kein einziges Kind sei gegen den Willen der Eltern fortgebracht worden.

Das Programm war anfangs tatsächlich freiwillig; nach einem Monat jedoch waren nur 1100 Kinder aus ganz Griechenland von ihren Eltern freiwillig in die Lager hinter dem Eisernen Vorhang geschickt worden: Die Partisanen hatten nicht mit der tief eingewurzelten Tradition der griechischen Familien-Solidarität gerechnet. Sogar nach acht Jahren Krieg und Hungersnot konnte man die Frauen der Gebirgsdörfer nicht dazu überreden, ihre Kinder fremden Menschen in fremden Ländern zu überlassen. Schließlich beschlossen die Partisanen, beim Einsammeln der Kinder müßten strengere Maßnahmen angewandt werden.

Ende März 1948, als die Einwohner von Lia mit dem Pflanzen von Frühbohnen, Zwiebeln und Mais begannen, sahen sie die Partisanen an den Dorfgrenzen und unten in den Vorbergen eine andere Saat in die Erde legen: Tretminen, die so konstruiert waren, daß sie sich unter dem Gewicht eines menschlichen Körpers blitzartig zu roten Todesblumen entfalteten.

Der beinahe erfolgreiche Angriff auf die Murgana Anfang des Monats und die Flucht dreier Dorfbewohnerinnen war den Besatzern von Lia eine Lehre gewesen. Sie waren entschlossen, die Murgana-Dörfer so fest wie einen verkorkten Weinkrug zu verschließen, damit niemand herein oder hinaus gelangte. Daß das Unternehmen Pergamos wiederholt werden würde, schien so gut wie sicher; deswegen wurden sämtliche potentiellen Anmarschwege durch die Vorberge und die Schluchten schwer vermint. Die Wachtposten der Beobachtungspunkte im ganzen Dorf, die vierundzwanzig Stunden am Tag besetzt waren, wurden verstärkt, um peinliche Zwischenfälle wie die Flucht der drei Frauen in Zukunft zu verhindern.

Kostas Koliyiannis, der politische Kommissar der Murgana, fand jedoch, Tretminen und verstärkte Wachtposten genügten nicht, um die totale «Mitarbeit» der Bewohner von Lia zu garantieren. Er beschloß, im Dorf eine Dienststelle der Sicherheitspolizei wie in Babouri einzurichten. Dafür brauchte er ein Haus, das groß genug war für ein Büro, mehrere Verhörzimmer und einen sicheren Keller als Gefängnis. Und das einzige Haus in Lia, das die entsprechende Größe besaß, gehörte der Amerikana.

Als Eleni eines Morgens Mitte März ihr Tor öffnete, stand dort Sotiris Drapetis. Der Anblick seiner Reptilienaugen in dem schmalen, hübschen Gesicht erinnerte sie an den Tag, da er auf der Suche nach Waffen ihr ganzes Haus auseinandergenommen hatte, und ihre Kehle zog sich zusammen.

Sotiris teilte Eleni mit, die Demokratische Armee benötige ihr Haus als neue Polizeistation. Aus Sicherheitsgründen dürften keine Zivilisten dort wohnen bleiben. Sie habe vierundzwanzig Stunden Zeit, um eine neue Bleibe für ihre Familie zu finden.

Es gab nur einen einzigen Ort, an dem sie Zuflucht suchen konnte, das war ihr klar: das Zweizimmerhaus ihrer Eltern, das leerstand, seit Megali von Sotiris' Häschern zusammengeschlagen worden und zu ihrer Tochter gezogen war.

Über Nacht bereitete die Gatzoyiannis-Familie sich auf den Umzug vom Perivoli ins Unterdorf vor. Außer den vierzehn Ziegen, den Schlafdecken, den Kleidern und etwas Mais gab es nicht viel, was zu retten war. Auf Sotiris' Befehl ließ Eleni Nähmaschine und Grammophon zurück: Die brauche die Demokratische Armee. Das Foto von Christos und den vergoldeten Krug aus Konstantinopel wickelte sie in ein paar Kleidungsstücke und begann dann stumm von dem Haus, in dem sie zweiundzwanzig Ehejahre verbracht hatte, Abschied zu nehmen. Hier hatte sie ihre Kinder geboren und ihre Schwiegermutter sterben sehen. Es war, als lasse sie einen Teil ihrer selbst zurück.

Eine Zeitlang stand Eleni vor der Ikonostase in der Ecke, wo sie sich jeden Morgen und jeden Abend bekreuzigt hatte. Dann wanderte sie umher und berührte noch einmal die Luxusgegenstände, die ihr Haus zum schönsten im ganzen Dorf gemacht hatten: das Messingbett, das eingebaute Schuhregal, die geniale Dusche aus aufgehängten Wasserfässern vor der Küche, das große Tor mit den Messinggriffen und der Klingel, den geschnitzten Kamin mit dem Namen ihres Mannes. Zum letztenmal sah sie zum Fenster hinaus auf die Täler und Berge im Süden des Dorfes. Nie wieder würde sie den Horizont aus dieser Perspektive sehen. Zum Haus ihrer Eltern, den Berg hinab, war es ein Weg von nur fünfzehn Minuten, aber es schien ihr, als liege es eine halbe Welt entfernt.

Jede von ihren Töchtern verabschiedete sich auf ihre eigene Art und Weise von dem Haus, in dem sie geboren war. Olga holte ihre liebevoll in eine Segeltuchplane gepackte Aussteuer aus dem Versteck in Ranos und Tassinas Haus; Fotini umklammerte den kleinen Beutel mit Spielzeug, das sie von Hanjaras, dem Leiter der Verpflegungsstelle, bekommen hatte; und Nikola wanderte schweigend im Garten umher, besuchte ein letztes Mal die Plätze, die ihm genauso vertraut waren wie das Gesicht seiner Mutter.

Am nächsten Morgen erschienen kurz nach Tagesanbruch drei Sicherheitsoffiziere vor dem Gatzoyiannis-Haus. Sie waren alle drei groß und muskulös und hatten die eiskalten Augen der Polizisten in aller Welt.

Schweigend sahen die Gatzoyiannis zu, wie die Männer in Begleitung von Sotiris Drapetis, der den Geheimdienst im Dorf leitete, ihr Haus betraten. Dann machten sie sich, die Tiere vor sich hertreibend, zum letztenmal und ohne einen Blick zurück auf den Weg vom Perivoli ins Dorf.

Die Gegenwart der Sicherheitspolizei bewirkte sofort eine subtile, doch tiefgreifende Veränderung in der Atmosphäre des Dorfes: Sie verlieh den Dörflern eine berauschende neue Macht und eine allgemeine Unsicherheit. Klatsch war schon immer die Würze gewesen, durch die das monotone Dorfleben erträglich wurde. An einem Berghang, wo man von jedem Haus in den Garten darunter blicken kann, bleibt nichts verborgen. Hatte ein Ehepaar einen Streit, vernachlässigte eine Hausfrau ihre Wäsche, gerieten sich zwei Männer beim Backgammon in die Haare – es dauerte keine vierundzwanzig Stunden, und jeder im Dorf wußte davon, während die Einzelheiten noch mindestens eine Woche lang diskutiert wurden.

Der Dorfklatsch war immer relativ harmlos gewesen, die Polizeistation jedoch verlieh ihm plötzlich eine neue Bedeutung. Bis zum Eintreffen der Polizei hatte niemand den gegenseitigen Beschuldigungen der Dörfler Gehör geschenkt. Jetzt konnte jeder zur Polizei gehen und sich darüber beschweren, daß der Nachbar Kisten und Kästen voll Mais besaß, während die anderen hungern müßten, und am nächsten Tag schon drang eine Gruppe Partisanen bei dem Nachbarn ein, um den gesamten Mais zu beschlagnahmen. Wurde einer Frau der ständige Arbeitsdienst zuviel und ärgerte sie sich darüber, daß ihre Nachbarin weniger oft geholt wurde, ging sie zur

Sicherheitspolizei und behauptete, die andere habe ihrem Maultier einen Stein in den Huf gedrückt, damit es lahme: Die Nachbarin wurde prompt verhaftet und abgeführt. Keiner der Denunzianten war besser daran als zuvor, doch es verlieh ihnen ein Gefühl der Macht, wenn sie sahen, wie einfach es war, den Nachbarn Leid zuzufügen. Jeden Tag wimmelte der Weg zum Perivoli von Dörflern, die ein Vergehen zu melden hatten – stets mit der ausdrücklichen Forderung, daß ihr Name nicht genannt werden dürfe. Die Sicherheitspolizisten nickten und lauschten aufmerksam, und wenn der Denunziant gegangen war, machten sie sich Notizen und gaben die Informationen an Sotiris weiter, der alles in seinem Buch festhielt. Wenige Wochen nach dem Eintreffen der Sicherheitspolizei war das Dorf von Paranoia erfaßt.

Da die einheimischen Männer im Kielwasser der Partisanen geflohen waren und Lia zu einem Dorf der Frauen und Kinder gemacht hatten, waren die meisten Denunzianten weiblichen Geschlechts. Gewisse Frauen wurden verdächtigt, sich eine bevorzugte Behandlung zu erkaufen – nicht nur durch Denunzieren der Nachbarinnen, sondern indem sie das Bett mit den Partisanen teilten. Zwei Frauen wurden am häufigsten der Kollaboration dieser Art bezichtigt. Die eine war Calliope Bardaka, die hübsche, mollige junge Witwe und gläubige Kommunistin, deren Mann 1943 von der EDES beim Überbringen einer Meldung an die ELAS erschossen worden war und sie mit zwei kleinen Kindern zurückgelassen hatte. Tagtäglich sah man, wie sie das Haus der Sicherheitspolizei betrat, und immer wieder wurde sie als Zeugin präsentiert, wenn Dörfler zum Verhör geholt wurden. Die andere war Stavroula Yakou Dangas, die Dorfschönheit, deren Ehemann Dimitri kurz nach dem Tod ihres neugeborenen Söhnchens zu seiner Bäckerei in Chalkis zurückgekehrt war und sie auf Gnade und Ungnade ihrer Schwiegermutter ausgeliefert hatte. Obwohl Dimitri Dangas jetzt auf der Seite der Regierungstruppen kämpfte, gehörte seine Frau zu den fanatischsten Anhängern der Partisanen, die ihr die Aufgabe übertrugen, die Dorffrauen und ihre Maultiere zum Arbeitsdienst einzuteilen. Calliope Bardaka und Stavroula Yakou waren schon bald die meistgefürchteten Frauen von Lia.

Durch den Umzug ins Haidis-Haus wurden der Familie Gatzoyiannis die Lebensmittel verzweifelt knapp. Ihres Gartens beraubt, blieben Eleni bald nur noch sehr wenig Maismehl und überhaupt kein

Salz. Kanta, immer noch sehr wählerisch im Essen, weigerte sich hartnäckig, ungesalzenes Brot zu essen. Ihre Mutter ging mit ihrem Problem zu Angeliki Botsaris Daikos, die unmittelbar oberhalb des Haidis-Hauses wohnte.

«Wenn ich das nächstemal meine Tante Soula im Perivoli besuche, kommst du mit», schlug Angeliki vor. «Die Partisanen backen all ihr Brot in ihrer Küche, und ich bin sicher, sie wird irgendwo ein bißchen Salz für dich finden.»

Mit Angeliki stieg Eleni zum erstenmal seit der Vertreibung ihrer Familie wieder den Pfad zum Perivoli empor. Als sie an ihrem Haus vorbeikam, sah sie entsetzt hinter den kleinen, vergitterten Fenstern des Kellers, in dem die Ziegen untergebracht gewesen waren, die bleichen Gesichter von Gefangenen. Draußen standen sechs Partisanen herum und hielten Wache. Im Garten unterhielten sich eine Frau in der langen, rotbesetzten ärmellosen Tunika der Pogoni-Region und ein etwa dreizehnjähriges, rothaariges Mädchen mit einer Gruppe Partisanen. Eleni vermutete, daß sie sich nach einem Gefangenen erkundigten, und wollte näher herangehen, doch einer der Posten am Tor winkte sie weiter. «Verschwinde, hier gibt es nichts zu sehen!» Als die beiden Frauen ihre Schritte daraufhin beschleunigten, stellte Eleni fest, daß keine ihrer ehemaligen Nachbarinnen ans Tor kam, um sie zu begrüßen. Eine merkwürdige Stille lag über ihrem alten Viertel.

Als sie das Haus von Angelikis Tante ganz oben auf dem Perivoli erreichten, wurde ihr Unbehagen durch den tröstlichen Duft frischen Brotes und die herzliche Begrüßung durch Soula Botsaris ein wenig behoben. Soula bat Angeliki und Eleni herein, und als sie von Elenis Not hörte, verschwand sie, um mit einem kleinen Beutel Salz zurückzukehren. «Sprich jetzt bitte nicht von Bezahlung!» flüsterte sie. «Nachbarn müssen einander in Notzeiten helfen. Aber sag niemandem, woher du es hast.»

Als sich die Familie an diesem Abend versammelte, um das frische Brot zu probieren, das Eleni mit dem Salz gebacken hatte, musterte sie sie einen Augenblick nachdenklich; dann jedoch befahl sie ihren Kindern in einem Ton, der sie innehalten und sie verwundert ansehen ließ, niemals wieder zum Perivoli hinaufzusteigen. Auf ihre Fragen antwortete sie nur: «Dort oben gehen schreckliche Dinge vor. Alles ist verändert.»

Fast alle ihre Kinder gehorchten Elenis Befehl ohne ein Wort. Als ehrbare junge Mädchen durften Olga und Kanta das Haus ohnehin nicht verlassen. Nikola und Fotini hatten sich daran gewöhnt, ausschließlich auf dem Haidis-Grundstück zu spielen. Nikola hatte sich das Bohnenfeld unterhalb des Hauses zum ganz persönlichen Refugium erkoren, lag dort oft stundenlang auf dem Rücken und beobachtete die Wolken, die über den Märzhimmel zogen. Da ihn keiner von seinen Freunden besuchen kam, hatte er viel Zeit zum Nachdenken.

Nur die vierzehnjährige Glykeria war unheilbar neugierig: Für sie war Elenis Verbot eine Herausforderung. An einem sonnigen Nachmittag, als die anderen Siesta hielten, schlich sie sich durch die Gärten bis hinter ihr altes Haus hinauf, um selbst zu sehen, was ihre Mutter meinte. Von einem terrassierten Feld zum anderen kletternd, kam sie bis an die Stützmauer, die das untere Ende ihres Grundstücks begrenzte, und spähte hinüber.

Die Luft war süß vom Duft der Mandelbäume, und der leichte Wind trug ihr das rhythmische Geräusch gleichmäßigen Grabens zu. Als sie den Kopf etwas höher über die Mauer schob, sah Glykeria einen uniformierten Partisan, der in einer tiefen Grube stand und die Erde herausschaufelte. Auf der anderen Seite der Grube standen zwei Männer mit den Händen auf dem Rücken. Blitzartig begriff sie, was die Szene vor ihr bedeutete: Die gefesselten Gefangenen sollten hingerichtet werden, und der Partisan schaufelte vor ihren Augen das Grab. Sie sah sich um und entdeckte, warum der Garten so verändert wirkte: Überall glänzten Rechtecke von frisch umgegrabener Erde – Gräber.

Glykeria stieß einen erstickten Laut aus; der Partisan hörte auf zu graben und griff nach dem Gewehr, das neben ihm auf dem Boden lag. Aber sie lief schon, so schnell ihre Füße sie tragen wollten, in Richtung auf das Haidis-Haus davon. Drinnen nahm sie sich schuldbewußt einen Besen und begann die Vortreppe zu fegen, doch ihre Miene und ihr ungewohnter Eifer verrieten sie. Eleni musterte sie nachdenklich und sagte dann: «Na schön, du Tunichtgut! Was hast du jetzt wieder angestellt?»

Anfangs protestierte Glykeria wenig überzeugend, dann sprudelte die ganze Geschichte wie ein Sturzbach heraus. Eleni kniff die Lippen zusammen, bis sich ein weißer Rand um sie herum bildete – eine Gewohnheit von ihr, wenn sie zornig war.

«Ich hatte Sehnsucht nach unserem Haus, deswegen wollte ich es mal wieder sehen», erklärte Glykeria, den Tränen nahe. «Aber sie töten und begraben Menschen in unserem Garten, Mama! Ich werde nie wieder dort hinaufgehen.»

Eleni fühlte sich entehrt. Die Ironie, die darin lag, machte sie krank. Sie hatte die Chance, mit ihrer Familie vor der Ankunft der Partisanen das Dorf zu verlassen, vorbeigehen lassen, um in ihrem Haus zu bleiben und es zu schützen, und nun war es zu einem Gefängnis gemacht worden, einer Tötungsstätte. Mit dieser Entweihung ihres Hauses löste sich, das spürte sie, ihre letzte gefühlsmäßige Bindung ans Dorf.

Bis der Frühling die Judasbäume erblühen ließ, waren die Exekutionen genausosehr Teil des Dorflebens geworden wie früher die Propagandaversammlungen. Die Dörfler pflügten ihre Felder, kümmerten sich um die Aussaat und sahen nicht hin. Schließlich wurden nur gefangene Soldaten und Fremde getötet. In einem Bürgerkrieg war es am klügsten, sich weder mit derartigen Vorkommnissen näher zu befassen, noch sich in die Ausübung der Volksjustiz einzumischen.

Nur die Kinder schenkten den Exekutionen Beachtung, hielten sie für eine neue Form der Volksbelustigung. Nikola durfte das Grundstück nicht verlassen; daher begriff er nicht, wohin die gefesselten, zerschlagenen Gefangenen, die häufig vorbeikamen, geführt wurden. Doch andere, weniger gut beaufsichtigte Kinder lernten sehr schnell, wo sie sich verstecken mußten, um die Vorgänge beobachten zu können.

Nur Verhandlungen gegen wichtige Persönlichkeiten und solche mit Propagandawert wurden öffentlich auf dem Dorfplatz abgehalten. Die meisten Exekutionen fanden in wesentlich gekürzter Form und ohne andere Zeugen als die beteiligten Partisanen und die Kinder statt, die von ihrem Versteck aus zusahen. Viele von den Soldaten, die beim Unternehmen Pergamos in Gefangenschaft gerieten, wurden auf dem Friedhof der zerstörten Kirche zur Heiligen Jungfrau an der Südgrenze des Dorfes hingerichtet, unmittelbar bevor der Hang steil zu den Vorbergen hin abfiel.

Die Kinder, die in den wenigen Häusern bei der Kirche wohnten, fanden Aussichtspunkte so hoch oben am Berghang, daß die Partisanen sie nicht mit Steinwürfen verjagen konnten. Dort jubelten, pfiffen und buhten sie wie Zuschauer bei einem Fußballspiel, wenn die verurteilten Soldaten gezwungen wurden, sich ihr eigenes Grab zu schaufeln und sich anschließend danebenzustellen, um erschossen zu werden. Iorgos Ziaras, der siebenjährige Sohn des Kesselflickers Lukas Ziaras, sah mit seiner sechsjährigen Schwester Olympia zusammen fast täglich zu. Iorgos erinnert sich, daß die meisten Gefangenen beim Sterben nach ihrer Mutter riefen; nur ein einziger, phantasiebegabter Soldat nutzte seine letzten Lebenssekunden, um laut zu schreien: «Onkel Leonidas!» In dem verdutzten Schweigen, das darauf folgte, während die Partisanen einander überrascht ansahen, warf sich der Gefangene in den vor ihm klaffenden Abgrund und rollte außer Sichtweite den Berg hinab und in Sicherheit. Von allen Exekutionen, die Iorgos Ziaras miterlebte, war diese ihm die liebste.

Obwohl Eleni bemüht war, die Hinrichtungen vor ihren Kindern geheimzuhalten, hatte sie keinen Erfolg damit. Eines Tages schickte sie Kanta aus, mit ihrer Freundin Olympia Barkas zusammen deren Herde und ihre eigenen Ziegen zu weiden. Die Mädchen schlugen den Pfad nach Babouri ein und ließen die Tiere auf halbem Weg zwischen den beiden Dörfern eine Schlucht hinabwandern. Fröhlich plaudernd gingen die beiden Mädchen mit zu Boden gerichteten Blicken dahin, um nach der wilden, blauvioletten Quastenhyazinthe mit ihren weißen Zwiebelwurzeln zu suchen, die sie «Turteltaubenbrot» nannten, weil die Vögel im Frühling die Knollen aus dem Boden pickten. Die Dörfler verstanden es geschickt, ihre Kost durch Dutzende von wilden Pflanzen zu ergänzen: Jeder Teil des Löwenzahns war eßbar; Bucheckern und Kiefernzapfen galten als Delikatesse. Das «Turteltaubenbrot» gehörte zu Kantas Lieblingsspeisen, und sie war hungrig.

Den Blick fest auf den Boden geheftet, entdeckte Kanta einen lockeren Steinhaufen und blieb vor Schreck über das, was sie dort sah, davor stehen: Unter den Steinen ragte eine menschliche Hand hervor! Hastig bückte sie sich und wuchtete einen flachen Stein nach dem anderen hoch.

Die Frau in der rotgerandeten Tunika, im Tod erstarrt, lag mit weit offenen Augen, zu einer Grimasse des Entsetzens verzerrten Lippen und ausgebreiteten Armen da, als wolle sie den Himmel umarmen. In ihrem Mund schmeckte Kanta jenen säuerlichen Speichel, der bedeutete, daß sie sich erbrechen mußte. Sie wandte sich um, wollte nach Olympia schreien, die ihr mit den Ziegen folgte, und entdeckte einen zweiten Leichnam: ein junges Mädchen, den Kopf auf eine Schulter geneigt wie im Schlaf, die Aureole ihres Lockenhaars wie Kupfer in der Sonne glänzend, die Haut noch rosig. Sie sah aus wie ein schlafendes Kind, so daß Kanta unwillkürlich die Hand ausstreckte und ihre Wange berührte. Aber sie zuckte entsetzt zurück: Der Leichnam war noch warm. Endlich fand sie ihre Stimme wieder. «Olympia! Olympia!» schrie sie. Als ihre Freundin nahe genug gekommen war, um die beiden Leichen zu sehen, begann sie ebenfalls zu schreien, doch Kanta war wieder zur Vernunft gekommen. Sie hockte sich neben das tote Mädchen. «Psst!» zischte sie Olympia zu. «Die da ist tot, aber die hier lebt noch! Wir müssen Hilfe holen!»

Ein Rascheln im nahen Gebüsch ließ sie beide aufschreiend herumfahren. Ganz langsam erhoben sich zwei Partisanen, die sich dort versteckt gehalten hatten, und richteten ihre Gewehre auf Kanta und Olympia. Ohne ein Wort bedeuteten sie ihnen mit einer raschen Bewegung der Gewehrläufe, zu verschwinden.

Kanta erhob sich, an ihren Fingerspitzen noch das Gefühl der warmen Wange des jungen Mädchens. Sie warf Olympia einen Blick zu, und beide rannten nach Hause, ohne an die Ziegen zu denken. Sobald sie außer Sicht waren, hörten sie einen Schuß.

Als Kanta ins Haus gestürmt kam und schilderte, was sie gesehen hatte, sank Eleni zu Boden und schlug die Hände vors Gesicht. Sie sah die Mutter und Tochter vor sich, die sie auf dem Weg zu Angelikis Tante im Hof der Polizeistation mit den Partisanen hatte sprechen sehen. Damals hatte sie geglaubt, sie erkundigten sich nach einem Gefangenen, in Wirklichkeit aber mußten sie selbst die Gefangenen gewesen sein. Eleni erinnerte sich, wie das Mädchen vertrauensvoll die Hand der Mutter gehalten hatte. Wut erfüllte sie, und eine Übelkeit erregende Hilflosigkeit. Nie hätte sie gedacht, daß es so weit kommen würde. Sie hatte an das geglaubt, was Christos ihr geschrieben hatte: daß die Partisanen griechische Mitbürger seien, die für ihre Rechte kämpften und ihrer Familie nichts antun würden. Um sie nicht gegen sich aufzubringen und um ihre Kinder zu schützen, hatte sie ihr Haus, ihr Eigentum und ihre Lebensmittel aufgegeben, hatte sie ihre Tochter zu den *andartinas* geschickt und war jeden Tag zum Arbeitsdienst gegangen, stets auf der Hut, um nur ja nichts zu äußern, das als Kritik an der DAG ausgelegt werden konnte. Sie hatte geglaubt, ihr Gehorsam, so bitter er ihr auch wurde, werde ihre Familie vor Schaden bewahren. Nun aber töteten sie Frauen und Kinder! Niemand im Dorf war mehr sicher vor ihnen!

Die Erinnerung an die Frau in der Tunika und ihre rothaarige Tochter ließ sie nicht ruhen. «Komm, wir suchen sie», sagte Eleni zu Kanta und erhob sich. «Vielleicht leben sie noch. Wir können sie dort nicht einfach liegen lassen!»

Kantas Augen blickten hart – beunruhigend hart für ein Kindergesicht. «Selbst wenn sie vorhin noch am Leben waren, sind sie jetzt mit Sicherheit tot», erklärte sie mit schmerzlicher Logik. «Wir können nichts mehr für sie tun. Ich wünschte nur, ich hätte sie nicht berührt.»

Mißtrauen und Angst verbreiteten sich durchs ganze Dorf, bis Nachbarn und sogar Verwandte jedes Wort, das sie miteinander sprachen, auf die Goldwaage legten. Auch Eleni war nicht immun gegen die allgemeine Paranoia, und als sie eines Vormittags im April Besuch von Spiro Michopoulos erhielt, zitterten ihr vor Angst die Hände, und bei der Begrüßung klang ihre Stimme hohl.

Bevor die Partisanen den jungen Kaffeehausbesitzer zum Dorfvorsteher machten, hatte Eleni ihn stets sympathisch gefunden und es bedauert, daß die Dörfler ihn wegen der überstandenen Tuberkulose schnitten. Zu Eleni war Spiro Michopoulos immer sehr höflich und freundlich gewesen, eifrig darauf bedacht, ihr gefällig zu sein. Doch wie sie wußte, hegten derartige Menschen nicht selten feindselige Gefühle gegen die Nachbarn, die es im Leben besser hatten.

Als er auf dem Stuhl saß, den Eleni auf die Veranda herausgeholt hatte, die langen, mageren Beine merkwürdig verdreht und nervös mit seinem Komboloi spielend, wirkte Spiro Michopoulos deprimiert. Aber, dachte sich Eleni, so sieht er eigentlich immer aus. Zwischen seinen Augen standen permanente Falten; sein fahles Gesicht mit dem dunklen, zurückgekämmten Haar darüber, das an den Schläfen schon weit zurückwich, wirkte wie ein langgezogenes, trauriges Dreieck. Trotz seiner regelmäßigen Züge verliehen die überdimensionalen Ohren und der winzige Bürstenschnurrbart ihm ein beinahe clowneskes Aussehen. Heute jedoch wirkte er auf Eleni weniger komisch als bedrohlich, und sein Besuch erschien ihr als böses Omen.

Sie kaschierte ihre Nervosität, indem sie geschäftig hin und her eilte und ihm warme Milch servierte; dann nahm sie ihm gegenüber Platz. «Wie geht es dir, Spiro?» erkundigte sie sich. «Du siehst aus, als hättest du einen Sovereign verloren und eine Drachme gefunden.»

Seine magere Brust hob und senkte sich unter einem tiefen Seufzer, und er schüttelte bedrückt den Kopf. «Die *andartes* verlangen immer mehr Leute für den Arbeitsdienst, mehr Maultiere, mehr Proviant, aber die Dörfler wollen zu Hause bleiben, um ihre Familien und ihre Felder zu schützen», berichtete er. «Ich kann ja beide Seiten verstehen, aber ich stecke immer zwischen zwei Mühlsteinen.» Er schien in sich zusammenzusinken. «Ich versuche, gerecht zu sein.»

«Ich weiß, Spiro», erwiderte Eleni und fragte sich, worauf er hinaus wollte.

«Aber die Leute wollen nicht, daß ich gerecht bin!» brach es aus ihm heraus. «Sie wollen, daß ich ihrer Nachbarin, die der Sache nicht treu ergeben ist, mehr Arbeit zuteile als ihnen selbst. Und natürlich ist jede einzelne der Sache treuer ergeben als die Nachbarin.»

Das muß der Grund sein, dachte Eleni. Weil ihr Vater royalistisch eingestellt und ihr Ehemann Amerikaner war, hatten die Dörfler verlangt, daß ihr zur Strafe mehr Arbeit auferlegt wurde. Sie versuchte in Michopoulos' Miene zu lesen, aber er starrte mit leerem Blick, bis zu den Fingerspitzen von Melancholie erfüllt, zum Horizont. Er drehte die Milchtasse in den Händen und begann leise, wie im Selbstgespräch, zu erzählen. «Am Anfang, als wir gegen die fremden Invasoren kämpften, war alles so einfach, und so... so richtig», sagte er. «Jetzt aber ist alles anders.»

Er verstummte. Eleni, die überzeugt war, er wolle sie zur Kritik an den Partisanen provozieren, antwortete nicht.

«Und es wird noch schlimmer werden!» rief er plötzlich, ihr zugewandt. «Niemand ist mehr sicher in diesem Dorf! Es wird weitere Angriffe geben und weiteres Blutvergießen. Ich will nicht, daß Eltern um ihre Kinder weinen müssen!»

Eleni begriff nicht, warum er so eindringlich und aufgeregt sprach. Er atmete tief durch, riß sich zusammen und fuhr dann fort: «Es war klug von dir, den Perivoli zu verlassen, Eleni. Aber selbst hier ist es nicht mehr sicher.» Forschend musterte er ihr Gesicht. «Du solltest noch weiter hinunterziehen, Eleni! So weit hinunter, wie du nur kannst. Verstehst du, was ich dir sagen will?»

Sie starrte ihn an, fragte sich, warum er sich so seltsam verhielt. Wollte er sagen, sie solle zu ihrer Schwägerin umziehen, an den untersten Rand des Dorfes, noch weiter fort von den Partisanenquartieren, die den Hauptteil des feindlichen Feuers auf sich ziehen würden, oder doch etwas anderes? Während sie überlegte, wie sie ihn danach fragen konnte, ohne etwas Kompromittierendes zu sagen, wischte er sich den Schnurrbart, sprang auf, bedankte sich voll Nervosität für die unberührte Tasse Milch und ging. Nachdem er fort war, fragte sich Eleni flüchtig, ob er ihr vielleicht hatte raten wollen, das Dorf ganz zu verlassen, entschied sich dann aber doch für ihre ursprüngliche Vermutung, daß sein Besuch nur ein Versuch gewesen war, sie zu einer kritischen Bemerkung über die Partisanen zu verleiten.

Anfang April verkündete der Ausrufer über sein Megaphon eine Aufforderung, die bei den Dörflern Erregung auslöste: «Alle Mütter mit Kindern zwischen drei und vierzehn Jahren haben sich sofort in der Kirche zur Heiligen Dreifaltigkeit einzufinden!»

Die Frauen, die zum Dorfplatz eilten, fragten sich gegenseitig flüsternd, was das wohl zu bedeuten habe. Es wurde gemunkelt, an alle Familien mit kleinen Kindern sollten Lebensmittel verteilt werden. Nikola und Fotini waren im entsprechenden Alter. Jede zusätzliche Zuteilung von Zucker, Fett oder Mehl, fand Eleni, wäre ein wahres Gottesgeschenk.

Im Gegensatz zur Wärme des sonnigen Frühlingstags draußen, war es im Innenraum der Kirche dumpfig und kühl. Seit Vater Theodoros geflohen war, hatte es keinen Gottesdienst mehr gegeben. Ikonen und Bischofssitz waren verstaubt, aber die Frauen, die die Kirche betraten, viele von ihnen mit Säuglingen auf dem Arm, schlugen automatisch das Kreuz und machten halt, um das Bild der Heiligen Jungfrau zu küssen. Wie gewohnt drängten sie sich in der Frauenabteilung im Hintergrund zusammen, doch eine kleine, dunkle Frau, eine junge *andartina* in Uniform mit einem Patronengurt schräg über der Brust, winkte die Frauen zu sich nach vorn. Es schien ein gutes Omen zu sein, daß sie von einer Frau begrüßt wurden.

«Mütter von Lia», rief sie ihnen zu. «Wir haben euch hier zusammengeholt, weil eure Kinder sich in Gefahr befinden.»

Ganz still wurde es in der Kirche. Jemand versuchte ein weinendes Baby zu beruhigen. «Die Angriffe der Faschisten auf dieses Dorf werden weitergehen», fuhr die *andartina* fort. «Wenn eure Kinder nicht durch eine Kugel oder eine Bombe sterben, werden sie langsam verhungern. Wie ihr wißt, gibt es nicht mal für die Kämpfenden genug zu essen. Ihr alle habt eure Kinder schon vor Hunger weinen gehört.»

Die Frauen starrten sie an. Was sie sagte, traf zu, das wußten sie, aber was sollten sie dagegen tun? Wann kam sie endlich auf die Sonderrationen zu sprechen?

Sie machte eine dramatische Pause. «Wir haben euch hier zusammengerufen, um euch mitzuteilen, daß alle Volksdemokratien, darunter unsere Nachbarn Albanien, Jugoslawien und Bulgarien, euren Kindern die Arme geöffnet haben. Sie werden alle Kinder aufnehmen, deren Eltern dieses Papier unterschreiben, werden für sie sorgen, ihnen zu essen geben, sie neu einkleiden und ausbilden, damit sie Ärzte, Ingenieure, Offiziere werden – was immer ihren Befähigungen entspricht. Und wenn der Krieg aus ist und im ganzen Land die rote Fahne weht, werden sie zu euch zurückkehren, groß, gesund, glücklich und bereit, ihren Platz im neuen Griechenland einzunehmen.»

Es dauerte einen Moment, bis die Dörflerinnen begriffen, was die *andartina* da sagte. Dann tauschten sie erschrockene Blicke und zogen unbewußt ihre Kinder näher zu sich heran. Das junge Mädchen stand lächelnd vor ihnen und verlangte, daß sie ihr die Kinder auslieferten, damit sie in die Fremde geschickt wurden! Die Frauen starrten auf das Blatt Papier in ihrer Hand, als sei es eine Giftschlange.

Die *andartina* schien diese Reaktion nicht zu bemerken, sondern fuhr voll Begeisterung fort: «Ich möchte euch bitten, einzeln vorzutreten und mir die Namen und das Alter eurer Kinder zu nennen. In einem Monat ungefähr werden sie dann ihr neues Leben beginnen, ein Leben ohne Gefahr und Hunger. Also, wer kommt zuerst?»

Der dunkle Kirchenraum unter dem ernsten allmächtigen Christus in der Kuppel wirkte auf einmal unerträglich eng. Eleni zwang sich, ruhig zu bleiben. Ihre Kinder waren zu Hause, unter der Aufsicht von Nitsa und Megali, und diese junge Frau hatte lediglich nach Freiwilligen gefragt. Da sie jung und unverheiratet war, hatte sie keine Ahnung, was es bedeutete, ein Kind zu haben, wußte nicht, was sie da verlangte. Wenn sich keine Freiwilligen meldeten, würde sie nach einiger Zeit ihren Irrtum einsehen und sie nach Hause gehen lassen. Vor allem, sagte sich Eleni, mußte man ganz ruhig bleiben, die Partisanen nicht reizen und nicht auffallen.

Tassina Bartzokis, die neben ihr stand, beugte sich zu ihr herüber und flüsterte: «Wenn wir nun alle einstimmig nein sagen – was können sie machen?»

Eleni schüttelte ganz leicht den Kopf.

Das junge Mädchen vorn sah die Bewegung trotzdem. «Warum zögert ihr?» fragte sie. «Gibt es irgendwen oder -was, der oder das euch zurückhält?»

Olga Venetis antwortete ihr. «Nur der Schmerz um unsere Kinder», erklärte sie. «Sonst nichts.»

Die *andartina* zwang sich zur Geduld. «Ihr dürft euch nicht an eure Kinder klammern und sie aus bürgerlicher Sentimentalität dem Tod ausliefern!» schalt sie. «Was wollt ihr lieber – daß sie hier sterben oder daß sie in Sicherheit und Glück weiterleben?» Sie verzog ihr Gesicht zu einem gezwungenen Lächeln. «Ich werde euch jetzt einzeln aufrufen. Wer will den anderen mit gutem Beispiel vorangehen?»

Ihr am nächsten stand Xantho Venetis, die Frau des Böttchers, die ihren dreijährigen Sohn an der Hand hielt. «Genossin Xantho, wirst du deinen Kindern die Chance zu einem Leben ohne Angst geben?»

Die verhärmte Frau antwortete spontan: «Keine von uns wird ihre Kinder aufgeben!» Ein erschrockenes Aufkeuchen ging durch den Raum: Xantho hatte sich voreilig angemaßt, für die gesamte Gruppe zu sprechen. Die *andartina* musterte sie und notierte etwas auf ihrem Zettel. Xantho schluckte; sie glaubte, es handle sich um ihr Todesurteil.

Die Frauen warteten in der Hoffnung, Xanthos trotziger Widerstand werde nicht den Zorn der Partisanen auf sie alle herabbeschwören. Ein lautes Schluchzen durchbrach die Stille, und als sie sich umdrehten, sahen sie Calliope Bardaka, die sich eilig nach vorn drängte. Die Frauen tauschten vielsagende Blicke. Als wichtigste Informantin der Sicherheitspolizei wurde Calliope weiterhin verdächtigt, mit den Partisanen zu schlafen.

«Ich bin die erste!» weinte Calliope. «Mein Mann ist von den Faschisten umgebracht worden, und ich will nicht, daß meinen Kindern dasselbe geschieht. Ich will die erste Mutter sein, die sie dem Schutz unserer Partei unterstellt!»

Zutiefst erregt wischte sie sich über die Augen. Die junge *andartina* legte ihr den Arm um die Schultern, notierte die Namen der beiden Bardaka-Kinder und zeigte Calliope, wo sie unterschreiben mußte.

Als Calliope an ihren Platz zurückkehrte, ertönte eine andere Stimme, rauh vor Verzweiflung: «Nehmt meine Kinder – alle, bis auf das Kleinste!» Die Frauen erkannten, daß Nakova Daflaki gesprochen hatte, die letzte, von der sie diesen Schritt erwartet hätten. Nakovas Mann war beim Anrücken der Partisanen vor der sicheren Exekution geflohen. Diese rächten sich, indem sie Nakova mitsamt ihren vier kleinen Kindern aus ihrem Haus vertrieben und all ihre Lebensmittel beschlagnahmten. Seither schlief die Familie in einem Heuschuppen. Immer wieder wurde Nakova beobachtet, wie sie den Abfall der Partisanenställe nach einzelnen Maiskörnern absuchte, die aus den Futterkrippen der Pferde gefallen waren. Und jetzt lieferte sie ihre Kinder eben den Männern aus, die sie verfolgt hatten.

Nachdem Nakova das Papier unterschrieben hatte, trat ein gespanntes Schweigen ein, unterbrochen lediglich vom Weinen der beiden Frauen, die sich freiwillig gemeldet hatten. «Diese selbstlosen Genossinnen haben euch ein Beispiel gegeben», erklärte die *andartina*. «Wer will ihm folgen?»

Die Frauen traten von einem Fuß auf den anderen; das junge Mädchen wurde immer ungeduldiger. «Ich möchte jetzt, daß ihr alle nach Hause geht und gründlich darüber nachdenkt, was das Beste für eure Kinder ist», sagte sie dann. «Wenn ihr sie aufrichtig liebt, werdet ihr sie gehen lassen.»

Beim Verlassen der Kirche mieden die Frauen betont die beiden, die ihre Kinder hatten eintragen lassen. Nakova Daflaki weinte noch immer, als sie die Tür erreichte und ins Sonnenlicht blinzelte. Flehend sah sie die schweigenden Frauen an und entdeckte, daß Eleni sie mit einer Mischung aus Mitleid und Grauen betrachtete.

«Was hätte ich denn tun sollen?» rief sie verzweifelt. «Wir schlafen in einem Heuschuppen! Ich habe nichts zu essen für meine Kinder! Ich kann doch nicht zusehen, wie sie verhungern – oder?»

Eleni antwortete nicht. Genau wie die anderen kehrte sie Nakova den Rücken und eilte nach Hause. In dieser Nacht wachte sie mehrmals auf und streckte im Dunkeln die Hand aus, um sich zu vergewissern, daß Nikola noch an ihrer Seite lag.

Nikola erinnert sich:
Mit vor Zorn weißen Lippen kehrte meine Mutter von der Versammlung in der Kirche zurück. Auf und ab wanderte sie und verfluchte die beiden Frauen, die ihre Kinder ausgeliefert hatten. «Als wären es Kätzchen», wiederholte sie fassungslos. Ich beobachtete sie, ver-

suchte mein eigenes Schicksal zu ergründen, und schließlich bemerkte sie meinen Ausdruck. Sie beugte sich zu mir herüber und nahm mein Gesicht in beide Hände. «Einige Frauen schicken ihre Kinder nach Albanien, weil sie nicht genug für sie zu essen haben», erklärte sie mir. «Und weil sie töricht sind!»

Meine Mutter liebte mich, das war mir klar, und töricht war sie ganz bestimmt nicht, aber es gab niemals genug zu essen in unserem Haus. Die Möglichkeit, von ihr und meinen Schwestern getrennt zu werden, erschreckte mich so sehr, daß ich beschloß, die Gefahr zu verringern, indem ich weniger aß, das heißt, so wenig wie überhaupt nur möglich.

Solange ich denken konnte, war ich stets hungrig gewesen, nun jedoch begannen meine Knochen zu schnell für meine Haut zu wachsen, die an den Gelenken platzte und zu bluten anfing. Bei Nacht wachte ich auf, weil meine Beingelenke schmerzten und der Hunger, kaum zu unterscheiden von Angst, unablässig in meinem Bauch wühlte. Wenn meine Mutter Speisen auftrug, versuchte ich nicht hinzusehen und so zu tun, als sei nichts da; sobald ich jedoch die Augen schloß, sah ich sie deutlich vor mir.

Meine lebhafteste Erinnerung an jene Zeit ist der Tag der Marmelade. Als den Partisanen klar wurde, daß sie die Mütter rein durch Vernunft nicht dazu bringen würden, ihre Kinder aufzugeben, beschlossen sie, die Sache auf einer primitiveren Basis anzugehen. Wir alle – Frauen und Kinder – wurden auf dem ebenen Feld bei der Mühle am Ostrand der Schlucht zusammengerufen. Ich versteckte mich hinter meiner Mutter und steckte nur hin und wieder den Kopf hervor. Ein Partisan stand mit dem Kesselflicker Elias Poulos vor der Versammlung. Neben ihnen hatten sich die etwa zwölf Dorfkinder in einer Reihe aufgebaut, die von ihren Eltern freiwillig zur *pedomasoma* gemeldet worden waren. Alle trugen neue, saubere Kleider und, wie ich verwundert feststellte, richtige Schuhe.

Vor den Partisanen stand ein Tisch mit einem dicken, knusprigen Laib Brot, der so groß wie ein Mühlrad auf mich wirkte, und einer Zweiliterdose. Als der Partisan den Deckel öffnete, entströmte ihr ein köstlicher Duft: wie ein ganzer Garten von Granatapfelbäumen. Mit einem großen Löffel fuhr er hinein und holte eine dicke Portion Marmelade heraus, die goldbraun im Sonnenschein glänzte wie feinster Honig.

Was wir «Marmelade» nannten, war ein dicker, klebriger Gelee aus wilden Früchten oder Beeren, mit Zucker eingekocht, bis er so fest war, daß man ihn wie Butter schneiden konnte. Ich sah zu, wie er diese Köstlichkeit in großen Portionen aus der Dose holte und sie mindestens zwei Zentimeter dick auf kräftige weiße Brotscheiben strich. Noch nie hatte ich soviel Marmelade gesehen. Vor der Revolution hatten wir zuweilen winzige Döschen davon in der Gemischtwarenhandlung gekauft, doch seit der Ankunft der Partisanen hatte keiner von uns mehr etwas Süßes bekommen, nicht einmal Zucker.

Als der Partisan den Löffel voll Marmelade hob und sie langsam in den Kanister zurücktropfen ließ, lief mir das Wasser im Mund zusammen, und ich trat unwillkürlich hinter meiner Mutter hervor, um etwas besser sehen zu können. Mit den feierlichen Gesten eines Priesters schnitt der Partisan dicke Brotstücke ab und bestrich sie so großzügig mit Marmelade, daß einiges davon zu Boden fiel und ich Tränen der Enttäuschung weinte. Er verteilte diese Brotschnitten an die wohlgekleideten Kinder, die sie wie die Tiere verschlangen, sich das Gesicht bis zu den Ohren mit Marmelade beschmierten und ihre schönen neuen Kleider beschmutzten.

«Seht ihr, Mütter von Lia?» rief der Partisan. «Wenn ihr eure Kinder in die Volksdemokratien schickt, werden sie jeden Tag so etwas zu essen bekommen! Und jedes Kind, das jetzt sofort vortritt und sich zu den anderen gesellt, wird ebenfalls soviel Brot mit Marmelade bekommen, wie es nur essen kann. Hierher – ihr braucht nur zu mir zu kommen!»

Wie gebannt trat ich einen weiteren Schritt vor und weidete meine Augen am Anblick des schneeweißen, von der glänzenden, samendurchsetzten Marmelade triefenden Brotes. Noch ein Schritt, und ich wurde vom harten Griff meiner Mutter festgehalten und scharf zurückgerissen. Als mir klar wurde, was ich beinahe getan hätte, war ich verängstigt und gedemütigt. Der hohle Schmerz unter meinen Rippen, dort wo der Hunger wühlte, begann sich durch meinen Körper bis in die Arme, die Beine und das Herz auszubreiten.

Als die Partisanen immer mehr Druck auf die Frauen der Murgana ausübten, damit sie ihre Kinder aufgaben, beschloß Eleni, nach Babouri zu gehen, um sich zu erkundigen, wie die Frauen dort auf die *pedomasoma* reagierten. Sie machte sich allein auf den Weg zu einem Besuch bei Antonova Paroussis, der Frau eines Cousins ihres Mannes, die bekannt war als eifrige Parteigängerin der Kommunisten.

Obwohl die beiden Frauen vom Temperament her krasse Gegensätze waren, hatte Eleni die offenherzige junge Frau stets gern gemocht. Es war ihre Zuneigung zu Antonova gewesen, die Eleni unmittelbar nach der Besetzung veranlaßt hatte, auf ihre Bitte hin Nikola Paroussis und den anderen ELAS-Partisan in ihrem Haus zu verstecken.

Trotz ihres unterschiedlichen Wesens hatten Eleni und Antonova vieles gemeinsam. Sie waren beide mit beträchtlich älteren Männern verheiratet, die ihr Geld in Amerika verdient hatten. Antonovas Ehemann hatte mehr als zehn Jahre in den Fabriken von Worcester, Massachusetts, gearbeitet, bevor er 1932 nach Babouri zurückkam und die temperamentvolle Sechzehnjährige heiratete, die berühmt war für ihre scharfe Zunge, die zarte Haut und ihre etwas grobknochige, füllige Figur, die als Inbegriff weiblicher Schönheit galt.

Paroussis gehörte zu den reichsten Männern von Babouri, denn er hatte den größten Teil seiner Ersparnisse aus Amerika in Goldsovereigns und Grundbesitz angelegt, und seine Frau residierte, genau wie Eleni in Lia, beneidet von all ihren Freundinnen, im größten Haus des ganzen Dorfes. Anders als Eleni jedoch konnte Antonova aufgrund der duldsamen Natur ihres Mannes und seiner schwachen Gesundheit stets das tun, was sie wollte, und geriet bald in den Ruf, eine Unruhestifterin zu sein. Während der Besatzungszeit war Antonova so bewegt von den Ansprachen der ELAS, daß sie zum Gewehr griff und sich in der Schlacht von Lista den Partisanen anschloß, ein Abenteuer, das die Einwohner von Babouri schockierte. «Stellt euch vor, eine verheiratete Frau mit drei kleinen Kindern, und geht auf und davon, um mit den Männern zusammen zu kämpfen, während ihr Ehemann zu Hause sitzt!» tuschelten die Frauen. Antonova jedoch achtete nicht auf das, was man über sie klatschte, und niemand, einschließlich ihres Mannes, wagte sie offen zu kritisieren.

Eleni wußte, daß Antonova mit den Partisanen sympathisierte; daher war sie verblüfft, als ihre Freundin jetzt vor Empörung über die *pedomasoma* geradezu stotterte. «Es ist unglaublich! Wie *können* sie von uns verlangen, daß wir unsere Kinder aufgeben!» schäumte die junge Frau. «Als ich das hörte, Eleni, habe ich mich von ihnen getrennt! Ich bin nicht mehr rot, ich bin jetzt schwarz!»

Antonova zögerte keinen Moment, ihren Einfluß auf die Dörfler geltend zu machen. Wie sie Eleni erzählte, hatte sie die Frauen von Babouri gewarnt: «Die erste Mutter, die ihre Kinder ausliefert, bekommt es mit mir persönlich zu tun!» Und sie fügte hinzu: «Wir müssen eine geschlossene Front bilden. Wir müssen ihnen einstimmig sagen, daß sie zum Teufel gehen sollen!»

Eleni sah sich verstohlen um, ob auch niemand diesen Ausbruch gehört hatte. Sie bewunderte die Freundin für ihren Mut, wußte jedoch, daß diese Offenherzigkeit sie zweifellos einmal in Schwierigkeiten bringen würde. Sie mußte an die Frau und das Mädchen denken, die Kanta tot in der Schlucht gefunden hatte.

«Sei leise, Cousine, sonst hört dich noch jemand!» warnte Eleni flüsternd. «Du darfst in der Öffentlichkeit nicht so reden.» Sie musterte Antonovas gerötetes Gesicht und überlegte, wie sie sie zur Vernunft bringen konnte. «Gott gab uns das Denkvermögen, damit wir die Gefahr und die beste Chance zum Überleben erkennen», erklärte Eleni weiter. «Wenn wir in die Enge getrieben werden, gibt es keine andere Wahl, als nachzugeben; doch die Partisanen behaupten, ihr Programm sei freiwillig. Soll jede Mutter selbst ihre Wahl treffen! Deine Verantwortung gilt in erster Linie deinen eigenen Kindern. Wenn du aufstehst und gegen das Programm protestierst, können die Partisanen behaupten, du seist eine Verräterin an der Sache, und ein Exempel an dir statuieren. Dann würden deine Kinder hilflos zurückbleiben und die anderen sich vor Angst in ihr Schicksal ergeben.»

Antonova warf die schwarzen Zöpfe zurück. «Die Partisanen wissen, daß ich keine Faschistin bin», widersprach sie. «Hab ich bei Lista nicht wie ein Mann gekämpft? Hab ich ihnen nicht die Hälfte meines Hauses überlassen? Ich bin genauso loyal wie jede beliebige Frau im Dorf, aber diese Idee ist absolut wahnsinnig, und jemand muß ihnen das klarmachen!»

Als Eleni Babouri verließ, sann sie beunruhigt über die Worte ihrer Cousine nach. Sie hoffte zwar, daß Antonovas Protest sich auf die Partisanen günstig auswirkte, fürchtete jedoch, daß sie damit höchstens das Gegenteil erreichte und sie sich noch unbeugsamer zeigen würden. Sie selbst würde nicht das Risiko eingehen und sich öffentlich gegen die *pedomasoma* äußern. Es gab zu viele Menschen in Lia, die derartige Bemerkungen als Waffe gegen sie einsetzen würden. Mit Sicherheit aber wußte Eleni, daß sie ihre Kinder so wenig aufgeben wie sich das Herz aus dem Leib reißen konnte. Sie betete darum, daß die Partisanen sich mit den Kindern zufriedengaben, die bisher für die *pedomasoma* gemeldet wurden, und die anderen in Ruhe ließen.

Trotz aller Hausbesuche der Propagandavertreter der Partisanen waren bis Ende April nur ein Dutzend Kinder freiwillig für das Verschickungsprogramm gemeldet worden. Das war recht peinlich für die Politkommissare der DAG, und wenn das Zentralkomitee die Zahl der gemeldeten Kinder aus der Murgana zu sehen bekam, würde es noch peinlicher für Kostas Koliyiannis werden, den Politkommissar für das Epirus-Kommando, dem die letzte Verantwortung für die reibungslose Mitarbeit der Zivilisten zufiel.

Eines Tages, während die übrige Familie im Haus Siesta hielt, suchte Nikola in seinem Geheimversteck Zuflucht, dem Bohnenfeld unterhalb des Haidis-Hauses. Hier lag er lang auf der warmen, roten Erde zwischen den geraden Reihen der Bohnen, die sich an ihren Stangen gen Himmel rankten, und stellte sich vor, in einem schweigenden Wald zu sein. Ringsumher hörte er die beruhigenden Geräusche des Dorfes, das Schreien eines Esels, den Protest des Gockels seiner Großmutter, den hohlen Klang der Ziegenglocken hoch oben am Berg. Die gelbgrünen Wände der Bohnenreihen schienen ihn zu behüten, während er träge zum Himmel aufblickte, einem Falken nachschaute, der sich weit emporschwang, und beobachtete, wie die Wolken immer wieder neue Gestalt annahmen. Seit die Partisanen seinem Schulbesuch nach nur zwei Jahren ein Ende gesetzt hatten, platzte Nikola fast vor den vielen Fragen, die er gern gestellt hätte, doch immer, wenn er sich an Erwachsene wandte, wurden sie ungeduldig und scheuchten ihn davon. Wie befahl Gott einer Bohne, zu einer Bohnenranke zu werden, statt zu einer Kürbispflanze? Woher wußte die Pflanze, wann sie aufhören mußte, der Sonne entgegenzuwachsen, um Bohnen zu produzieren? Warum waren die vorwitzigen, blau-gelben Bachstelzen zu schlau, um in seine Fallen zu gehen, während die Krähen hineintappten? Ganz ruhig lag Nikola da und bildete sich ein, daß er die Bohnen wachsen hören könnte, wenn es nur still genug wäre.

Gerade wollte er unter dem Streicheln der Sonnenstrahlen einschlafen, als er plötzlich den Hufschlag von Pferden hörte. Er kannte den Unterschied zwischen dem Hufschlag von Pferden und Maultieren, und Pferde gab es nur selten im Dorf. Neugierig spähte Nikola zwischen den Reihen der Bohnenstangen hindurch und sah vom Dorfplatz her zwei Reiter den Pfad entlangkommen, der am unteren Rand des Bohnenfeldes, nur wenige Meter von seinem Platz entfernt, vorbeiführte.

Als sich die Reiter näherten, erkannte er in dem einen Sotiris Drapetis, den Geheimdienst-Offizier mit dem kalten Blick, der sie aus ihrem Haus vertrieben hatte. Der andere Mann war Nikola fremd; an der unterwürfigen Art, mit der Sotiris ihm zuhörte, erkannte er jedoch, daß es ein hoher Offizier sein mußte, vermutlich aus dem Hauptquartier der Partisanen in Babouri.

Nikola erhob sich auf die Knie, um den Männern, die unmittelbar unterhalb seines Verstecks vorbeiritten, mit den Blicken folgen zu können; er war nur wenige Meter von ihnen entfernt, jedoch von den hohen Bohnenranken geschützt. Der Offizier schien Sotiris Vorwürfe zu machen. «Ein Dutzend Kinder aus Lia ist einfach nicht akzeptabel», sagte er gerade. «Der Erfolg dieses Programms ist von höchster Bedeutung! Nicht nur die Parteiführer haben sich voll dafür eingesetzt, sondern das Prestige sämtlicher Ostblockstaaten hängt davon ab.»

Vorsichtig, jedoch so schnell wie möglich, begann Nikola mit tief gesenktem Kopf die Bohnenreihe entlangzukriechen. Er wollte unbedingt hören, was die Männer weiter zu sagen hatten.

«Wir haben alles versucht, ihnen als Anreiz sogar Essen unter die Nase gehalten», verteidigte sich Sotiris. «Aber es handelt sich hier um primitive Bauersfrauen, die sich von vernünftigen Argumenten nicht beeinflussen lassen. Nicht mal im Tod würden sie ihre Kinder aufgeben.»

«Ob sie die Kinder freiwillig aufgeben oder nicht, ist gleichgültig», gab der Offizier barsch zurück. «Sie *werden* sie aufgeben. Und du hast die Aufgabe, sie dazu zu zwingen – wie, ist mir egal.»

Noch vor dem Ende des Bohnenfeldes machte Nikola halt und warf sich auf die würzig duftende Erde. Die Worte des Offiziers waren die Bestätigung des Alptraums, der ihn verfolgte: Man würde ihn der Mutter mit Gewalt fortnehmen!

Als sich der Hufschlag langsam entfernte, lief Nikola so hastig zum Haus hinauf, daß er kleine Staubwolken aufwirbelte. Noch bevor er richtig drinnen war, rief er schon: «Mama! Mama!» Erschrocken fuhr Eleni von ihrem Strohsack hoch.

«Sie wollen mich holen, Mama», weinte er und warf sich in ihre Arme. «Ich habe es gehört! Sie wollen mich holen, ob du mich hergeben willst oder nicht!»

Es dauerte eine Weile, bis sie ihn so weit beruhigt hatte, daß sie verstehen konnte, was er sagte. Er klammerte sich an sie, den Kopf an ihrer Brust verborgen, und wiederholte immer wieder dasselbe. Als Eleni schließlich begriff, was Nikola von den beiden Reitern gehört hatte, wußte sie, daß ihre Gebete nicht erhört worden waren. Dies war genau das, was sie vom Tag der Versammlung in der Kirche an befürchtet hatte. Stets hatte sie versucht, die Partisanen auf jede nur erdenkliche Art und Weise freundlich zu stimmen und ihre Familie zusammenzuhalten, doch jetzt wurde ihr klar, daß sie alle vernichtet werden würden. Jetzt konnte sie ihnen nicht mehr nachgeben, sondern mußte ihnen trotzen.

Ihren Jungen an sich gedrückt, schmiegte Eleni die Wange auf seinen Kopf. In ihren Augen stand Entschlossenheit.

«Still, mein Liebling», murmelte sie. «Vergiß, was du gehört hast. Du brauchst keine Angst zu haben. Niemand wird dich mir je wegnehmen.»

Sie zog ihn noch fester in ihre Arme, legte ihm schützend die Hände mit den gespreizten Fingern über Schulter und Hinterkopf, als suche sie ihn vor unsichtbaren Schlägen zu bewahren.

12

Dieses Gespräch, belauscht an einem Aprilnachmittag 1948 von einem im Bohnenfeld versteckten Achtjährigen, sollte das Leben aller Mitglieder der Gatzoyiannis-Familie für immer verändern. Während Eleni ihren Sohn mit tröstenden Worten zu beruhigen suchte, wurde ihr klar, daß sie an jenem Scheideweg stand, den zu umgehen sie so lange bemüht gewesen war.

So grausam auch die Wirklichkeit ist – es liegt in der Natur des Menschen, ans eigene Überleben zu glauben, und wenn noch so viele andere sterben. «Wenn ich mich ganz still verhalte, den Befehlen gehorche und möglichst unauffällig bin, werde ich noch einen Tag länger leben», denkt der Bewohner eines Gettos, eines Konzentrationslagers oder eines besetzten Dorfes. «Dies kann doch nicht ewig währen.»

Den Einwohnern von Lia erging es nicht anders. «Nimm den Wind so, wie er kommt», sagten sie. Wenn die DAG Kinder für die *pedomasoma* verlangt, sagten die Mütter sich, gebe ich ihnen eins oder zwei, damit die anderen überleben.

So sehr Eleni bemüht war, die Partisanen versöhnlich zu stimmen – als es um ihre Kinder ging, konnte sie keinen Kompromiß schließen. Seit zwanzig Jahren war es ihr Lebenszweck gewesen, ihre Familie am Leben und zusammenzuhalten. Jetzt wußte sie, daß man ihr die beiden Jüngsten nehmen wollte; und die beiden ältesten Mädchen würden mit Sicherheit in die bedrängte Rebellenarmee gepreßt werden. Die Unterwerfung unter den Willen der Partisanen hatte also nichts genützt: Wenn sie ihre Kinder retten wollte, mußte sie ihnen Trotz bieten.

Eleni beschloß, ihrer aller Leben aufs Spiel zu setzen, indem sie versuchte, die Familie aus der besetzten Zone hinauszubringen, bevor die Partisanen sie auseinanderrissen. Also begann sie etwas zu planen, was sonst kein Mensch in dem halben Dutzend Murgana-Dörfer zu tun wagte: eine Massenflucht.

Leise sprach sie auf Nikola ein, wiederholte Worte, die in ihren Ohren hohl klangen, ihn aber zu beruhigen schienen: Niemals würden sie getrennt werden, niemals werde sie zulassen, daß man ihn ihr wegnehme. Als er den Blick hob, las sie darin den tiefen Glauben daran, daß sie ihn zu beschützen vermochte.

Es war Eleni klar, daß sie das Dorf mit ihrer Familie nicht verlassen konnte, ohne von den Partisanen gesehen zu werden oder in ein Minenfeld zu geraten, wenn sie nicht irgendwie Hilfe bekam. Sie mußte einen Mann in ihren Plan einweihen, der alles über die Partisanen-Patrouillen in Erfahrung bringen konnte, ohne Verdacht zu erregen; einen Mann, der mit den Wegen durch die Vorberge zwischen Lia und dem Großen Bergrücken vertraut war; einen Mann, der eine ungefähre Vorstellung von der Lage der Minenfelder hatte. Aber es mußte auch ein Mann sein, von dem Eleni sicher war, daß er sie nicht den Spitzeln der Sicherheitspolizei verriet.

Es lebten nur noch wenige Männer im Dorf, und diese wenigen hielten entweder treu zu den Partisanen oder waren alt und gebrechlich. Spiro Michopoulos wäre als Führer bei der Flucht ideal gewesen, wenn Eleni nur eindeutig gewußt hätte, ob sein Besuch bei ihr tatsächlich den Zweck gehabt hatte, ihr zur Flucht zu raten. Aber es gab keine Möglichkeit für sie, festzustellen, ob er es wirklich so gemeint oder ob man ihn geschickt hatte, um ihr eine Falle zu stellen.

Nach langem Überlegen kam Eleni zögernd zu der Erkenntnis, daß der einzige Mann im Dorf, der all diesen Erfordernissen entsprach, der Kesselflicker Lukas Ziaras war. Lukas galt als Taugenichts, der mit Kaffeehaus-Schwadronieren den Nachteil seiner kleinen Statur und seines geringen Einkommens auszugleichen versuchte. Aber er war mit einer von Elenis Cousinen ersten Grades verheiratet, mit Soula Haidis, die unter demselben Dach mit ihr aufgewachsen und wie eine jüngere Schwester für sie war. Dadurch war Lukas mit ihr verwandt. Und sie hatte das Gefühl, daß er sie trotz seiner Geschwätzigkeit nicht an die Sicherheitspolizei verraten würde.

Wie Eleni wußte, hatte sich Lukas stets über seinen niedrigen Status im Dorf geärgert, und sie vermutete, die Vorstellung, eine

Flucht zu leiten, werde seinem Ego guttun; denn wenn der Versuch gelang, würde er dadurch in der gesamten Murgana zu Ruhm gelangen. Außerdem wußte sie, daß Lukas trotz seiner Fehler seine sechs Kinder liebte und sie nicht durch die *pedomasoma* verlieren wollte. Er konnte stundenlang dasitzen und für die Kleinen Spielsachen schnitzen und schlug, wenn er am Abend heimkam, mit einer väterlichen Fürsorge, die selten war in den griechischen Dörfern, stets über jedem der schlafenden Kinder das Kreuz.

Vor allem eignete sich Lukas aber zum Führer bei der Flucht, weil er mit seiner Familie in einem der südlichsten Häuser des Dorfes lebte, unmittelbar neben der Ruine der Kirche zur Heiligen Jungfrau, Standort des Beobachtungspostens der Partisanen und Ausgangspunkt der nächtlichen Überfallkommandos. Dadurch kannte er die Pfade, die von seinen Feldern aus den Berg hinab und durch die Vorberge führten, und hatte zweifellos gesehen, wo die Minen gelegt worden waren. Und konnte gegen Abend, ohne Verdacht zu erregen, einen Spaziergang zur Kirche machen, eine Zigarette rauchen und die Partisanen in ein Gespräch verwickeln, sie aushorchen, wohin sie die Patrouillen in dieser Nacht schicken würden.

Diese Stoßtrupps wurden aus den fanatischsten jungen Partisanen und *andartinas* zusammengestellt, Kämpfern, die auf dem Vierstundenmarsch über die Vorberge ihr Leben aufs Spiel setzten, um die Soldaten an den Hängen des Großen Bergrückens zu überfallen. Die Patrouillen, das war Eleni klar, bildeten die größte Gefahr für ihre Familie, und nur Lukas war in der Lage, zu erkunden, welchen Weg sie einschlagen würden.

Was Lukas' Frau betraf, so vertraute Eleni ihr vorbehaltlos. Soula Haidis Ziaras war eine gutmütige, geduldige Frau, die ganz in der Sorge für ihre Kinder aufging. Wenn sie hörte, was die Partisanen mit ihren Kindern zu tun beabsichtigten, würde sie genauso fliehen wollen wie Eleni.

Bevor sie in ihrem Entschluß wieder schwankend wurde, machte sich Eleni auf den Weg zum Haus der Ziaras und betete stumm, daß Lukas ihrem Plan zustimmen werde. Und selbst wenn sein Verlangen nach Ruhm und die Liebe zu seinen Kindern ihn nicht dazu bewegen konnte, so ahnte sie, daß er es für die Geldsumme tun würde, die sie ihm dafür bieten wollte.

Lukas hielt sich im Garten auf, wo er lustlos einen Topf flickte; um den Hals trug er das weiße Handtuch, das zur Belustigung des ganzen

Dorfes zu seinem Markenzeichen geworden war. Lukas hatte entsetzliche Angst, von den Partisanen zwangsrekrutiert oder zum Arbeitsdienst verpflichtet zu werden; deshalb hatte er zu einer List gegriffen, um sie von seiner Dienstuntauglichkeit zu überzeugen. Nahezu jeder argwöhnte, daß er simulierte, doch nur seine Familie wußte, wieso ihm das so überzeugend gelang. Er packte sich eine Rolle zerstampfter Nesseln um den Hals, damit er rot wurde und anschwoll. Dann pinselte er sich den Hals innen mit verdünnter Salzsäure aus, wie sie die Kesselflicker zum Polieren von Töpfen benutzen. Dies alles verlieh Lukas den chronischen Husten und die heisere, pfeifende Stimme, mit Wonne imitiert von den Dorfkomikern. Wo er ging und stand, trug er ein mit Kamillentee getränktes Handtuch um den Hals; das Zeichen seiner Invalidität. Mit diesem Trick überzeugte er zwar die Partisanen von seiner Dienstuntauglichkeit, sollte jedoch fünfundzwanzig Jahre später an Halskrebs sterben.

Der Kesselflicker war erstaunt über Elenis Besuch und sprang auf, um sie zu begrüßen. Mit seinem stolz geschwellten Gang, den Schielaugen und der langen Nase, die sich zu seinem spitzen Kinn hinunterbog, erinnerte er sie immer an einen Bantamhahn. Als Eleni ihm erklärte, sie wolle mit ihm und seiner Frau allein sprechen, drückte seine Miene ein Durcheinander von Argwohn, Angst und Neugier aus.

In der Küche bereiteten Soula und ihre Tochter Marianthe Gemüse zu, während der jüngste Ziaras, der zweijährige Alexi, in seiner hölzernen Wiege schlief. Lukas befahl Marianthe, die Erwachsenen allein zu lassen, und handelte sich dafür einen finstern Blick ein. Marianthe, mit Kanta zusammen als *andartina* rekrutiert und auch gemeinsam mit ihr entlassen, war ein schlaues Mädchen. Da sie Elenis Miene entnommen hatte, daß etwas Wichtiges in der Luft lag, schlich sie sich unters Küchenfenster, um die Erwachsenen zu belauschen.

«Ich werde euch mein Herz öffnen, weil wir eines Blutes sind», begann Eleni leise. «Doch ganz gleich, was ihr von dem haltet, was ich euch jetzt sagen werde, ihr müßt das Kreuz küssen und mir versprechen, mit niemandem darüber zu reden, denn das könnte für mich und meine Kinder der Tod sein.»

Soula warf ihrem Mann einen Blick zu, nahm ihre Schürze ab und setzte sich neben die Wiege. Das Ehepaar hörte schweigend zu, als Eleni das Gespräch wiederholte, das Nikola belauscht hatte; nur ab und zu unterbrach Lukas sie mit erstaunten Ausrufen: «Po! Po! Po!»

«Sie werden uns die Kinder mit Waffengewalt nehmen, ob wir es wollen oder nicht», schloß Eleni. Sie sah sich um und senkte die Stimme. «Ich bin entschlossen, mit meiner Familie zu fliehen, aber das kann ich nicht allein. Ich brauche einen Mann, der uns führt, einen umsichtigen Mann, der die Gewohnheiten der Partisanen und die Wege durch die Minenfelder kennt.» Nun wandte sie sich an Lukas, der nervös das Handtuch an seinem Hals zurechtrückte. «Deswegen bin ich zu euch gekommen.»

«Wir haben auch schon daran gedacht, Eleni», flüsterte Soula, als sei es ihr eine Erleichterung, es laut auszusprechen, doch Lukas bedachte sie mit einem so vernichtenden Blick, daß sie mitten im Satz abbrach. Der kleine Mann schritt stumm auf und ab und tat großspurig, als denke er nach, während er sich eine Zigarette drehte. Es stimmte, seit die Partisanen gekommen waren, um ihre Kinder zu holen, und ihr ein blaues Auge verpaßt hatten, lag sie ihm in den Ohren, er solle sie aus dem Dorf fortbringen. Doch Lukas hatte immer geschwankt, denn er wußte, daß es ein schwerer Marsch über den Großen Bergrücken sein würde, falls sie es überhaupt bis dorthin schaffen. Da er im Dorf geblieben war, hielten die Regierungstruppen ihn womöglich für einen Spitzel der Kommunisten, für einen Spion. Doch wenn die Amerikana und ihre Familie mitkamen, würde man ihn wohl kaum des Verrats verdächtigen: dafür war die royalistische Einstellung ihres Vaters und ihres Mannes zu gut bekannt.

Eleni beobachtete den auf und ab wandernden Lukas und setzte hinzu: «Wenn du es schaffst, uns alle zusammen lebend auf die andere Seite zu bringen, werde ich von Filiates aus an Christos telegrafieren, daß er dir eintausend Dollar überweisen soll.»

Bei dieser Summe wurden die kleinen Augen des Kesselflickers groß. Er blieb stehen und reichte Eleni die Hand. «Unsere Kinder sind das einzige, was zählt», keucht er.

Soula wiegte sich auf ihrem Stuhl unbehaglich vor und zurück. «Und wenn wir sie direkt in den Tod führen?» fragte sie angstvoll. Doch als sie die finstere Entschlossenheit ihrer älteren Cousine sah, senkte Soula ergeben den Kopf. «Wenn das, was Nikola gehört hat, wahr ist, dann bleibt uns wohl keine Wahl», sagte sie. «Möge die Heilige Jungfrau uns beschützen!»

Lukas geriet sogleich in Begeisterung und entwickelte, eifrig an seiner Zigarette ziehend, einen Plan. Er hatte das Gefühl, Gott müsse seine Hand im Spiel gehabt haben, als Eleni Gatzoyiannis zu ihnen kam. Lukas war immer der Meinung gewesen, das Schicksal habe ihn benachteiligt. Als zweiter Sohn um die Aufmerksamkeit des Vaters und das väterliche Haus in der Dorfmitte betrogen, fand er, wenn es seine Eltern besser gegangen wäre, wie der Familie von Minas Stratis, oder sie sich intensiver um ihn bemüht hätten, wie Spiro Skevis' Vater es getan hatte, dann hätte auch er ein gebildeter Mann werden können, eine echte Führernatur. Mit dem Kesselflicken verschwendete er nur seine Talente; er war zum Lehrer oder Offizier geboren, davon war er fest überzeugt. Nun präsentierte ihm das Schicksal auf einmal die Chance, seine Intelligenz unter Beweis zu stellen, indem er der Partisanen-Armee die Stirn bot und Spiro Skevis mit seinen Offizierskameraden dumm dastehen ließ. Er würde den Massenexodus von Frauen und Kindern unmittelbar vor der Nase ihrer Verfolger inszenieren, wie Moses das auserwählte Volk aus der Wüste geführt hatte.

In seiner Aufregung löste Lukas das Handtuch von seinem Hals und begann Befehle zu erteilen wie ein General. Vorbereitungen müßten getroffen werden, verkündete er; er werde sich um alles kümmern. Man müsse eine Nacht mit abnehmendem Mond wählen, eine Nacht, in der Wind, Wetter und Zeichen günstig seien. Bis dahin sei es vor allem wichtig, daß die Familien ihr normales Leben weiterführten und nichts taten, was Verdacht erregen könne. Eleni dürfe nicht noch einmal zu ihnen kommen. Sie müsse jeden Vormittag auf ihrem Bohnenfeld arbeiten, wo Soula sie aufsuchen werde, um ihr das von ihm festgesetzte Datum des Fluchttages mitzuteilen. An dem Tag müsse Eleni dann, sobald es dunkele, ihre Familie jeweils zu zweit auf verschiedenen Wegen zu der inzwischen verlassenen Haidis-Mühle in die Schlucht hinabschicken, wo sie sich im Keller treffen würden. Wenn alle versammelt seien, würden sie die Schlucht entlangschleichen und von dort, wo sie in die Vorberge einmünde, geradewegs zum Großen Bergrücken hinübermarschieren.

Lukas redete hektisch, immer wieder von Hustenanfällen unterbrochen, die sich verschlimmerten, wenn er sich aufregte. Eleni hörte ihm mit wachsender Besorgnis zu. Schließlich ermahnte sie ihn streng: «Vergiß nicht, Lukas, dies betrifft ausschließlich unsere beiden Familien! Du darfst keinem anderen etwas davon erzählen, weder deinem Bruder noch deinen Eltern und deiner Schwägerin. Ein einziges unbedachtes Wort könnte die Katastrophe für uns bedeuten.»

Lukas sah sie vorwurfsvoll an. Er war schließlich ein Mann, nicht wahr, und der Leiter der Expedition. Wer kannte die Risiken besser als er?

Als Eleni die Ziaras verließ, versuchte sie ihre Besorgnis zu unterdrücken. Sie rief ihre Familie zusammen und erklärte ihnen den Plan. Daß Nikola und Fotini sie verraten könnten, befürchtete sie nicht: Die Kinder in den griechischen Dörfern begriffen schon sehr früh, daß das Leben die Familie gegen den Rest der Welt stellte, und hüteten Familiengeheimnisse genauso eifrig wie die Eltern.

Niemand hatte Einwände gegen Elenis Plan, am wenigsten Nikola. Wenn auch die Vorstellung, bei Nacht unter den Gewehren der Partisanen hindurch zum Dorf hinauszuschleichen, ihn schreckte, so war sie immer noch weniger schlimm als der Gedanke, nach Albanien entführt und auf immer von seiner Mutter und seinen Schwestern getrennt zu werden. Sogar Großmutter Megali sah ein, daß ihnen keine andere Wahl blieb, obwohl sie weinte, weil sie ihr Haus verlassen mußte. Nitsa jammerte, das Trauma der Flucht werde bestimmt zu einer Fehlgeburt führen, wies aber Elenis Vorschlag, doch hierzubleiben, hastig zurück. Olga schwieg. Insgeheim betrauerte sie den Verlust ihrer Chancen, zur wohlhabendsten und meistbeneideten Braut von Lia zu werden. Kanta hatte sich immer danach gesehnt, dem trostlosen Dorfleben zu entrinnen; die Erklärung der Mutter jedoch weckte in ihr die Erinnerung an die Schrecken der Wochen bei den Partisanen. Jetzt würden die Männer, die sie zum Töten gedrillt hatten, sie und ihre Familie jagen.

Im Lauf der folgenden Tage wurden sie alle aufgrund der Nervenbelastung des Wartens immer reizbarer. Es schien so sinnlos, zu pflanzen und Pflanzen zu pflegen, wo sie ja doch um die Ernte kommen würden. Eleni ging jeden Morgen aufs Bohnenfeld, aber von Soula Ziaras war nichts zu sehen. Während sie arbeitete, rekapitulierte sie immer wieder den Ablauf der Flucht und versuchte sich die Gefahren vorzustellen. Nitsa und Megali konnten unter Umständen so verängstigt sein, daß sie ein größeres Risiko darstellten als die Kinder. Sie wünschte sich einen besonnenen und zuverlässigen Menschen, mit dem sie ihre Verantwortung teilen konnte. Natürlich dachte Eleni da an ihre Schwägerin Alexo. Seit Alexos Ehemann Foto vor den Partisanen nach Filiates geflohen war, lebte sie mit ihrer elfjährigen Tochter Niki allein im Haus. Zwei von Alexos verheirateten Töchtern, Athena und Arete, wohnten anderswo im Dorf, und die übrigen sechs erwachsenen Kinder lebten im von den Partisanen unbesetzten Teil Griechenlands.

Eleni beschloß, Alexo auf die Flucht mitzunehmen. Trotz allem, was sie zu Lukas gesagt hatte, wußte sie, daß man ihrer Schwägerin vertrauen konnte: Alexo würde sie nicht verraten und konnte durch ihre Anwesenheit dazu beitragen, die Ängstlichen zu beruhigen. Als Eleni Alexos Haus erreichte, ihr herzliches Begrüßungslächeln sah und von ihren starken Armen umfangen wurde, wußte sie, daß ihre Entscheidung richtig gewesen war. Doch nachdem Alexo sie angehört hatte, schüttelte sie den Kopf. «Ich kann Athena nicht allein hier im Dorf lassen; sie ist im achten Monat schwanger», erklärte sie. «Und in diesem Zustand würde sie den anstrengenden Marsch nicht überstehen.»

Einen Moment schwieg Alexo bedrückt; dann wandte sie sich um und ergriff Elenis Hände. «Nimm doch an meiner Stelle Arete mit!» flüsterte sie. Arete war ihre älteste Tochter und unfruchtbar. «Die werden sie bestimmt als *andartina* rekrutieren, wenn sie nicht fortgeht, und dann wird ihr Mann sie nie wieder aufnehmen. Seit er weiß, daß sie keine Kinder bekommen kann, sucht er einen Vorwand, sich von ihr scheiden zu lassen. Wenn sie eingezogen würde, wäre das ausreichend. Ich werde bleiben und Athena bei der Geburt beistehen – einer alten Frau wie mir werden sie nichts tun. Aber du mußt Arete retten!»

Arete war Alexos Lieblingstochter. Eleni zögerte. Seit Arete für die Operation nach Ioannina gefahren war, bei der man ihr die Gebärmutter entfernt hatte, war sie sehr leicht erregbar und stets nervös; außerdem war sie nicht das intelligenteste von Alexos Kindern. Aber, überlegte Eleni, sie war jung und stark und konnte unterwegs Megali oder einem der Kinder helfen. Außerdem konnte sie Alexo diesen Gefallen nicht abschlagen, nachdem die Cousine ihr über so viele Krisen hinweggeholfen hatte und ihr näher stand als eine Schwester. Also nickte Eleni und bat sie, Arete zu benachrichtigen; irgendwie werde sie dann den genauen Tag der Flucht erfahren. «Aber was, wenn die Partisanen dich für ihre Flucht bestrafen?» fragte Eleni beunruhigt.

«Wie können sie mir die Schuld für Dinge geben, die meine verheiratete Tochter unternimmt?» spöttelte Alexo. «Ach, Eleni, ich wollte, ich könnte auch mitgehen!»

«Du wirst bald nachkommen», versicherte Eleni. «Wenn alles

vorbei ist, treffen wir uns in Filiates und nehmen den Bus nach Igumenitsa, wo wir den ganzen Nachmittag in einem Restaurant an der Pier sitzen, Fisch essen und den Delphinen beim Spiel im Hafen zusehen können.»

«Dein Wort in Gottes Ohr!» rief Alexo aus tiefstem Herzen.

Den ganzen Vormittag saßen die beiden Freundinnen zusammen und schmiedeten Pläne für die Zeit nach dem Krieg, und doch wußten sie beide, daß sie logen. Wenn Eleni das Dorf verließ – ob ihnen die Flucht nun gelang oder nicht –, war es höchst unwahrscheinlich, daß ihre Lebenswege sich noch einmal kreuzten. Beide Frauen waren bemüht, sich die Tränen zu verbeißen, als sie sich zum wahrscheinlich letzten Mal umarmten.

Dann regnete es mehrere Tage lang, und das Geräusch des Wassers, das vom Dach tropfte, zerrte an Elenis Nerven. Am ersten Sonntag trugen Eleni, Olga und Nitsa drei riesige Kupferwaschkessel voll Kleider auf das Haidis-Bohnenfeld unterhalb des Hauses zu einem Graben, der das Wasser der nahe gelegenen Quelle zum Bewässern der Felder auffing. Unter den Kleidern hatte Eleni einen Teil der Familienschätze versteckt: einzelne Stücke von Olgas Aussteuer, einige von Christos' besten Anzügen, den goldenen Krug und das irisierende Taftkissen aus Konstantinopel.

Eleni nahm die alten Kleider herunter, die sie oben auf die Kessel gepackt hatte, und trug sie zum Bewässerungsgraben. Olga und Nitsa nahmen Hacke und Schaufel, begaben sich zwischen die Reihen der Bohnenstangen und taten, als lockerten sie den Boden, während sie in Wirklichkeit Löcher gruben, die groß genug für die Kessel waren, und Eleni gab vor, Kleider zu waschen. Als alles bereit war, versenkten die drei Frauen die Kessel in die Löcher, legten wasserdichte Segeltuchplanen darüber, schaufelten die Löcher zu und pflanzten wieder Bohnen drauf.

Weit entfernt, bei der Kirche zur Heiligen Jungfrau, war Soula Ziaras ebenfalls sehr beschäftigt. Sie schnitt eine Wolldecke zu einem Tuch zurecht, in dem sie das Baby auf dem Rücken tragen konnte und dadurch beide Hände frei hatte. Sie machte Löcher für die Beinchen und schob zur Verstärkung ein gepolstertes Stück Pappe hinein. Eines Abends, als es dunkel wurde, wagte sie den Zehn-Minuten-Spaziergang zur Haidis-Mühle. Dort versteckte sie in einem Nesseldickicht unterhalb der Mühle einige Kleidungsstücke, damit die Flüchtlinge sie auf dem Weg nach unten mitnehmen konnten.

Als Eleni ungefähr eine Woche nach ihrem ersten Besuch bei den Ziaras auf dem Bohnenfeld arbeitete, sah sie Soula den Weg heraufkommen. Ihr wurde der Mund trocken.

Aus einiger Entfernung rief Soula ihr zu: «Hast du alle Bohnen gepflückt, Cousine? Sind noch welche übrig? Ich hab nichts zu essen für die Kinder.»

«Es sind noch reichlich Bohnen da!» rief Eleni zurück. «Komm und hol dir, soviel du willst.» Als sich die beiden Frauen über eine Reihe Bohnen bückten, wisperte Soula: «Heute abend, sobald es dunkel wird! Sei vorsichtig, daß dich niemand sieht, wenn du zur Mühle runtergehst.»

Nach der endlosen Qual des Wartens schien jetzt die Zeit plötzlich nicht mehr zu reichen. Eleni schickte Glykeria zu Arete, die auf halbem Weg den Perivoli hinauf wohnte. Obwohl Eleni den Kindern verboten hatte, etwas mitzunehmen, zog Olga eine Lage Kleider nach der anderen an: zwei Unterröcke, ihr bestes Kleid, eine bestickte Schürze, darüber ein zweites Kleid und dann ihre lange, bestickte ärmellose Tunika. Ihr gutes rotes Kopftuch schob sie sich in den Busen und füllte die Ärmel mit spitzenbesetzten Taschentüchern und Unterwäsche. «Du siehst aus wie eine ausgestopfte Puppe», lästerte Kanta. «Wie willst du damit bloß marschieren?» Doch Olga zog stumm ein weiteres Paar Strickstrümpfe an. Nitsa kramte in der Küche herum und aß alles, was ihr in die Finger kam. «Wäre doch schade, gutes Essen zurückzulassen», murmelte sie dann und wann mit vollem Mund. «Schließlich muß ich ja für zwei essen.» Fotini hatte ihr ganzes Plastikspielzeug auf dem Fußboden ausgebreitet und packte die einzelnen Stücke so liebevoll in einen Beutel wie ein Geizhals, der seine Goldstücke zählt. Megali hockte in einer Ecke und jammerte immer wieder, sie wolle zurückbleiben, ihre alten Beine würden sie nicht mehr so weit tragen. Nikola folgte der Mutter wie ein Schatten — so dichtauf, daß er immer wieder in sie hineinrannte.

Eleni beobachtete die zunehmende Hysterie ihrer Familie voll Zorn. Sie brachen auf zu einem Marsch, bei dem sie ihren ganzen Verstand brauchten, um ihn heil zu überstehen, und sie benahmen sich wie Halbidioten! Das Warten, die Untätigkeit bewirkten, daß sie am liebsten laut geschrien oder jemanden geschüttelt hätte, aber sie wußte, daß sie den anderen mit gutem Beispiel vorangehen und möglichst ruhig bleiben mußte. Sie stellte eine Schüssel mit in Milch eingeweichtem Brot auf den Tisch. Niemand wollte davon essen, aber Eleni blieb hart: Wollten sie den langen Nachtmarsch etwa mit leerem Magen antreten? Sie tauchte eine große Suppenkelle in die Schüssel, um die erste Portion auszuteilen, und zuckte erschrocken zusammen, als der Schöpfteil mit einem «Plop» vom Stiel brach und in die Schüssel fiel. Es wurde ganz still in der Küche; alle Blicke hingen an dem abgebrochenen Stiel. Megalis Stimme klang wie das Krächzen eines Vogels: «Ein schlimmes Zeichen! Eine Warnung!»

Megali und Nitsa machten gurgelnde Laute, doch Eleni funkelte sie böse an. «Unsinn!» schalt sie und holte einen anderen Schöpflöffel. Aber sie sah, daß Kanta ihren Teller unberührt von sich schob.

Bevor das letzte Licht im Westen erlosch, schickte Eleni Olga in den Keller, um die Tiere mit zarten Blättern zu füttern, damit sie die Nacht hindurch ruhig blieben. Wenige Minuten später brach jedoch ein heftiges Gemecker aus, und Olga kam mit schweißglänzender Stirn nach oben zurück. «Das sind die Ziegen, Mama!» rief sie verzweifelt. «Die Schafe haben das Futter genommen, aber die Ziegen versuchen übers Tor zu klettern. Sie schreien, als wüßten sie, daß wir fortgehen.»

Hastig verdrängte Eleni einige schwarze Gedanken und entschied, daß sie sofort aufbrechen und einfach hoffen müßten, die Ziegen würden Ruhe geben, sobald sie außer Sicht waren. Schnell schickte sie Nitsa, Megali und Glykeria als erste los. Während die drei in der kühlen, sternklaren Nacht durchs Bohnenfeld und in die Schlucht hinab verschwanden, hörte Eleni ihre Mutter bei jedem Schritt leise klagen. Stumm begann sie bis hundert zu zählen und schickte dann Olga, Kanta und Fotini auf den Weg. Eleni selbst ergriff Nikolas Hand und spürte verwundert, wie kalt und winzig sie war. Sie sah ihn an, und er erwiderte ihren Blick ruhig, doch bleich. Ohne sich um die schreienden Tiere zu kümmern, schloß Eleni die Haustür ab und machte sich auf, in Richtung auf das Petsis-Haus, wo sie der Schlucht auf der gegenüberliegenden Seite folgen wollten.

Ihre Augen gewöhnten sich rasch an die Dunkelheit. Links lag das undurchdringliche Schwarzgrün der Schlucht; vor ihr schimmerten blasse Silberflecken zwischen den Schatten der Baumstämme, die dick genug waren, daß sich ein Mann dahinter verstecken konnte. Eleni hatte nie bemerkt, wie geräuschvoll die Nacht eigentlich war. Das klagende Rufen der Ziegen verfolgte sie, das Knacken und Rascheln von Kanta und Fotini vor ihnen hörte sich an wie ein riesiges Tier, das eilig durchs Unterholz bricht. Ihre gesamte Energie konzentrierte sich auf Augen und Ohren.

Als Eleni fast sicher war, daß sie sich verlaufen hatte, tauchte vor ihnen plötzlich die riesige, rechteckige Masse der Haidis-Mühle aus der Dunkelheit auf. Im finstersten Teil der Schatten hörte Eleni einen Laut und keuchte erschrocken auf, erkannte jedoch sofort Arete, die bereits auf sie wartete. Der Lärm, den Megali, Nitsa und Glykeria machten, näherte sich unüberhörbar von der anderen Seite. Falls ein Partisan in der Nähe war, konnte er sie unmöglich verfehlen. Eleni seufzte: Es lag in Gottes Hand.

Sie zog einen großen, verrosteten Schlüssel aus der Tasche, öffnete die Tür zum Keller der väterlichen Mühle und scheuchte ihre Familie hinein. Dort hockten sie eng aneinandergeschmiegt im Dunkeln, bis es an der Tür klopfte: zweimal laut und zweimal leise. Als erste kam Soula, das Baby im Tragbeutel auf dem Rücken, anschließend folgte der Rest der Familie. Den Schluß bildete Lukas – immer noch mit seinem Handtuch –, der vor nervöser Erregung deutlich zitterte.

Eleni entzündete die einzige Kerosinlampe in diesem riesigen, fensterlosen Raum und betrachtete die verängstigten Gesichter der Flüchtlinge. Frauen und Kinder drängten sich aneinander, während Lukas sie im Bühnenflüsterton belehrte, wie wichtig es sei, sich absolut still zu verhalten, sobald sie zu dieser Tür hinausgingen. Die erste Marschetappe sei die gefährlichste, warnte er sie, denn da seien sie noch in Hör- und Sichtweite der Partisanen-Wachtposten. Sobald sie in den Vorbergen seien, brauchten sie sich nur noch vor umherstreifenden Partisanen-Patrouillen und Tretminen in acht zu nehmen. Bei diesen Worten stimmten Megali und Nitsa ein so jammervolles Klageduett an, daß Lukas sie wütend anfunkelte. Nachdem er keine weiteren Instruktionen mehr zu erteilen hatte, verstummte er und warf Eleni einen unsicheren Blick zu. Sie schwieg und bekreuzigte sich, und die anderen machten es ihr nach. Sie waren bereit.

Lukas bestimmte, daß Kanta und Marianthe Ziaras als erste gehen, sich bis zu den Feldern von Foto Gatzoyiannis hinabschleichen und dort auf die anderen warten sollten. Da die beiden Teenager zu *andartinas* ausgebildet worden waren, schickte er sie quasi als Pfadfinder voraus.

Die anderen warteten ein paar Minuten, um dann gemeinsam die Mühle zu verlassen: Lukas übernahm die Führung, die anderen folgten im Gänsemarsch. Eine Wolke hatte die schmale Mondsichel verschluckt, daher war die Nacht jetzt finster und kalt. Als sie von der Mühle aus die Schlucht hinabstiegen, schlug ihnen ein heftiger Windstoß entgegen, der den kleinen Alexi weckte. Er fing an zu schreien wie eine verletzte Katze.

Eleni eilte nach vorn und hob den Kleinen aus dem Tragbeutel. Sie versuchte sein Geschrei an ihrer Schulter zu ersticken, spürte seine weiche Wärme, als er zappelte; er aber verzog nur das Gesicht, plärrte noch lauter und bearbeitete sie mit seinen winzigen Fäusten. Soula nahm ihren Sohn wieder an sich und begann hastig an den Knöpfen ihres Kleides zu zerren, weil sie ihm die Brust geben wollte, aber er ließ sich auch dadurch nicht ablenken und schrie mit jedem Atemzug lauter. Während die Frauen und Kinder hilflos herumstanden, kam Lukas mit einem Gesicht wie eine Schreckensfratze zu ihnen zurückgehetzt. «Bring ihn sofort zur Ruhe, Frau!» zischte er wütend.

«Ich kann nicht!» heulte Soula.

«Halt ihm den Mund zu!» fuhr Lukas sie an. Soula gehorchte, und auf einmal herrschte Stille. Alle atmeten erleichtert auf und sahen sich insgeheim um, weil sie erwarteten, überall hinter den Bäumen Partisanen hervorbrechen zu sehen. Soula hatte Mühe, das Kind zu halten. Der Junge wand sich wie ein Aal. Allmählich jedoch wurden seine Bewegungen schwächer, und sein Gesicht verfärbte sich blau.

«Ich kann's nicht tun, er stirbt mir weg!» schluchzte Soula und ließ los. Sekundenlang nur dauerte die Spannung – bis der Junge wieder Luft geholt hatte und einen Schrei losließ, doppelt so laut wie zuvor, denn nun hatten Wut und Empörung die Angst verdrängt.

«Rasch, alle in die Mühle zurück!» keuchte Lukas.

Sie hasteten die Schlucht hinauf, wähnten schon die Partisanen auf ihren Fersen. Als sie wieder im Keller waren, zündeten sie die Laterne an und starrten auf das winzige Bündel Mensch, das es sich in den Kopf gesetzt hatte, sie zu vernichten. Sein Gesicht war rot vor Wut, über die Wangen liefen ihm mit Nasenschleim vermischte Tränen, Fäuste und Füße fuchtelten hektisch, und er stieß eine immer höher steigende Folge von Schreien aus.

«Gib ihn her, ich erwürge den Kerl!» Das war Lukas' heisere Stimme. Alle drehten sich zu ihm um, weil sie das für einen schlechten Scherz hielten, sahen dann aber, daß er es ernst meinte. Jeden Zwischenfall hatte Lukas vorausgesehen, nur diesen nicht, und nun raubte der eigene Sohn ihm Freiheit, Geld und Ruhm. Er griff nach dem Baby, doch Soula wich vor ihm zurück und hielt Alexi schützend an sich gepreßt, zutiefst entsetzt über das grausam verzerrte Gesicht des Mannes, der stets ein so zärtlicher Vater gewesen war.

Eleni packte ihn am Arm. «Was meinst du?» fragte sie ihn flüsternd.

«Wir müssen an die anderen denken!» gab Lukas fast unter Tränen zurück. «Was ist *ein* Leben gegen fünfzehn?»

«Wie könnten wir jemals weiterleben, wenn wir den Tod des Jungen auf dem Gewissen haben?» hielt Eleni ihm vor. Dann sagte sie so laut, daß es trotz des Gebrülls zu hören war: «Wir werden umkehren! Der Junge wird jetzt doch nicht mehr aufhören. Nichts ist verloren, solange wir nach Hause zurückkehren können, ohne daß jemand unsere Abwesenheit bemerkt hat. In ein bis zwei Tagen werden wir's noch mal versuchen, und dann werden wir ihm vorher etwas zum Schlafen geben.»

Ihre Worte brachen den Bann, der die anderen gelähmt hatte. «Aber natürlich!» riefen sie lächelnd. Sie würden nach Hause gehen und es später noch einmal versuchen. Lukas krauste zwar die Stirn wie ein Kapitän, der eine Meuterei wittert, war aber nicht weniger erleichtert als die anderen, daß das Unternehmen verschoben wurde.

Für Nikola war der zweite Fluchtversuch, zwei Wochen später, unendlich viel beängstigender als der erste. Alle Schrecken des ersten Versuchs – das schlimme Vorzeichen der Suppenkelle, das Gejammer der Großmutter, das Geschrei der Ziegen, das Weinen des Babys und das verzerrte Gesicht von Lukas Ziaras, als er drauf und dran war, den eigenen Sohn zu erwürgen – hatten sich in seiner Seele festgesetzt und keimten dort, wuchsen heran zu einer namenlosen Angst, die ihn nun überall verfolgte, in Winkeln lauerte und ihr Gesicht zeigte, sobald er einschlief. Die Gefahr, daß die Partisanen sie im Dunkeln überraschten, war schon beklemmend genug gewesen, die panische Angst der Erwachsenen und ihre Hilflosigkeit jedoch hatten ihn mit einem viel stärkeren Grauen erfüllt.

Beim zweitenmal waren Nikola und seine Familie kaum zur Haustür hinausgeschlüpft, als sie feststellen mußten, daß das Wetter umschlug. Die Luft war kalt und klamm, und von den Vorbergen wälzte sich Nebel herauf. Die Tiere machten auch diesmal wieder einen ohrenbetäubenden Lärm, als die Familie sich von verschiedenen

Punkten aus in die Schlucht hinabtastete. Und gerade als sie sich oberhalb der Haidis-Mühle trafen, wurden sie aufgehalten von einem Hindernis, das ein gottgesandtes Zeichen zu sein schien. Nikola spürte, wie sich ihm die Nackenhaare sträubten. Eine riesige Platane war, offensichtlich vom Blitz getroffen, zur Hälfte quer über den Pfad gefallen. Im aufsteigenden Nebel wirkte sie wie eine Mauer, während der Stumpf des abgebrochenen Baumteils noch schwefelig qualmte. Nitsa und Megali begannen vor Angst zu wimmern: «Schon wieder ein schlechtes Omen!»

Als sie um den gestürzten Baum herumgingen, leckte der Nebel an ihren Füßen, brodelte an ihren Beinen empor, bis er sie völlig umschlungen hatte, und lähmte alle Sinne außer dem Fühlen. Für Nikola war dieser Nebel die Inkarnation des Schreckens, der ihm auflauerte. Er war schlimmer als der Klang von Schritten, denn er löschte alle Geräusche aus: Die ganze Welt schien in Watte gepackt zu sein. An die Hand seiner Mutter geklammert, stolperte er die Schlucht hinab, folgten die beiden blindlings der Bodenneigung. Wie ein Geist sah Eleni aus, als sie sich, eingehüllt in weißen Dampf, eine Hand vorgestreckt, bergab bewegte. Schließlich stießen sie senkrecht auf die Hausmauer der Mühle und tasteten sich vorsichtig um sie herum zur Tür.

Sie waren die ersten, doch gleich darauf klopfte es, und wirbelnde Gestalten erschienen im Türrahmen, brachten weiße Schwaden herein, die ihnen an Kleidern und Haaren hafteten: Lukas Ziaras, gefolgt von Frau und Kindern. Die nächste war Arete. Nikola spürte, wie seine Mutter erstarrte, als dann noch weitere Gestalten in der Tür auftauchten – Fremde, die nicht zu ihrer Gruppe gehörten. Sie glaubten schon, die Partisanen seien gekommen, aber es war eine Frau mittleren Alters mit zwei jungen Mädchen, die beide vor übermächtiger Angst weinten. «Ich fürchte mich, Mama!» flüsterten sie. «Ich will nach Hause! Wir werden alle sterben!» Auf Nikola wirkte ihre Angst so ansteckend, daß er zu zittern begann wie im Fieber.

«Haltet die Schnauze, oder ich werde sie euch stopfen!» fauchte die Frau, in der Eleni Alexandra erkannte, die leicht erregbare Frau des Kesselflickers Nassios Drouboyiannis. Nikola erkannte deutlich die Wut im Gesicht seiner Mutter, als sie sagte: «Lukas, ich muß dich draußen sprechen!»

Als die beiden in dem erstickenden Nebel verschwanden, der ihnen Nasen und Lungen füllte, folgte Nikola ihnen hinaus. Lukas war eine gesichtslose Silhouette, als Eleni sich zu ihm umwandte. «Was haben Alexandra und ihre Töchter hier zu suchen?» fragte sie ihn mit erstickter Stimme. «Du hast mir versprochen, niemandem etwas davon zu sagen!» Vor ihrem Zorn hatte Nikola noch mehr Angst als vor dem Nebel.

Lukas keuchte vor Schuldbewußtsein. «Nassios ist mein bester Freund!» winselte er. «Wir sind in den zwei Hälften desselben Hauses aufgewachsen; wir haben uns in eine einzige Haustür geteilt. Seine älteste Tochter haben sie schon zu den *andartinas* geholt, und nun wollen sie die anderen beiden für die *pedomasoma*. Wenn ich ihn und seine Familie zurückließe, könnte ich ihm nie mehr ins Gesicht sehen!»

Eleni schwieg ein paar Herzschläge lang; dann sagte sie mit einer Stimme, die körperlos aus der Luft zu kommen schien: «Damit hast du uns vielleicht alle ins Grab gebracht. In diesem Nebel können wir heute unmöglich gehen. Wir müssen es noch einmal aufschieben. Alexandra hat eine Tochter bei den Partisanen; und die anderen beiden sind hysterisch. Glaubst du wirklich, man kann ihnen vertrauen, nachdem sie jetzt so vieles wissen?»

Nikola vermeinte Lukas' Gestalt im Nebel schrumpfen zu sehen. Der Ton der Niederlage war in seiner Stimme so deutlich zu hören wie eine Totenglocke. «Vielleicht ist es uns nicht bestimmt, davonzukommen, Eleni», sagte er. «Bis jetzt ist alles schiefgelaufen. So ist es mir immer ergangen im Leben. Das ist mein gottverdammtes Pech!»

Nikola spürte, wie seine Kehle sich zuschnürte. Wenn der einzige Mann unserer Gruppe aufgibt, dachte er, sind wir verloren. Er fing an zu zittern. Eleni, die seine Angst spürte, zog ihn fest an sich.

«Du kannst bleiben oder gehen, ganz wie du willst», erklärte sie. «Ich aber werde es weiter versuchen – so lange, bis wir in Freiheit sind, oder tot.»

Lukas schwieg lange; dann antwortete er demütig: «Ich habe versprochen, daß ich euch führe, Eleni, und mein Versprechen halte ich!»

«Wie du willst», gab Eleni zurück. «Wir müssen es nur bald wieder versuchen, sonst ist es zu spät. Das nächstemal wirst du die Drouboyiannis-Frauen nicht mitbringen – auf gar keinen Fall! Du sagst ihnen nicht mal was davon, daß wir gehen! Du siehst doch selbst, daß sie uns verrückt machen, noch ehe wir überhaupt aufgebrochen sind.»

Aus dem weißen Nebel kam Lukas' Antwort: «Ich werde ihnen nichts sagen.»

Dann kehrte er in die Mühle zurück, um die anderen nach Hause zu schicken, während Eleni und Nikola draußen im Nebel warteten. Eleni beugte sich zu ihrem Sohn hinab und flüsterte ihm ins Ohr: «Das nächstemal schaffen wir's. Das verspreche ich dir!»

Nikola glaubte ihr. Die Phantome im Nebel konnten ihr nichts anhaben, das hatte er jetzt gemerkt. Als er dann, seine Hand in der ihren, gemeinsam mit ihr die Schlucht hinauf nach Hause ging, spürte er, daß das Ding, das ihn seit so vielen Tagen verfolgte, nun plötzlich nicht mehr neben ihm war.

Sehr früh am nächsten Morgen kam Angeliki Botsaris mit der Nachricht, daß die Partisanen im Schutz des Nebels ein halbes Dutzend Stoßtrupps ausgeschickt hatten, um die nationalistischen Soldaten zu überfallen. Eleni hob den Blick zur Ikonostase in der Ecke. Wären sie nicht umgekehrt, sie wären ihnen zweifellos in die Arme gelaufen. Dies mußte ein Zeichen sein, daß Gott sie beschützte. Der dritte Versuch würde das Wunder bringen.

Gegen Mittag erschien ein zweiter Besucher am Tor: der ältere, einfältige Ausrufer Petros Papanikolas. Er war in Begleitung von zwei Partisanen und teilte Eleni mit fröhlicher Stimme mit, die Volksarmee brauche aus jedem Haushalt eine Frau zum Arbeitsdienst. Spiro Michopoulos, der Dorfvorsteher, habe vierzig Frauen angefordert, die nach Vatsounia gehen und in den umliegenden Dörfern bei der Heu- und Weizenernte helfen sollten. Die Frauen hätten sich innerhalb von drei Stunden bei der Verpflegungsstelle zu melden.

Eleni klammerte sich haltsuchend an den Türrahmen und versuchte ihre Panik zu kaschieren. «Warum so schnell?» fragte sie. «Unser eigener Weizen ist auch soweit, daß wir ihn ernten müssen, und jene, die zum Arbeitsdienst gehen, müssen sich doch erst darauf vorbereiten. Ist morgen denn nicht früh genug?»

«Nein, heute!» sagte einer der Partisanen und musterte sie durchdringend, bevor sie sich zum Gehen wandten.

Eleni kämpfte gegen die Woge von Hysterie, die ihr den Kopf völlig vernebelte. Wenn sie nur schnell genug denken konnte, müßte doch eine Lösung zu finden sein!

Sie rief ihre Familie, erklärte ihnen, was passiert war, und sah von einem tiefernsten Gesicht zum anderen. Ihr Blick blieb an der schwerfälligen Figur ihrer Schwester hängen. «Wenn du gehst», wandte sie sich an Nitsa, «werden sie dich zurückschicken, sobald sie deinen Zustand entdecken, und wir können immer noch alle zusammen fliehen.»

«Ha!» fuhr Nitsa erbost auf. «Fünfundzwanzig Jahre lang habe ich um ein Kind gebetet, und im Herbst meines Lebens hat Gott an mir ein Wunder getan. *Ich* soll das Leben meines ungeborenen Kindes aufs Spiel setzen, nur damit du die deinen retten kannst?» Überwältigt von Selbstmitleid, begann Nitsa, beide Arme schützend um ihren Bauch geschlungen, laut zu weinen.

Seufzend sah Eleni ihre Mutter an, die hilflos die Hände ausbreitete. «Wenn ich nur könnte, würde ich gehen», sagte Megali zitternd, «aber ich bin zu alt, um so weit zu marschieren oder die Sichel zu schwingen, und wenn sie böse werden und mich schlagen, würde ich den ganzen Fluchtplan verrraten.»

Eleni tätschelte ihr müde den Arm. «Ist ja schon gut, Mama.»

«Ich werde gehen!» Das war Olga, die beinahe ebenso verängstigt aussah wie Megali. «Mein Fuß ist inzwischen wieder gesund, und ich könnte allein von dort fliehen.»

«Auf gar keinen Fall!» fuhr Eleni hoch. «Wenn du gehst oder Kanta, werden sie euch nie wieder fort lassen. Sobald die Ernte vorbei ist, werden sie euch zu den *andartinas* stecken. Und überlegt doch mal, was die Partisanen euch antun würden, wenn wir fliehen!»

Vor der Logik ihrer Mutter senkte Olga den Kopf. Sie alle saßen schweigend da und starrten Eleni an, bis eine ganz kleine Stimme piepste: «Laß mich gehen, Mutter.»

Alle wandten sich der vierzehnjährigen Glykeria zu, mit ihren runden Wangen, die fast ebenso rot waren wie ihr Kleid. Tapfer ertrug sie die verwunderten Blicke.

«Ich bin zu jung für die *andartinas* und zu alt für die *pedomasoma*», fuhr Glykeria fort. «Kein Partisan würde mir Gewalt antun wollen, und wie Olga schon sagte, könnte ich allein von dort fliehen.» Sie schluckte, als sie daran dachte, wie sie sich immer angestellt hatte, wenn sie beim Dreschen helfen sollte, wie sie sich ständig beschwert hatte, ihre Hände bekämen von der Sichel Blasen. Sie merkte, wie sich hinten in der Kehle Tränen sammelten, und genoß die köstliche Agonie des Martyriums und Selbstmitleids.

Die anderen starrten sie verblüfft an, doch Eleni wußte, daß sie recht hatte. Glykeria, knapp ein Meter fünfzig groß, war noch zu jung, um die Partisanen zu interessieren. Und bei körperlichen Arbeiten war sie so hoffnungslos ungeschickt, daß sie bestimmt sofort als absolut unbrauchbar nach Haus geschickt würde. Dann konnten sie alle zusammen fliehen. Beide Arme streckte Eleni nach der Tochter aus, die ihr immer die größten Sorgen gemacht hatte. «Mein Kind!» rief sie gerührt. «So wäre es tatsächlich am besten. Du bist ein tapferes Mädchen! Keine Angst, wir gehen nicht ohne dich. Wir werden warten, bis du wieder da bist.»

Eilig begann Eleni mit den Vorbereitungen für den langen Marsch ihrer dritten Tochter. Sie kämmte ihr das Haar, flocht es zu zwei goldblonden Zöpfen und bürstete das rote Homespun-Kleid aus. Der Wollstoff war viel zu schwer für den Sommer, aber es war das einzige anständige Kleid, das Glykeria besaß. Anschließend packte Eleni ein paar Lebensmittel in einen Stoffbeutel, zog die Tochter vor die Ikonostase und besprengte sie mit Weihwasser. Sie flehte den heiligen Athanassios an, sie bald wieder zu ihr zurückzubringen.

Und ehe die anderen sich noch ganz mit Glykerias neuem Status als Heldin statt als Tunichtgut der Familie abfinden konnten, war sie verschwunden.

Während der ersten Juniwochen wurde das drohende Verhängnis der *pedomasoma* für die Einwohner von Lia traurige Wirklichkeit: Die erste Kindergruppe wurde verschickt. Eines Tages, als die Berghänge mit Krokussen übersät waren, wurden die Kinder, die von ihren Eltern freiwillig gemeldet worden waren, in einem bunten Festzug davongeführt. Sie zogen gleich oberhalb der Tür des Haidis-Hauses vorüber, während Eleni und ihre Kinder ihnen entsetzt durch die Fenster nachsahen.

Es waren über zwanzig Kinder im Alter von drei bis vierzehn Jahren in Begleitung von zwei «Aufsichtspersonen», die sie von Tsamanta nach Albanien bringen sollten. Bei diesen «Aufsichtspersonen» handelte es sich ebenfalls um Dorfkinder, die kaum älter waren, sich in ihren Partisanen-Uniformen aber sehr wichtig vorkamen. Zu den Klängen einer Klarinette sangen sie kommunistische Marschlieder. An der Spitze des Zuges schritt Lias berühmtester Partisan, Spiro Skevis. Und den Schluß bildete ein Schwarm weinender Frauen, von denen die eine oder andere immer wieder einmal versuchte, einen kleinen Nachzügler zu umarmen. Auch Eleni weinte, als der Zug der Kinder vorbeimarschierte, und Nikola beobachtete ihn neugierig, während er sich vorstellte, ebenfalls dabei zu sein. Es ging das Gerücht, daß in den nächsten Tagen schon ein zweiter Zug zusammengestellt und fortgeschickt werden sollte, und die Frauen, ob sie nun freiwillig mitgemacht hatten oder nicht, begriffen allmählich, daß Lia bald schon ein Dorf ohne Kinder sein würde.

Zu den Eltern, die angesichts dieser Entwicklung rebellierten, gehörten auch Calliope und Tassi Mitros. Die Mühle des alten Tassi ganz oben auf dem Perivoli war die einzige, die noch arbeitete. Die Partisanen zwangen seine Familie, tagtäglich bis in die Nacht hinein das Mehl zu produzieren, das sie für ihre Truppe brauchten. Tassis siebzehnjähriger Sohn Gakis war als *andarte* rekrutiert worden, hatte es aber geschafft, wegen einer Rückenverletzung vorläufig entlassen zu werden. Nun erfuhr der Müller, daß sein Sohn die nächste Kindergruppe begleiten und dann, sobald er Albanien erreichte, vermutlich wieder rekrutiert werden sollte. Und Tassis jüngerer Sohn Niko, der zwölf Jahre alt und Nikola Gatzoyiannis' ehemaliger Held und Peiniger war, sollte mit der nächsten Kindergruppe verschickt werden.

Der stämmige, fast kahlköpfige und sonnengedörrte Müller hatte das Leben immer als schlechten Scherz betrachtet, auf den man mit zynischem Humor reagieren mußte; doch als sich herausstellte, daß er seine beiden Söhne verlieren sollte, konnte Tassi nicht mehr über sein Elend spötteln, sondern fahndete nach einer Möglichkeit, die Jungen zu retten. Er vertraute sich seinem Schwager Lukas Ziaras an, der ihm die beiden mißlungenen Fluchtversuche sofort in allen Einzelheiten schilderte.

«Sei froh, daß sie mißlungen sind!» fuhr Tassi auf. «Es wäre nämlich idiotisch, die Schlucht als Fluchtweg zu benutzen. Denn an der Stelle, wo sie ausläuft, müßtet ihr die frisch abgeernteten Felder überqueren, und die Wachtposten würden euch sofort entdecken!»

Lukas war empört. «Und welchen Ausgangspunkt sollten wir deiner Meinung nach nehmen – den Dorfplatz?» gab er zurück. «Erklär mit das bitte, erlöse mich von meiner Unwissenheit!»

«Euer eigenes Haus!» erwiderte der Müller.

«Aber das ist nur fünfzig Meter vom Hauptbeobachtungsposten entfernt! Wie sollen zwei Dutzend Menschen direkt vor der Nase der Partisanen da durchschlüpfen können? Das kann nicht dein Ernst sein!»

«In diesen Vorbergen habe ich mit Foto Gatzoyiannis gejagt, als du noch nicht geboren warst», entgegnete Tassi. «Unmittelbar unterhalb deines Hauses liegt ein Stück Land voller Gestrüpp, das mit Gräben durchzogen ist. Und darunter ein noch nicht abgeerntetes Weizenfeld. Sobald ihr dieses Feld hinter euch habt, seid ihr praktisch schon im Wald: außer Sicht- und Schußweite. Das nächstemal werde ich euch mit meiner Familie begleiten und dir genau zeigen, wo's lang geht.»

Lukas hatte das beunruhigende Gefühl, daß ihm die Zügel aus der Hand glitten, mußte aber zugeben, daß Tassis Plan besser war als der seine.

Während die beiden Männer die Einzelheiten dieses neuen Plans ausarbeiteten, machte sich Soula Ziaras zu Eleni auf, um ihr zu sagen, daß sie nicht länger auf Glykerias Rückkehr warten könnten. Sie mußten in spätestens drei Tagen aufbrechen. Am nächsten Sonntag, dem 20. Juni, war abnehmender Mond, und das Wetter würde auch günstig sein. Der Weizen stand hoch und golden in der Sommersonne, und seit Ende Mai hatte es nicht mehr geregnet.

Als Soula sie auf dem Bohnenfeld fand und ihr das Datum für den neuerlichen Fluchtversuch zuflüsterte, drehte sich Eleni zu ihr um und starrte sie an. «Aber wir können nicht ohne Glykeria gehen!» flüsterte sie zurück.

«Willst du all deine Kinder verlieren?» erwiderte Soula. «Wie Lukas hörte, werden sie in der nächsten Woche abgeholt.»

Elenis Hände zitterten so sehr, daß sie die Bohnen fallen ließ, die sie gepflückt hatte. Wie jede Mutter liebte sie das Kind, das ihr die größten Sorgen bereitete, ganz besonders. Sie konnte es nicht ertragen, Glykeria zurückzulassen, damit sie aus Rache für die Flucht ihrer Familie geschlagen und ins Gefängnis geworfen oder in die vorderste Kampflinie geschickt würde. Das Kind hatte einfach nicht genug Kraft und das Stehvermögen für eine *andartina*, dachte Eleni. Sie ist ihr Leben lang verwöhnt worden.

«Kommt ihr nun mit oder nicht?» wollte Soula wissen. «Wir müssen am Sonntag aufbrechen!»

Eleni traute ihrer Stimme nicht, deswegen nickte sie nur.

«Gut!» Soula atmete erleichtert auf. «Wir haben einen neuen Plan. Anstatt die Schlucht hinabzugehen, werden wir unser Haus zum Ausgangspunkt nehmen. Sobald es dunkel wird, schickst du deine Familie jeweils zu zweit zu uns hinunter.»

«Aber das ist doch viel zu gefährlich!» protestierte Eleni erstaunt.

«Keine Sorge.» Soula wandte sich schon wieder zum Gehen. «Lukas hat alles genau überlegt.»

Während der nächsten beiden Tage suchte Eleni voller Verzweiflung immer wieder die Berghänge nach Zeichen für die Rückkehr ihrer Tochter ab, während die Familien Ziaras und Mitros bereits ihre Vorbereitungen trafen. Gakis Mitros war ein Schulfreund des jungen Partisanen Andreas Michopoulos und stattete ihm eines Tages am Beobachtungsposten in der Kirche zur Heiligen Jungfrau einen Besuch ab. «Muß ziemlich hart sein», sagte Gakis zu Andreas, «ganze Nächte hindurch die Vorberge nach Faschisten abzusuchen.»

«Ach was, halb so schlimm», entgegnete Andreas, der stolz sein Gewehr zurechtrückte. «Meistens schicken wir des Nachts nur eine Patrouille durch die Schlucht und eine andere den Parayianni hinab, denn das Gelände dazwischen ist so steil, daß man die Schweine schon kilometerweit kommen hört und sieht. Außerdem würden sie vorher schon auf die Minen laufen.»

Auch Soula Ziaras besuchte, ihren kleinen Alexi im Arm, den Beobachtungsposten der Partisanen und erklärte dem befehlshabenden Sergeanten, sie habe Angst vor den vielen Minen. «Habt ihr auch welche in die Nähe von meinen Feldern gelegt?» erkundigte sie sich. «Ihr wißt doch, daß meine Kinder da immer spielen.»

«Keine Angst», gab der Mann zurück. «Bis zu den Weizenfeldern hinab ist alles klar.»

Am frühen Samstagmorgen, dem Tag vor ihrer Flucht, ging Soula mit ihrer Tochter Marianthe aufmerksam den Pfad entlang, den sie durch ihre Felder einschlagen würden. Sie räumte jeden Stein und Zweig aus dem Weg, über den jemand stolpern und dadurch Lärm machen konnte. Als sie, voll Nervosität bei dem Gedanken, was der morgige Tag bringen würde, nach Hause zurückkehrte, warteten schon zwei Partisanen auf sie.

Am selben Vormittag, als Eleni schon nicht mehr glaubte, Glykeria jemals wiederzusehen, weckte ein Klopfen an der Tür neue Hoffnungen in ihr. Doch als sie öffnete, stand dümmlich grinsend wieder einmal der Ausrufer vor ihr. «Tut mir leid, Eleni, aber ich muß dir mitteilen, daß wir noch eine Frau aus deinem Haushalt brauchen», verkündete er. Die Partisanen verlangten vierzig zusätzliche Frauen zum Dreschen, die eine Hälfte aus Lia, die andere aus Babouri. «Die Lioten müssen heute schon gehen», ergänzte er.

Angst durchfuhr Eleni bis in die Fingerspitzen. Ihre Gedanken begannen zu rasen. Wenn es ihr gelang, ein bißchen Zeit zu gewinnen, konnten sie den Abmarsch auf heute abend vorverlegen. «Bitte, Petros», sagte sie, «ich fühle mich nicht wohl; ich habe Fieber. Aber ich könnte morgen mit den Babourioten gehen. Bis dahin bin ich bestimmt wieder gesund.»

«Wen immer du schickst, es muß auf jeden Fall heute sein!» gab er zurück.

Eleni machte die Tür zu und sank auf einen Stuhl. Sie versuchte ihrer Angst Herr zu werden, die ihr die Gedanken vernebelte. Ein weiteres Familienmitglied mußte geopfert werden. Wenn sie sich die Wahl gut überlegte, konnte sie damit möglicherweise Glykerias Fluchtchancen erhöhen. Also rief sie die Familie zusammen. Als die Kinder das Gesicht der Mutter sahen, wußten sie sofort, daß etwas schiefgelaufen war.

Eleni unterrichtete sie von diesem Befehl der Partisanen und wandte sich dann an Nitsa. «Dieses Mal wirst du gehen müssen, Schwester», sagte sie. «Wenn ich Olga oder Kanta schicke, machen sie sie zu *andartinas*, dich aber würden sie in deinem Zustand nicht anrühren. Außerdem kannst du Glykeria suchen und mit ihr zusammen von den Dreschplätzen fliehen.»

Nitsa begann empört zu kreischen. «Du hast fünf Kinder! Wenn du eines oder zwei verlierst – was macht das schon? Du verlangst, daß ich mich selbst und das Kind in meinem Leib opfere, damit deine Familie gerettet wird! Du hast es immer leichter gehabt als ich.»

Zorn überfiel Eleni, schüttelte sie wie ein Krampf, bis die gedrungene Gestalt vor ihr zu verschwimmen schien. Zu lange hatte sich der Groll gegen ihre faule, egoistische ältere Schwester in ihr aufgestaut: Jetzt machte er sich Luft. «Leichter?» schrie sie. «Ich bin mit meinem Mann nicht nach Amerika gegangen, um hier bei dir und unseren Eltern zu bleiben! Seit zehn Jahren leiden meine Kinder und ich unter dieser Entscheidung, und jetzt soll ich ein weiteres Kind opfern, nur damit du deine Ruhe hast!»

«Deine Schwester hat recht, Eleni», schalt Megali sie mit ihrer zittrigen Stimme. «Nitsa besitzt weder deine Kraft noch deine Klugheit. Sie würde niemals den Mut aufbringen, Glykeria zu nehmen und mit ihr zu fliehen.»

Eleni ließ den Kopf hängen. Ihr Leben lang hatte man von ihr erwartet, daß sie stark war; jetzt reichte es ihr. Ihr größter Fehler war die Loyalität zur Schwester und den Eltern gewesen. Die Bande, die sie an diese Menschen fesselten, die Bande der Liebe, der Schwäche und der Not, waren zu Ketten geworden, die sie und ihre Kinder vernichteten. Nach langem Schweigen wandte Eleni sich an Olga. «Ich werde zu Glykeria gehen», erklärte sie matt. «Du nimmst Nikola und deine Schwestern und gehst mit Lukas Ziaras.» Für Nitsa hatte sie keinen Blick.

Alle Kinder begannen zu weinen. «Wir gehen nicht ohne dich!» protestierte Olga. «Wir bleiben hier und warten, bis du zurückkommst.»

«Dann wird diese Familie zerstört werden», gab Eleni zurück. «Nikola und Fotini werden zur *pedomasoma* geschickt, und ihr beiden, du und Kanta, werdet zwangsrekrutiert.»

«Dieses Risiko werden wir auf uns nehmen, wie alle anderen Leute im Dorf es auch müssen», erklärte Kanta.

«Ich will aber nicht, daß meine Familie zerstört wird!» sagte Eleni langsam und betont. «Wenn ihr nicht gehen wollt, werde ich unseren Plan verraten, und sie werden mich vor euren Augen umbringen.»

Niemand wagte ihr in die Augen zu sehen. Wie Nikola feststellte, war das Gesicht der Mutter schmerzverzerrt und bis auf zwei rote Flecken auf den Wangen knochenbleich.

«Und jetzt geht», befahl sie. «Ich will allein sein; ich muß nachdenken.»

Sobald sie ihre Entscheidung getroffen hatte, kam ein unerwarteter Friede über Eleni. Sie brauchte sich nicht mehr zu quälen, sich zu fragen, was sie tun sollte. Wie ein Bach, der den Berg hinabfließt, hatte sie keine Kontrolle mehr über ihren Weg. Als letzte Pflicht jedoch, bevor sie sich ihrem Schicksal auslieferte, mußte sie ihre Kinder in den wenigen Minuten, die ihr noch blieben, so gut wie möglich beraten.

Eleni war eiskalt und ruhig geworden. Sie mußte alle Möglichkeiten bedenken. Zuerst nahm sie Olga beiseite und ging mit ihr in die gute Stube. Als die Älteste, fast einundzwanzig, würde ihr die Verantwortung für die anderen vier Kinder zufallen. Eleni blickte tief in die großen braunen Augen der Tochter, die vor Angst weit aufgerissen waren, und wünschte, Olga wäre ein bißchen ernsthafter, ein bißchen klüger und weniger unerfahren in den Dingen des Lebens. Doch Olga würde die Jüngeren wie eine Glucke beschützen, das wußte sie.

«Bevor ihr morgen abend aufbrecht», sagte Eleni, «mußt du mir einen Brief schreiben und ihn in die Nische neben dem Kamin legen, wo die *andartes* ihn mit Sicherheit finden. Darin schreibst du, daß Lukas und Megali euch zum Mitgehen gezwungen haben, weil sie Geld von eurem Vater haben wollen, daß ihr nicht fortgehen wolltet und ich mir keine Sorgen um euch machen soll, ihr hättet keine andere Wahl gehabt. Schreib einfach alles, was dir einfällt, damit sie glauben, daß ihr ohne mein Wissen gegangen seid.»

Nachdenklich hielt sie einen Moment inne und fuhr dann fort: «Morgen, wenn es feststeht, daß ihr geht, suchst du dir eine von den Frauen, die sie von Babouri hierherholen, eine, der du vertrauen kannst, und gibst ihr eine mündliche Nachricht für mich mit. Wenn du sagst: ‹Der Weizen ist reif zur Ernte›, heißt das, daß ihr am selben Abend aufbrecht, und ich werde versuchen, mit Glykeria zu fliehen. Wenn du sagst: ‹Der Weizen ist noch nicht reif›, weiß ich, daß die Flucht aufgeschoben ist, und werde warten.»

«Aber ich kann nicht ohne dich gehen, Mama», jammerte Olga. «Wie sollen wir dich je wiederfinden?»

«Sei nicht töricht!» befahl Eleni. «Glykeria und ich werden problemlos fliehen können. Der Kalamas ist dort oben soviel flacher, daß wir ihn durchwaten können. In Filiates treffen wir uns dann alle. Zum Zeichen dafür, daß ihr die Soldaten erreicht habt, zündet ihr auf dem Großen Bergrücken ein großes Feuer an, dann kann ich von Vatsounia aus den Rauch sehen und weiß, daß ihr es auf die andere Seite geschafft habt.»

Sie wandte den Blick ab. «Doch wenn ich nach einigen Tagen noch nicht in Filiates bin, wirst du deinem Vater telegrafieren und ihn bitten, euch so schnell wie möglich nach Amerika zu holen. Sagt auf der anderen Seite zu niemandem etwas von den Partisanen oder von dem, was sich hier abspielt, weil das doch hierher zurückkommen und uns noch größere Schwierigkeiten bereiten würde. Ihr müßt nach Igumenitsa oder Ioannina weiterreisen und dort auf eure Papiere warten, denn es ist möglich, daß die Partisanen Filiates angreifen, und ich will euch unbedingt in Sicherheit wissen.»

Sie streckte die Hand aus, um Olgas Gesicht zu sich herumzudrehen, versuchte dem jungen Mädchen ihren eigenen gesunden Menschenverstand zu übertragen. «Euer Großvater wird versuchen, euch zum Hierbleiben zu überreden», sagte sie. «Laß keinesfalls zu, daß er dich oder Kanta dazu verleitet, einen Mann aus Filiates oder Igumenitsa zu heiraten. Alle Männer werden hinter euch her sein, weil ihr einen Vater in Amerika habt; laßt euch von ihnen nicht ausnutzen, auch wenn sie an eure Eitelkeit appellieren. Meine Eltern wollen nur, daß jemand in Griechenland bleibt und sie im Alter versorgt. Doch ob ich am Leben oder tot bin – ich werde nicht ruhen, bis ihr alle zusammen heil und sicher in Amerika seid!»

Olga nickte, eingeschüchtert von der Eindringlichkeit ihrer Mutter.

Eleni schwieg; sie überlegte. Hatte sie etwas vergessen? «Morgen, wenn ihr auf den Sonnenuntergang wartet», setzte sie noch hinzu, «geht ihr zu den Feldern eures Großvaters bei der Mühle. Ihr solltet dort ein bißchen Weizen schneiden, denn er ist reif, und wenn ihr euch nicht darum kümmert, könnte jemand Verdacht schöpfen.»

Nun wollte ihr nichts mehr einfallen. Forschend musterte sie Olgas Gesicht, suchte darin nach beruhigender Kraft. «Von nun an trägst du die Verantwortung für deine Geschwister, bis du sie eurem Vater übergibst», warnte sie. «Ich hänge sie dir um den Hals.»

Olga brach in Tränen aus.

Während Eleni von ihren Kindern Abschied nahm, fand eine ganz ähnliche Szene am unteren Dorfende im Haus der Ziaras statt. Die beiden Partisanen waren gekommen, um zu verkünden, daß sofort eine weitere Frau zum Dreschen benötigt werde.

Beim Anblick der Uniformierten begann Soula so heftig zu zittern, daß sie sich kaum auf den Beinen halten konnte. Sobald sich die Tür hinter ihnen geschlossen hatte, wandte sie sich zu Lukas um, der wie ein gefangenes Tier hin und her wanderte. Es ist alles so glatt gelaufen, dachte er – und nun dies! Wahrhaftig, Gott hatte ihm keine guten Karten gegeben!

Soula zwang sich, ruhig zu sprechen. «Es ist schon gut», sagte sie. «Ich werde zum Erntedienst gehen, und du nimmst morgen die Kinder mit, wie geplant.»

Lukas explodierte. Er würde es niemandem eingestehen, nicht einmal sich selbst, aber es war ihm unmöglich, die Flucht ohne seine ruhige, starke Frau zu riskieren.

«Jawohl, ganz recht, geh du nur!» stotterte er. «Und wenn wir auf die andere Seite kommen, wer soll sich dann um all diese wimmernden Kinder kümmern? Willst du mich zum Kindermädchen machen? Ich denke gar nicht daran! Marianthe wird zum Arbeitsdienst gehen!

Sie ist jung und stark und klug genug, um allein fliehen zu können.»

Marianthe erstarrte vor Zorn. Ihr ganzes Leben hatte sie damit verbracht, sich um die endlose Reihe von Babys zu kümmern, hatte so unermüdlich gearbeitet wie ihre Mutter, und nun schickte der Vater sie fort, als sei sie keinen Pfifferling wert. Aber sie wußte, daß auch Proteste ihr nicht helfen würden. Er würde sie höchstens dafür verprügeln, weil er ein so schlechtes Gewissen hatte. Mürrisch begann sie ihre Sachen für den Marsch zusammenzusuchen.

Lukas beschloß, seine Tochter zur Partisanen-Verpflegungsstelle zu begleiten. Als sie am Haidis-Haus vorbeikamen, machte er halt und klopfte an. Eleni kam zerstreut heraus. Als sie die verzweifelten Mienen von Lukas und Marianthe sah, fragte Eleni: «Zu euch sind sie also auch gekommen, wie?»

Lukas nickte. «Marianthe wird gehen», erklärte er. «Gott schütze sie!»

«Ich gehe auch», antwortete Eleni. «Meine nichtswürdige Schwester hat sich geweigert. Aber ich hoffe, mit Glykeria zusammen von dort oben fliehen zu können. Marianthe werde ich natürlich auch mitnehmen. Wenn wir nicht fortkommen sollten, werde ich mich um sie kümmern. Aber du, Lukas, mußt wie geplant mit den anderen gehen.»

Eleni betrachtete den kleinen, nervösen Mann, der ihre Kinder durch hundert Gefahren bringen sollte, und ihr Herz setzte aus. Sie suchte nach Worten, die ihn mit Klugheit und Mut erfüllen würden, aber dann sagte sie nur mit so leiser Stimme, daß er sich zu ihr neigen mußte, um sie zu verstehen: «Ich vertraue dir meine Kinder an, Lukas, und werde dich zur Rechenschaft ziehen – wenn nicht in diesem Leben, dann im nächsten.»

Es war Eleni klar, daß sie nur noch wenige Minuten für ihre Kinder hatte, und die verwendete sie darauf, zum letztenmal Fotinis honigbraune Zöpfe zu flechten. Nitsa saß mit gekreuzten Beinen in einer Ecke und sah ihr zu, doch Eleni tat, als bemerke sie ihre Gegenwart nicht.

Als sie beide Zöpfe geflochten hatte, umarmte Eleni Fotini so heftig, daß die Kleine sich wehrte. «Keine Angst, Liebes», sagte sie tröstend. «Glykeria und ich, wir werden beide herauskommen, und bald werden wir alle zusammen in Filiates und auf dem Weg nach Amerika sein.»

«Nein, Mutter, du nicht», antwortete die Zehnjährige ungerührt. «Wir werden alle fortgehen, aber du wirst immer hierbleiben.»

Megali keuchte erschrocken auf und ließ sich seit dem Streit zwischen Eleni und Nitsa zum erstenmal wieder vernehmen. «Hüte deine Zunge, du ungezogenes Kind!» schalt sie. Dann schlug sich die Alte die Schürze über den Kopf und stimmte ein schrilles Klagelied an.

Eleni befahl Kanta und Nikola, sie zur Verpflegungsstelle zu begleiten, damit sie bis zum letzten Moment mit ihnen zusammen sein konnte. Olga und Fotini sollten im Haus bleiben und so tun, als sei nichts geschehen. «Wir dürfen nicht in ganzen Scharen da oben erscheinen», erklärte sie. «Das würde nur Verdacht erregen. Darum verabschieden wir uns hier unten.»

Plötzlich reichte die Zeit nicht mehr. Mit fühllosen Fingern legte Eleni die Schürze ab, holte die lange, schwarze ärmellose Tunika mit den zwei roten, waagerechten Streifen vom Haken und zog sie über das braune, vom Waschen verblichene Wollkleid. Ohne ihnen in die Augen zu sehen, gab sie Fotini, Olga und Megali einen letzten Kuß; dann band sie sich hastig das schwarze Kopftuch um.

Von ihrer Schwester trennte Eleni sich, wie der Vater damals von ihr, ohne Abschied. Als Nitsa sich stumm zur Wand drehte, wurden Megalis Klagen noch schriller. Fotini und Olga folgten der Mutter nach draußen und streckten sehnsüchtig die Hände aus, um sie noch einmal zu berühren. Als Eleni das Tor durchschreiten wollte, umklammerte Olga ihren Arm und bat sie weinend: «Warte noch, Mama! Ich will dir einen letzten Kuß geben!» Eleni machte sich los und wandte das in den Falten des Kopftuchs verborgene Gesicht ab. Olga jedoch riß ihr das Tuch herunter und sah die Tränen, die ihre Mutter hatte verstecken wollen. Niemand sagte ein Wort, als Olga sich auf die Zehenspitzen hob und ihre Mutter zum letztenmal küßte.

Als Eleni mit den beiden Kindern den Pfad zum Perivoli emporzusteigen begann, hörte eine Nachbarin Olgas lautes Schluchzen. Neugierig kam sie herbeigelaufen und musterte Olga aufmerksam. «Warum machst du so ein Theater, Kind?» fragte sie. «Deine Mutter geht doch nur zum Erntedienst! Was ist mit dir?»

Megali kam eilig heraus und holte Olga ins Haus zurück.

Eleni, Kanta und Nikola stiegen schweigend zum ehemaligen Haus der Venetis neben der alten St.-Demetrios-Kirche hinauf, in dem jetzt die Verpflegungsstelle untergebracht war. Entsetzt sah Eleni, daß auch ihre Schwägerin Alexo sich in der Gruppe befand. Die beiden Frauen tauschten angstvolle Blicke, sprachen aber nicht miteinander, weil sie fürchteten, die Partisanen könnten es bemerken und sich später, wenn ihre Kinder geflohen waren, daran erinnern.

Eleni setzte sich auf die Vortreppe des Hauses und zog Nikola auf ihren Schoß, wo er still sitzenblieb. Sie schmiegte ihr Gesicht an seine Wange, atmete seinen vertrauten Geruch und spürte seine Wärme an ihrer eiskalten Haut. Diese Wärme hatte sie seit seiner Geburt begleitet, sein kleiner Körper war ein Teil des ihren gewesen.

Ein Partisan ging herum, notierte die Namen der Frauen und gab jeder ein Stück Brot mit einer dicken Scheibe Marmelade. Vorsichtig teilte Eleni die Marmelade, um Nikola und Kanta jeweils die Hälfte zu geben. Den Brotkanten steckte sie in ihre Tasche.

Dann setzte sie Nikola wieder neben sich, damit sie ihn ansehen konnte. Er trug eine gestreifte, selbstgenähte Kniehose mit Hosenträgern über dem langen weißen Strickhemd. Er war barfuß. Sein Haar war, wie im Dorf üblich, kurz geschnitten und leuchtete goldbraun in der Sonne. Eleni sehnte sich danach, ihn zu berühren, sah ihn jedoch nur an und suchte sich seine Züge tief ins Gedächtnis einzuprägen: die weißliche Narbe auf der breiten Stirn, die er sich beim Sturz vom Maulbeerbaum zugezogen hatte, die breiten Hände und die mageren, staubbedeckten Beine.

Sie versuchte sich vorzustellen, wie er als Mann aussehen würde, konnte es aber nicht. Sein Gesicht war geöffnet wie eine Blume, die Brauen über den tiefliegenden braunen Augen zusammengezogen, die gerötet waren – ein Zeichen, an dem sie immer erkannte, daß er beunruhigt war oder eine Krankheit ausbrütete. Seine Mundwinkel waren herabgezogen, als werde er gleich anfangen zu weinen. Sie dachte daran, wie oft sie seine unaufhörlichen Fragen zurückgewiesen hatte. Wer würde sie ihm jetzt beantworten?

Eleni atmete tief durch und wandte sich an Kanta. «Ab morgen, von dem Augenblick an, da ihr das Haus verlaßt, wirst du die Verantwortung für Nikola tragen», erklärte sie. «Olga hat genug Sorgen; deswegen übergebe ich ihn deiner Obhut. Beschütze ihn wie deinen Augapfel!»

Kanta war genauso blaß wie ihre Mutter. «Ich verspreche es dir, Mama», sagte sie. «Nur komm wieder zu uns zurück!»

«Wenn ich nicht komme», gab Eleni mit rauher Stimme zurück, «vergiß eines nicht: Jeder von euch, der in Griechenland bleibt, jeder,

der nicht nach Amerika geht, ist von mir verflucht! Wenn ihr das Haus verlaßt, wünsche ich, daß ihr einen schwarzen Stein hinter euch werft, damit ihr nie wieder hierher zurückkehrt!»

Kanta nickte und schluckte. Eleni wandte sich wieder dem Jungen zu, zog ihn an sich, beherrschte sich aber, um ihn mit ihrer heftigen Liebkosung nicht zu erschrecken. Er schmiegte sich in ihre Arme, und so blieben sie einen Moment sitzen: Eleni mit dem Kinn auf seinen Haaren, während sie bergauf zu dem Haus hinaufblickte, in dem sie ihn geboren hatte. Als er erst wenige Tage alt war, hatte sie geglaubt, er müsse sterben, und ihm die Nottaufe geben lassen. Um wieviel mehr schmerzte es sie, ihn jetzt zu verlieren. Zu lange waren sie einander alles gewesen. Niemand kannte seine Ängste und Hoffnungen, wußte, wie er ein Problem mit sich herumtrug, schweigsam und geistesabwesend, bis er die Lösung gefunden hatte. Ständig brachte er ihr Geschenke, die er wie einen geweihten Talisman aus seiner Tasche zog: einen irisierenden Käfer, gefleckte Eier des Regenpfeifers, einen seltsam geformten Stein. Wenn er ihr diese Schätze gab, leuchteten seine Augen in froher Erwartung ihrer Reaktion. Was konnte sie ihm jetzt geben, um ihn vor dem Bevorstehenden zu schützen? Sie erinnerte sich, wie verängstigt er im Nebel gewesen war. «Morgen abend», flüsterte sie ihm zu, «mußt du ganz fest Kantas Hand halten und mir zuliebe sehr tapfer sein.» An ihrer Brust spürte sie, wie er nickte.

«Alles auf!» rief ein Partisan so laut, daß die drei erschrocken zusammenzuckten. «Wir starten vom Makos-Haus.»

Die ganze Gruppe setzte sich bergaufwärts in Bewegung. Eleni hielt Nikolas Hand. Als sie das Haus von Athena Makos erreichten, fiel die Welt vor ihren Füßen senkrecht nach unten ab, und sie sahen bis weit nach Osten, wo die Frauen um den Berg herum verschwinden würden. Eleni wandte sich zu Nikola um und sah, daß er erfolglos zu lächeln versuchte. «Ich werde tapfer sein, Mama», versicherte er.

Eleni blickte von Kanta zu Nikola, den beiden ihrer fünf Kinder, die am wahrhaftigsten Fleisch von ihrem Fleisch waren. Dann umarmte sie Kanta.

Sie fühlte, wie Nikolas Hand sich wieder in die ihre stahl, schloß die Augen und betete um die Kraft, das tun zu können, was sie tun mußte. Dann fiel ihr etwas ein. Sie hob die Hände und löste eine lange Kette von ihrem Hals, an der ihr zauberkräftigstes Besitztum hing: ein kreuzförmiges, mit einer grob gestalteten Christusfigur verziertes kleines Behältnis, das den Knochensplitter eines Heiligen barg. Diese Kette streifte sie ihrem Sohn über den Kopf und strich ihm dabei mit einer schnellen, zärtlichen Geste über die Haare. Nikola krauste verlegen die Stirn.

«Küß mich, nur dieses eine Mal!» bat sie, und er kam bereitwillig in ihre Arme. «Mein Blut und mein Herz», flüsterte sie.

Dann fügte sie Kantas Hand in die seine und wandte sich ab.

13

Während die Reihe der Frauen in nordöstlicher Richtung über die Berge den Dreschplätzen entgegenzog, versuchte Eleni sich auf das bevorstehende Wiedersehen mit Glykeria zu konzentrieren; statt dessen hatte sie jedoch nur ihren Sohn vor Augen, wie er beim Abschied am Klippenrand gestanden hatte: unendlich hilflos den tausend Gefahren ausgeliefert, denen er begegnen würde, bis sie sich wiedersahen – *falls* sie sich wiedersahen.

Als die Frauen Vatsounia erreichten, war ihnen klar geworden, daß sie ihren Bestimmungsort noch immer nicht erreicht hatten, denn hier waren die Wiesen und Weizenfelder längst abgeerntet, und das Abbrennen der Stoppeln hatte häßliche schwarze Narben auf der roten Erde hinterlassen. Den Rest der Nacht verbrachten sie in den verlassenen Häusern der Ortschaft, um ihren Weg am frühen Morgen fortzusetzen, und je höher die Sonne stieg, desto höher stieg auch die Temperatur, bis sie am Staub beinahe erstickten und ihnen die Kleider am Rücken klebten.

Gegen Mittag rasteten sie in Granitsopoula, einem Dorf mit uralten zweistöckigen Steinhäusern rings um einen von breitkronigen Platanen überschatteten Platz. In der Nähe plätscherte ein breiter, seichter Wasserlauf, ein Nebenfluß des Kalamas, der unten, in den Vorbergen, undeutlich zu erkennen war. Der Kalamas bildete die Grenze des von den Partisanen besetzten Territoriums.

Als sie noch dastanden und die Schönheit dieser Berglandschaft bewunderten, trug ihnen die stille Luft vom Flußufer her den Klang von Frauenstimmen zu: Sie hatten die erste Arbeitsgruppe aus Lia eingeholt. Immer wieder Glykerias Namen rufend, setzte Eleni sich in Trab, bis sich aus der Gruppe auf der Wiese eine Gestalt im roten

Kleid löste. Ungläubig starrte Eleni ihre Tochter an. Glykeria hatte den Babyspeck verloren; ihre sonnenverbrannten Wangen waren eingefallen, und unter den Augen hatte sie dunkle Ringe. Gesicht und Arme waren zerkratzt und bluteten, an Haaren und Kleid klebte die stachelige Spreu des Weizens. Ihr Kiefer war an einer Seite geschwollen, jetzt aber lächelte sie trotzdem glücklich.

«Mein armes Kind, was hast du nur erdulden müssen!» rief Eleni entsetzt und breitete liebevoll die Arme aus.

«Ach, mir geht's ganz gut, Mama. Du bist ja jetzt bei mir», antwortete Glykeria erleichtert. «Ich hatte schon Angst, ich werde dich nie mehr wiedersehen.» Gleich darauf entdeckte sie ihre Tante Alexo und lief hinüber, um sie ebenfalls zu umarmen.

Die Erntehelferinnen machten Mittagspause, und so setzte Eleni sich mit ihrer Tochter außer Hörweite der anderen in den Schatten. Flüsternd teilte sie ihr mit, daß die Familie mit den Fluchtvorbereitungen begonnen habe und daß sie beide allein von hier oben fliehen müßten. Glykeria ergriff aufgeregt ihre Hände. Sie hatte genug von der zermürbenden Drescherei und wäre am liebsten sofort aufgebrochen. «Ich kenne sämtliche Pfade hier», flüsterte sie. «Bis zum Kalamas schaffen wir's leicht. Laß uns gleich heute nacht losgehen!»

«Nein, morgen», gab die Mutter zurück. «Zuerst müssen wir sicher sein, daß die anderen unterwegs sind. Wenn wir morgen vor ihnen aufbrechen, wird man sie schnappen und vielleicht sogar umbringen. Olga wird mich durch eine der Frauen aus Babouri benachrichtigen, ob sie aufbrechen, und ich habe sie gebeten, auf dem Großen Bergrücken ein Signalfeuer anzuzünden, damit wir sehen, daß sie es geschafft haben.»

In dieser Nacht streckten die Frauen sich auf dem blankgebohnerten Holzboden der leeren Häuser zum Schlafen aus. Eleni und Alexo nahmen Glykeria in die Mitte: Sie lagen alle drei unter einer Decke und flüsterten lange miteinander. Glykeria berichtete von ihren Leiden während der Zeit, da sie mit den Erntehelferinnen von einem verlassenen Dorf zum anderen gezogen war. Jetzt aber fühlte sie sich getröstet und bereits wesentlich wohler.

Nachdem Glykeria eingeschlafen war, schlich Eleni sich im Dunkeln hinaus und starrte zum Großen Bergrücken hinüber; bis zum nächsten Morgen wartete sie auf den Schein eines Feuers und betete dabei unablässig für die Rettung ihrer Kinder.

Bei Sonnenaufgang kehrte sie, geschwächt von Schlaflosigkeit und

Sorge, in den Raum zurück, in dem Glykeria schlief. Sie hatte das deutliche Gefühl, daß die Kinder, wie geplant, bei Sonnenuntergang aufgebrochen waren, aber es gab kein einziges Zeichen dafür, daß sie den Großen Bergrücken erreicht hatten. An die auf der Hand liegende Erklärung, daß sie unterwegs entdeckt worden waren, versuchte sie gar nicht erst zu denken.

Als die Frauen sich an diesem Vormittag unter der weißglühenden Sonne ans Kornschneiden machten, arbeiteten Eleni und Glykeria Seite an Seite. Jedesmal, wenn sie ans Ende einer Reihe kamen, richteten sich Mutter und Tochter auf, rieben sich den schmerzenden Rücken und blickten sehnsüchtig zum Kalamas hinüber, der ihnen von fern mit der Verheißung der Freiheit winkte.

Immer wieder beobachtete Eleni den Gipfel des Berges und wartete auf die Babouri-Frauen, von denen eine ihr Nachricht von Olga bringen würde. Kurz vor Mittag trafen dann zwanzig Frauen ein, und Eleni musterte erregt die Gesichter der Neuankömmlinge. Schließlich kam eine von ihnen, Mitsena Migdales, auf sie zu und sagte: «Ich habe gestern, als wir durch Lia kamen, ganz kurz mit Olga gesprochen. Ich soll dir ausrichten, sie werde den Weizen ernten.»

Die Frau war verblüfft, als Eleni dankbar ihre Hände ergriff und dann davonlief, um mit Glykeria zu sprechen. Mit neuer Kraft schwangen sie ihre Sicheln. Das Warten war vorbei: die Familie war auf der Flucht. In dieser Nacht konnten sie den Kalamas überschreiten und, so Gott wollte, am anderen Ufer die Kinder finden. Eleni versuchte, ruhig zu bleiben, indem sie sich vorstellte, daß die Familie wiedervereint und in Freiheit war.

Ihr blieben nur wenige Stunden, um diesem Traum nachzuhängen. Die Erntehelferinnen saßen im Schatten eines Wäldchens und aßen ihre Mittagsmahlzeit aus Käse und Brot, als vom nahen Dreschplatz zwei Partisanen zu Pferd herüberkamen. Erstaunt sah Eleni, daß hinter einem von ihnen Rano Athanassiou, Olgas beste Freundin, auf dem Pferd saß. Rano war wie Glykeria schon mit der ersten Gruppe zur Erntehilfe geschickt worden, Eleni hatte unter den Arbeiterinnen jedoch vergeblich nach ihr Ausschau gehalten. Neidisch erklärte Glykeria, Rano sei zur Aufseherin über die Frauen auf dem Dreschplatz bestimmt worden, eine Arbeit, die wesentlich leichter war als alle anderen. Als Rano jetzt näher kam, starrten die Gatzoyiannis-Frauen ihr neugierig entgegen.

Die beiden Partisanen saßen ab, und einer von ihnen bat um die

Aufmerksamkeit der Frauen. «Die Hälfte von euch geht nach Vistrovo, denn da sind noch nicht alle Felder abgeerntet», rief er. «Die anderen bleiben hier, bis wir fertig sind.»

Krank vor angstvoller Erwartung sah Eleni, wie der Partisan umherging und wahllos Frauen für den Weg nach Vistrovo bestimmte. Als er zu ihr und Glykeria kam, ruhte sein Blick ein bißchen zu lange auf ihnen beiden. Dann sagte er: «Das Mädchen geht.»

«Bitte, Genosse!» flehte Eleni, die bemüht war, sich ihre Verzweiflung nicht anmerken zu lassen. «Laß meine Tochter hier bei mir! Ich habe sie drei Wochen lang nicht gesehen. Laß mich nur eine einzige Nacht mit ihr zusammenbleiben.»

«Nein, sie geht», erwiderte er scharf und wandte sich ab. Eleni, die merkte, daß Rano sie aufmerksam beobachtete, erhob sich und ging zu der jungen Frau hinüber, die von jeher fast wie ein Familienmitglied für sie gewesen war. Sie war es gewesen, die sie gewarnt hatte, als sie hörte, die Partisanen wollten ihr Haus durchsuchen, und sie hatte sich, als mit den Zwangsrekrutierungen der Frauen begonnen wurde, mit Olga und Kanta zusammen versteckt.

«Bitte, Rano!» flehte Eleni. «Auf dich werden sie hören! Sag ihm, wie wichtig es für mich ist, ein bißchen länger bei Glykeria zu bleiben. Das Kind ist krank, sie ist noch ein Baby! All diese Wochen lang hat sie gearbeitet. An ihrer Stelle könntest du doch nach Vistrovo gehen. Bitte, Rano – mir zuliebe!»

Rano antwortete, sie werde tun, was sie könne. Eleni sah zu, wie die junge Frau auf den Partisanen zuging und mit ihm flüsterte. Dann drehte er sich zu Eleni und Glykeria um, die ihn beide flehend ansahen. Doch als die für Vistrovo bestimmten Frauen antreten mußten, rührte Rano sich nicht von der Stelle. Der Partisan kam auf Glykeria zu. «Du sollst mitgehen, hab ich gesagt!» fuhr er sie an. Eleni sah, daß Rano hilflos die Schultern hob.

Gebrochen sahen Mutter und Tochter einander an: Die letzte Hoffnung auf Freiheit war dahin. Kaum hatten sie Zeit für einen Abschiedskuß, da zerrte der Partisan Glykeria weg, und die Gruppe setzte sich in Marsch. Rano stand gleichgültig dabei.

Den ganzen Nachmittag arbeitete Eleni mechanisch. Als die Sonne unterging und die Frauen von den Feldern zurückkehrten, kam Alexo zu ihr gelaufen. «Ihr habt eine klare Nacht, heute», flüsterte sie. «Sobald die anderen schlafen, könnt ihr euch in die Vorberge hinabschleichen.»

Eleni drehte sich um und sah sie an. «Jetzt kann ich nicht mehr gehen», erklärte sie ihrer Schwägerin wie einem Kind. «Stell dir doch vor, was sie Glykeria antun würden, wenn ich fliehe. Ich kann nicht zu den anderen Kindern fliehen und dieses Kind dem sicheren Tod ausliefern.»

Alexo widersprach ihr im Flüsterton, aber Eleni antwortete nicht mehr. An diesem Abend überließ Eleni ihre unberührte Essensration der Schwägerin. Sie selbst ging hinaus und setzte sich auf die Treppe des nach Süden gewandten Hauses, um die Silhouette des Großen Bergrückens zu beobachten. Einer der Partisanen, die die Frauen beaufsichtigten, bemerkte ihre Nachtwache. Es schien ihm, als halte sie nach etwas Ausschau.

Als Eleni fort war, liefen die Gatzoyiannis-Kinder wie eine Schar Küken ohne Glucke umher und versuchten, sich auf die Flucht vorzubereiten. Den Anweisungen der Mutter entsprechend gingen Olga und Kanta frühmorgens zum Weizenernten auf die Felder der Familie, aber sie tuschelten mehr miteinander, als wirklich zu arbeiten, und kehrten zeitig nach Hause zurück, damit Olga den Brief schreiben konnte, den sie zurücklassen sollte. Wenn ihnen unterwegs Nachbarinnen begegneten, glaubten die beiden Mädchen jedesmal argwöhnische Blicke und drohende Untertöne in ihrem Gruß zu entdecken. Den ganzen Tag schwankten sie zwischen der Furcht, die Flucht könnte abgesagt werden, und der Hoffnung, daß sie tatsächlich abgesagt wurde. Mit einem Bleistiftstummel schrieb Olga in ihrer kindlichen Krakelschrift:

> Mama, wir gehen fort. Lukas Ziaras und Großmutter nehmen uns mit nach Filiates, weil sie uns nach Amerika zu Vater schicken wollen. Sei nicht böse – wir wollten Dich nicht allein zurücklassen, aber Lukas sagte, wir müßten mitkommen, sonst würde er Vater schreiben, daß wir nicht zu ihm wollten. Bitte, verzeih.

Sie las den Brief aufmerksam, prüfte sorgfältig jedes Wort, ob es nicht etwa unecht klang. Dann versteckte sie den Zettel in der Mauernische neben dem Kamin und gab laut ihren Befürchtungen Ausdruck, die Partisanen könnten ihn übersehen.

Eleni hatte ihnen den neuen Plan erklärt. Damit die ganze Familie zum Haus von Lukas Ziaras gelangen konnte, ohne Verdacht zu erregen, durften sie nicht zur selben Zeit aufbrechen. Eine ganze Weile vor Sonnenuntergang sollte Kanta mit Nikola und Fotini die beiden Milchziegen ihres Onkels Foto zum Grasen auf die Wiesen ganz unten im Dorf führen. Nach Sonnenuntergang sollten sie die Ziegen zurücklassen und sich zum Ziaras-Haus hinüberschleichen, während Megali und Nitsa das Haidis-Haus verließen. Olga würde den Schluß bilden, weil sie noch warten mußte, bis die Schafherde der Familie von der einfältigen Hirtin Vasilo Barka zurückgebracht wurde, die die Tiere tagsüber gegen Bezahlung hütete. Sobald die Schafe sicher im Keller eingesperrt waren, sollte Olga zu den Ziaras laufen, und der Exodus konnte beginnen.

Verunsichert durch die schwere Verantwortung, die auf ihren Schultern lastete, blieb Olga am Fenster stehen und beobachtete die Sonne, bis sie fand, es sei an der Zeit, Kanta, Nikola und Fotini auf den Weg zu schicken. Doch da stürzte Fotini das ganze Haus plötzlich in eine Krise: Die Zehnjährige konnte ihren kostbaren Beutel nicht finden, den Beutel mit ihrer Sammlung von Haarschleifen, Glücksbringern, Blechringen und Spielsachen, die ihr vom Chef der Partisanen-Verpflegungsstelle geschenkt worden waren. Und wenn Fotini das Gefühl hatte, vom Leben ungerecht behandelt zu werden – was allerdings nahezu täglich geschah –, legte sie die schauspielerische Theatralik einer großen Tragödin an den Tag. «Dieses Kind hat mit dem ersten Atemzug zu weinen begonnen und bis heute nicht wieder aufgehört», beschwerte sich Eleni oft und hielt sich die Ohren zu. Diesmal beteuerte Fotini heulend, ohne ihre Schätze werde sie keinen Fuß vor das Haus setzen. Sie wurde jedoch durch ein scharfes Klopfen an der Tür unterbrochen, das ein entsetztes Schweigen auslöste.

Olga zögerte, aber das Klopfen wurde energischer. Als sie hinausspähte, entdeckte sie draußen Kostina Thanassis, ihre rundliche, großmütterliche Nachbarin vom Perivoli, deren Haus von den Partisanen als Vorratslager benutzt wurde.

Kostina erklärte, sie habe ihrem Lieblingsjungen ein bißchen Marmelade gebracht. Gehorsam ließ sich Nikola von der Alten küssen und streicheln, während die anderen nervös zusahen. «Mein armes Kind», turtelte sie, «jetzt, wo deine Mutter bei der Ernte ist, mußt du zu Oma Kostina kommen. Morgen. Ich will doch mal sehen, ob ich nicht irgendwo ein Stück Schokolade für dich finde.» Die Mädchen hielten erschrocken den Atem an, weil sie fürchteten, Nikola werde erwidern, morgen sei es zu spät; aber er nickte nur und starrte zu Boden.

Der Zeitpunkt, da Kanta und die jüngeren Kinder aufbrechen sollten, war schon vorbei, aber Kostina plapperte unablässig von den schrecklichen Dingen, die sich in ihrem alten Viertel abspielten. Während die Mädchen sich verzweifelte Blicke zuwarfen, schlich Megali sich hinter Kostina und bewarf sie mit ein paar kostbaren Salzkörnern – dem Zaubermittel, das unerwünschten Besuch vertreibt. Endlich erhob sich Kostina. Während Olga ihr die Tür öffnete, umarmte die Alte Nikola plötzlich und flüsterte: «Mein Goldjunge, Gott schütze dich!» Dann war sie fort, und die anderen fragten sich, wieviel sie wußte.

Nach Kostinas Abschied stürzte die Gatzoyiannis-Familie sich in eine hektische Aktivität. Kanta hastete in den Keller, band die zwei Milchziegen an einen Strick und lief wieder hinauf, um Fotini und Nikola zu holen. Fotini hatte ihren Klagegesang über den verlorenen Beutel wiederaufgenommen, und Nikola stand an der Tür, hatte vor Angst die Stirn gerunzelt und hielt seine Schultasche im Arm, jenen hell- und dunkelbraunen Lederranzen, den der Vater ihm aus Amerika geschickt hatte. Er enthielt eine verrostete byzantinische Schwertklinge, die er bei der Quelle vor dem Tor seiner Großmutter ausgegraben hatte, sowie die sorgfältig linierten Schulhefte aus den zwei Jahren an der Dorfschule. «Was willst du denn damit?» erkundigte sich Kanta.

«Wenn ich meine Lektionen nicht vorzeigen kann, muß ich in Amerika die erste und zweite Klasse wiederholen», erklärte Nikola.

«Unsinn!» kreischte Olga empört. «Du kannst das nicht mitnehmen! Wo wir hingehen, gibt es viel bessere Schulhefte und Ranzen!» Sie riß ihm den Tornister aus der Hand und schleuderte ihn hinter die Tür; dann schob sie Nikola auf den Pfad hinaus, wo Kanta ihm den Strick einer Ziege in die Hand drückte.

Als Kanta die beiden Kinder den Pfad hinabzerrte, stieß Fotini einen zittrigen Schluchzer aus, und Nikola drehte sich ein letztes Mal zum Haidis-Haus um. Obwohl Olga, Nitsa und Megali noch dort waren, wirkte es im freundlichen Spätnachmittagslicht traurig und verlassen auf ihn, und er empfand einen Stich Mitleid mit dem Haus und den Tieren, die sie so plötzlich allein zurückließen. Alles hatten sie zurücklassen müssen: seine Schwertklinge, die Schulaufgaben von zwei Jahren, und auf dem Bügel in der guten Stube hing sogar –

Echo ihrer Gegenwart – noch das gute braune Kleid seiner Mutter.

Als die Sonne auf dem Grat des Großen Bergrückens stand, wies Olga Megali und Nitsa an, auf einem Umweg zum Ziaras-Haus zu gehen und achtzugeben, daß sie keinen Argwohn erregten. Ihre Warnung war jedoch vergebens, wie sie sofort einsehen mußte: Megali war in lautes Schluchzen ausgebrochen, und Nitsas letzter, dramatischer Schrei, bevor sie zur Tür hinauswatschelte, lautete: «In dieser Nacht werde ich sterben, das fühle ich!»

Olga sah zum Südfenster hinaus nach der sinkenden Sonne und beobachtete die kleinen, rosigen Wölkchen, die einander quer über den Himmel jagten. Wenn es zu dämmern begann, würde Kanta mit Nikola und Fotini das Ziaras-Haus betreten. Olga selbst jedoch mußte noch warten, bis die Verrückte Vasilo die Herde der Familie heimbrachte, und fürchtete, die anderen würden ungeduldig werden und ohne sie aufbrechen. Losgehen, bevor die Tiere eintrafen, konnte sie nicht, denn wenn Vasilo das Haus leer fand, würde sie sofort Alarm schlagen.

Auch die Familie des Müllers Tassi Mitros verbrachte den Tag mit Fluchtvorbereitungen. Sie mußten besonders vorsichtig sein, denn bei ihnen war einer der Partisanenköche einquartiert, ein verschrobener alter Mann namens Kyriakos.

Tassis Frau Calliope hatte den Nachbarn seit Tagen erzählt, das Baby ihrer Schwester Soula sei ernsthaft erkrankt. Nachdem sie Kyriakos erklärte hatte, das Baby liege im Sterben, brach sie schon früh am Morgen zum Haus der Ziaras auf. Ihr Mann Tassi und die beiden Söhne Niko, zwölf, und Gakis, siebzehn, wollten unter demselben Vorwand gegen Abend nachkommen. Bis dahin wurde der jüngere Sohn mit der familieneigenen Herde auf die Weide ganz oben im Perivoli geschickt.

Am Spätnachmittag traf im Mitros-Haus ein Bote der Partisanen ein und meldete dem entsetzten Müller, er müsse vor dem Dorfrat erscheinen und sich dafür verantworten, daß er sich geweigert hatte, nach Tsamanta zu gehen, um dort eine Mühle zu reparieren. Außer Hörweite des neugierigen Partisanenkochs erklärte Tassi seinem älteren Sohn, er werde versuchen, rechtzeitig von der Anhörung fortzukommen, doch wenn ihm das nicht gelinge, solle Gakis Niko von der Weide abholen, und beide sollten ohne ihn zu den Ziaras gehen.

Als die Sonne tief am Himmel stand, stieg Gakis zu der Weide hinauf, wo Niko seine Schafe hütete. Es waren noch zwei weitere Kinder mit Herden dort, ein etwa neunjähriges Mädchen und ein noch kleinerer Junge.

«Komm mit, wir müssen gehen!» zischte Gakis Niko zu. «Vater kommt nicht rechtzeitig zurück.»

«Aber was soll ich mit den Schafen machen?» erkundigte sich Niko.

«Die läßt du hier!» befahl Gakis. Als er seinen Bruder den Pfad hinabzog, hörte er nicht mehr, daß ihm die beiden anderen Kinder nachriefen: «Wo wollt ihr hin? Ihr habt eure Schafe vergessen!»

Die Gatzoyiannis-Familie hatte befürchtet, von neugierigen Nachbarn, scharfäugigen Partisanen oder sogar dem Blöken ihrer eigenen Schafe und Ziegen verraten zu werden, doch der Alarm und die Verfolgung durch die Kommunisten wurde nicht davon ausgelöst, sondern durch diese beiden Kinder. Neidisch, weil Niko so einfach davongehen und seine Tiere zurücklassen durfte, folgten die beiden seinem Beispiel und kehrten allein nach Hause zurück. Woraufhin ihre verblüfften Mütter so wütend wurden, daß ein Partisan nachsehen kam, was dieser Lärm zu bedeuten hatte. Als er vom seltsamen Verhalten der Mitros-Jungen erfuhr, lief er zum Haus des Müllers hinauf, wo er nur noch den verdutzten Partisanenkoch vorfand.

Kanta, Nikola und Fotini trafen sogar noch vor Sonnenuntergang bei den Ziaras ein. In ihrem Eifer hatten sie die beiden Ziegen laufen lassen, damit sie sich an Foto Gatzoyiannis' kostbarem Feigenbaum gütlich taten, und waren zeitig davongegangen.

Verblüfft sah Kanta, daß sich dort mit Soula Ziaras zusammen auch Calliope Mitros über die Kinderwiege beugte. Während Soula angstvoll zusah, versuchte Calliope dem kleinen Alexi mit einem Löffel *tsipouro*, den klaren, scharfen Selbstgebrannten, einzuflößen. Doch jedesmal, wenn der Junge den brennenden Geschmack verspürte, begann er zu schreien und spie die Flüssigkeit genauso schnell wieder aus, wie die Tante sie ihm eintrichterte, während Soula erschrocken rief: «Hör auf! Du bringst ihn ja um!» Endlich hörte Alexi auf zu schreien, weil ihm die Augen zufielen. Als er still war, richtete sich Calliope mit schweißüberströmtem Gesicht wieder auf.

Lukas saß nervös rauchend in einer Ecke. Kanta ging zu ihm und erkundigte sich ärgerlich flüsternd, was Calliope Mitros hier wolle. Ob er ihr etwa von der Flucht erzählt habe. Der Kesselflicker trat seine Zigarette aus, ohne ihr ins Gesicht zu sehen, und zuckte die Achseln. Schließlich, erklärte er, sei Calliope die Schwester seiner Frau, und die Partisanen drohten ihre beiden Söhne zu holen. Außerdem sei es sicherer, einen zweiten Mann mitzunehmen, und Tassi Mitros – er räusperte sich verlegen – kenne die Vorberge fast ebensogut wie er.

«Du hast Mama versprochen, keinem Menschen etwas davon zu sagen!» sagte Kanta vorwurfsvoll und wünschte, ihre Mutter wäre da, um dieser neuen Gefahr zu begegnen. Nun aber klopfte es leise an die Tür, und Lukas wandte sich von ihr ab. Zornig führte Kanta Nikola und Fotini in eine Ecke, wo sie die Ankunft der übrigen erwarteten.

Völlig atemlos kamen Gakis und Niko Mitros herein, und als sie ihrer Mutter berichteten, daß Tassi noch immer nicht aus der Ratsversammlung zurückgekommen war, jammerte Calliope wie ein verirrter Vogel. «Ohne ihn können wir nicht gehen, sonst werden sie ihn morgen hängen!» Niko Mitros beobachtete den Ausbruch seiner Mutter blaß und mit weit aufgerissenen Augen. Nikola merkte, wie verängstigt er war, und staunte über die Verwandlung des harten «Partisanen-Hauptmanns», der ihn und die anderen kleineren Jungen der Nachbarschaft so lange schikaniert hatte.

Kurz nach Sonnenuntergang erschienen, weithin angekündigt von ihrem angstvollen Klagen, Megali und Nitsa. Ihre Angst wirkte so ansteckend auf die anderen, daß Kanta beinahe aufschrie, als sich die Tür öffnete und drei völlig unerwartete Gestalten hereinkamen: eine Frau und zwei Mädchen, die sich mit ihren in Säcke gestopften Habseligkeiten in das verräucherte Zimmer drängten. In der hochgewachsenen, grauhaarigen Amazone, die Lukas Ziaras um einen ganzen Kopf überragte, erkannten alle Chrysoula Drouboyiannis, einundvierzig, eine Schwägerin der Frau, die Lukas beim zweiten Versuch mitgenommen hatte. Mit Kanta gingen die Nerven durch: Wütend fuhr sie zu Lukas herum und warf ihm vor, jetzt, da ihre Mutter nicht da war, die ihn gezwungen hätte, sein Versprechen zu halten, dem halben Dorf ihren Plan verraten zu haben. Ihre Cousine Arete jedoch, die hinter den Neuankömmlingen das Haus betrat, beschwichtigte sie und gestand, daß sie Chrysoula zum Mitkommen aufgefordert hatte.

Arete und Chrysoula waren seit ihrer Kinderzeit befreundet. Beide litten unter dem Stigma, unfruchtbar zu sein, und wußten, daß sie Gefahr liefen, als *andartinas* zwangsrekrutiert zu werden, weil ihre

Ehemänner weit weg auf Kreta lebten. Chrysoula hatte ihre beiden Nichten mitgebracht, Teenager, die Constantina, die Mutter, der Obhut ihrer Tante überlassen hatte, weil sie mit derselben Gruppe zur Ernthilfe geholt worden war wie Eleni. Chrysoula war normalerweise vernünftig und besonnen, doch nachdem sie vom Ostrand des Dorfes her an zwei Partisanenposten hatten vorbeischleichen müssen, zitterte sie wie Espenlaub. Wie sie berichtete, fand bei dem entfernteren, in der Kirche zum Heiligen Freitag stationierten Posten eine geräuschvolle Party statt, mit der der berüchtigte Partisan Stravos die Geburt eines Sohnes feierte.

Lukas begann auf und ab zu gehen. «Wo zum Teufel bleibt nur Tassi?» murmelte er. «Wir müssen los!»

«Olga ist auch noch nicht da», hielt Kanta ihm vor.

Lukas fluchte unterdrückt. Er hob einen Zipfel der Spitzengardine, um aus dem Fenster zu sehen, ließ ihn jedoch hastig fallen, langte nach seinem weißen Handtuch und wickelte es sich um den Hals. «Es kommt jemand von der Kirche herunter!» rief er erschrocken. «Mit einem Gewehr. Alle Mann sofort in den Stall, und macht um Himmels willen keinen Lärm! Ich werde mich auf die Falltür stellen.»

Lukas und Gakis Mitros schoben die Gatzoyiannis-Familie, die Drouboyiannis-Frauen und Arete in den kleinen Lehmbodenkeller, der die Tiere beherbergte, und schlossen die Falltür über ihren Köpfen. Kanta spürte, wie Spinnweben über ihr Gesicht strichen; sie drängte sich eng an die anderen und nahm Nikola auf den Schoß.

Die Familien Ziaras und Mitros blieben oben, um weiterhin so zu tun, als pflegten sie den kleinen Alexi, der jetzt in seinem Alkoholschlaf keuchte und unverkennbar krank aussah.

Die im Keller Versteckten konnten alles mit anhören: wie Lukas nervös hustete und seine Frau Soula verzweifelt schluchzte. Sie hatten alle so schreckliche Angst, daß es ihr leichtfiel, Tränen um ihr «todkrankes» Kind zu weinen. «Ach, mein armer Kleiner! Süße Jungfrau, rette ihn!» rief sie flehend, als der Partisan an die Tür klopfte. Über sich hörte Kanta langsame Schritte: Lukas, der ihm öffnen ging.

Draußen stand ein junger Mann vom nahen Beobachtungsposten mit einer Handvoll getrockneter Tabaksblätter. Zu ihrer Erleichterung hörten die Flüchtlinge, daß er lediglich zum Ziaras-Haus, dem der Kirche am nächsten gelegenen, gekommen war, weil er ein Brett und ein Messer suchte, um seinen Tabak schneiden zu können.

Als er die weinenden Frauen sah, erkundigte sich der Partisan teilnahmsvoll nach dem Ergehen des Kleinen. Lukas schüttelte den Kopf. Sein Sohn werde die Nacht wohl nicht überleben, antwortete er. Der *andarte* betrachtete den Jungen, der hochrot und offenbar bewußtlos war, verlieh seinem Mitgefühl Ausdruck und schlug vor, ihm umgestülpte Gläser mit brennenden Kerzen darin auf die Brust zu setzen, um die bösen Dämpfe herauszuziehen. Während sich der Partisan daranmachte, seine Tabaksblätter zu schneiden, war Lukas um eine verkrampfte Konversation bemüht. «Wie steht der Kampf, Genosse?» fragte er. «Was hört ihr vom Grammos?»

«Noch leisten sie Widerstand», berichtete der junge Mann, «aber lange wird's wohl nicht mehr dauern. Wir haben zu viele Männer verloren. Jeden Tag scheint es mehr von ihnen und weniger von uns zu geben. Ihr nächstes Angriffsziel wird dieses Dorf sein. Wenn du mich fragst, werden wir uns bald nach Albanien zurückziehen. Aber nur keine Sorge, wir werden euch nicht den Faschisten ausliefern. Wir werden alles mitnehmen, was Beine hat. In spätestens einem Monat wird hier in Lia kein Hahn mehr krähen.»

Kanta, die dies im Keller hörte, erschauerte. Die Mutter hatte recht gehabt: Sie hätten unmöglich länger warten können. Sie hörte Lukas demütig erwidern: «Tut, was in euren Kräften steht, Genossen! Mehr kann das Volk nicht von euch verlangen. Was auch geschieht, wir stehen hinter euch!» Dann hörte sie seinen heiseren Husten und das Geräusch eines angerissenen Streichholzes.

Kantas Zittern steckte Nikola an. Beide beteten sie, der Partisan möge gehen, bevor Olga kam.

Endlich drückte der Mann seine Zigarette aus und verschwand mit guten Wünschen für die Gesundheit des Kleinen. Als sie aus dem Keller kletterten, befürchtete Kanta, daß Olga unterwegs angehalten worden sei: Es war inzwischen lange nach Sonnenuntergang. Innerhalb weniger Minuten jedoch klopfte es zaghaft an die Tür. Olga kam hereingestürzt und hätte fast aufgeschrien, als sie die vielen fremden Gesichter sah.

«Dein verdammter Mann!» sagte Lukas zu Calliope Mitros, denn die Erkenntnis, daß er die Gruppe ohne Tassis Hilfe führen mußte, schreckte ihn immer mehr. «Wir können nicht länger warten.»

«Aber wir können ihn nicht einfach zurücklassen! Sie werden ihn umbringen!» erwiderte Calliope. «Und außerdem bringt er all unsere Sovereigns mit.»

«Die Kinder sollten jetzt wirklich gehen», beharrte Lukas. «Wenn wir noch länger warten, werden die Beobachtungsposten Verdacht schöpfen, weil sie so spät noch draußen herumlaufen.» Er erläuterte ihnen den Plan: Die Kinder sollten so tun, als spielten sie Verstecken, und sich mit viel Lärm in den Gräben unterhalb des Hauses treffen. Eins nach dem anderen sollten sie in den Schutz des Unterholzes in den Senken kriechen. Anschließend sollten die Mütter aufbrechen, ihre Kinder nach Hause rufen, sich jedoch, sobald sie die Kinder erreicht hatten, zu ihnen ins Versteck hocken und dort warten, bis als letzter Lukas kam, um sie durch das Weizenfeld unmittelbar darunter zu führen.

Lukas betrachtete die verängstigten Gesichter um ihn herum und fragte sich, wie er sich je auf dieses leichtsinnige Unternehmen hatte einlassen können. Neunzehn Personen drängten sich in dem kleinen Zimmer zusammen, acht Erwachsene und elf Kinder. Er hatte sich auf Tassi Mitros verlassen, der diesen Plan ausgearbeitet hatte. Jetzt mußte er diese furchtzitternden Frauen und Kinder allein führen. Lukas straffte die Schultern und nahm all seinen Mut zusammen. Warum sollte er den Ruhm mit seinem überheblichen Schwager teilen?

Mit seiner keuchenden Stimme erinnerte Lukas die Gruppe daran, daß die erste Etappe die gefährlichste war. Nachdem sie die Gräben verlassen hatten, mußten sie ein hohes, reifes Weizenfeld überqueren, das in Hör- und Sichtweite der Beobachtungsposten lag. Sie mußten sich unter die Höhe der Halme ducken und sich sehr leise, sehr langsam bewegen. Sobald sie das Weizenfeld hinter sich hatten, kam ein offener Hang, an den sich ein dichtes, dunkles Wäldchen anschloß, in dem sie vor den Blicken der Wachtposten geschützt waren.

Lukas examinierte die Frauen und Kinder noch einmal, um festzustellen, ob sie alles begriffen hatten, und sah bestürzt, wie wenig die Gruppe einem so risikoreichen Unternehmen gewachsen war. Er versuchte die in ihm aufsteigende Verzweiflung zu kaschieren, indem er einen barschen Offizierston annahm. «Wenn einer von euch ein Geräusch macht, wird er sofort zurückgeschickt!» blaffte er und funkelte dabei vor allem Nitsa an, die ununterbrochen vor sich hin jammerte. «Und wenn einer – ob Frau oder Kind – sich verirrt oder von den anderen getrennt wird, werden wir ihn zurücklassen. Wir können nicht die Gruppe opfern, um einen einzelnen zu retten.»

Alle zuckten sie zusammen, als ein wahrer Trommelwirbel an die Tür geklopft wurde. Lukas öffnete sie einen Spalt und schwankte fast vor Erleichterung, als er, mit wirrem Grauhaar und bleichem Gesicht, den Müller draußen stehen sah. «Wir müssen *sofort* los!» keuchte Tassi. «Ich wollte zum Haus zurück, um unsere Sovereigns zu holen, und da stand dieses Schwein Kyriakos vor der Tür und wollte wissen, wo alle sind. Er war so mißtrauisch, daß ich ihm sagen mußte, ich würde Calliope und die Jungen gleich holen. Es wird nicht lange dauern, bis er Alarm schlägt.»

Lukas scheuchte die Kinder zur Tür hinaus; die seinen liefen den anderen zu den Gräben voraus. Nikola wollte wie die anderen rufen: «Achtung, ich komme!» Doch die Stimme blieb ihm in der Kehle stecken. Nachdem die Kinder das Versteck erreicht und sich in einer der Vertiefungen zusammengedrängt hatten, blieben sie in der feuchten Nachtluft, die schwer war vom Duft nach Ginster und Heide, still und zitternd dort sitzen.

Wenige Minuten später trat Soula Ziaras, Alexi im Tragbeutel auf dem Rücken, vor die Haustür und rief mit lauter, schriller Stimme: «Iorgos, du unartiger Bengel! Wo steckst du schon wieder? Der Teufel hole diese Kinder!»

Eine nach der anderen trafen die Frauen in der Senke ein und drängten sich so dicht aneinander, daß Fotini schließlich kicherte, es sei ja fast, als ob man «Sardinen» spiele. Kanta hielt ihr hastig den Mund zu.

Als letzte kamen Tassi und Lukas, beide nervös und schweigsam. Als alle beisammen waren, blieben sie einen Augenblick sitzen und lauschten dem mißtönenden Gesang und dem melancholischen Klagen einer Harmonika, die schwach vom Beobachtungsposten am äußersten Ostrand des Dorfes, unterhalb der Kirche zum Heiligen Freitag, zu ihnen herüberdrangen.

Lukas ließ weitersagen, sie müßten die Schuhe ausziehen, um das Geräusch ihrer Schritte durch den knisternden Weizen möglichst gering zu halten, und ihm in Einerreihe folgen. «Tief bücken!» zischte er eindringlich. «Wenn sie einen Kopf auftauchen sehen, sind wir verloren.»

Lukas schlich als erster los, auf einem Pfad, den er tagsüber getrampelt hatte. Bei jedem Schritt trat er zuerst mit dem Absatz auf, um dann die Fußsohle behutsam abzurollen, wie er es auf der Pirsch zu tun pflegte. Mit angehaltenem Atem glitt er, tief gebückt, beinahe auf allen vieren, ins Weizenfeld, verschwand im Meer der Halme und schob sich in vorsichtigem Slalom hindurch, um das Rascheln möglichst zu reduzieren.

Nach ihm kam Kanta, die Nikola und Fotini für den Fall vorausging, daß sie auf eine Mine trat. Soula Ziaras, mit dem Baby auf dem Rücken, hielt Olympia und Iorgos an der Hand, während ihre zehnjährige Tochter Eftychia dichtauf folgte. Megali stützte sich schwer auf Arete, die ständig auf sie einflüsterte, damit sie ein bißchen schneller ging.

Hinter den beiden schleppte sich, laut seufzend an Olga geklammert, Nitsa einher. Den Schluß bildete, als letzter seiner Familie, der Müller Tassi Mitros, der immer wieder zurückblickte, weil er erwartete, von Partisanen verfolgt zu werden. Die Ohren schmerzten ihm vor angestrengtem Lauschen, seine Nerven kribbelten, die Muskeln hatte er zur schnellen Flucht gespannt.

Während die zwanzig Flüchtlinge das Weizenfeld unmittelbar unterhalb der Kirche zur Heiligen Jungfrau hinter sich brachten, eilten drei Partisanen der Sicherheitspolizei unter Führung des reptilienäugigen Geheimdienstoffiziers Sotiris Drapetis vom Perivoli her durch die Schlucht zum Haus der Ziaras. Als sie es erreichten, waren die Fenster dunkel, und auf ihr Klopfen wurde nicht geöffnet. «Aufbrechen!» befahl Sotiris, der schon wußte, was sie vorfinden würden. Unter den Tritten der Nagelstiefel flog die Tür auf, und die drei starrten stumm in die von Menschen leere Dunkelheit.

«Heilige Mutter Gottes, sie haben's tatsächlich gewagt!» murmelte Sotiris.

Innerhalb weniger Minuten waren sie beim nahe gelegenen Beobachtungsposten; Sotiris schrie ins Feldtelefon und fluchte gleichzeitig auf die Partisanen um ihn herum. Wie er feststellte, waren die meisten Männer zur Party beim Heiligen Freitag hinaufgegangen und hatten nur eine kleine Notbesatzung zurückgelassen, zu der auch Andreas Michopoulos und ein junger Partisan gehörten, der schwor, die Familien Mitros und Ziaras noch eine halbe Stunde zuvor gesehen zu haben, wie sie an der Wiege des sterbenden Babys weinten. «Vielleicht sind sie mit dem Kleinen zum Arzt gegangen», meinte der junge Mann, aber Sotiris hatte das sichere Gefühl, daß es sich um eine Flucht handelte, einen sorgfältig geplanten Massenausbruch, also genau das, was zu verhindern er nach Lia geschickt worden war.

Koliyiannis wird mich kastrieren, dachte er, als er ins Feldtelefon schrie: «Zwei Patrouillen zu je fünf Mann sofort abmarschieren – die eine durch die Schlucht nach Westen, die andere vom Heiligen Freitag aus. Ihr werdet unter jedem Busch und Stein suchen, aber seht zu, daß ihr die Stelle, wo sich die Pfade am Großen Bergrücken kreuzen, vor den Verrätern erreicht!»

Als er den Telefonhörer auflegte, murmelte Sotiris, der unter seinen Bartstoppeln bleich geworden war: «Und ich dachte, Mitros gehöre zu uns.»

Dann drehte er sich zu den verängstigten Partisanen um. «Morgen werden eine Menge Leichen an der Platane auf dem Dorfplatz hängen», sagte er. «Entweder die Verräter oder ihr.»

Unmittelbar unterhalb des Weizenfeldes lag ein kleiner, kahler Abhang und darunter ein dichtes Wäldchen, in dessen undurchdringlichem, schwarzgrünen Schatten sie Schutz vor den Blicken der Beobachtungsposten finden würden. Zuvor aber mußten sie dreißig Meter nackten, im Licht des neuen Mondes schwach silbernen Boden überqueren. Auf Zehenspitzen schlichen die Flüchtlinge, immer noch geduckt, mit den Schuhen in der Hand aus dem Weizen hervor. Nitsa, ganz hinten, stolperte über einen großen Stein und rollte wie ein Faß den steilen Hang hinab. Der Stein brach los und löste einen Schauer von Kieseln aus, die vor ihr herprasselten und sprangen. Tassi Mitros, ein ganzes Stück weiter rechts als sie, hörte den Lärm: genau das, was er seit dem Abmarsch gefürchtet hatte.

«Lauft!» krächzte er mit erstickter Stimme. «Die Partisanen kommen!» Alle stürzten sie davon, auf das schützende Wäldchen zu, hasteten in sämtliche Himmelsrichtungen und ließen in dem verzweifelten Versuch, sich zu retten, Schuhe und andere Lasten fallen, sogar die Kinder.

Olga und Calliope Mitros, die sich hinten in der Reihe in Nitsas Nähe befanden, sahen natürlich, woher der Lärm kam. Zu einem Ball zusammengerollt lag Nitsa am Boden und hielt sich, überzeugt, die Partisanen seien über ihr, die Ohren zu. Während die anderen unten im Wald verschwanden, machten Olga und Calliope kehrt. Sie packten Nitsa unter den Armen, zerrten die stöhnende birnenförmige Gestalt empor und schleppten sie mit, den Hang hinab. Da Nitsa ihre Schuhe verloren hatte, wurde ihr Stöhnen bei jedem Humpelschritt, den sie tat, lauter. Die drei Frauen arbeiteten sich durchs Unterholz und hielten erst an, als sie tief im Schatten einer dicken, breiten Eiche angelangt waren. Hier lehnten sie sich heftig keuchend an den Stamm und lauschten. Calliope Mitros, die aufgrund einer Kinderkrankheit schwerhörig war, beobachtete Olga und Nitsa, um zu erraten, was sie hörten. Aber da war nichts – nur das Geräusch ihres eigenen heftigen Atmens und das Rauschen und Murmeln der Bäume. Keine Rufe, keine verfolgenden Schritte. In plötzlicher Angst sahen sie einander an. Nicht einmal die Geräusche ihrer eigenen Leute hörten sie! Als sie in den Wald kamen, hatten sie sich nach rechts gewandt, instinktiv die Richtung bergab und nach Westen, zur Schlucht hinüber, eingeschlagen. Und Lukas Ziaras hatte die übrige Gruppe in eine andere Richtung geführt. Sie hatten sich verirrt.

Mehrere hundert Meter weiter östlich machte der Rest der Flüchtlinge erschöpft in einem Birkenwäldchen halt. Fragend starrten sie Tassi Mitros an, der den Alarmruf ausgestoßen hatte. Achselzuckend erklärte er: «Gesehen habe ich sie nicht, aber gehört, unmittelbar hinter uns.»

«Bist du sicher, daß es Partisanen waren?» fragte Lukas flüsternd, dessen magerer Körper unter der Nachwirkung des Entsetzens bebte. Er hielt sich das Handtuch vor den Mund, um einen Hustenanfall zu ersticken.

«Wer hätte es sonst sein sollen?» konterte Tassi.

Plötzlich ertönte ein leiser angstverzerrter Schrei. «Meine Mutter ist nicht hier!» Es war Niko Mitros, dem beinahe die Tränen kamen. «Wo ist Nitsa?» fragte Kanta erschrocken. «Sagt bloß nicht, sie haben Nitsa geschnappt!»

«Und Olga!» weinte Fotini. «Olga ist auch nicht da. Bestimmt ist sie tot!»

Fotinis Kummer ließ auch Niko Mitros losheulen. «Wir können nicht ohne Mama gehen!» jammerte er. «Bitte, Vater! Wir müssen umkehren und nach ihr suchen!»

«Sei still! Dieses gottverdammte Weib!» schimpfte Tassi Mitros. «Vergiß deine Mutter! Ohne sie sind wir besser dran. Wir können nicht umkehren. Wir müssen unsere eigene Haut retten.»

Beklommenes Schweigen breitete sich aus, unterbrochen nur von Fotinis und Niko Mitros' leisem Schluchzen. Verblüfft hörte Nikola Gatzoyiannis seinen Helden an der Schulter des Bruders weinen. Nikola hatte auch die Mutter verloren, und nun überdies noch die ältere Schwester. Der Schmerz in seinem Magen, der vor zwei Tagen eingesetzt hatte, stieg ihm jetzt in die Kehle hinauf, aber er biß die Zähne zusammen, fest entschlossen, niemanden seine Schwäche merken zu lassen. Er hatte der Mutter versprochen, tapfer zu sein, und was ihnen in dieser Nacht auch zustoßen mochte – weinen würde er auf gar keinen Fall. Kanta ergriff Nikolas Hand. Und dann begann Tassi Mitros leise, aber deutlich hörbar zu fluchen, während die Gruppe sich zwischen den Bäumen hindurch langsam bergabwärts bewegte. «Zum Teufel mit ihrer Mutter und der Mutter ihrer Mutter!» schimpfte er. «Möge sie in der Hölle braten für das, was sie mir angetan hat!»

Während eine Partisanen-Patrouille die Schlucht hinabeilte, also der Route folgte, die Lukas Ziaras ursprünglich hatte einschlagen wollen, irrten die drei Frauen ziellos im Wald umher und gerieten dabei unwillkürlich in dieselbe Richtung. Da Calliope Mitros schwerhörig und Nitsa hysterisch war, sah Olga ein, daß sie die beiden führen mußte, sonst würden sie mit Sicherheit geschnappt werden. Sie hatte entsetzliche Angst, auf eine Mine zu treten, und versuchte herauszufinden, wo sie sich befanden, konnte im Dunkeln jedoch keine vertrauten Wegmarken erkennen. Ihr blieb nichts anderes übrig, als der Neigung des Bodens zu folgen. Schließlich erspähte Olga durch eine Lücke in den Bäumen am Himmel das Kreuz des Südens und erkannte, daß sie viel zu weit nach Westen geraten waren, um am richtigen Punkt, dem Kreuzweg auf dem Großen Bergrücken, herauszukommen. Sie nahm die älteren Frauen bei der Hand und führte sie nach Osten zurück. Plötzlich setzte sich Nitsa aufstöhnend hin. «Ich glaube, das Baby kommt!» heulte sie, ihren Bauch umklammernd. «Heilige Jungfrau Maria, laß mich bitte nicht hier sterben! Ich kann nicht mehr weiter! Ich habe beim Laufen die Schuhe verloren, und meine Füße sind zerfetzt.»

Olga holte ein Fläschchen Jod und Verbandszeug aus der Tasche, die sie auf den Rat ihrer Mutter hin mitgenommen hatte. Sie pinselte die Wunden an Nitsas Füßen ein, verband sie, riß dann sich selbst und der Tante die Kopftücher herunter und knotete sie um die Bandagen. «Du gehst weiter, oder du mußt allein sterben!» flüsterte sie. «Und jetzt, auf!»

Olga führte sie noch ein Stück weiter nach Osten und bergab, bis der Hang allmählich auslief. Schließlich wurden sie von einem breiten, seichten Bach aufgehalten. Nitsa jammerte immer noch, sie könne nicht weiter. Am Ufer stand eine Gruppe niedriger, breiter Platanen, deren Zweige ins schnell dahinströmende Wasser hingen, also beschloß Olga, hier haltzumachen und zu überlegen, was sie jetzt tun sollten. Schiebend und ziehend beförderte sie die Tante in die Astgabel eines Baumes und winkte Calliope dann, ebenfalls zu ihnen heraufzuklettern.

Während die Frauen erschöpft und verzweifelt auf dem Baum saßen, stieß ein Stück weiter westlich eine die Schlucht absuchende Partisanen-Patrouille auf die weiße Mullbinde, die Olga aus Versehen liegengelassen hatte. Geführt wurden die fünf Mann von Vasili Bokas, der für diese Aufgabe bestimmt worden war, weil er aus Lia stammte. «Sie müssen unmittelbar vor uns sein», flüsterte Bokas den anderen zu.

Olga, Nitsa und Calliope Mitros hockten vor Kälte zitternd auf ihrem Baum, als sie Schritte hörten, die durchs Unterholz schlichen und sich ihnen näherten. Gleich darauf vernahmen sie eine Männerstimme. «Scheiß auf ihren Gott!» schimpfte der Mann. «Scheiß auf die Mutter von ihrem Gott!»

Olga und Nitsa umklammerten einander, Calliope Mitros jedoch hörte nichts. «Was ist? Was ist passiert?» fragte sie wispernd. Olga hielt ihr hastig den Mund zu, doch Nitsa jammerte: «Sie haben uns gefunden!»

Immer näher kamen die Schritte; Olga saß wie gelähmt, wagte nicht einmal zu atmen. Dann sah sie etwas Weißes, das sich auf dem unter den Bäumen vorbeiführenden Pfad bewegte: ein Mehlsack, den jemand geschultert hatte. An einen Zweig geklammert, beugte sie sich vor und sah weitere Gestalten aus dem Schatten hervorkommen. «Das ist Tassi Mitros, der da flucht!» flüsterte Olga. «Ich erkenne seine Glatze.»

Tassi stieß einen Schrei aus, als unmittelbar vor ihm eine Gestalt aus dem Baum auf den Weg sprang, und hob die Arme, um die Kugel abzuwehren, die seinen Schädel zerschmettern würde. Als er seinen Sohn dann «Mama!» rufen hörte und begriff, daß es die vermißten Frauen waren, merkte er zu seiner tiefen Verlegenheit, daß er sich vor Angst in die Hose gemacht hatte. Zum Glück war es so dunkel, daß niemand diesen Mangel an Mut bemerken konnte. «Nutzloses Weib!» flüsterte er seiner Frau zu, die nichts verstand. «Wenn du nicht wiedergekommen wärst, wäre ich besser dran!» Von ihren beiden Söhnen wurde Calliope jedoch genauso umarmt wie Olga von ihren

Schwestern. «Ich hatte so furchtbare Angst», flüsterte Olga Kanta zu, «daß kein Tropfen Blut kommen würde, wenn ich mich jetzt in den Finger schnitte.»

Nikola beobachtete die Szene schweigend, mochte nicht mal sich selbst eingestehen, daß er Niko Mitros beneidete, weil der seine Mutter wiedergefunden hatte. Nikola erschauerte und schwankte vor Erschöpfung. Seine Schuhe hatte er oben beim Weizenfeld verloren, und seine Füße waren von Disteln und scharfkantigen Steinen völlig zerschnitten, aber das sagte er niemandem. Das gehörte zu seiner Mutprobe.

Während die anderen über den glücklichen Zufall jubelten, der sie mit den vermißten Frauen zusammengeführt hatte, musterte Lukas Ziaras den breiten Bach, den sie überqueren mußten. Er war das letzte Hindernis, bevor sie die sanft gewellten Vorberge und damit die Schlußetappe des Marsches zum Großen Bergrücken erreichten. Wie er wußte, würde ihnen das Wasser höchstens bis zur Taille reichen, aber die Strömung war relativ tückisch. Flüsternd befahl er jedem Erwachsenen, ein Kind an die Hand zu nehmen und es gut festzuhalten. Er werde zuerst gehen, Tassi Mitros werde den Schluß bilden.

In der reißenden Strömung auf den glitschigen Steinen Halt zu finden, war viel schwieriger, als sie erwartet hatten. Soula Ziaras hatte den siebenjährigen Iorgos an der Hand und den immer noch bewußtlosen Alexi auf dem Rücken. Die Kinder wimmerten, als sie in das eiskalte Wasser stiegen. Lukas stand am anderen Ufer und zog jedes Paar einzeln an Land.

Megali war eine der letzten, die den nassen Weg antraten. Doch die Füße rutschten unter ihr weg, und mit einem lauten Schrei wurde sie davongerissen. Doch ihre voluminösen Kleider hielten sie über Wasser, und so trieb sie wie ein schwarzes Schiff, lauthals um Hilfe rufend, stromabwärts dahin. «Laßt sie doch!» hörte Olga sich sagen. Chrysoula Drouboyiannis jedoch, die gleich hinter ihr kam, ließ die Hände ihrer beiden Nichten los und watete hinter der Alten her, eine energische Riesin, die mit kräftigen Armen die Wogen teilte. Schließlich holte sie Megali ein und schleppte sie bis zu der Stelle zurück, wo Lukas Ziaras ihr helfen konnte, sie ans Ufer zu ziehen.

Nach dieser Aufregung um Megalis Rettung war die Gruppe schon mehrere hundert Meter weit in die Vorberge hineinmarschiert, als Soula Ziaras plötzlich merkte, daß ihre sechsjährige Tochter Olympia sich nicht mehr an ihre Hand klammerte. Die Kleine war fast den ganzen Weg vor Müdigkeit über die eigenen Füße gestolpert und wollte ständig getragen werden. Soula lief zu ihrem Mann. «Wo ist Olympia?» wollte sie wissen. «Hast du sie nicht rübergetragen?»

«Ich dachte, du hättest sie», gab er zurück.

«Ich hatte doch Iorgos und den Kleinen!»

«Na schön, jetzt können wir nicht mehr umkehren und sie holen», behauptete Lukas. «Außerdem würdest du sie nicht finden. Wir müssen an die anderen denken.»

Aber Soula wollte nicht hören; sie gab Calliope das Baby in seinem Tragtuch und watete, während Lukas in Tassis Flüche einstimmte, durch den Bach zurück. Hektisch suchte sie am Ufer entlang, blieb dann aber doch lieber stehen und lauschte. Sie hörte ein ganz leises Weinen und fand ihre Tochter schließlich unter einem Busch nahe am Bachufer, wo sie sich, zitternd wie ein geschorenes Schaf, versteckt hatte.

Als Soula mit Olympia auf dem Arm zurückkehrte, war Lukas so außer sich von den verschiedenen Beinah-Katastrophen, daß er sich mit Tassi an einen Baumstamm setzte, wo sie sich beide, die Streichholzflamme mit den gewölbten Händen schützend, eine Zigarette ansteckten. «Seid ihr wahnsinnig?» zischte Olga. «Dann könnt ihr ja gleich ein Signalfeuer für die Partisanen anzünden.» Aber die Männer beachteten sie nicht, und Olga sah, wie die Glut ihrer Zigaretten im Dunkeln zitterte.

Wie Automaten stolperten die erschöpften, durchnäßten Flüchtlinge weiter durchs Niemandsland der Vorberge, ohne sich Gedanken über den Lärm ihrer Schritte oder über die Tretminen zu machen. Sie traten in Nesseln und Dornsträucher, und die Kinder baten jammernd darum, von den Großen getragen zu werden. Die nassen Kleider klebten ihnen am Körper, das Unterholz peitschte ihre bloßen Beine und Füße. Sie wußten nicht mehr, wie weit sie waren und wie lange sie schon so dahinwankten, als Lukas plötzlich stolperte und in eine flache Vertiefung fiel.

Alle erstarrten, als sie entdeckten, daß das Gelände vor ihnen mit seltsamen Kratern übersät war. «Das sind Minen!» rief Olga mit vor Angst erstickter Stimme.

«Nein, das sind Granattrichter», erklärte Lukas. «Hierher schießen die Soldaten, wenn sie versuchen, die nächtlichen Partisanen-Stoßtrupps aufzuscheuchen. Seht doch!»

Sie blickten auf, blinzelten in die Dunkelheit und sahen die riesige Masse des Großen Bergrückens, der, beinahe unsichtbar vor dem Nachthimmel, düster vor ihnen aufragte.

«Wir müssen hierbleiben und auf den Morgen warten», flüsterte Lukas. «Wenn wir jetzt aus dem Wald kommen, werden die Soldaten auf uns schießen, weil sie uns für Partisanen halten.»

«Und wenn wir hierbleiben, bestreichen sie den Wald womöglich mit Granaten und Maschinengewehren», jammerte Soula.

«Ihr habt die Wahl», sagte Tassi trocken. «Wir können ins offene Gelände hinaustreten und uns von den Soldaten erschießen lassen, oder wir können hierbleiben und unsere Chance abwarten.»

Alle sanken inmitten der dichten Büsche zu Boden und rückten wegen der Kälte eng zusammen. Die einzige, die noch eine trockene Wolldecke hatte, war Arete, doch Nitsa drängte sie jammernd, sie mit ihr zu teilen. Kanta hielt Fotini und Nikola an sich gepreßt, damit die beiden es wärmer hatten, und auch Soula nahm ihre Brut unter ihre Fittiche. Das Baby begann sich zu bewegen, weil die Wirkung des Alkohols langsam nachließ.

Alle saßen zitternd im kalten Wind und betrachteten die monumentale Silhouette des Großen Bergrückens. Die Kinder schliefen in den Armen der Erwachsenen ein; für die anderen aber war dieses Warten schlimmer als der lange Marsch. Sie standen kurz vor ihrer Rettung, fühlten sich jetzt aber exponierter denn je, seit sie aus dem Weizenfeld gekommen waren. Ihre Augen brannten vor Müdigkeit und der Anstrengung, die Dunkelheit zu durchdringen, während sie schweigend dasaßen, Gebete zum Himmel schickten und auf den Sonnenaufgang warteten.

Die von Vasili Bokas geführte Partisanen-Patrouille folgte der Schlucht bis ganz ans Ende und eilte weiter, bis auch sie an der «Die Apfelbäume» genannten Stelle den Beginn des Großen Bergrückens erreicht hatten. Aus dem Schatten des Waldes spähten sie zu dem Hang hinüber, der auf den Grat des Gebirgszugs führte.

«Weiter können wir nicht, ohne gesehen zu werden», sagte einer der Partisanen. «Die Verräter haben es wahrscheinlich zur anderen Seite geschafft.»

«Nein, sie sind irgendwo hier im Wald und machen genau dasselbe wie wir: sie warten», entgegnete Bokas. «Sie können es ebensowenig riskieren, sich sehen zu lassen und erschossen zu werden, wie wir.

Ich möchte, daß drei Mann den gesamten Waldrand absuchen. Wenn wir sie finden wollen, müssen wir bis zum Morgen warten.»

Als Nikola erwachte, lag er mit dem Kopf auf Kantas Schoß. Er hatte geträumt, die Mutter rufe nach ihm. Der Klang ihrer Stimme, wie sie seinen Namen sprach, hallte noch in seinen Ohren. Sie hatte versucht, ihm etwas mitzuteilen, und er wußte genau, daß es lebenswichtig für ihn war, das, was sie sagte, zu begreifen. Doch sie verschwand, bevor er ihre Worte verstehen konnte.

Er richtete sich auf und hörte weiter rechts im Wald Stimmen – Männerstimmen – und das Geräusch knackender Zweige. Die anderen hatten es auch gehört und lauschten erstarrt. Dann entfernten sich die Stimmen, und das Geräusch der Schritte wurde leiser. Schicksalsergeben flüsterte Tassi Mitros: «Jetzt können wir überhaupt nichts tun. Was geschehen soll, wird geschehen.» Von da an schlummerte keiner mehr ein, sondern alle beobachteten, wie die Silhouette des Großen Bergrückens vor dem allmählich aufdämmernden Himmel Gestalt annahm.

Zuerst war der Himmel noch von dunklem Purpur, dann hellte er langsam auf zu Lavendelblau. Die Farben entfalteten sich wie ein Pfauenrad, und von Osten her berührte ein erster, rosiger Lichtfinger den Grat des Bergrückens, der Steine und Felsbuckel mit Schattierungen brünierten Kupfers betupfte. Die warmen Farben des Tagesanbruchs ließen die Kälte, die sie gefangenhielt, nur noch deutlicher spürbar werden. Am Hang des Bergrückens schien es überhaupt kein Leben zu geben. Als das Licht heller wurde, entdeckten sie jedoch große, wirre Drahtverhaue, die ihnen den Weg zu den Höhen versperrten, von denen Lukas gesagt hatte, sie seien vermint: Sie waren genau am beabsichtigten Punkt herausgekommen, wie Lukas voller Stolz feststellte.

Lukas begann eifrig zu überlegen und ihren triumphalen Exodus vom Waldrand auf die offene Lichtung hinaus zu planen. Sie mußten die Aufmerksamkeit der Soldaten erregen und sie überzeugen, daß es sich nicht um einen Hinterhalt der Partisanen handelte. Die Soldaten waren mit Recht mißtrauisch, das wußte er. Obwohl es gelegentlich einem geflüchteten Bauern oder Deserteuer der DAG gelang, die Linien der Nationaltruppen zu erreichen, war es eine nur allzu bekannte List, als Bauernmädchen verkleidete *andartinas* vorzuschikken, damit sie um Schutz baten, und wenn die Soldaten dann aus ihren Einmannlöchern hervorkamen, eröffneten die versteckten Genossen der *andartinas* das Feuer, während die Mädchen selbst Handgranaten warfen.

Lukas bestimmte, daß Megali Haidis und Calliope Mitros, die beiden ältesten Frauen der Gruppe, mit einer weißen Fahne hinausgehen sollten. Die Soldaten würden zwei Frauen, die weit über das mittlere Alter hinaus waren, wohl kaum für *andartinas* halten können. Doch beide weigerten sich hartnäckig, den Schutz des Waldes zu verlassen. «Wir werden auf eine Mine treten! Sie werden uns erschießen, bevor wir auch nur den Mund aufmachen!» jammerte Calliope, während Megali einfach dasaß und sich stöhnend vor und zurück wiegte. Dann diskutierte Lukas mit Nitsa und Arete, aber auch sie waren nicht dazu bereit. «Ich bin ganz allein; außer mir hat mein Mann keinen Menschen!» klagte Arete. «Nimm eine Frau mit einer großen Familie.»

Nitsa schob wieder einmal ihre Schwangerschaft vor und fügte hinzu, nach den Schrecken dieser Nacht sei sie viel zu elend, um sich auf den Füßen halten, geschweige denn, durch ein Minenfeld gehen zu können.

Schließlich erhob sich Chrysoula Drouboyiannis, eine Frau von eindrucksvoller Größe und Statur, und meldete sich freiwillig. «Ich habe keine Kinder», sagte sie. «Wenn ihr versprecht, euch um meine Nichten zu kümmern, bin ich bereit, das Risiko auf mich zu nehmen.» Sie bat Olga, mitzukommen. «Deine Stimme reicht bis ganz auf den Bergrücken hinauf.» Olga sah errötend in die Runde und erklärte sich zögernd einverstanden.

Beide Frauen traten hinter einen Busch, zogen ihre Unterröcke aus, zerrissen sie und befestigten die Fetzen an Zweigen, die sie als weiße Fahnen schwenken wollten. Traurig befingerte Olga die feine Spitze des schönsten Unterrocks aus ihrem Trousseau, bevor sie ihn zerriß.

Während die anderen sie von ihrem Versteck aus gespannt beobachteten, traten Olga und Chrysoula, die improvisierten Fahnen schwenkend, aus dem Wald hervor und schrien aus vollem Hals: «Soldaten! Brüder! Rettet uns! Wir sind aus Lia geflohen! Bitte kommt her, wir brauchen Hilfe!» Von der schweigenden, kahlen Masse des Bergrückens kam keine Antwort.

Vorsichtig gingen die beiden weiter, und Olga, die hinter Chrysoula ging, trat sorgfältig in die Fußstapfen der Älteren. Nach einigen

Schritten machten sie halt und verdoppelten die Lautstärke ihrer Rufe. Angestrengt starrten sie nach oben und sahen endlich auf einem Vorsprung in halber Höhe eine winzige Gestalt auftauchen. «Stehenbleiben!» rief der Mann. «Keinen Schritt weiter! Wer seid ihr?»

«Wir sind Frauen aus Lia!» schrie Olga, deren Knie deutlich sichtbar zitterten. «Wir sind vor den Partisanen geflohen!»

Blinzelnd kniff sie die Augen zusammen, denn aus dieser Entfernung war sie nicht sicher, ob sie es mit einem Soldaten zu tun hatte oder mit einem Partisanen, der sie in eine Falle lockte.

«Niemand wird zu euch runterkommen. Ihr müßt hier heraufkommen!» rief der Mann.

«Aber wir haben Angst vor den Minen», rief Chrysoula.

«Kommt nur geradeaus, durch die Lücke im Drahtverhau auf mich zu, dann passiert euch nichts!» rief der Mann.

Chrysoula und Olga machten einige unsichere Schritte nach vorn. Hinter ihnen tauchte Lukas Ziaras aus dem Wald auf, gefolgt von seiner Frau mit dem Baby auf dem Rücken und drei kleinen Kindern. Als nächste kam Kanta, die zwei weitere Kinder an der Hand führte; auf ihren Fersen schlurfte Megali neben Arete, die den Drouboyiannis-Mädchen voranging; Nitsa, die beiden Kopftücher um die Füße gewickelt, kroch den Hang auf allen vieren empor; Gakis und Niko Mitros gingen zu beiden Seiten ihrer Mutter. Und schließlich erschien Tassi Mitros, ein knorriger Riese, der voll Nervosität den Schluß bildete. Es war ein verblüffender Anblick. Hinter jedem Felsbrocken des Großen Bergrückens tauchten die Köpfe von Soldaten auf, denen vor Staunen der Mund offenstand. Als Olga näher kam, erkannte sie, daß es sich wirklich um Soldaten handelte, nicht um Partisanen: Sie trugen alle das «Schiffchen» mit der Kronenkokarde.

Die Sonne hatte den kahlen Kalkstein des Großen Bergrückens schon so erhitzt, daß ihnen die Füße brannten. Als Nikola einmal auf einen Stein trat, hörte er ein leises Zischen. Er sah sich um und begann zu wimmern, denn was da auf der heißen Fläche brodelte, war Blut aus den Wunden seiner nackten Füße. Er hatte eine Spur blutiger Abdrücke hinterlassen.

Der seltsame Zug, der sich vom Wald aus emporarbeitete, erregte die Neugier der Soldaten, die aus ihren Einmannlöchern hervorkamen; aber es gab noch andere Zuschauer: die fünf Partisanen, die an der Stelle mit dem Namen «Die Apfelbäume» versteckt lagen. Vasili Bokas, der Patrouillenführer, starrte ihnen in fassungslosem Staunen nach. Sein aufgeregter Vorgesetzter hatte ihm zwar mitgeteilt, daß die Familien Mitros und Ziaras geflohen seien, auf eine derartige Massenflucht war er jedoch nicht gefaßt gewesen. Lukas Ziaras, an der Spitze, erkannte er gleich; dann konzentrierte er sich auf die Kinder und jungen Frauen dahinter und stieß einen leisen Pfiff aus. Als erste erkannte er Chrysoula Drouboyiannis an ihrer ungewöhnlichen Größe, dann musterte er die übrigen. Die Familie der Amerikana war dabei! Bokas erschrak, als er sich die Reaktion der Offiziere auf die Mitteilung vorstellte, daß die Kinder der angesehensten Familie von Lia zu den Fahnenflüchtigen gehörten.

«Jetzt sind sie alle draußen im Freien», sagte der Mann neben ihm und legte die Maschinenpistole an. Aber Bokas schüttelte den Kopf. «Sie sind zu weit entfernt, und die Faschisten werden uns innerhalb von Sekunden mit einem Dutzend Bazookas eindecken», flüsterte er. Stumm sah er zu, wie sich die lange Reihe der Entkommenen immer weiter emporarbeitete.

Insgeheim sei er erleichtert gewesen, daß er die Flüchtlinge nicht erwischt habe, vertraute er dreißig Jahre später, kurz vor seinem Tod, einem guten Freund an. Obwohl der Partei treu ergeben, hätte er es nicht ertragen, Frauen und Kinder aus seinem Heimatdorf umbringen zu müssen. Während er sah, wie die Soldaten ihnen entgegenkamen, schüttelte er verwundert den Kopf. «Ist das zu glauben – Lukas Ziaras führt eine so große Zahl Flüchtlinge an und schafft es sogar!» sinnierte er.

Der kleine, fahlgesichtige Kesselflicker ging auf die Regierungssoldaten zu, machte vorher jedoch kurz halt, um das weiße Handtuch vom Hals zu reißen und es mit triumphierender Geste von sich zu schleudern.

Der erste Soldat, der sie erreichte, packte Lukas grob am Arm. Er wollte nicht glauben, daß so viele Menschen unbemerkt hatten entkommen können. «Haben die Kommunisten euch laufenlassen?» erkundigte er sich. «Evakuieren sie die Dörfer?»

Es war der stolzeste Moment in Lukas Ziaras' Leben. Einer ständig wachsenden Zahl von Soldaten schilderte er, wie er die Flüchtlinge dank seiner Geländekenntnis und seines sorgfältig ausgearbeiteten Fluchtplans persönlich mitten durch die Partisanen-Patrouillen in die Freiheit geführt hatte. Der grauhaarige Müller lauschte ironisch und spie aus.

Als die Gruppe auf dem Grat des Großen Bergrückens eintraf,

wurden sie von einem Major und sämtlichen Offizieren des Bataillons erwartet, die sie mit argwöhnischer Miene musterten. Sie notierten sich die Namen der Flüchtlinge und führten dann die drei Männer – Lukas Ziaras, Tassi und Gakis Mitros – beiseite, um sie zu vernehmen. Wenige Minuten darauf ließen sie auch noch Kanta holen, weil sie von den Männern erfahren hatten, daß sie *andartina* gewesen war.

Während diese vier ausgefragt wurden, umringten die Soldaten den Rest der Gruppe und starrten sie an wie Tiere im Zoo. Einige Soldaten, die den Hunger und die Erschöpfung in den Gesichtern der Kinder lasen, kochten ihnen auf kleinen Feuern Wintergrüntee. Als Nikola eine der schweren Blechtassen voll Tee in den Händen hielt und gierig trank, gab ihm ein Soldat ein Stück weiches Weißbrot, *kouramada* genannt, eine Delikatesse, an die er sich kaum noch erinnern konnte. Der Junge verschlang sofort die Hälfte, steckte den Rest aber in die Tasche, weil er ihn mit der Mutter teilen wollte, sobald sie nach ihnen in Filiates eintraf. Er stellte sich vor, wie er ihr die Abenteuer der vergangenen Nacht schilderte und wie stolz sie auf seine Tapferkeit sein würde.

Der Anblick der Kochfeuer erinnerte Olga an das Versprechen, das sie ihrer Mutter gegeben hatte, und sie wandte sich an den Major. «Bitte, Herr Major», sagte sie, «wir haben Verwandte auf der anderen Seite, die auf ein Signal warten, daß wir heil angekommen sind, damit sie ebenfalls fliehen können. Wir müssen ein großes Feuer mit viel Rauch machen, damit sie wissen, daß alles in Ordnung ist.»

«Ausgeschlossen!» fuhr der Major auf. «Ein Signalfeuer wäre eine offene Einladung an die Adresse der Kommunisten, uns mit jedem Mörser zu beschießen, den sie haben.»

«Aber es *muß* sein», flehte Olga. «Wie sollen meine Mutter und meine Schwester sonst erfahren, daß die Flucht gelungen ist?»

«Keine Signalfeuer», wiederholte der Offizier und wandte sich ab. Das Thema war erledigt.

Den ganzen Tag verbrachten die zwanzig Flüchtlinge im Lager der Nationalisten auf dem Großen Bergrücken, und in der Nacht schliefen sie in den Zelten der Soldaten. «Ihr müßt Geduld haben; wir müssen euch alle durch Alpha Zwo überprüfen lassen», erklärte einer der Soldaten Olga. Alpha Zwo war der militärische Geheimdienst der griechischen Armee.

Schon früh am nächsten Morgen kam die Nachricht des Armee-Hauptquartiers. Die Flüchtlinge aus Lia sollten zu dem Dorf Aghies

Pantes (Allerheiligen) gebracht werden, wo die Fahrstraße begann. Von dort aus sollten Militärlastwagen sie zu den Flüchtlingslagern von Filiates transportieren. Durch die Aussicht auf die Wiedervereinigung mit ihren Verwandten auf dieser Seite mit neuer Energie erfüllt, rappelten sich die Flüchtlinge auf. Einzig Nitsa wollte nicht aufstehen und behauptete, keinen Schritt weiter gehen zu können. Stur wie ein Maultier blieb sie sitzen, bis die Soldaten nachgaben und ihr einen großen Rappen zur Verfügung stellten. Dann machte sich der barfüßige Zug auf den einstündigen Marsch vom Großen Bergrücken hinab, während Nitsa wie eine Kaiserin an der Spitze ritt, mit ihrem fülligen Körper hin und her schwankend, die mit Tüchern verbundenen Füße in spitzem Winkel von ihrem Ballonbauch abgespreizt.

Die warmen Strahlen der Sonne, die hinter einer Wolke hervorkam, wirkten belebend. Aus dem Tal stieg Dunst herauf wie Weihrauch, und der schwere Duft spätreifender Birnen, des Lorbeers und der Weiden wirkte auf ihre Sinne berauschend wie Wein. Plötzlich begriffen die Flüchtlinge, daß sie frei waren. Der Alptraum war vorüber, sie hatten ihn überlebt. Einem Seidenband gleich stieg Aretes Stimme empor. «Wann werden wir in die Stadt gehen», sang sie die Worte eines uralten Wiegenliedes, «um goldene Ringe und Perlen für die Aussteuer meiner Herrin zu kaufen, Silbergehänge für ihre Ohren und duftendes Öl für ihre Hände?» Eine nach der anderen stimmten die Frauen in das Lied ein. Endlich gingen sie tatsächlich in die Stadt, um die vielen Wunder dort zu bestaunen.

Die Kinder begannen fröhlich zu lachen und schritten Hand in Hand im Rhythmus der Melodie. Bald sangen sie alle zusammen, schwangen die Hände und strahlten, als wäre es Ostersonntag. Plötzlich übertönte Soula Ziaras den Gesang mit einem Schrei wie eine Verwünschung. «Es ist unrecht!» rief sie laut. «Wie können wir singen, wenn meine Tochter und meine Cousine Eleni noch dort hinten gefangen sind? Wir sind frei, aber was soll aus ihnen werden?»

Bei ihren Worten drehte Nikola sich um, wollte nach Lia zurücksehen, aber der Große Bergrücken versperrte den Blick auf die Heimatberge. Er sah die Welt auf den Kopf gestellt: Sein Leben lang hatte er oben auf dieser Welt gestanden, während sich tief unten Täler und Vorberge ausbreiteten. Nun schritt er in einem Abgrund dahin, zwischen zwei Reihen fremder Berge, die ihn fast zu erdrücken schienen. Soulas Worte ließen sein Herz erstarren; zum erstenmal war er sich klar darüber, daß seine Mutter vielleicht niemals entkommen werde. Das Bollwerk der Gelassenheit, das er sich erbaut hatte, brach plötzlich in sich zusammen, und die Tränen, die er seit dem Abschied von seiner Mutter zurückgehalten hatte, begannen zu fließen.

«Mutter, Glykeria und Marianthe geht es bestimmt gut», behauptete Kanta tröstend. «Paß nur auf, in Filiates werden wir sie wiedersehen.» Aber die Euphorie der Flüchtlinge war verflogen, und sie gingen, von den Soldaten begleitet, schweigend weiter, bis sie kurz vor Mittag in Aghies Pantes ankamen.

Die Dorfbewohner umdrängten sie, riefen ihnen Fragen über Verwandte und Freunde zu, die in der besetzten Zone eingeschlossen waren. Der Tumult erschreckte die Kinder, die sich schutzsuchend an ihre Eltern schmiegten. Die kleine Ortschaft, in der die Fahrstraße begann, wirkte riesengroß auf sie. Bald führten die Soldaten ihre verängstigten Schützlinge zu einem großen, erdbraunen Armeelastwagen, den die Lioten neugierig anstarrten. Die Kinder hatten noch nie ein Fahrzeug mit Rädern gesehen und ahnten nicht, was das war. Die Ladefläche des Lastwagens trug mehrere Metallbogen, überzogen mit einer Plane, die ein Zelt bildete, aber die Enden der Plane waren hochgerollt und festgezurrt. Vorsichtig umrundeten sie den Wagen, berührten mißtrauisch die Außenwand aus Metall. Die Scheinwerfer wirkten auf Nikola wie Augen, aber das Wesen schien entweder tot zu sein oder zu schlafen.

Die Soldaten forderten die Flüchtlinge auf, hinten auf die Ladefläche zu klettern und sich auf die zwei Bänke zu setzen, die an den Seiten entlangliefen. Nikola klammerte sich fest an Kantas Hand. Als der Wagen plötzlich mit einem zornigen Grollen zum Leben erwachte und unter ihm zu beben begann, packte er mit der anderen Hand eine der Metallstreben. Das Geräusch erinnerte ihn an die näher kommenden Bombenflugzeuge, und deswegen fürchtete er sich vor diesem Ding, in dessen Bauch er sich befand.

Mit einem markerschütternden Ruck setzte der Lastwagen sich in Bewegung. Den Kindern – und vielen Erwachsenen ebenfalls – schien es, als habe die Erde sich in Bewegung gesetzt, in einem apokalyptischen Aufbäumen, durch das alles nach hinten davonstürzte. Trotz der geringen Geschwindigkeit des holpernden Vehikels schienen Gras, Bäume, Himmel und neugierig starrende Einwohner von Aghies Pantes in einen Abgrund zu fliegen.

Alle schrien sie auf, als die Fahrt begann, Fotini jedoch wurde geradezu hysterisch und wollte hinausspringen, um sich zu retten. Olga mußte sie eisern festhalten. «Die Bäume bewegen sich, die Erde bewegt sich!» schrie Fotini so laut, daß sie weit über das Dorf hinaus zu hören war. «Bitte, lieber Gott, mach, daß es aufhört! Laßt mich raus!»

Olga hielt sie fest gepackt und versuchte sie zu beruhigen, doch wenn Fotini einmal anfing, stiegen und fielen ihre Schreie wie eine Sirene, und als sie nach einer halben Stunde Filiates erreichten, war ihre Stimme nur noch ein heiseres Krächzen, das etwas Unmenschliches an sich hatte.

Am Dienstag, 22. Juni, arbeitete Rano Athanassiou auf dem ebenen Dreschplatz von Granitsopoula, während die anderen Frauen, unter ihnen Eleni, auf den Feldern an den Hängen Weizen schnitten. Ein Partisan führte ein Gespann Pferde mit Scheuklappen im Kreis herum, die den Weizen zertrampelten, während Rano und mehrere andere Frauen ganze Arme voll Halme in riesige runde Blechsiebe warfen, deren Boden mit Nägeln durchlöchert war, um die Spreu vom Weizen zu trennen. Als sie sich bückte und auflud und warf und sich wieder bückte, bis ihre Arme vom Hals bis zu den Fingerspitzen schmerzten, hörte Rano die Partisanen ringsum aufgeregt diskutieren. Sie ging etwas näher an sie heran und hörte genug, um zu begreifen, was die Männer so beunruhigte: Eine Gruppe von zwanzig Lioten war verschwunden, darunter die Familie der Amerikana.

Sobald zur Pause gerufen wurde, warf Rano ihren Umhang um, denn der Wind war bereits kalt geworden, und stieg den Hang zu den Weizenfeldern empor, wo sie unter den gebeugten Gestalten der Schnitterinnen nach Eleni suchte. Sie entdeckte sie am Ende einer Reihe. «Tante Eleni», flüsterte sie, «deine Familie ist aus dem Dorf geflohen! Ich hab's gehört, wie sich die Partisanen unterhielten.»

Eleni ließ die Sichel sinken, stand auf und bekreuzigte sich, den Blick nach Südwesten gerichtet, wo der Kalamas schimmerte. «Dank Christus und Seiner Heiligen Mutter ist meine Familie entkommen!» rief sie aus.

Rano starrte sie fassungslos an. «Sobald du eine Chance hast, sobald die Partisanen nicht hersehen und du am Ende einer Reihe bist, mußt du laufen!» zischelte sie. «Wenn du das nicht tust, werden sie dich vielleicht umbringen.»

Als Eleni merkte, daß der Wachtposten sie beobachtete, hob sie ihre Sichel auf und schwang sie in gleichmäßigem Rhythmus. «Ich kann nicht fort und Glykeria hier lassen», erklärte sie. «Und jetzt geh wieder zum Dreschplatz zurück, bevor sie sich fragen, worüber du mit mir verhandelst.»

An diesem Abend, als sich die Frauen zum Schlaf auf dem Fußboden des größten Hauses von Granitsopoula bereitmachten, kam ein Partisan zu ihnen herein. «Du, du und du!» sagte er. «Ihr werdet morgen nicht mit aufs Feld gehen.» Dabei deutete er auf Eleni, Marianthe Ziaras und Alexo Gatzoyiannis. Die drei sahen sich an; sie wußten, daß sie für die Freiheit der geliebten Menschen bezahlen mußten. Sie sprachen in dieser Nacht nicht über das, was sie erwartete, doch keine von ihnen konnte schlafen.

Früh am nächsten Morgen verließen Eleni, Marianthe und Alexo, bewacht von drei Partisanen, das Dorf Granitsopoula und legten die acht Kilometer nach Lista, auf halbem Weg zwischen den Dreschplätzen und Lia, im Eilschritt zurück. Während des zweistündigen Marsches sagten die Wachen kein Wort darüber, wohin sie gebracht wurden, und die Frauen gaben vor, nichts zu wissen, fragten vielmehr, ob sie jetzt anderswo bei der Ernte helfen sollten. Als sie jedoch in den Hauptraum der Polizeiwache gestoßen wurden und sich zwei finster dreinblickenden Offizieren hinter einem Schreibtisch gegenübersahen, konnten sie ihre Angst kaum noch verbergen.

Einer der Offiziere stand auf und schrie: «Warum seid ihr nicht mit den anderen gegangen?»

«Welchen anderen?» fragten die Frauen im Chor zurück.

«Das wißt ihr genau!» fuhr er sie an. Dann deutete er auf Eleni. «Am Sonntagabend haben deine Mutter, deine Schwester und deine Kinder das Dorf ohne Erlaubnis verlassen.» Rasch wandte er sich an Marianthe. «Dein Vater hat sie geführt, zusammen mit deiner Familie.» Zuletzt war Alexo an der Reihe. «Deine Tochter war auch dabei!»

Seit dem Abend zuvor hatten die Frauen ihre Angst unter Kontrolle gehalten. Jetzt war es leicht, ihr durch Tränen Ausdruck zu verleihen. Sie begannen zu weinen, als seien sie zutiefst entsetzt über das, was er ihnen mitgeteilt hatte. «Wer hat Lukas Ziaras das Recht gegeben, meine Kinder mitzunehmen?» schluchzte Eleni.

Das Weinen der Frauen irritierte den Offizier. «Du wußtest, daß sie fliehen wollten, Amerikana», behauptete er. «Du hast es ihnen befohlen.»

Eleni trocknete sich die Augen. «Wie hätte ich das tun können? Wir waren doch alle seit Tagen bei der Ernte, haben für euch gearbeitet! Wäre ich bei meinen Kindern zu Hause gewesen, hätte Lukas Ziaras, dieser Narr, sie mir niemals nehmen können.»

«Er war allerdings ein Narr», erwiderte der Partisan grinsend, «aber er hat für seine Torheit bezahlen müssen. Wir haben sie in den Vorbergen gestellt. Sie sind alle erschossen worden. Sobald wir nach Lia kommen, werden wir euch die Leichen zeigen.»

Das bärtige Gesicht des Offiziers begann vor Elenis Augen zu verschwimmen; ihre Knie gaben nach, doch als ihr Kopf auf den Holzboden schlug, war sie schon bewußtlos.

14

Als man am Morgen des 21. Juni entdeckte, daß zwanzig Zivilisten aus dem Dorf entkommen waren, verbreitete sich die Nachricht von ihrer Flucht wie ein Lauffeuer durch die Murgana und gelangte sogar bis zur obersten Führung des Epirus-Kommandos der Volksarmee. Es schien unvorstellbar, daß so viele Männer, Frauen und Kinder gemeinsam in einer Gruppe vor der Nase der Partisanen-Posten verschwinden konnten. Und schlimmer noch: Es waren einige der einflußreichsten Familien von Lia. Tassi Mitros und Lukas Ziaras gehörten zu den wenigen Männern, die geblieben waren, um die Partisanen bei ihrer Ankunft willkommen zu heißen; dafür waren sie mit einem Sitz in den Zivilkomitees belohnt worden, die die Besatzer aufgestellt hatten, um den Schein der Einwohnerbeteiligung an der Verwaltung des Dorfes aufrechtzuerhalten. Lukas, der unmittelbar unterhalb des Beobachtungspostens wohnte, galt nicht nur als Sympathisant der Partisanen, sondern darüber hinaus als zusätzlicher Wachtposten. Und zusammen mit ihnen war die Familie – Kinder, Schwester und Mutter – der Amerikana geflohen, der angesehensten Frau im Dorf. Es war schlechthin unmöglich, daß die Flüchtlinge ohne Unterstützung in dieser Zahl unbehelligt durch die Partisanen-Patrouillen und Minenfelder gekommen waren, folgerten die DAG-Offiziere. Sie mußten Hilfe gehabt haben – von innen, möglicherweise aus den Reihen der Partisanen, oder von außen, von einem Faschisten, der sich zum Dorfrand heraufgeschlichen und sie geführt hatte.

Die Flucht machte nicht nur die weitverbreitete Unzufriedenheit in den besetzten Dörfern deutlich, sondern darüber hinaus das Versagen der Sicherheitspolizei, die eben deshalb nach Lia geschickt worden war, um einen solchen Fall von Illoyalität zu verhindern. Unter all den Geheiminformationen, die Sotiris Drapetis und die Polizei gesammelt hatten, war kein Hinweis gewesen, der sie gewarnt hätte. An dem Morgen, da sich das Verschwinden der Flüchtlinge bestätigte, erteilten Sotiris und die drei Polizeioffiziere hysterisch Befehle, die sie im nächsten Augenblick widerriefen. Zunächst ließen sie bekanntgeben, die zwanzig Flüchtlinge seien gefaßt worden, würden gegenwärtig verhört und binnen kurzem öffentlich vor Gericht gestellt werden. Dann befahlen sie jeden Partisanen, der in jener Nacht Dienst gehabt hatte, zu sich und verhörten ihn. Zu den Verdächtigen gehörte Andreas Michopoulos, der am Fluchtabend in der Kirche zur Heiligen Jungfrau Dienst gehabt hatte.

Während sie steif und fest behaupteten, die Flüchtlinge seien verhaftet worden, eilten die Partisanen hektisch durchs Dorf, um eventuelle Hinweise darauf zu bekommen, wie die Flucht bewerkstelligt worden war. Das Mitros-Haus, das Ziaras-Haus und das Haidis-Haus, in dem die Gatzoyiannis-Familie gewohnt hatte, wurden so intensiv durchsucht, daß eingebaute Alkoven aus der Wand gerissen und Schlafsäcke zerschlitzt wurden. Die Partisanen fanden den Brief, den Olga für ihre Mutter in die Wandnische gelegt hatte, und im Mitros-Haus entdeckten sie die vierundzwanzig Gold-Sovereigns, die Tassi Mitros hatte zurücklassen müssen.

Aus Angst, daß noch mehr Dörfler dem Beispiel der Flüchtlinge folgen könnten, erließen die Partisanen eine Proklamation: Von diesem Tag an war es für jeden Bewohner des südlichsten Dorfabschnitts verboten, nach Einbruch der Dunkelheit zu Hause zu bleiben. Konnten sie nicht bei Verwandten weiter oben am Berg unterkommen, mußten sie in den Höhlen über dem Perivoli übernachten.

Während einige Partisanen Eleni, Alexo und Marianthe von den fernen Dreschplätzen holten, wurden sämtliche weiteren Verwandten der Flüchtlinge zum Verhör gebracht. Giorgina Bardaka, die Tochter des Müllers Tassi Mitros, stillte gerade ihr sechs Monate altes Töchterchen, als die Partisanen zu ihr kamen. Dabei wurden sie von Giorginas Schwägerin Calliope Bardaka gesehen, der bekanntesten Kollaborateurin der Partisanen und ersten Mutter, die ihre Kinder zur *pedomasoma* gab. Obwohl die meisten Dorffrauen Calliope mit einer Mischung aus Haß und Angst betrachteten, war sie Verwandten und Freunden gegenüber loyal und trat bei den Partisanen oft für sie ein. Als sie an diesem Morgen ahnte, daß Giorgina Schwierigkeiten bekommen würde, fragte sie die Männer, warum sie zum Haus ihrer Schwägerin wollten. Sobald sie ihre Antwort hörte, erklärte Calliope, sie werde Giorgina selbst zur Polizei bringen, und lief ihnen voraus ins Haus, wo sie der jungen Frau zuflüsterte: «Sie kommen dich holen, weil deine Eltern und deine Brüder gestern geflohen sind! Ob du gewußt hast, daß sie fliehen wollten, oder nicht – streite auf jeden Fall alles ab, sonst bringen sie dich um! Sag ihnen, wenn du von der Flucht gewußt hättest, wärst du mit ihnen gegangen, weil du zu deinem Mann auf der anderen Seite wolltest.»

Mit unsicheren Schritten, ihr Baby im Arm, ging Giorgina mit Calliope zum Haus der Sicherheitspolizei hinab.

Sobald der Militärlastwagen mit den Flüchtlingen nach Filiates hineinkam, wurde er von einer aufgeregten Menge umlagert. Die Nachricht von der unglaublichen Flucht war den entkommenen Lioten vorausgeeilt, und Dutzende von Männern, die vor den Partisanen geflohen waren, umdrängten sie und riefen ihnen Fragen über ihre Familien zu, die noch in Lia festsaßen.

Während der Wagen langsam durch die kopfsteingepflasterten Straßen holperte, wurden Nikolas Augen groß vor Staunen. Noch nie hatte er eine richtige Stadt gesehen; daher starrte er offenen Mundes die Lastwagen und Militärfahrzeuge an, die großen, hinter efeuberankten Mauern versteckten Villen im türkischen Stil. Eine ganze Reihe voller Geschäfte gab es, alle mit riesigen Fenstern, in denen eine verwirrende Vielzahl von Waren ausgestellt war. Dem Jungen war die Aufmerksamkeit, mit der sie bedacht wurden, peinlich; aber es war auch erregend für ihn, plötzlich an einem so herrlichen Ort zu sein.

Als der Wagen vor dem Armee-Hauptquartier hielt, konnte Nikola die Menschen ringsum genauer betrachten. Irgend jemand lief seinen Großvater und Nitsas Ehemann Andreas holen. Die Leute erkundigten sich, wo seine Mutter sei, und diese Frage rief wieder den Schmerz über ihren Verlust in ihm wach. Er entschlüpfte den Armen jener, die ihn umarmen wollten, und suchte Zuflucht bei Kanta, ohne den Blick von seinen bloßen Füßen zu heben, die von den Soldaten mit Tuchstreifen verbunden worden waren, um die Wunden und Blasen wenigstens notdürftig zu schützen.

Einer nach dem anderen wurden die Erwachsenen der Gruppe

hineingeführt, um ausführlich befragt zu werden, während die übrigen versuchten, die Neugier der Leute zu befriedigen. Jetzt, da sie in Sicherheit waren, nahmen ihre Abenteuer epische Ausmaße an. Jedes Detail wurde liebevoll ausgeschmückt, und jeder, der gerade erzählte, schrieb sich persönlich die Hauptrolle zu. Lukas sonnte sich in der Bewunderung der Menge, doch Olga und Kanta tauschten beunruhigte Blicke, weil sie fürchteten, jemand werde etwas ausplaudern, das gegen ihre Mutter verwendet werden könnte. Auch Nitsa versuchten sie zum Schweigen zu bringen, als sie wieder einmal schilderte, wie sie sich, im siebten Monat schwanger, furchtlos durch feindliche Partisanen-Patrouillen gekämpft hatte; aber je öfter sie das erzählte, desto phantastischer wurde ihre Geschichte.

Da Kanta *andartina* gewesen war, gehörte sie zu den ersten, die hineingerufen wurden. Sie wurde in einen Raum geführt, wo zwei Soldaten eine Landkarte von Lia und Umgebung ausgebreitet hatten. Man bat sie, die genaue Lage des Partisanen-Hauptquartiers, der größten Vorratslager und Befestigungsanlagen zu markieren, aber Kanta schüttelte den Kopf. «Die *andartes* sind Tiere; sie fügen den Menschen gräßliche Dinge zu», erklärte sie. «Ich hoffe, daß ihr das Dorf bald befreien könnt. Aber ich habe Mutter und Schwester zurückgelassen und ihnen versprochen, nichts zu verraten, das ihnen schaden könnte, bis sie selbst ebenfalls fliehen können.»

Als nächste holten die Soldaten Olga, die aber dasselbe sagte. Die übrigen erwachsenen Frauen kamen innerhalb weniger Minuten wieder heraus, Lukas Ziaras jedoch, der sich unter den bewundernden Blicken der Zuschauer eitel spreizte, blieb über eine Stunde. Als er herauskam, fragte Olga ihn flüsternd: «Was hast du gesagt?»

«Was sollte ich sagen?» gab er zurück. «Die Wahrheit natürlich! Daß alle im Dorf die Nase voll haben, sogar der Dorfvorsteher Spiro Michopoulos. Daß mein Plan nach zwei gescheiterten Fluchtversuchen schließlich doch perfekt geklappt hat.» Sein Gesicht war gerötet und er keuchte vor Aufregung. Noch nie in seinem Leben war etwas, das er unternommen hatte, so erfolgreich verlaufen, und er freute sich auf die spendierten Getränke, die er für seine Geschichte von dem großen Exodus in den Kaffeehäusern von Filiates kassieren würde.

Olga schüttelte mißbilligend den Kopf. «Weißt du nicht mehr, was Mutter dir gesagt hat über leichtsinnige Bemerkungen, die jenen schaden, die zurückbleiben mußten?»

«Sei nicht albern!» fuhr Lukas sie an. «Dies ist der militärische

Geheimdienst. Glaubst du, die Offiziere hier tauschen Geheiminformationen mit den Partisanen? Alles, was ich gesagt habe, kann ihnen nur helfen, die Kommunisten zu vertreiben!»

Verwirrt von der geflüsterten Diskussion und der drohenden Gefahr für seine Mutter lehnte Nikola sich, von der langen Reise erschöpft, schutzsuchend an Kanta. Seine wunden Füße schmerzten, die heiße Sonne und der Lärm der Neugierigen ließen ihn fast ersticken. Er suchte unter den vielen Gesichtern nach dem seines Onkels Andreas und seines Großvaters – einer letzten Verbindung mit dem Familienleben, das er im Dorf zurückgelassen hatte.

Ein Mann, der sah, wie unglücklich der Junge war, trat vor und reichte ihm eine waffelähnliche Tüte, gekrönt von einer Kugel aus einer weißen Masse. Sie erinnerte Nikola an die dicke Vanillekrem, die sie, als er noch klein war, an Sommertagen in ein Glas Wasser taten und dann herauslöffelten – eine Köstlichkeit, die von den Griechen «U-Boot» genannt wird. Nikola sah fragend zu dem Mann empor; der nickte aufmunternd, und der Junge biß kräftig hinein.

Er hatte noch nie etwas Gefrorenes gegessen, daher hielt er die eisige Kälte zunächst für glühende Hitze. Er krümmte sich vor Schreck und spie den Mundinhalt aus. «Ich hab mich verbrannt!» rief er, und die Zuschauer lachten laut. Tränen der Demütigung stiegen ihm in die Augen, doch da sah Nikola plötzlich, daß sich sein dürrer Onkel Andreas einen Weg durch die Menge bahnte, um zu ihnen zu gelangen. Wie stets machte die tiefe Gemütsbewegung Andreas fast sprachlos. Linkisch legte er dem Neffen die Hand auf die Schulter, musterte seine unförmige Frau und stammelte: «Ihr seid da.» Olga und Kanta begannen zu weinen.

Nikola umarmte den Onkel. Nitsa zog errötend ihr schwarzes Kleid eng um ihren Bauch. «Gott hat uns ein Wunder geschenkt, Mann!» verkündete sie. «Wir bekommen ein Kind. Ich bin schon im siebten Monat!»

Andreas wurde blaß und begann zu schwanken, so daß Nitsa ihn stützen mußte. Dann ertönte ein Schrei, und Nikola sah seinen Großvater durch das Gedränge kommen. Das zerfurchte Gesicht unter dem weißen Haar blickte so wild wie eh und je. Kitso umarmte weder seine Frau noch Nitsa oder seine Enkel. Er stand da und blickte finster von einem zum anderen. Dann äußerte er lediglich drei Worte: «Wo ist Eleni?»

Sofort begannen alle auf einmal zu erklären, daß man Eleni und

Glykeria gezwungen hatte, zurückzubleiben und in den Dörfern am Kalamas bei der Ernte zu helfen. «Aber Mama und Glykeria werden von dort aus gemeinsam fliehen, Großvater», sagte Olga. «Sobald sie Nachricht von uns erhalten, daß wir fort sind.»

Das Licht in Kitsos Augen erlosch. Er hatte das Dorf verlassen, ohne mit Eleni zu sprechen, war im Zorn von ihr geschieden. Dieser Bruch mit seiner Tochter hatte ihn seither ununterbrochen gequält, vor allem wenn aus der Murgana Berichte von den Leiden der Bevölkerung dort und der Brutalität der Besatzer herüberdrangen. Als er von der wunderbaren Flucht seiner Familie erfuhr, war ihm ein Stein vom Herzen gefallen, der sich jedoch plötzlich wieder auf ihn senkte, zusammen mit der uralten Angst, daß seine Kinder noch nicht genug für seinen Mord an dem türkischen Räuber gebüßt hatten.

Kitso wandte seinen Enkeln den Rücken und äußerte noch einmal nur drei Worte: «Eleni ist verloren.»

Erst zwei Tage nach der Flucht wußten die Bewohner von Lia, daß die Flüchtlinge tatsächlich entkommen waren: als sie sahen, wie Eleni, Alexo und Marianthe, begleitet von bewaffneten Partisanen, in Fesseln zu Fuß ins Dorf zurückgebracht wurden. Die schweigende Gruppe zog durch die Dorfmitte und dann den Pfad zum Perivoli hinauf, wo sich das Tor der Station der Sicherheitspolizei hinter den drei Frauen schloß.

Während der folgenden Tage verhörten die Partisanen sie einzeln in der kleinen Kammer neben dem Hauptbüro. Mit zwei Partisanen als Wachtposten führte Sotiris Drapetis das Verhör, beobachtete jede Gefangene wie eine Schlange, die einen Frosch hypnotisiert. Immer wieder dieselben Fragen wurden den Frauen gestellt, damit sie gestanden, daß sie von dem Fluchtplan Kenntnis gehabt hatten. Manchmal wurden sie mit einer Waffe bedroht, die man ihnen an die Schläfe hielt; manchmal wurden sie geohrfeigt, wenn ihre Antwort zu langsam kam, oder man drehte ihnen die Ohren um. Systematische Prügel oder Folterungen gab es anfangs jedoch noch nicht.

Einige Wochen später erzählte Eleni ihrer Freundin Olga Venetis, die schlimmsten Minuten seien gewesen, als Sotiris zu ihr sagte: «Wir haben all deine Kinder gefaßt und sie umgebracht.» Sie glaubte, daß dies möglicherweise ein Trick war, um sie weichzumachen; denn warum sollte Sotiris sonst so darauf aus sein zu erfahren, ob sie von dem Plan gewußt hatte.

Doch jedesmal, wenn er das sagte, kamen ihr trotz ihres festen Entschlusses, ruhig zu bleiben, die Tränen. Weinend beschuldigte sie Lukas Ziaras, ihre Kinder entführt zu haben.

«Warum hat er sie mir genommen?» rief sie verzweifelt. «Wie konnten meine Mutter und meine Schwester das zulassen?»

Sie deutete an, Ziaras habe die Kinder vielleicht wegen des Geldes mitgenommen, das er, wie er wußte, von ihrem Mann dafür kassieren konnte. «Mein Mann bereitete die Papiere vor, damit wir zu ihm nach Amerika auswandern konnten», erklärte sie. «Lukas muß sie mit dem Argument überredet haben, daß die Papiere ungültig würden, wenn sie zu lange warteten, und daß sie dann keinerlei Chance zum Auswandern mehr hätten.» Hilflos breitete sie die Hände aus. «Woher soll ich wissen, was er zu ihnen gesagt, wie er sie überredet hat, mich zu verlassen? Ich habe für euch gearbeitet, ich habe Weizen geschnitten. Ich hatte keine Ahnung von diesem Plan.»

«Deine Tochter Olga sagt aber etwas ganz anderes», erwiderte Sotiris.

«Ich dachte, du hättest gesagt, sie sei tot.»

Sotiris zeigte ihr ein Blatt Papier. «Sie hat dir diesen Brief geschrieben. Wir haben ihn in deinem Haus gefunden. Ist das ihre Handschrift – ja oder nein?»

«Sieht so aus», gab Eleni zu. «Aber ich müßte ihn näher sehen.»

«Ich werde ihn dir vorlesen», gab Sotiris aalglatt zurück. Und fügte beim Lesen Sätze ein, die Olga, wie Eleni genau wußte, niemals geschrieben hätte: «Mama, wie geplant, gehen wir mit Lukas Ziaras und Megali, um zu unserem Vater zu reisen.»

Eleni zuckte die Achseln. «Wenn sie das geschrieben hat, dann ist das Unsinn. Ich habe nichts von einem Fluchtplan gewußt.»

Marianthe Ziaras beharrte darauf, daß ihre Familie sie im Stich gelassen habe. «Hätte mein Vater mich geliebt, dann hätte er mich mitgenommen», wiederholte sie immer wieder weinend. «Aber meine Eltern haben mich am wenigsten von ihren Kindern geliebt, deswegen haben sie mich zurückgelassen.»

Alexo behauptete stur, ihre Tochter Arete habe sich ihr nie anvertraut. «Sie ist eine verheiratete Frau, seit fünfzehn Jahren verheiratet! Nie hat sie mir ihre Geheimnisse verraten; ja, sie hat kaum mit mir gesprochen, nachdem sie fast am anderen Ende des Dorfes wohnte.»

Einer der Posten, der die Gefangenen zum Verhör begleitete und wieder abholte, ein junger Mann mit freundlichem Gesicht, flüsterte ihnen zu: «Ganz gleich, was ihr sagt, haltet euch an eure Aussagen. Achtet darauf, daß ihr auch nicht die kleinste Einzelheit verändert. Dann habt ihr vielleicht eine Chance.»

Trotz der ständigen Verhöre, Drohungen und gelegentlichen Ohrfeigen merkten Eleni, Alexo und Marianthe, daß sie weit besser behandelt wurden als die anderen Gefangenen in der Polizeistation. Zusammen mit Tassi Mitros' Tochter Giorgina und ihrem Baby waren die drei Frauen in den oberen Räumen des Hauses eingesperrt. Solange sie sich dem Tor nicht näherten, durften sie auch im Garten spazierengehen oder das Toilettenhäuschen aufsuchen.

Die Frauen von Lia schraken zurück vor dem Anblick und dem Gestank der Gefangenen im Keller, deren geisterhafte Gesichter durch die kleinen, vergitterten Fenster zu ihnen herausstarrten. Sie hörten sie weinen und klagen, und sie hörten die Schreie, wenn sie geschlagen wurden. Sie sahen die Stapel von Schuhen und Kleidungsstücken der Toten, von Läusen verseucht, in der Kammer hinter der Küche liegen. Bei Nacht hörten sie immer wieder, wie Gefangene hinausgeführt und hinter den Häusern erschossen wurden. Wenn die Frauen zum Toilettenhäuschen gingen, mußten sie sich im Garten ihren Weg zwischen Dutzenden von flachen Gräbern hindurch suchen. Der Gestank verwesender Leichen verpestete die gesamte Umgebung.

Zuweilen wurden Eleni und die anderen drei Frauen von Lia unter Bewachung ausgeschickt, um Wasser von der Quelle bei der Mühle von Tassi Mitros zu holen. Auf einem dieser Wege wurde Eleni, die aus der Ferne von einem *andarte* beobachtet wurde, von Vasili Bokas angesprochen, dem Partisanenhauptmann, der die Flüchtlinge in jener Nacht verfolgt hatte. Viele Jahre später, nach seiner Rückkehr aus dem polnischen Exil, beschrieb Bokas, wie er sich niedergebeugt habe, um aus der Quelle zu trinken, und Eleni zuflüstern konnte, daß ihre Familie in Wahrheit sicher auf die andere Seite gelangt sei; er habe persönlich gesehen, wie sie zum Großen Bergrücken hinaufgestiegen und von den Regierungssoldaten begrüßt worden seien. Eleni richtete sich auf, eisern bemüht, ihr Gesicht unter Kontrolle zu halten, und sah den Partisanen voll Dankbarkeit an.

Von der nagenden Furcht erlöst, daß ihre Kinder gefaßt worden sein könnten, kehrte sie mit neuer Widerstandskraft gegen Sotiris' Verhöre in ihr Gefängnis zurück. Ruhig erwiderte sie auf alle seine Fragen, sie habe weder etwas von dem Plan noch von irgendwelchen

UNRRA-Vorräten gewußt, die ihr Vater angeblich auf seinem Grundstück versteckt gehalten habe. Die Partisanen dürften gern alles beschlagnahmen, was sie fänden, ergänzte sie. Nun, da Lukas Ziaras ihr das Herz gebrochen und ihr die Kinder genommen habe, habe sie keine Verwendung mehr für Besitztümer. Sie lebe nur noch für die Hoffnung, ihre Tochter Glykeria von den Dreschplätzen zurückkommen zu sehen.

Eines Tages brachten die Partisanen Alexos elfjährige Tochter Niki, ein mageres, ernsthaftes Kind, in die Polizeistation und verhörten sie im Garten. Eleni beobachtete sie durch das Fenster der kleinen Vorratskammer neben der Küche: Niki erinnert sich, daß sie gesehen hat, wie Eleni sich auf die Lippen biß und den Kopf schüttelte, wie um das Kind zu warnen, daß es nichts sagen sollte.

Als jüngstes von Foto Gatzoyiannis' neun Kindern wurde Niki durch Sotiris von zehn Uhr morgens bis in den späten Nachmittag verhört. Niki hatte alles über die Fluchtpläne gewußt. Sie hatte sogar zugesehen, wie ihre Schwester Arete und ihre Mutter auf einem einsamen Feld unterhalb von Alexos Haus eine sieben Kilo schwere Rolle Lötzinn vergruben, den größten Reichtum von Aretes Mann, einem Kesselflicker.

Niki erwartete, daß Sotiris sie über die Flucht ihrer Schwester vernehmen würde, aber dann überrumpelte er sie, indem er sie fragte, wo Arete das Lötzinn vergraben habe. Niki begriff, daß irgend jemand gesehen haben mußte, wie sie es versteckten, aber sie schüttelte einfältig den Kopf. Dann wollte Sotiris wissen, wie oft ihr Vater sich ins Dorf zurückgeschlichen habe, um Geheiminformationen über die Aktivitäten der Partisanen zu sammeln. «Niemals!» erwiderte das kleine Mädchen und wich zurück, als Sotiris drohend auf sie zukam.

«Jeder weiß doch, daß dein Vater als Fluchtführer für die Faschisten arbeitet», schrie der Geheimdienstoffizier. «Außerdem spioniert er für sie, und deine Mutter hat ihm dabei geholfen.»

Mit ihrer dünnen, melodischen Stimme leugnete Niki, irgend etwas über Lötzinn, Fluchtpläne und Besuche ihres Vaters zu wissen. Sotiris' Augen loderten, und er ohrfeigte sie, daß ihr Kopf dröhnte.

«Alles, was du kannst, ist immer nur nein sagen!» schrie er. «Wir werden dich da unten einsperren» – er deutete auf den Keller –, «dann wirst du uns sicher bald viel zu erzählen haben!» Nach mehrstündigem Verhör entließ Sotiris die Kleine jedoch mit der Warnung: «Denke gut über unsere Fragen nach. Wir werden dich noch einmal holen, und dann verlangen wir die Wahrheit von dir.»

Als sie das nächstemal wieder miteinander sprechen konnten, flüsterte Eleni Alexo sofort zu, daß Niki zum Verhör gebracht worden war. Die Kleine habe lediglich ein paar Ohrfeigen bekommen, versicherte sie ihrer Schwägerin, die jedoch so bleich wie Wachs wurde.

Am folgenden Morgen ließ sich Sotiris Alexo bringen und teilte ihr mit: «Deine Tochter Niki hat uns alles über das Lötzinn berichtet, das du auf deinem Grundstück vergraben hast. Doch es gehört, wie der Besitz von allen Verrätern, rechtmäßig der Volksarmee. Wirst du uns zeigen, wo es versteckt ist, oder müssen wir die Information aus deiner Tochter herausprügeln?»

Schicksalsergeben nickte Alexo. Wenn sie das Lötzinn preisgab, würde sie ihre Behauptung, von dem Fluchtplan nichts gewußt zu haben, widerlegen, das war ihr klar; aber sie mußte es tun, um ihre Tochter zu retten. «Ich werde euch hinbringen», sagte sie, und zum erstenmal seit der Flucht lächelte Sotiris.

Als Leiter der Geheimdienststelle von Lia wußte Sotiris Drapetis, daß die Massenflucht nicht nur ein unauslöschlicher Makel auf seiner Personalakte war, sondern womöglich sogar sein Leben in Gefahr brachte. Denn nach der Katastrophe hatte das Epirus-Kommando jenen Mann namens Katis geschickt, der in der Rechtsabteilung sowohl Richter als auch Untersuchungsbeamter war, um festzustellen, was sich abgespielt hatte.

Katis war es damals gewesen, der mit seiner faszinierenden Stimme und seinem weltgewandten Verhalten so großen Eindruck auf die Dorfbewohner gemacht hatte, als er die Verhandlung gegen den beim Unternehmen Pergamos gefangenen Soldaten leitete. Nunmehr war dieser Katis abermals in Lia, um die Gründe für die Flucht zu erforschen, und saß Sotiris unangenehm dicht im Nacken. Sotiris verhörte die Verwandten der Flüchtlinge mit der Verzweiflung eines Ertrinkenden. Nachdem er eine Woche damit verbracht hatte, ließ Katis den Sicherheitsoffizier zu sich ins Büro kommen und fragte, was er in Erfahrung gebracht habe. Sotiris gab ihm eine Antwort, von der er hoffte, daß sie ihn weniger schuldig dastehen ließ: «Ich bin überzeugt, daß die Flucht von außerhalb organisiert wurde, von Faschisten, die aus Filiates gekommen sind und ihre Verwandten herausgeholt haben.» Sotiris hielt inne, um dann noch hinzuzusetzen: «Und sie werden es abermals versuchen.»

Die buschigen Brauen zusammengezogen, beugte Katis sich zu ihm vor. «Hast du das von den Frauen erfahren, die du verhört hast?»

Sotiris senkte den Blick auf den Stapel Papiere auf Katis' Schreibtisch, die Zusammenfassung der Verhöre. «Nun, bisher beharren die Verdächtigen darauf, nichts zu wissen», sagte er nervös. «Nur Alexo Gatzoyiannis hat gestanden, vor der Flucht Lötzinn für ihre Tochter Arete versteckt zu haben, was mir ein Beweis dafür zu sein scheint, daß sie in den Plan eingeweiht war.»

«Scheint!» brüllte Katis so laut, daß Sotiris zusammenzuckte. «Koliyiannis persönlich hat mich hierhergeschickt, um festzustellen, wie es zu diesem Fiasko kommen konnte, wer dafür verantwortlich ist, und um an den Verrätern ein Exempel zu statuieren, damit von jetzt an niemand an Fahnenflucht auch nur zu denken wagt. Ich brauche Beweise! Wie dir die Dinge zu liegen *scheinen*, interessiert mich nicht im geringsten.»

«Wir *könnten* von den inhaftierten Frauen natürlich Geständnisse bekommen, wenn wir sie stärker unter Druck setzen», versicherte Sotiris schnell. «Doch sie sind nur die Spitze des Eisbergs. Die Faschisten, die hierhergekommen sind und die anderen rausgeholt haben, würden wir dadurch nicht schnappen.»

«Bist du sicher, daß man die zwanzig Verräter herausgeholt hat?» Katis zog skeptisch die Brauen hoch und schlürfte geräuschvoll einen Schluck Kaffee.

«Alle meine Informanten im Dorf sind fest davon überzeugt», erwiderte Sotiris. «Sie meinen, es seien Kitso Haidis, der Vater der Amerikana, und Foto Gatzoyiannis, ihr Schwager, gewesen. Beide Männer sind notorische Faschisten. Wenn wir sie ergreifen könnten, würden wir unsere Macht demonstrieren und jeden weiteren Gedanken ans Überlaufen im Keim ersticken.»

«Gehst du freiwillig nach Filiates und holst sie her?» erkundigte sich Katis ironisch.

«Wir könnten sie hierher zurücklocken.» Sotiris gab sich die größte Mühe, überzeugend zu wirken. «Die beiden Personen, die sie am dringendsten holen wollten, die Gatzoyiannis-Frauen, sind noch in unserer Hand, weil sie am Abend der Flucht auf den Dreschplätzen waren. Wenn wir die Frauen als Köder freilassen und sie intensiv überwachen, werden wir schließlich alle auf einmal erwischen: die

Faschisten, die Frauen und die anderen Leute im Dorf, die vorhaben, mit ihnen zu fliehen!»

«Es gibt noch mehr Leute, die fliehen wollen?» Klappernd setzte Katis die Kaffeetasse ab.

«Ungefähr dreißig, vermuten meine Informanten.»

«Na schön, laß sie laufen», entschied Katis. «Wenn's eine Verschwörung von außen ist und andere sich ihr anschließen, müssen sie alle zusammen vernichtet werden. Doch wenn du eine von diesen Frauen oder irgendeinen anderen Verräter verlierst, wirst du noch wünschen, dein Vater hätte onaniert in der Nacht, in der er dich zeugte.»

Als Sotiris salutierte und kehrtmachte, glänzte auf seiner Oberlippe deutlich sichtbar der Schweiß.

Am achten Tag ihrer Gefangenschaft wurden Eleni, Alexo und Marianthe zu Sotiris in die gute Stube gebracht. Er überreichte ihnen je eine Zusammenfassung ihrer Aussagen – daß sie von einem Fluchtplan nichts gewußt hätten –, die sie unterschreiben mußten. Dann erklärte er ihnen, sie würden entlassen. Jede werde von Wachtposten zu ihrem Haus begleitet. Von nun an dürfe keine mehr mit der anderen sprechen oder sonstwie Kontakt aufnehmen. Sie dürften sich nicht der Dorfgrenze nähern. Und jeder persönliche Besitz ihrer geflohenen Verwandten müsse abgeliefert werden.

Als Eleni den Pfad hinabgeführt wurde, wappnete sie sich gegen den Anblick ihres Hauses: Kamin, Ecken und Winkel – alles still und leer ohne die Kinder. Doch auf das, was sie hinter der aufgebrochenen Tür antraf, war sie nicht gefaßt gewesen: Kleidungsstücke auf dem Boden, aufgeschlitzte Strohsäcke, selbst die Ikone in eine Ecke geworfen. Sie stand in der Tür und starrte auf das Chaos, während die Partisanen Gegenstände einzusammeln begannen. Sie hatten Befehl, für Eleni nur ein Minimum an Kleidung und Nahrung zurückzulassen. Bis auf ein paar Pfund Mehl nahmen sie sämtliche Vorräte mit, bis auf Elenis braunes Kleid sämtliche Kleider und bis auf zwei Ziegen und vier Schafe sämtliche Tiere.

Eleni, die zusah, wie die Partisanen ihre Habseligkeiten einpackten, tröstete sich mit dem Gedanken, daß sie ja noch die Felder hatte – die Bohnen und den Mais, die noch nicht geerntet waren. Während sie darauf wartete, daß sie fertig wurden, wollte sie die Haustür ganz öffnen und spürte, daß sie auf ein Hindernis stieß. Als sie vorsichtig um die Ecke blickte, sah sie Nikolas beige-braunen Ranzen, den er, bevor die Partisanen kamen, so stolz in die Schule getragen hatte. Er enthielt seine vollgekritzelten, verschmierten Hefte und seine geliebte byzantinische Schwertklinge. Beim Anblick des Ranzens wurde Eleni erst richtig klar, daß ihr Sohn tatsächlich fort war. Sie konnte sich vorstellen, wie er seine Schätze sorgfältig verpackt hatte und sie dann im letzten Moment doch noch zurücklassen mußte, weil jemand ihm erklärt hatte, der Ranzen sei zu schwer für einen so langen Marsch. Diese Hefte waren alles, was ihr von ihm geblieben war.

Entschlossen, sich zu beherrschen, bis die Partisanen fort waren, biß sie sich auf die Lippe. Sobald sie die protestierenden Ziegen und Zicklein hinausgeführt hatten, sank sie jedoch auf den Fußboden, drückte den Ranzen an ihre Brust und ließ den Tränen freien Lauf.

Die elfjährige Niki Gatzoyiannis war zu Hause, als sie ihre Mutter, gefolgt von zwei Partisanen und einem Maultier, heimkommen sah. Sie lief hinaus und umarmte sie, Alexo jedoch ging schweigend am Haus vorbei auf das Feld darunter und deutete auf die Stelle, an der die Partisanen zu graben begannen. Rasch hatten sie die Rolle Lötzinn entdeckt, die Arete vor ihrer Flucht versteckt hatte. Nikis Herz raste. Sie wußte, daß ihre Mutter sich selbst belastete. Dann stand Alexo schweigend, die Hände auf den Schultern der Tochter, dabei, wie die Partisanen das Maultier mit allen möglichen Gegenständen beluden und wieder abzogen. Als sie außer Hörweite waren, flüsterte Niki: «Aber Mutter, warum in aller Welt hast du ihnen nur das Lötzinn gezeigt?»

Alexo sah sie prüfend an. «Hast du ihnen nicht davon erzählt? Sie haben das nämlich behauptet.»

Niki wehrte sich empört. «Ich habe ihnen kein Wort gesagt. Nicht einmal, als sie mich geschlagen haben.»

Alexo begriff, daß man sie überlistet hatte: Dadurch, daß sie ihre Tochter zu schützen versuchte, hatte sie Sotiris in die Hand gespielt. Sie legte Niki den Arm um die Schulter und kehrte mit ihr ins Haus zurück. «Was macht das schon!» sagte Alexo. «Sollen sie doch das Lötzinn haben. Wenigstens haben sie mich gehen lassen.»

Giorgina Bardaka war nicht mit den anderen drei Frauen entlassen worden. Da sie die einzige war, die sich am Abend der Flucht im

Dorf aufhielt, argwöhnte Sotiris trotz ihrer Klagen, ihre Familie habe sie im Stich gelassen, daß sie von dem Plan gewußt habe.

Am zwölften Tag ihrer Gefangenschaft wurde Giorgina, immer noch mit ihrem auf traditionelle Art gewickelten Baby auf dem Arm, aus dem Gefängnis geholt. Aus dem Keller wurden anschließend noch zwei andere Frauen heraufgebracht, die sie nicht kannte. Drei Partisanen mit Schaufeln auf der Schulter führten die Gefangenen den Pfad hinab, am Haidis-Haus vorbei und quer durch die Schlucht zum Friedhof bei der zerstörten Kirche zur Heiligen Jungfrau.

Eine der fremden Frauen war Anfang vierzig und trug einen großen Schlüssel am Gürtel. Die andere war älter, fünfzig vielleicht, und wurde als erste angewiesen, ihr eigenes Grab zu schaufeln. Sie arbeitete verbissen, stumm, mit schwieligen Händen, die stark zitterten.

Als sie einen schmalen, ungefähr dreißig Zentimeter tiefen Graben geschaufelt hatte, der lang genug war für ihren Körper, befahlen die Partisanen ihr, sich hineinzusetzen. Einer von ihnen erschoß sie aus wenigen Metern Entfernung mit dem Gewehr, dessen Kugel ihr den ganzen Hinterkopf wegriß.

Dann war die Reihe an der jüngeren Frau mit dem Schlüssel am Gürtel. Die ganze Zeit, während sie grub, weinte sie und rief: «Michalaki! Mein Sohn, wo bist du?» Sie mußten sie zwingen, sich in ihr Grab zu setzen, und sie schrie immer noch: «Michalaki!», als ihr die Kugel den Schädel zerfetzte. Sie starb zappelnd wie ein ausgenommener Fisch.

Nun wandten die Partisanen sich an Giorgina Bardaka und befahlen ihr, das Baby in den Schatten eines nahen Baumes zu legen. Dann reichten sie ihr eine Schaufel, und einer von ihnen sagte: «Du kannst dein Leben immer noch retten, wenn du uns die nennst, die die Flucht organisiert haben.» Völlig benommen vor Entsetzen nahm Giorgina die Schaufel und ritzte ein paar Kratzer in den Erdboden. Alles wirkte verzerrt auf sie, als blicke sie durch eine zersprungene Fensterscheibe. Sie begann unkontrolliert zu zittern. Ein furchtbarer Schmerz schoß ihr durch die Brust, und sie wurde ohnmächtig. «Ich weiß nicht, wie lange ich ohnmächtig war», erinnert sie sich, «doch als ich zu mir kam, zogen sie mich hoch und sagten: ‹Du kannst von Glück sagen, daß du ein Baby hast.› Sie trugen mich dorthin, wo meine Tochter lag, und ließen mich los. Aber ich konnte nicht gehen; sie mußten mich auf dem Weg zu meinem Haus stützen.»

Am Morgen nach ihrer Entlassung aus dem Gefängnis erwachte Eleni in dem leeren Haus und ging in den Garten, um in den weiten, bläulich-violett und graugrünen Talkessel mit den Vorbergen hinabzublicken, der sich tief unten ausbreitete, während der wolkenlose Himmel sich über ihm wölbte wie eine Kuppel. Sie beobachtete einen Falken, der träge über ihr kreiste, und beneidete ihn heiß um seine Freiheit. Als sie später am selben Vormittag zum Tor hinausging, um an der Quelle Wasser zu holen, entdeckte sie ein Häufchen Zigarettenkippen. Irgend jemand hatte die ganze Nacht hier gesessen und sie beobachtet.

Es gab weder Wände noch Ketten, die sie in ihrer Bewegungsfreiheit behinderten, und doch war Eleni ebenso gefangen wie die Häftlinge im Keller ihres Hauses. Das Gefühl des Eingesperrtseins quälte sie mit jedem Tag mehr. Wenn sie in den Feldern und Schluchten umherstreifte, lasteten die unsichtbaren Fesseln, die sie hier hielten, immer schwerer auf ihr. Wie ein Tier im Zoo zwanghaft die Grenzen seines Käfigs erkundet, wanderte Eleni an der Peripherie des Dorfes umher, stieg häufig tief hinab, zu den südlichen Feldern, und blickte zu den fernen Bergen hinüber, die ihre Kinder bargen.

Eines Tages kam Olga Venetis, ihre Nachbarin vom Perivoli, am Haidis-Haus vorbei, um eines der Felder ihrer Familie an der Südgrenze zu bewässern. Sie sah eine winzige, braune Gestalt weit unten den Pfad heraufsteigen und erkannte Eleni, die ein Bündel Reisig auf dem Rücken trug und zuweilen stehenblieb, um ihrer Last weitere Zweige hinzuzufügen. Olga rief und winkte ihr, und Eleni kam, mit dem Gang einer Frau, weit älter als einundvierzig, langsam näher. Als sie in Hörweite war, sagte sie leise: «Komm ein bißchen später zu mir ins Haus, damit wir uns unterhalten können. Aber nimm nicht den Pfad, sondern geh an den hinteren Gärten entlang, damit uns niemand zusammen sieht.»

Olga nickte und ging weiter. Als sie auf Umwegen zum Haidis-Garten zurückkehrte, öffnete Eleni rasch die Tür und zog sie ins Haus. Die beiden Frauen umarmten sich, und Eleni berichtete Olga von ihren Wanderungen. «Ich bin schon bis zum Kloster St. Athanassios hinuntergegangen und hab so getan, als wolle ich Holz sammeln. Sie beobachten mich bei Nacht, aber heute habe ich niemanden gesehen. Ich hätte einfach weiter- und auf die andere Seite hinübergehen können.»

«Und warum hast du's nicht getan?» erkundigte sich Olga.

«Ich kann nicht fort, solange sie noch Glykeria haben», sagte Eleni. «Sie würden sie umbringen. Mich werden sie, glaube ich, nicht umbringen; sonst hätten sie das längst getan. Doch wenn ich fortgehe, wäre das ihr Tod.»

Olga musterte das eingefallene, fahle Gesicht ihrer Freundin und spürte deren Verzweiflung; sie hatte selbst zwei kleine Söhne – Dimitri, fünf, und Iorgo, drei. «Laß uns zusammen gehen», schlug sie spontan vor. «Jetzt gleich. Ich hole die Jungen. Du kannst den einen auf dem Rücken tragen, und ich nehme den anderen.»

Mit dankbarem Blick schüttelte Eleni den Kopf. Dann sagte sie flehend: «Tu mir bitte einen Gefallen – bring mir eines Tages Dimitri her. Er hat das gleiche Haar wie Nikola und ist ihm überhaupt sehr ähnlich. Laß ihn mir ein Weilchen hier, damit ich ihn im Arm halten kann.»

Olga Venetis erfüllte ihr den Wunsch. Wenige Minuten lang füllte Eleni den leeren Platz in ihren Armen mit dem Kind einer anderen, um so den Schmerz über Nikolas Abwesenheit ein wenig zu lindern.

Nach der aufregenden Ankunft in Filiates verbrachten die Gatzoyiannis zwei Nächte im Haus eines dort lebenden Verwandten und hofften auf Nachricht von Eleni und Glykeria, wußten aber, daß sie nicht lange bleiben konnten. Eleni hatte sie gewarnt, Filiates liege zu nahe am Kampfgebiet, und darauf bestanden, daß sie an einem weniger gefährdeten Ort auf sie warteten: in der Hafenstadt Igumenitsa oder sogar auf der Insel Korfu. In Igumenitsa wurden bereits Lager für heimatlose Flüchtlinge aus der besetzten Zone eingerichtet, und die Familie beschloß, dorthin zu gehen, sobald sie sich mit dem Nötigsten versorgt hatte.

In der Hoffnung, er werde eine Möglichkeit finden, Eleni das Geld zukommen zu lassen, hatte Christos Gatzoyiannis an seinen Bruder Foto in Filiates fünfhundert Dollar geschickt. Einen Teil davon gaben die Kinder und ihr Onkel für Lebensmittel, neue Kleider und Schuhe aus. Um Nikola von der ständigen Sorge um seine Schulhefte abzulenken, kaufte ihm der Großvater ein paar neue und gleich mehrere leuchtend gelbe Bleistifte dazu.

Vor der Weiterreise hatte sich die Familie noch fotografieren lassen, um Christos diesen Beweis für die gelungene Flucht schicken zu können. Auf der verblaßten, bräunlichen Fotografie posieren sie alle steif vor einem Gebäude aus Stein mit einer Holztür samt

Vorhängeschloß und blicken finster in die Kamera. Kitso, der Großvater, sitzt neben seiner schwarzgekleideten Frau Megali in der ersten Reihe, die alte Frau legt Nikola tröstend den Arm um die Schultern. Der Junge, die neuen Bleistifte in der Faust, angetan mit feinen neuen Schuhen, kurzer Hose, Pullover und Jacke, starrt mißtrauisch in die Kamera und stellt sich vor, sein unbekannter Vater erwidere seinen Blick. Fotini steht in ihrem neuen Schulkleid stramm wie ein Soldat, das Kinn gereckt, und sieht aus, wie ihre Mutter mit zehn Jahren ausgesehen haben muß. In der hinteren Reihe stehen Olga, Nitsa und Kanta in unförmigen Dorfkleidern und steifen Zöpfen wie erstarrt, während Andreas, nervös wie immer, eine Mütze auf dem kahlen Kopf, sie weit überragt.

In Begleitung von Kitso und Andreas ließ die Familie Filiates hinter sich und fuhr mit dem Bus nach Igumenitsa an der Westküste, direkt gegenüber der Insel Korfu. Sie hatten mehr Glück als die meisten Flüchtlingsfamilien, denn wegen ihrer großen Zahl wurden sie im oberen Stock eines unfertigen Hauses untergebracht, das für Beamte gebaut wurde. Die Zimmer waren leer, die Wände unverputzt. Vom Erdgeschoß, in dem eine andere Flüchtlingsfamilie wohnte, führte außen eine gefährliche Wendeltreppe aus Metall hinauf.

In ihrem neuen Quartier gab es unter anderem einen kleinen Raum, der, wie den Kindern erklärt wurde, das Badezimmer werden sollte. Neugierig inspizierten sie die geheimnisvollen Rohre und das Loch im Boden für die Innentoilette und staunten über die Vorstellung, eine so unhygienische Einrichtung mitten im Haus zu haben. Sie waren froh, daß sie noch nicht installiert worden war, und begnügten sich mit einem kleinen Abflußgraben beim Haus, der zum Meer hinunterführte.

In Igumenitsa fühlten die Kinder sich mehr zu Hause als in den gewundenen Gäßchen von Filiates mit ihrem buckligen Kopfsteinpflaster. Die Stadt lag an einem steil emporsteigenden Hang, der den natürlichen Hafen wie ein Hufeisen umfing, und ihr Haus stand hoch oben auf diesem Hügel. Es war fast, als wären sie wieder im Perivoli: Die Welt sank vor ihrem Fenster steil nach unten ab, nur daß ihr Blick hier nicht auf die Täler und Vorberge der Heimat fiel, sondern auf eine glitzernde, endlose Fläche – das Meer.

Sobald sie sich eingerichtet hatten, ging Nitsa auf das Drängen ihrer Mutter zu dem Arzt, der die Flüchtlinge betreute. Nitsa war inzwischen unförmig dick und seit Beginn ihrer Schwangerschaft noch kein einziges Mal von einem Arzt untersucht worden. Der Medizinstudent mit dem verkniffenen Gesicht hatte zwar schon die verschiedensten Leiden bei den Flüchtlingen erlebt – die häufigsten waren Unterernährung, Kropf, Rachitis und Tuberkulose –, doch als er Nitsa untersuchte, war er verblüfft. Er hatte bereits von hysterischer Schwangerschaft bei Frauen gelesen, die sich so sehr ein Baby wünschten, daß ihr Körper jedes Symptom bis zu den Wehen im neunten Monat produzierte. Geduldig versuchte er, Nitsa zu erklären, daß sie gar nicht schwanger war; es sei nichts in ihrem Leib. Sobald sie diese Tatsache akzeptiere, werde die Schwellung zurückgehen. Doch Nitsa starrte ihn an, als spreche er Chinesisch. Schließlich rief er, vor Verzweiflung die Augen verdrehend: «Es ist überhaupt nichts drin – nur Wind! Es ist eine Windschwangerschaft!»

Jetzt leuchteten Nitsas Augen verstehend auf und sie bekreuzigte sich. «Der Wind!» sagte sie. «Wo ich eine anständige, gottesfürchtige Frau bin!» Sie eilte hinaus, während der Arzt ihr kopfschüttelnd nachsah.

Als Nitsa heftig erregt nach Hause kam, schickte sie die Kinder sofort los, damit sie in Wäldern und Feldern nach einer Schildkröte suchten. Verwirrt gehorchten sie, und bald brachte Fotini ihr ein großes, wütend zischendes Exemplar, das bösartig aus seinem mosaikartig gemusterten Panzer hervorlugte. Nitsa warf es gnadenlos in einen Topf mit kochendem Wasser, löste das Tier, als es gargekocht war, aus seinem Panzer und verschlang das Fleisch.

«Das ist der einzige Zauber gegen den *Daouti*», erklärte sie den staunenden Kindern. «Der Arzt hat gesagt, der Wind hat mich geschwängert, aber ich weiß, daß es der Schattenhafte war. Ich muß eingeschlafen sein, als ich darauf wartete, daß die Kerze rund um die Kirche brannte; das Ungeheuer hat mich gesehen und war von meiner Schönheit bezaubert. Ein Glück, daß ich es rechtzeitig erfahren habe! Stellt euch nur vor, ich hätte ein Kind mit gespaltenen Hufen und Bockshörnern geboren!» Während die Kinder angeekelt zusahen, zerschnitt sie das glitschige Fleisch. «Aber kein Wort davon zu Andreas!» befahl sie flüsternd. «Der würde nur sagen, ich hätte den Bösen herausgefordert, aber vor dem ist niemand sicher. Ich hab's erlebt, wie es Schafen und Ziegen auch so ergangen ist; die armen Tiere sind innerhalb weniger Tage ganz fürchterlich aufgequollen.» Als sie das Schildkrötenfleisch aufgegessen hatte, watschelte sie los, zu einer Hexe, bei der sie ein Amulett mit Hundekot und einem getrockneten Schlangenkopf kaufte. In dieser Nacht ging Nitsa zeitig schlafen, und am nächsten Morgen hatte ihr Bauch bereits abzuschwellen begonnen wie ein Ballon, in den man eine Nadel sticht. Als Andreas nach ein, zwei Tagen verwirrt fragte, was denn aus der wunderbaren Schwangerschaft geworden sei, errötete Nitsa und behauptete, ihr dicker Bauch sei eine Folge davon gewesen, daß sie im Dorf immer nur Bohnen zu essen gehabt habe. «Du weißt doch, was man sagt», belehrte sie ihn. «Wer Bohnen ißt, legt davon Zeugnis ab.»

An einem der ersten Tage nach ihrer Ankunft in Igumenitsa beschloß Nikola, auf Entdeckungsreise zu gehen. Er wanderte den Hang hinab, bis dahin, wo Soldaten damit beschäftigt waren, für die schnell wachsende Zahl der Flüchtlinge Nissenhütten aus Wellblech aufzustellen. Dann folgte er dem Pfad an dem kleinen Wäldchen vorbei, das er sich zum neuen «Denkplatz» erkoren hatte, und endlich ganz den Berg hinab, bis er sich plötzlich am Hafen befand, in dem reges Leben herrschte. Kleine, motorgetriebene Barken und flache, schutenähnliche Fährboote auf der Route von Igumenitsa nach Korfu und Brindisi in Italien legten an und ab. Die unendliche Weite des Meeres flößte ihm Ehrfurcht ein; nie hätte er gedacht, daß es eine so riesige Wasserfläche geben könnte. Er trat an den Rand der Pier und blickte in die schmutzig-grüne Tiefe hinab, wo Schwärme von silbrigen Fischen umherflitzten.

Nikola spielte mit dem Zehn-Drachmen-Stück, das ihm der Großvater gegeben hatte, und schlenderte westwärts am Hafen entlang. Er überquerte die Straße zu den vielen Geschäften und blieb gebannt vor einem Laden stehen, über dem «Patisserie» geschrieben stand. Im Schaufenster waren große Tabletts mit sauber in Quadrate und Rhomben geschnittenen Kuchen ausgestellt; ein einziges Tablett hätte genügt, um die ganze Bevölkerung von Lia zu sättigen. Es war das traditionelle, honigtriefende Gebäck aus Hunderten hauchdünner Schichten knusprigen, goldgelben Blätterteigs, gefüllt mit gemahlenen Nüssen, dicker Sahne und köstlichem Pudding, bestreut mit Zimt und Kokosraspeln. Das Tablett, dem seine besondere Aufmerksamkeit galt, enthielt *reveni*, ein schweres, in Honig getauchtes Konfekt. Er tastete nach der Silbermünze in seiner Tasche, trat ein und erstand ein Stück *reveni*, sauber in ein Blatt Papier gepackt.

Nikola stopfte sich das Gebäck in den Mund, schlenderte weiter in westlicher Richtung und genoß das Gefühl, ein Städter zu sein. Er verließ das Geschäftsviertel, als die Straße in eine schattige Allee überging, gesäumt von breiten Platanen, die sich über seinem Kopf trafen wie das Dach einer Kathedrale.

Stolz auf seine erfolgreiche Bewältigung der Metropole wanderte Nikola weiter. Das Meer, dessen Wellen jetzt an einen Sandstrand schlugen, winkte ihm durch die Baumlücken. Er sah Leute am Strand spielen und ging hin, um ihnen zuzuschauen. Ein paar zehnjährige Jungen in bunten, kurzen Hosen, in denen Nikola die Unterwäsche der Stadtbewohner vermutete, planschten im Wasser und warfen sich gegenseitig Gummibälle zu. Er trat auf den warmen Sand hinab und sah Leute sich durchs Wasser bewegen, indem sie mit den Armen kreisten. Das erinnerte ihn an seinen Versuch, ein Schwimmbecken zu bauen. Wenn nur seine Mutter hier wäre und sehen könnte, daß die Schilderungen seines Vaters zutrafen! Diese Leute schwammen im Meer, und Nikola beschloß, es ihnen gleichzutun. Er zog sein Musselinhemd sowie die kurzen Hosen mit den Hosenträgern aus und stand nun da, in der Unterhose, die ihm die Mutter gestrickt hatte. Die älteren Jungen lachten, weil er so komisch aussah, aber er beachtete sie nicht und ging ins Wasser.

Es war wie eine kühle, streichelnde Umarmung, die ihn von Schmutz und Hitze befreite. Nikola watete hinein, bis ihm das Wasser ans Kinn reichte. In der Nähe sah er einen Jungen, der sich in eine heranrollende Welle warf und zu schwimmen begann. Es sah ganz einfach aus – das Wasser schien ihn zu tragen wie einen Ball. Nikola folgte dem Beispiel des Älteren und stürzte sich kopfüber in den glasig-grünen Wellenberg. Plötzlich jedoch sank er zu Boden, mußte heftig gegen die Schwere ankämpfen, die seine Glieder hinunterzog. Brennendes Wasser füllte ihm Nase und Hals. Er wußte nicht mehr, wo oben war, und schlug wild um sich, glaubte sich bereits verloren. Als er den Mund öffnete, um zu schreien, drang ihm das scheußliche Wasser bis in den Magen und die Lungen, und er verlor das Bewußtsein. Unverhofft jedoch tauchte sein Kopf noch einmal aus dem Wasser, und ehe die nächste Welle ihn wieder hinabriß, konnte er noch ganz schnell schreien: «Mama!»

Eleni fuhr aus ihrem Traum hoch; schweißnaß saß sie auf ihrem Strohsack. Sie hatte gehört, daß Nikola nach ihr rief, und wußte, daß er sich in Gefahr befand. Etwas später am selben Nachmittag kam Athena Haramopoulos, eine Nachbarin vom Perivoli, am Haidis-Haus vorbei und sah sie weinend auf der Schwelle sitzen.

«Na, na», sagte Athena freundlich. «Als du im Gefängnis warst, hast du kein einziges Mal geweint, und jetzt, wo sie dich freigelassen haben, läßt du dich so gehen!»

«Ich war eingeschlafen», erklärte Eleni leise, «und da kam meine kleine Fotini zu mir, mit ganz zerzaustem, offenem Haar. Dann hörte ich Nikolaki angstvoll nach mir rufen. Und gerade ist mir eingefallen, daß heute sein Geburtstag ist. Er wird neun Jahre.»

«Schämst du dich nicht?» schalt Athena sie. «Geh hin und such ihn! Geh einfach den Pfad entlang und verschwinde!»

Eleni schüttelte den Kopf. Sie müsse auf Glykeria warten, erklärte sie. Athena beugte sich vor und legte Eleni die Hand aufs Knie. «Du darfst nicht mehr warten, Eleni», flüsterte sie. «Sie schlachten jetzt schon die eigenen Leute ab wie Osterlämmer! Letzte Nacht haben sie hinter deinem Haus Antonova Paroussis aus Babouri erschossen. Der ganze Perivoli hat ihre Schreie gehört.»

Eleni wurde aschfahl, als Athena ihr erzählte, was ganz Lia bereits wußte. Neun Tage zuvor war Elenis hitzköpfige junge Cousine in einer öffentlichen Verhandlung, in Gegenwart des ganzen Dorfes einschließlich ihres Ehemannes und der kleinen Kinder zum Tode verurteilt worden. Man sprach sie schuldig, die Mütter von Babouri aufgehetzt und überredet zu haben, ihre Kinder nicht zur *pedomasoma* zu geben.

Ihr Reichtum, ihre Position, ihre kommunistische Gesinnung und ihre scharfe Zunge – das alles hatte nicht mehr genügt, um Antonova vor den Folgen ihrer trotzigen Haltung zu bewahren. Sie wurde zum Tode verurteilt, und man erklärte ihr, sie werde im Gefängnis von Lia drei Wochen auf General Markos' Entscheidung über ein Gnadengesuch warten müssen. Mit Gewalt wurde sie in den Keller des Gatzoyiannis-Hauses geschleppt; ihr bestes blaues Kostüm aus Amerika war dreckverkrustet, ihr schönes, kastanienbraunes Haar zerzaust, als sie sich gegen die Häscher wehrte und bei jedem Schritt schrie: «Genossen! Meine Genossen! Was habe ich euch getan? Warum wollt ihr mich töten? Habt doch Mitleid mit meinen Kindern!»

Nach neun Tagen schon, lange bevor ihre Familie eine Antwort von Markos hätte erhalten können, wurde Antonova bei Nacht aus dem Keller geholt und gezwungen, sich hinter dem Gatzoyiannis-

Haus in ein vorbereitetes Grab zu stellen. Marina Kolliou hatte schon viele ähnliche Nacht-Exekutionen gesehen. Ihre Augen hatten sich daran gewöhnt, die Schatten unten zu erkennen, und sie stand jedesmal an ihrem Fenster, sah zu und prägte sich alles genau ein. Marina Kolliou ernannte sich selbst zur Wärterin des unmarkierten Friedhofs rings um das Gefängnis. Viele Jahre später pflegte die Großmutter mit dem Totenschädelgesicht, Fremde und Dorfbewohner genau an die Stelle zu führen, wo sie die Knochen finden würden, nach denen sie suchten.

Zehn Jahre nach ihrem Tod identifizierten Antonovas Ehemann und ihre Kinder die Knöpfe von ihrem Kostüm und ihre Goldzähne. Marina sagte, sie habe viele Hinrichtungen gesehen, doch niemals Schreie gehört wie die der Antonova Paroussis in der Nacht, als sie begriff, daß die Partisanen, die ihre Genossen gewesen waren, sie tatsächlich erschießen würden.

Noch stundenlang, nachdem Athena Haramopoulos sie verlassen hatte, saß Eleni auf der Treppe und dachte über Antonovas Tod nach. Ihre Warnung an die Cousine hatte sich bestätigt: Antonova hatte sich so auffällig verhalten, daß die Partisanen gezwungen waren, sie zum Sündenbock zu machen. Nun wurden die Kinder, die sie nicht hatte aufgeben wollen, nach Albanien geschickt: mit der Erinnerung an das Gesicht der Mutter bei der Verhandlung, bei der die eigenen Mitbürger gegen sie aussagten und ihr Ehemann schweigend daneben stand. Eleni betrauerte den Mut ihrer Freundin und ihren sinnlosen Tod. Antonova hatte ihr Leben und die Freiheit ihrer Kinder verloren, vier ihrer eigenen Kinder jedoch, versuchte Eleni sich zu trösten, waren in Sicherheit. Und anders als im Fall von Antonova konnte man ihr nicht vorwerfen, in der Öffentlichkeit jemals etwas gegen die Partisanen gesagt zu haben.

Nach Antonovas Hinrichtung nahm die Anzahl der Dörfler, die Eleni auf dem Pfad begrüßten, rapide ab, vor allem, als sich herumsprach, daß die Sicherheitspolizei sie überwachte.

Soula Botsaris, deren Haus die Partisanen als Bäckerei benutzten, wurde eines Tages von Christos Zeltas, dem dicken Chef der Geheimpolizei, gewarnt: «Hüte dich vor der Amerikana. Beobachte sie genau. Sag uns, wo sie hingeht und mit wem sie spricht. Es gibt im Dorf eine organisierte Verschwörung, und weitere Personen wollen fliehen. Sie wird überwacht, damit wir sehen, wer außer ihr noch dazugehört.»

Beunruhigt dachte Soula an damals, als sie Eleni Salz geschenkt hatte. Eilig lief sie zu Tassina Bartzokis, früher Elenis unmittelbare Nachbarin und gute Freundin. «Wenn du siehst, daß Eleni hier heraufkommt, sag ihr, sie soll umkehren», bat Soula sie inständig. «Auch wenn sie es nicht böse meint, werden sie ihren Besuch gegen uns verwenden.»

Auch Eleni erinnerte sich an das Salz, und als sie eines Tages Ende Juli mehr Bohnen gepflückt hatte, als sie allein essen konnte, machte sie sich in ihr altes Viertel auf, um Soula Botsaris zum Dank für ihre Freundlichkeit einen Teil davon zu bringen. Als Eleni am alten Waschteich oberhalb ihres Hauses vorbeikam, sah Tassina sie, ging neben ihr her und fragte verlegen: «Wie geht es dir?»

«Wie man's erwarten kann», antwortete Eleni. «Ich will zu Soula, ihr Bohnen für die Kinder bringen.»

Tassina sah sich verstohlen um und erzählte ihr flüsternd, was Soula gesagt hatte. «Es ist besser für dich, wenn du nach Hause gehst, Eleni, statt sie zu besuchen», drängte sie.

«Gut, daß du es mir gesagt hast», gab Eleni traurig zurück. «Ich wollte ihr keinen Schaden zufügen. Hier, nimm du die Bohnen für deine Kinder. Ich werde nicht mehr hierherkommen.»

Tassina zögerte, hin und her gerissen zwischen ihrer Angst, sich zu schaden, und dem Bewußtsein, daß ihre Familie die Bohnen brauchte. Einen Augenblick schwieg sie; dann sagte sie voll Scham: «Vielleicht ist es besser, wenn du hinter dem Haus vorbeigehst und den Beutel in den Garten wirfst. Ich möchte nicht gesehen werden, wie ich etwas von dir annehme.»

Wie Tassina sich erinnert, wandte Eleni sich wortlos ab. Als Tassina nach Hause kam, fand sie den Beutel mit den Bohnen in ihrem Garten. Mit einer Mischung aus Erleichterung und schlechtem Gewissen hob sie ihn auf und sprach nie wieder ein Wort mit Eleni.

Wenn Eleni im Dorf umherwanderte, ehemalige Freundinnen und Nachbarinnen mied, aus Angst, daß sie ihnen schaden könnte, sehen mußte, wie Frauen, die sie ihr Leben lang kannte, sich von ihr abwandten, wurde ihr die Ironie ihrer Lage bewußt. Sie hatte die Verhaltensregeln des Dorfes stets peinlich genau befolgt und sich dabei insgeheim wie eine Fremde gefühlt. Jetzt konnte sie nicht fort und war betroffen über die Feindseligkeit, die sie umgab. Vielleicht war sie wirklich eine Fremde, und endlich hatte sie das erkannt. Das alles erinnerte sie an die leuchtend rot gefärbten Küken, die zur

Osterzeit manchmal von fliegenden Händlern als Geschenk für die Kinder verkauft wurden. Sie blieben, wenn sie nicht in einen eigenen Käfig gesetzt wurden, kaum länger als ein paar Tage am Leben, weil die normalen Hühner die hilflosen Tierchen vor Wut über ihr ungewöhnliches Gefieder sehr schnell zu Tode hackten.

Nikola wurde von einem der Jungen, die über seine gestrickte Unterhose gelacht hatten, aus dem Wasser gezogen. Sie stellten ihn auf den Kopf, schüttelten ihn und massierten seinen Magen. Als er aufhörte zu würgen und verlegen auf dem Sand lag, blickte er zu seinen Rettern auf und murmelte, weil er nichts anderes zu sagen wußte: «Warum schmeckt das Wasser so scheußlich?» Die Jungen johlten vor Lachen. «Weil es Salzwasser ist, Kürbiskopf!» rief einer der Jungen. «Hat dir denn niemand gesagt, daß das Meer salzig ist?»

Kleinlaut zog sich Nikola an und machte sich auf den Rückweg, fest entschlossen, zu Hause nichts von dem Vorfall zu sagen. Er hatte sich vorgestellt, Schwimmen wäre etwas so Natürliches und Schönes wie das Fliegen für einen Vogel, doch nun hatte er eine Angst vor dem Meer bekommen, die er nie wieder ganz loswerden sollte.

Als er heimkam, fand er die Familie in heller Aufregung. «Wo hast du gesteckt?» schalt Olga ihn. «Wir müssen sofort zum Flüchtlingsbüro! Sie wollen uns Unterstützung zahlen!»

Der Bürokrat, der jedem Mitglied der Familie 150 Drachmen aushändigte, bohrte sich mit dem klauenartigen Nagel des kleinen Fingers in den Ohren und hielt Nikola, als er ihm das Papiergeld in die Hand drückte, einen kleinen Vortrag. «Das hier ist für dich; du kannst es ausgeben, wie du willst, aber du mußt etwas Vernünftiges kaufen, etwas, das du wirklich brauchst – Lebensmittel oder Kleidung.»

Nikola nickte ernst, begann im Kopf aber schon eifrig zu rechnen: Mit 150 Drachmen konnte er sich fünfzehn Stück *reveni* kaufen, oder ein paar Gummibälle wie die, mit denen die Jungen gespielt hatten, oder noch einige Schulhefte, oder mehrere Paar Strümpfe. Am sehnlichsten wünschte er sich jedoch etwas, womit er den Salzwassergeschmack aus seinem Mund entfernen konnte. So bald wie möglich ging er, sein kleines Vermögen fest in der Hand, wieder in den Hafen zurück. Lange stand er dort vor dem Schaufenster voll Gebäck, bis er schließlich zu einem nahen Süßwarenladen weiterging, wo ihm eine riesige Schachtel mit weißen, zuckrigen *loukumi*, das heißt Geleewürfeln, ins Auge stach. Die Schachtel kostete fast einhundert Drachmen.

Nikola kaufte die ganze Schachtel und nahm sie mit zu dem Baumstumpf an seinem Geheimplatz. Einen nach dem anderen schob er sich die *loukumi*-Würfel in den Mund: ein übersüßes Konfekt, Synonym für weibliche Schönheit, eine Art zäher Gelee mit knusprigen, gehackten Mandeln, dick mit Puderzucker bestäubt. Jeder köstlich-schmelzende Bissen schien den bitteren Salzgeschmack des Meeres zu mindern und die Leere in ihm zu füllen. Doch als er aufhörte zu essen, kehrten der ätzende Salzgeschmack und der hohle Schmerz der Einsamkeit zurück. Er wünschte, er wäre wieder bei seiner Mutter zu Hause im Perivoli. Aber in Lia gab es kein *loukumi*. Er langte nach dem nächsten Stück.

Als schließlich die Sonne unterging, wurde Nikola von seinem Onkel Andreas gefunden, wie er, an den Baumstumpf gelehnt, auf dem Erdboden saß und sich den Bauch hielt. Die leere *loukumi*-Schachtel neben ihm sprach Bände. Behutsam trug Andreas den Jungen zum Haus hinauf. Nachdem Nikola mehrmals mit Kamillentee vollgefüllt worden war und das Gefühl hatte, er werde es überleben, schalten ihn seine Schwestern, weil er das Unterstützungsgeld auf eine Schachtel Süßigkeiten verschwendet hatte. Dann lachten sie über seinen Streich und schrieben dem Vater davon, der ihm in seinem Antwortbrief eine strenge Strafpredigt für seinen Leichtsinn hielt. Nikola war zutiefst zerknirscht; er wollte dem Vater, den er noch nie gesehen hatte, so gern nur Freude machen, und nun hatte er ihn geärgert. Immer mehr Zeit verbrachte Nikola unten am Baumstumpf, wo er vor sich hin brütete und seine Einsamkeit pflegte.

Ende Juli waren Eleni, Alexo und Marianthe nun schon fast einen ganzen Monat frei; die Partisanen, die sie überwachten, hatten jedoch nicht den geringsten Beweis dafür entdeckt, daß sie ein Komplott schmiedeten oder sich mit Faschisten von der anderen Seite trafen. Sotiris spürte, wie sich die Schlinge um seinen Hals zusammenzog, und verdoppelte seine Bemühungen, die Verschwörungstheorie zu rechtfertigen, indem er noch mehr Informanten aus dem Dorf holte. An Frauen, die bereit waren, gegen die Amerikana auszusagen, gab es keinen Mangel. Sie ärgerten sich, weil Eleni unbehelligt im Dorf herumlief, nachdem es ihrer ganzen Familie gelungen war, den Partisanen durch die Finger zu schlüpfen. Die hat immer Privilegien, hat's immer leicht gehabt, tuschelten die Dörflerinnen, nun ist es Zeit, daß sie von ihrem hohen Roß herunterkommt.

Der Pfad zum Haus der Sicherheitspolizei wimmelte von Frauen, die kamen, um flüsternd Beschuldigungen gegen die Amerikana zu erheben: Sie habe ihren Töchtern befohlen, sich das Kopftuch vors Gesicht zu binden, um sich vor den Blicken der Partisanen zu verstecken; sie habe die guten amerikanischen Anzüge ihres Mannes und die Aussteuer ihrer Tochter den Kämpfern der Demokratischen Armee vorenthalten. Wer weiß denn, wieviel Lebensmittel und Sovereigns sie sonst noch irgendwo versteckt hat, fragten sie mit vielsagenden Blicken.

Sotiris notierte verbissen jede Andeutung, wußte aber, daß alles zusammen nicht genügte, um die Amerikana zu verurteilen oder seinen guten Ruf bei den Vorgesetzten wiederherzustellen. Man konnte eine Frau nicht dafür erschießen, daß sie ein Kopftuch trug oder ein Jackett versteckte. Er brauchte einen stichhaltigen Beweis für eine das ganze Dorf umfassende Verschwörung, die mit den Faschisten auf der anderen Seite in Zusammenhang stand.

Dann erhielt Sotiris eines Tages eine Information, die den Durchbruch verhieß, auf den er gewartet hatte.

Sie kam indirekt von Andreas Michopoulos, der am Fluchtabend an der Kirche zur Heiligen Jungfrau Dienst gehabt hatte. Obwohl Andreas von den Verhören, denen man ihn unmittelbar nach der Flucht unterworfen hatte, sehr stark eingeschüchtert worden war, hatte er seine Überheblichkeit längst zurückgewonnen und fuhr fort, mit seiner Uniform Eindruck bei seinen Freunden im Dorf zu schinden. Er hatte ein Auge auf eine Sechzehnjährige namens Magda Kyrkas geworfen, und als er sie eines Tages im Haus ihrer Eltern besuchte, kam die Rede auch auf die Massenflucht. «Oh, es gibt noch viele andere, die ihrem Beispiel gern folgen würden!» behauptete Andreas hochtrabend. «Erst neulich hat Dina Venetis zu mir gesagt: ‹Andreas, wenn jemand das Dorf verlassen wollte – welches wäre der sicherste Weg?›»

Diese Bemerkung hörte eine *andartina* aus dem Dorf Parakalomo, die bei den Kyrkas einquartiert war, und ging pflichtbewußt zur Sicherheitspolizei, um sie zu melden. Aufgeregt umklammerte Sotiris seinen Schreibtisch. Er war überzeugt, daß Andreas mehr wußte, als er zugab. Er ließ den jungen Mann zur Polizeistation bringen und sorgte dafür, daß er diesmal gründlich verprügelt wurde. Genau wie die meisten Angeber konnte auch Andreas keinen Schmerz ertragen; die Schläge und Tritte der Polizisten bewirkten, daß er schon bald alle möglichen Namen von Dorfbewohnern ausplapperte, die, wie er behauptete, Fluchtvorbereitungen trafen. Sotiris jubelte. Eine nach der anderen ließ er die genannten Personen verhaften, verhörte sie und schloß sie mit dem verängstigten Andreas in den Keller ein.

Unter den biegsamen Gerten und nägelbeschlagenen Stiefeln der Polizisten schwor jeder Dorfbewohner der kommunistischen Sache hunderprozentige Loyalität und versuchte, den Schlägen Einhalt zu tun, indem er andere Dorfbewohner nannte, von denen er sicher sei, daß sie Fluchtgedanken hegten. Nach einer Woche jedoch, als die Zahl der Verhaftungen wie eine Lawine zunahm, mußte Sotiris sich eingestehen, daß er nicht die entfernteste Chance hatte, Faschisten von draußen abzufangen. Obwohl die Dorfbewohner nur allzu eifrig bemüht waren, sich gegenseitig zu beschuldigen, hatte keiner von ihnen jemals gesehen, daß jemand vom Nationalisten-Territorium ins Dorf geschlichen wäre, um hier subversive Aktivitäten zu organisieren. Er mußte sich seine Sündenböcke unter denjenigen suchen, die noch immer in Lia lebten.

Als Sotiris mit den Akten über die neuen Verhaftungen und Verhöre zu Katis kam, wußte er, daß ihm eine unangenehme Szene bevorstand, und der Untersuchungsrichter war tatsächlich unbarmherzig. Er warf Sotiris vor, weder für eine Verschwörung noch für sonst etwas handfeste Beweise vorlegen zu können. Bissig wies er ihn darauf hin, daß die Geduld des Hauptquartiers allmählich überstrapaziert sei. Rädelsführer und Verräter müßten benannt werden; eine konkrete Anklage müsse gegen sie konstruiert werden, und zwar bald. Die Gatzoyiannis-Frauen liefen seit Wochen ungehindert im Dorf herum und trügen, statt als Köder für weitere Verräter zu dienen, stolz ihren Verrat zur Schau und vermittelten dem Dorf den Eindruck, man könne der DAG ungestraft Widerstand leisten.

Bis spät in die Nacht hinein saß Sotiris nachdenklich über seinen Akten. Er hatte munkeln hören, die Drouboyiannis-Frauen wüßten etwas. Die drei Schwägerinnen lebten alle in dem Teil des Dorfes beim Heiligen Freitag, und eine von ihnen, Chrysoula, gehörte mitsamt ihren zwei Nichten, den Töchtern von Constantina Drouboyiannis, die bei ihr wohnten, während ihre Mutter auf dem Dreschplatz war, zu den Flüchtlingen. Sotiris befahl, Constantina und Alexandra Drouboyiannis zum Verhör zu bringen.

Seit dem Tag der Flucht hatten die beiden in Angst vor der Verhaftung gelebt. Alexandra war jene dunkle, reizbare Frau, die mit ihren beiden Töchtern am zweiten Fluchtversuch teilgenommen hatte und, als der Nebel ihre Pläne durchkreuzte, hysterisch geworden war.

Die einfältige und gesellige Constantina hatte, als sie zu den Dreschplätzen befohlen worden war, ihre eigenen zwei Töchter der kinderlosen Chrysoula mit den Worten anvertraut: «Wenn du eine Fluchtmöglichkeit hast, während ich fort bin, nimm die Mädchen mit.» Durch Alexandra hatte sie von den beiden fehlgeschlagenen Fluchtversuchen gehört. Jetzt brach Constantina beim Anblick der Partisanen vor ihrer Tür in Tränen aus und wünschte, sie hätte die Töchter niemals der Tante übergeben. Die beiden waren frei, sie aber würde für ihre Rettung büßen müssen.

Verärgert über Sotiris' Versagen, hatte Katis beschlossen, das Verhör der Drouboyiannis-Frauen persönlich zu leiten. Der Untersuchungsrichter hatte sich ein Büro unmittelbar unterhalb des Hauptquartiers der Sicherheitspolizei im Haus von Kostina Thanassis eingerichtet, jener großmütterlichen Frau, die Nikola am Abend der Flucht noch ein Stück Marmelade mitgebracht hatte. Als Mensch, der sich zwanghaft in alles einmischen mußte, lauschte Kostina gern an Katis' Tür, wenn dieser Gefangene vernahm, und erzählte ihren Nachbarinnen vieles von dem, was dort geschah. Als sie jetzt sah, daß Constantina Drouboyiannis weinend vorgeführt wurde, tätschelte sie ihr mitfühlend den Arm und flüsterte: «Wenn du etwas weißt, meine Liebe, sag es ihnen um Gottes willen! Es könnte deine Rettung sein.» Constantina nickte unter Tränen. Sie wußte, daß sie nicht sehr intelligent war, und fürchtete, sich in ein Netz von Lügen zu verstricken. So beschloß sie, mit den Partisanen zusammenzuarbeiten und alles zu sagen, was sie wußte, ausgenommen natürlich die Tatsache, daß sie Chrysoula gebeten hatte, ihre Töchter mitzunehmen. Schließlich war sie am Tag der Flucht auf dem Dreschplatz gewesen, und niemand wußte, was sie gesagt hatte, mit Ausnahme von Chrysoula, die sich außer Reichweite der Partisanen befand.

Wenige Stunden später ließ der Untersuchungsrichter eiligst Sotiris holen, und dieser rannte beinahe den Pfad zu Katis' Büro hinab. Unterwegs kam er an den beiden Drouboyiannis-Frauen vorbei, die blaugeschlagen und weinend ins Gefängnis gebracht wurden. Die Wachtposten berichteten ihm, Katis habe befohlen, sie von den anderen Gefangenen getrennt in den oberen Zimmern unterzubringen. Sotiris fluchte innerlich. Falls es Katis gelungen war, etwas auszugraben, das seinen eigenen Informanten entgangen war, saß er ganz tief in der Patsche. Er drängte sich an der herumlungernden Kostina Thanassis vorbei ins Büro des falkengesichtigen Katis, der, offenbar in Gedanken versunken, an seinem Schreibtisch saß und mit seinem Onyx-Komboloi spielte. Dann richteten sich die Augen des Beamten mit einem winzigen Funkeln der Genugtuung auf Sotiris, und er sagte mit seiner melodischen Stimme: «Du läßt so schnell wie möglich die Tochter von Alexandra Drouboyiannis holen, die bei unserer Kompanie oben in Skitari liegt.»

«Du meinst Milia?» erwiderte Sotiris verdutzt. «Aber was kann die von der Flucht wissen? Sie ist erst achtzehn und eine der treuesten Partisaninnen, die wir haben. Am Fluchttag war sie in Skitari.»

Jetzt ließ Katis ein Lächeln sehen, bei dem es Sotiris kalt überlief. «Wie es scheint, hat es zwei fehlgeschlagene Fluchtversuche gegeben, bevor es den Verrätern gelang, zu entkommen», verkündete er. «Zweimal sind sie direkt vor eurer Nase losgegangen und wieder zurückgekommen, und ihr habt nichts davon gemerkt!» Er hielt kurz inne. «Und jedesmal war die Amerikana dabei! Sie hat das Ganze organisiert. Wenn wir Zeugen finden, die das öffentlich unanfechtbar bestätigen, reichen die Beweise aus, um sie und alle, die mit ihr zu tun haben, zu hängen!»

Es war Anfang August, während der zweiwöchigen Fastenzeit, die dem Fest Mariä Empfängnis vorausgeht, als Eugenia Petsis, eine Nachbarin, Eleni von ihrem Bohnenfeld zu sich in die verlassene Mühle rief, die sie mit ihrer Tochter bewohnte. «Ich habe gerade eine *skotaria* aus Ziegen-Innereien gekocht», sagte sie, um Eleni aufzumuntern, die furchtbar abgemagert war und tiefe Ringe unter den Augen hatte. «Komm, setz dich. Iß ein bißchen mit.»

Eleni bedankte sich, schüttelte aber den Kopf. «Ich halte die Fastenzeit ein», erklärte sie, «weil ich hoffe, daß mir die Heilige Jungfrau hilft.»

Eugenia, eine mütterliche Frau mit einem Gesicht wie ein rotbrauner Apfel, schalt sie deswegen. «Laß doch das Fasten!» sagte sie. «Du mußt leben. Du bist es Glykeria schuldig, daß du am Leben bleibst, bis sie von der Erntearbeit zurückkommt.»

Eleni ließ sich kraftlos nieder und nickte. «Vielleicht werde ich gleich zu Hause ein bißchen Milch trinken», sagte sie. «Das wird mir die Jungfrau sicher verzeihen, aber Fleisch werde ich auf keinen Fall essen.»

Bevor die Sonne unterging, stand Eleni abermals vor Eugenia Petsis' Tür. Ihr Gesicht hatte die Farbe gelben Schwefels angenommen.

«In meinem Haus sind drei Partisanen, die mich zur Polizeistation holen wollen», erklärte sie atemlos. Flehend sah sie die Ältere an. «Wenn ich nicht zurückkommen sollte – bitte kümmere dich um die Tiere und schick mir durch deine Tochter hin und wieder ein bißchen Milch.» Sie machte eine kleine Pause, dann ergriff sie Eugenias Hände. «Falls Glykeria zurückkommt und ich nicht hier bin – bitte, nimm sie in deine Obhut!»

Ehe die verdutzte Frau antworten konnte, war Eleni verschwunden.

15

Der Monat August leitete den Herbst ein und mit ihm – am fünfzehnten – das Fest der Heiligen Jungfrau. Dieses Fest ist ein Tag der Wunder, und Eleni war fest entschlossen, das Fasten einzuhalten, und erhoffte sich dafür ein Wunder: ihre Rettung. Trotzdem war sie, als sie die drei Partisanen kommen sah, die sie ins Gefängnis bringen wollten, keineswegs überrascht. Seit Wochen hatte sie das Gefühl gehabt, daß das unsichtbare Gitter, das sie im Dorf gefangen hielt, letztlich durch ein reales ersetzt werden würde.

Die Nachricht von Elenis Verhaftung verbreitete sich im Dorf wie ein sommerlicher Steppenbrand und erreichte schließlich auch Alexo weit unten an der südlichen Peripherie, die dadurch in tiefe Depressionen gestürzt wurde. Niki, ihre Tochter, erinnert sich noch, daß Alexo am folgenden Frühnachmittag zur Quelle hinaufging, um ein großes Faß Wasser zu holen, eine schwere Last für eine Sechsundfünfzigjährige, und, nachdem sie zurück war, stumm neben der Tür saß, bis es dunkelte – so niedergeschlagen, daß es dem Mädchen nicht gelang, sie aufzuheitern. Unmittelbar vor Einbruch der Dunkelheit kam ein Partisan, um auch Alexo ins Hauptquartier zu holen. Er war jung, und sie tat ihm leid, als er sah, wie Niki sich weinend an ihre Mutter klammerte. «Keine Angst», sagte er tröstend. «Sie wird nur für ein paar Stunden gebraucht.» Doch Mutter und Tochter wußten, daß er sie belog. Als der Partisan sie davonführte, wandte Alexo sich noch einmal zu ihrer Tochter um, die an der Tür stand, und seufzte: «Ich werde mein Haus nie wiedersehen.»

Während der letzten Tage hatte die Sicherheitspolizei das Gefängnis mit immer mehr liotischen Häftlingen gefüllt; die ersten waren jene gewesen, die Andreas Michopoulos denunziert hatte, darunter auch Dina Venetis. Dina war erst achtundzwanzig, eine schlanke Frau mit hohen Wangenknochen und schön geschwungenen schwarzen Brauen – ein Gesicht von einer so dunklen, exotischen Schönheit, daß man es eher bei einer Schauspielerin aus Athen als bei einer kopftuchtragenden Bäuerin erwartet hätte. Es war ein stiller, sonniger Mittsommernachmittag mit einer Luft, die schwer war vom Duft der Früchte, als die Partisanen sie holen kamen. «Was habt ihr mit mir vor?» fragte sie auf dem Weg zur Polizeistation. «Wir werden dich opfern, damit es regnet», antwortete einer von ihnen lachend. Von allen, die im Gatzoyiannis-Keller festgehalten wurden, gehörte Dina Venetis jedoch zu den wenigen, die die Behandlung der Gefangenen im Sommer 1948 überlebten und beschreiben konnten.

Jeder Dörfler, den die Partisanen verhafteten, wurde zunächst isoliert in einem der oberen Zimmer untergebracht, wo man ihn rätseln ließ, welcher Verbrechen man ihn verdächtigte. Nach ein paar Tagen banger Erwartung wurde der Gefangene hinters Haus in den Garten geführt, wo man ihn verprügelte und verhörte. Schließlich wurde er in das verdreckte, unterirdische Gefängnis geworfen, in dem es mit jedem Tag enger wurde.

Dina Venetis, deren drei kleine Kinder allein zurückgeblieben waren und in der Nachbarschaft umherziehen und wie verirrte Hundebabys um Nahrung betteln mußten, wurde zwei Tage in Einzelhaft gehalten, bevor sie hinter das Haus zu einer Gruppe von Steineichen geführt wurde – über weichen Boden, zwischen Gräbern hindurch, inmitten des erstickenden Gestanks nach verwesenden Leichen.

Man beschuldigte die junge Frau, zu ihrem Mann fliehen zu wollen, der bei der Regierungsarmee als Offizier diente. Während Sotiris sie verhörte, wurde sie von mehreren Polizisten festgehalten und mit den biegsamen Gerten der Kornelkirsche geschlagen. Der erste Schlag schnitt ihr die Hand auf und spaltete ihr einen Fingernagel. Jeder Gertenschlag riß ihr die Haut auf und hinterließ einen langen, blutigen Striemen.

Dina Venetis bewies eine unerhörte Widerstandskraft für eine so zierlich wirkende Frau. Statt zu leugnen, daß sie hatte fliehen wollen, sagte sie: «Welche Frau würde nicht bei ihrem Mann sein wollen? Aber Fluchtpläne habe ich nicht gemacht – wie denn auch, mit drei kleinen Kindern?» Und als sie nicht aufhörten, sie mit den Gerten zu peitschen, schrie sie: «So ist's richtig, schlagt mich nur! Ich hab's verdient, weil ich hätte fliehen können und es nicht getan habe! Ich hatte euch für Menschen gehalten!»

Sotiris befahl den Wachen, Andreas Michopoulos aus dem Keller zu holen und ihr gegenüberzustellen. Andreas war weit schlimmer verprügelt worden als Dina; daher pendelte sein Kopf schlaff hin und her, während er tonlos seine Aussage wiederholte, Dina habe ihn gefragt, welcher Weg für eine Flucht aus dem Dorf am sichersten sei.

«Wem soll ich denn nun glauben?» fragte Sotiris sie herausfordernd, während die Polizisten mit den Gerten in der Hand daneben standen, «dir, deren Ehemann ein faschistischer Offizier ist, oder diesem Partisanen, der zu uns gehört?»

Mit verächtlicher Miene sah Dina Andreas an. «Der da ist doch nur ein Stück Scheiße!» sagte sie «Und alle hier im Dorf wissen das. Ich sage diesem Abschaum nicht einmal guten Tag, und um Rat fragen würde ich ihn schon gar nicht. Hätte ich wirklich fortgewollt – ich kenne die Wege, die aus diesem Dorf hinausführen, besser als alle.»

Andreas wurde abgeführt und Dina weitergeprügelt, bis ihr Körper über und über mit Striemen bedeckt war. Dann wurde sie durch den Garten geschleift. Christos Zeltas, der Chef der Sicherheitspolizei, beförderte sie mit einem Tritt in den Keller hinunter.

Jeden Tag wurden mehr verprügelte Häftlinge ins Gefängnis geworfen, während Andreas Michopoulos hinter der Tür hockte und denjenigen, die er denunziert hatte, nicht ins Gesicht sehen konnte. Nicht lange nachdem Spiro Michopoulos, der Onkel des jungen Partisanen, und Vasili Nikou, der Böttcher, verhaftet worden waren, wurde Alexo Gatzoyiannis in den Keller gesteckt. Kurz darauf erfuhren die Häftlinge, daß sich die Amerikana im Haus befand, jedoch oben, getrennt von den anderen, verwahrt wurde. Athena Daflakis, eine junge Dörflerin, die mehrmals zum Verhör geholt wurde, erinnert sich, gesehen zu haben, wie sie im Schneidersitz auf der Schwelle der Küche hockte.

Genau wie die anderen wurde auch Eleni hinausgeführt und mit Gerten geschlagen, während Sotiris sie anschrie, sie habe die Flucht ihrer Kinder organisiert und sei eine Rädelsführerin der Verschwörung. Trotz aller Tritte und Schläge und der brennenden Striemen der Gerten an ihrem Körper blieb Eleni bei ihrer Behauptung: Lukas Ziaras und ihre Mutter hätten die Kinder entführt, während sie ahnungslos bei der Erntearbeit war. Sotiris hörte ihr Leugnen gelassen: Er wußte, daß Katis eine Überraschung für sie bereithielt.

Wenige Tage nach ihrer Verhaftung wurde Eleni den Pfad hinab zum Haus von Kostina Thanassis geführt, das Katis nunmehr als Büro diente. Tassina Bartzokis, ihre alte Freundin und nächste Nachbarin, beobachtete die Szene vom Fenster aus: Nicht viel geschah in der Umgebung des Hauptquartiers, das Tassinas scharfen Augen entging. Und Kostina Thanassis sah erschrocken, wie ihre frühere Nachbarin gefesselt und übel zerschlagen in ihr Haus gebracht wurde. Unverbesserlich neugierig, belauschte sie, was zwischen dem Untersuchungsbeamten und Eleni gesprochen wurde, und beschrieb das Verhör später den anderen Nachbarn.

Katis musterte Eleni wie ein Sammler sein schönstes Stück; dann winkte er ihr mit übertriebener Höflichkeit, sie dürfe sich setzen. Eleni erwartete weitere Schläge. Als sie diesen gewandten Mann mit der großen Nase und den kleinen, wohlgeformten Ohren betrachtete, überfiel sie eine entsetzliche Angst. Sie erinnerte sich nur zu gut an den Prozeß gegen den gefangenen Soldaten nach dem Unternehmen Pergamos.

«Amerikana», ließ Katis seine sonore Stimme ertönen, «du hast die Flucht deiner Kinder aus diesem Dorf geplant.»

«Das ist nicht wahr, das habe ich euch immer wieder gesagt!» gab Eleni zurück. «Ich wußte nichts von der Flucht. Ich arbeitete damals auf den Dreschplätzen.»

Unbeeindruckt fuhr Katis fort: «Du hast das Unternehmen zusammen mit dem Verräter Lukas Ziaras geplant und andere Frauen im Dorf überredet, sich der Flucht anzuschließen. Was hast du darauf zu erwidern?»

Eleni reckte trotzig das Kinn. Jetzt hatte sie festen Boden unter den Füßen. Sie hatte strikt darauf geachtet, auch nicht die kleinste Andeutung zu machen, geschweige denn, jemanden zum Mitkommen aufzufordern. Der einzige Mensch, dem sie sich anvertraut hatte, war Alexo, und Alexo würde sie niemals verraten.

«Das ist eine ausgemachte Lüge», behauptete sie.

Katis zog die Brauen hoch. «Und wenn ich dir nun sage, daß zu den Frauen, die du überredet hast, ihre Kinder fortzuschicken, auch Constantina Drouboyiannis gehört?»

Eleni riß erstaunt die Augen auf. Erst lange nach der Flucht hatte sie gehört, daß Constantinas Töchter mit ihrer Tante Chrysoula zu jenen gehörten, die geflohen waren, während Constantina sich mit Eleni zusammen bei der Ernte befand. Diese Nachricht hatte sie verwundert, nach der Strafpredigt, die sie Lukas gehalten hatte, weil er beim ersten Versuch Alexandra Drouboyiannis und ihre beiden Töchter mitgenommen hatte. Wie die drei anderen Drouboyiannis-Frauen und die Mitros-Familie dazu gekommen waren, am dritten – erfolgreichen – Versuch teilzunehmen, war ihr ein Rätsel. Ihre Gedanken jagten. Hätte nur Lukas auf sie gehört und die Flucht als Geheimnis behandelt, das ausschließlich ihre beiden Familien anging!

Katis riß sie aus ihren Gedanken. «Antworte! Hast du Constantina Drouboyiannis überredet, ihre Töchter fortzuschicken, oder nicht?»

«Natürlich nicht! Das ist nicht wahr!»

«Würdest du das beschwören?»

Eleni sah offen in seine spöttisch dreinblickenden Augen. «Ja.»

Katis erhob sich und öffnete die Tür. Zu dem Wachtposten draußen sagte er: «Geh sofort ins Haus der Amerikana hinauf und bring mir die Ikone, die in der guten Stube hängt.»

Tassina Bartzokis, die den Pfad immer noch von ihrem Küchenfenster aus beobachtete, sah verwundert, daß der Partisan mit der Ikone der Gatzoyiannis unter dem Arm zurückkam.

Mit der hölzernen Ikone der Jungfrau mit dem Kind, deren Köpfe von gehämmertem Gold umgeben waren, stand Katis wie ein Priester vor ihr. Dieses Bild war es, vor dem sich Eleni an jedem Tag ihrer Ehe bekreuzigt hatte, bis sie das Haus verlassen mußte. Nun betrachtete sie das süße Madonnengesicht und flehte um Beistand.

«Schwörst du, daß du Constantina Drouboyiannis niemals aufgefordert hast, ihre Töchter mit deiner Familie zusammen zu den Faschisten zu schicken?»

Eleni legte die Hand auf das Bild der Jungfrau und spürte, wie heiße Angst ihren Körper durchzuckte. «Ich schwöre es auf mein Leben.»

«Schwöre es auf das Leben deines Sohnes», befahl Katis.

Eleni wandte sich zu ihm um, ohne die Hand von der Ikone zu nehmen. «Ich schwöre es auf das Leben meines Sohnes Nikola.» Als sie seinen Namen aussprach, brach sie in Tränen aus und sank auf ihren Stuhl zurück, erfüllt von der Qual der kalten Leere in ihrer Brust und dem Schmerz der zahllosen Gertenstriemen.

Katis legte die Ikone auf seinen Schreibtisch und ging zur zweiten Tür des kleinen Zimmers. Er öffnete sie und sagte barsch: «Na schön, komm her!»

Verblüfft sah Eleni Constantina Drouboyiannis zögernd ins Zimmer treten. Constantina war klein und einige Jahr älter als Eleni; ihr schlichtes, rundes Gesicht war von Lachfältchen durchzogen, aber jetzt lächelte sie nicht. Sie sah Eleni ängstlich an und wandte den Blick sofort wieder ab.

Eleni fuhr fort, sie neugierig zu beobachten. Sie hatte am Fluchttag mit Constantina zusammen bei der Ernte gearbeitet, aber sie hatten kein Wort miteinander gewechselt. Nie wäre Eleni auf die Idee gekommen, daß die Ältere von ihren Fluchtplänen wisse und ihre Töchter sich daran beteiligen könnten.

Sie versuchte zu erkennen, ob Constantina geschlagen worden war. Striemen waren nicht zu entdecken, doch ihr Gesicht war grün und blau verschwollen und ihr Haar unter dem Kopftuch zerzaust. Katis deutete auf einen Stuhl; Constantina nahm Platz, wandte sich aber von Eleni ab.

«Sieh die Amerikana an!» befahl Katis. Constantina gehorchte zögernd.

Katis sagte zu Eleni: «Ich frage dich jetzt zum letzten Mal: Wußtest du von der Flucht deiner Kinder, und hast du mit anderen Frauen im Dorf darüber gesprochen?»

Eleni hielt die Hände im Schoß. Die Ikone der Heiligen Jungfrau lag vor Katis auf dem Schreibtisch. Sie erinnerte sich an die Warnung des jungen Wachtpostens, sie müsse sich an ihre Aussage halten, wenn sie sich retten wolle.

«Ich wußte nichts von der Flucht meiner Kinder», erklärte sie und sah Katis offen an. «Ich habe keiner Frau im Dorf geraten, ihre Kinder fortzuschicken.»

Auf einen erstickten Laut von Constantina hin drehte sie sich zu ihr um. Zum erstenmal erwiderte die Ältere ihren Blick. «Ach, Eleni!» seufzte sie. «Jetzt hast du's getan!»

Katis stand auf und trat zu Eleni. «Du kannst ruhig aufhören mit deinen Lügen, Amerikana», sagte er mit einer Stimme, die auch einen Dom gefüllt hätte. «Hat die Amerikana mit ihrer Familie nicht zweimal zu fliehen versucht, bevor es ihnen schließlich gelang?»

«Ja», murmelte Constantina mit gesenktem Blick.

«Sind sie das erstemal nicht umgekehrt, weil das Baby der Ziaras schrie?»

«Ja.»

«Und sind sie das zweitemal nicht umgekehrt, weil der Nebel zu dicht war?»

Constantina schwieg, neigte jedoch den Kopf. Starr vor Entsetzen sah Eleni sie an. Sie wußten von den ersten beiden Versuchen! Wenn sie Beweise dafür hatten, war sie verloren. Doch wieso hatte Constantina Drouboyiannis ihm davon erzählen können? Sie war kein einziges Mal dabei gewesen. Die Einzelheiten konnte sie nur durch den Dorfklatsch erfahren haben. Wenn sie behauptete, mitgegangen zu sein, würde sie sich nur selbst inkriminieren. Eleni richtete sich hoch auf. Jetzt stand ihr Wort gegen Constantinas, und Constantina wiederholte nur, was sie gehört hatte.

Sie sah die Frau, die auf ihrem Stuhl zusammengesunken war, offen an. «Warum versuchst du mich zu töten?» fragte Eleni, jedes Wort klang wie eine Glocke.

«Ich hab's ihnen doch nicht gesagt, Eleni!» stieß Constantina unter Tränen hervor. «Sie wußten schon alles, jedes Detail!» Dann nahm sie sich zusammen und fuhr leiser fort: «Jemand anders hat es ihnen gesag, Eleni. Es war nicht meine Schuld!»

Mit brennenden Wangen wandte Eleni sich an Katis. «Ich habe niemals, zu keiner Zeit mit dieser Frau über irgendeinen Fluchtplan gesprochen», erklärte sie. «Wenn sie das behauptet, lügt sie, um sich zu retten. Ich habe auf die Ikone der Jungfrau und das Leben meines Sohnes geschworen.»

Katis lächelte, offensichtlich zufrieden mit der Entwicklung der Dinge. Er stand auf und öffnete die Tür. «Bringt die Amerikana zur Sicherheitspolizei zurück», befahl er den Wachtposten draußen. «Ich denke, sie ist jetzt soweit, daß sie uns die Wahrheit sagt.»

Als Eleni zu ihrem Haus zurückgeführt wurde, dröhnte ihr der Kopf vor Anstrengung, sich darüber klarzuwerden, wer sie verraten hatte. Sie hatte das Gefühl, daß sich der Dorfklatsch wie ein Netz um sie zusammenzog, sie drohend wie ein Schatten an der Wand überall belauerte. Wer konnte ihnen etwas von den ersten beiden Fluchtversuchen verraten haben? Bestimmt nicht Alexo oder Marianthe, denn wenn sie zugegeben hätten, davon zu wissen, hätten sie ihre eigene Verteidigung widerlegt. Constantina mußte durch ihre Schwägerin Alexandra von den beiden mißlungenen Versuchen erfahren haben, denn die war beim zweiten dabei gewesen; doch Alexandra hätte sich niemals ans Messer geliefert und den Partisanen diese Geschichte bestätigt. Und solange es keine Augenzeugen gab, die gegen sie aussagen konnten, überlegte Eleni, konnte niemand beweisen, daß sie daran teilgenommen hatte. Mühsam kletterte sie den Pfad empor, unempfänglich für die Schwärme Kohlweißlinge, die den gelben Ginster bevölkerten. Stumm flehte sie zur Heiligen Jungfrau, der junge Wachtposten möge recht behalten: daß sie sich immer noch retten konnte, wenn sie sich nur an ihre Aussage hielt.

Als sie das Gatzoyiannis-Grundstück betrat, hob Eleni den Blick. Aus dem Haus kam eine Frau in Partisanen-Uniform. Sie war untersetzt, das dunkle Haar zu einer schwarzen Krause gestutzt. Eleni erinnerte sich, wie Milia vor dem Abmarsch in die Kampfzone durchs Megaphon gerufen hatte: «Leute von Lia, die Demokratische Armee hat meinem Leben einen Sinn gegeben! Ich habe keine Mutter, keinen Vater, keine Geschwister mehr; meine Familie ist die Demokratische Armee!»

Und dennoch hatte Milia eine Mutter: Alexandra Drouboyiannis, die zur Zeit im Gefängnis saß. Auf einmal war Eleni klar, wer von den ersten beiden Fluchtversuchen wissen konnte und bereit, ja sogar begierig sein konnte, sie der Sicherheitspolizei zu verraten. Als die kleine, affenartige Milia, das Gewehr über der Schulter, an ihr vorbeikam, trafen sich ihre Blicke, und in dieser Sekunde wußte Eleni, daß sie verloren war.

Eleni wurde, getrennt von den anderen, vor allem Alexo und Marianthe, in die kleine Vorratskammer neben der Küche gesperrt, damit sie ihnen nicht mitteilen konnte, was Katis schon alles wußte. Anschließend begann die systematische Folterung, die dazu bestimmt war, auch noch den letzten Rest ihrer Widerstandskraft aus ihr herauszuprügeln. Katis befahl Sotiris, jede mögliche körperliche Züchtigung anzuwenden, die notwendig war, um der Amerikana ein Geständnis abzupressen.

Zu den Männern, die das Sicherheitsgefängnis bewachten, gehörte ein einundzwanzigjähriger Partisan namens Taki Cotees, ein kleiner, vorzeitig kahlköpfiger junger Mann mit dem spitzen Gesicht eines boshaften Kobolds. Taki erinnert sich, gesehen zu haben, wie eine Frau Anfang vierzig, mit hellbraunen Haaren, verhört wurde. «Sie führten sie in den Garten hinaus und schlugen sie», berichtet er. «Und schließlich hat sie alles gestanden.»

Während Sotiris ihr Fragen stellte, wurde Eleni von wechselnden Partisanen-Teams gefoltert. Ein Mann stand hinter ihr, setzte ihr ein Knie ins Kreuz und legte ihr einen Arm um den Hals; dann stieß er sein Knie kräftig nach vorn und zog gleichzeitig ihren Körper nach hinten, bis ihre Wirbelsäule zu brechen drohte. Wenn sich der ziehende Arm zu fest um den Hals legte, drohte die Gefangene ohnmächtig zu werden, und sie mußten warten, bis sie wieder zu sich kam, bevor sie weitermachen konnten. Der Schmerz schoß hinauf und hinab, durch Elenis Rückgrat, und der Arm um ihren Hals drosselte ihr die Luftzufuhr, so daß sie ständig das Gefühl hatte, ersticken zu müssen. Während ihr Körper in einem unnatürlichen Winkel nach hinten gebogen wurde, schnappte sie nach Luft wie ein Fisch auf dem Trockenen und erbrach sich zuweilen vor Qual. Sie sehnte sich nach Bewußtlosigkeit, aber die Partisanen achteten genau darauf, ihr gerade soviel Luft zu lassen, daß ihr diese Erleichterung nicht zuteil wurde.

Geprügelt wurde vor der Südostseite des Hauses, wo Eleni umgeben war von ihren ehemaligen Gärten und Feldern, in Sichtweite des Maulbeerbaumes, dem Stolz der Familie, und der Gräben, in denen die Kinder so gern gespielt hatten. Doch davon nahm sie nichts mehr wahr; in dem steigenden und fallenden Fieber ihrer Qual, die sie zerfraß, und ihrem steten, stummen Schrei: «Wann wird es aufhören? Wann werde ich sterben und alles hinter mir haben?», hörte sie nur noch die bohrenden Stimmen der Folterknechte.

Wenn die Folter für den Tag beendet war, warfen sie sie in den Vorratsraum neben der Küche zurück. Dort gab es kein Licht, aber Eleni, in eine Ecke gedrückt, nahm weder die Dunkelheit noch das Rascheln der Ratten wahr. Sie war verloren für ihre Umgebung, ihr Empfindungsvermögen war verzerrt vom pochenden Schmerz ihres Körpers. Manchmal trieben die Gesichter der Kinder vor ihren Augen dahin; dann ließ die Qual ein wenig nach.

Wahrscheinlich waren mehrere Folterungen nötig, um Eleni zu brechen. Die Begegnung mit Milia Drouboyiannis hatte ihr deutlich ihr Schicksal vor Augen geführt. Sie war verloren, doch ihre Kinder waren in Sicherheit. Es hatte wenig Sinn, weiterhin ihre Kenntnis des Fluchtplans zu leugnen, wenn sie durch ein Geständnis erreichte, daß die Folterungen aufhörten. Schließlich gab sie alles zu: Jawohl, sie habe die Flucht mit Lukas Ziaras zusammen geplant. Jawohl, sie hätten es zweimal versucht und seien wieder umgekehrt. Falsche Geständnisse jedoch machte sie nicht: Sie habe niemals versucht, andere Personen zur Flucht zu überreden. Der einzige Grund, warum sie ihre Kinder fortgeschickt habe, keuchte sie erstickt zwischen zwei Schlägen, sei gewesen, daß sie nicht mehr genug zu essen hatten. Die Partisanen hätten ihr das Haus, den Garten und den größten Teil ihrer Vorräte genommen. Auf der anderen Seite der Kampflinie würden die Kinder ausreichend Geld von ihrem Vater bekommen können, um satt zu werden und zu überleben.

Sotiris war zufrieden mit ihrem Geständnis. Er ließ eine Niederschrift aller Punkte anfertigen, zu denen Eleni sich schuldig bekannt hatte, und hielt die Feder in ihrer zitternden Hand, als sie unterschrieb. Von da an ließen sie sie in Ruhe auf dem Lehmboden des kleinen Vorratsraums liegen, wo die Ratten in den Winkeln raschelten.

Außer Dina Venetis ist Marianthe Ziaras die einzige überlebende Zeugin für das, was in jenen ersten Augusttagen im Hauptquartier und im Kellergefängnis der Sicherheitspolizei vorging. Genau wie die anderen wurde auch sie nach ihrer Verhaftung zunächst isoliert, und zwar in der kleinen Vorratskammer neben der guten Stube, die als Büro diente. Die Vorratskammer lag unmittelbar über dem Kellereingang, und Marianthe fand ein Astloch im Fußboden, durch das sie zu den Häftlingen in dem dicht belegten Keller hinabsehen konnte. Gleich unter sich sah sie Dina Venetis, eingezwängt zwischen anderen Häftlingen, die alle mit vorn gefesselten Händen dasaßen.

Marianthe zischte so lange durch das Astloch zu Dina Venetis hinunter, bis diese mit ihren dunklen Augen zu ihr emporblickte.

«Ich bin's, Marianthe Ziaras», flüsterte das junge Mädchen. «Sie haben mich gerade hergebracht.»

Dina und Marianthe wohnten beide am südlichen Dorfrand. Dina erkundigte sich verzweifelt: «Hast du meine Kinder gesehen?»

Marianthe sagte, sie habe Dinas Sohn Vangeli auf dem Pfad gesehen, und er habe gesagt: «Meine Mami ist im Gefängnis.» Darauf brach Dina in Tränen aus.

«Weswegen bist du hier?» frage Marianthe flüsternd.

Dina deutete auf Andreas Michopoulos, der sich halb versteckt hinter die Kellertür duckte. «Wegen dieses erbärmlichen Burschen», zischte sie. «Er hat behauptet, daß ich ihn gefragt hätte, wie man am besten aus dem Dorf fliehen kann.» Sie drehte sich zu Andreas um. «Wie konntest du diese Lüge über mich erzählen und mich vernichten, so daß meine Kinder allein auf der Straße herumirren müssen?» rief sie mit steigender Stimme.

Andreas drückte sich noch tiefer in seine Ecke und brummte:

«Ach, laßt mich in Ruhe! Seht ihr denn nicht, was die mit mir gemacht haben?»

Dina wandte ihre Aufmerksamkeit wieder Marianthe zu. «Ich bin wegen meiner Kinder hier», erklärte sie. «Wenn die nicht so klein wären, hätte ich vielleicht getan, was dieser Wurm mir unterstellt, und hätte zu fliehen versucht, aber ich habe es nicht getan.»

Daraufhin begann sie lauter zu weinen, und Vasili Nikou, der sonnengebräunte Böttcher, der neben ihr saß, machte Marianthe ein Zeichen, still zu sein und von ihrem Guckloch wegzugehen. Dina Venetis ist der Ansicht, daß die Partisanen dieses Gespräch mit Marianthe belauscht hatten und ihnen dadurch klar wurde, daß Andreas' Aussagen gegen sie falsch waren. «Sie haben uns ständig belauscht – von der Tür aus, von den Fenstern aus, von der Falltür aus, die vom Büro in den Keller führte», sagt sie.

Am selben Tag, an dem sie mit Marianthe gesprochen hatte, wurde Dina Venetis nach oben geholt und abermals von Zeltas, dem Chef der Sicherheitspolizei, verhört. Sie glaubte eine Veränderung in seinem Verhalten ihr gegenüber zu spüren.

«Seit dem Zeitpunkt meines Gesprächs mit Marianthe wußten sie, daß ich die Wahrheit gesagt hatte», behauptet Dina. «Das war meine Rettung.» Verschiedene Dorfbewohner sind anderer Meinung und sagen, Dina habe sich selbst gerettet, indem sie gegen einige von ihren Mithäftlingen im Keller aussagte.

Marianthe Ziaras, die kleine, untersetzte Tochter von Lukas Ziaras, besaß trotz ihrer achtzehn Jahre eine größere Willenskraft als die meisten erwachsenen Frauen. Obwohl man sie mit Gewalt zu den *andartinas* geholt und später unter Verdacht des Verrats an der kommunistischen Sache entlassen hatte, war sie zur Überraschung ihrer Ausbilder eine hervorragende Partisanin geworden. Überdies hatte Marianthe von ihrem Vater außer der dunklen Farbe auch den schnellen, listigen Verstand geerbt.

Als Marianthe vor dem Gefängnis unter den Steineichen geschlagen und verhört wurde, hielt sie stur an ihrer Aussage fest, ihre Familie habe sie zurückgelassen, weil keiner von ihnen sie liebte. Sie seien Verräter, erklärte sie, und wenn die Partisanen sie wirklich verhaftet und umgebracht hätten, so hätten sie ihre gerechte Strafe bekommen. Auch als die Häscher drohten, ihr die Leichen ihrer Familie zu zeigen, zuckte sie weder zusammen noch weinte sie, obwohl sie insgeheim krank war vor Angst.

Es gab eine zutiefst religiöse Seite in Marianthe, die so gar nicht zu ihrer Kampflust als Partisanin zu passen schien. Sie hatte schon immer häufiger gebetet als auch die frömmsten alten Frauen im Dorf und ist überzeugt, daß sie nur durch den wunderbaren Beistand der Heiligen Jungfrau noch lebt. «Ich wurde gerettet», behauptet sie, «weil ich auch nach der Zerstörung der Kirche zur Heiligen Jungfrau durch die Deutschen in den Trümmern vor dem Altar ihre Lampe mit Öl gespeist habe. Meine Mutter fragte mich, was ich mit dem Olivenöl gemacht hätte, und ich antwortete, ich hätte es beim Kochen für die Kinder verbraucht, aber ich hatte es für die Lampe der Heiligen Jungfrau gestohlen. Deswegen hat sie mich gerettet.»

Mehrere Tage nach ihrer Verhaftung wurde Marianthe in den Keller geworfen, wo alle Häftlinge außer Eleni Gatzoyiannis gefangengehalten wurden. Ihre Schilderung der Verhältnisse dort stimmen mit Dina Venetis' Berichten überein.

Inzwischen befanden sich fünfundzwanzig bis dreißig Häftlinge in dem winzigen Keller, so dicht gedrängt, daß sie im Sitzen, eng aneinandergelehnt schlafen mußten. Zu dieser Zeit waren sie alle an den Händen gefesselt, nur Alexo Gatzoyiannis nicht, vielleicht weil die Partisanen meinten, sie sei zu alt für einen Fluchtversuch. «Eine wunderbare Frau!» sagte Dina Venetis. «Alexo kam der Reihe nach zu jedem von uns, massierte uns die Hände und bewegte unsere Körper, damit das Blut nicht aufhörte zu zirkulieren. Während sie sich um uns bemühte, weinte sie um ihre älteste Tochter Arete, die ja geflohen war. ‹Sie war das Kind, das mich am innigsten liebte›, sagte sie. ‹Und nun ist sie der Grund für meinen Tod.›»

Die Häftlinge waren völlig verdreckt und verlaust. Ein- bis zweimal am Tag wurden sie gruppenweise zum Toilettenhäuschen geführt, aber nicht oft genug für die Blase; daher war der Gestank im Keller erstickend. Einmal am Tag wurden von Frauen aus der Nachbarschaft Blechteller mit einer Wassersuppe durch die kleinen, vergitterten Fenster hereingereicht, Suppe, die diese Frauen auf Anweisung der Partisanen hatten kochen müssen. Olga Venetis erinnert sich, an einem Tag fünfundvierzig Portionen Suppe hereingereicht zu haben, aber die Zahl der Gefangenen variierte drastisch, da täglich einige herausgeholt und erschossen und andere von weit entfernten Dörfern hineingebracht wurden.

Beinahe jeden Abend kamen Sotiris, Zeltas und andere Sicherheitspolizisten in den Keller und suchten sich einen Häftling heraus, um ihn vor den Augen der anderen zu treten und zu schlagen. Häufig fiel ihre Wahl auf Spiro Michopoulos und Vasili Nikou, obwohl die beiden während der Schläge ständig beteuerten, unschuldig und den Partisanen treu ergeben zu sein.

Wenn der Tag kam, da ein Gefangener hingerichtet werden sollte, wurde er am Abend aus dem Keller geholt, hinaufgeführt und nie wieder gesehen. Das Rattern der Maschinenpistolen zerriß den Schlaf des Perivoli, während Marina Kolliou aus ihrem Fenster in die laue Sommernacht spähte und sich wieder eine neue Grabstelle einprägte.

Einige Mitgefangene haben Dina Venetis und Marianthe noch gut im Gedächtnis. Einer davon war ein Verrückter, ein beschränkter Hirte, der verhaftet worden war, weil er den Regierungstruppen angeblich Nachrichten übermittelt hatte, obwohl er nicht einmal verständlich zu sprechen vermochte. Wenn ihn die Partisanen schlugen und traten, plapperte er fieberhaft in einem undefinierbaren Kauderwelsch vor sich hin, und in seinen Mundwinkeln bildete sich Geifer, der ihm auf die verdreckte Kleidung tropfte.

Bärtige Priester saßen in dem Keller und ein alter Patriarch mit Backenbart, der verhaftet worden war, als die Partisanen in seinem Dorf nahe dem Kalamas bei ihm nach seinem Sohn suchten, einem Soldaten der Nationalarmee. Obwohl die Häftlinge nicht miteinander sprechen durften und ständig von den Wachen beobachtet wurden, die durch die Falltür oder die Tür und die beiden Fenster in den Keller hereinspähten, gelang es ihnen, mit ihren unmittelbaren Nachbarn zu flüstern. Dina Venetis erinnert sich an eine zierliche junge Frau aus dem Dorf Gribovo, «ein richtiges Händchenvoll», namens Sofia Mitrou. Sie wurde ständig von den Wachen verspottet, weil sie sich das Kopftuch, wie Elenis Töchter, auf die altmodische Art vors Gesicht band.

Sofia war verhaftet worden, als die Partisanen ihr Haus nach ihrem Vater durchsuchten, einem Priester, den sie mit der töchterlichen Hingabe einer Elektra liebte. Dina empfand besonderes Mitleid mit diesem Mädchen, das die Sicherheitspolizisten eines Abends in Gegenwart der anderen verprügelten, zu Boden warfen und mit den Nagelstiefeln traten, bis sie für tot gehalten wurde. Später kuschelte Sofia sich an Dina und tröstete sich: «Wenigstens ist ihnen mein Vater entkommen.»

Eines Nachts hatten Dina und Sofia seltsame Träume, die sie einander am anderen Morgen flüsternd erzählten. Dina hatte geträumt, sie säße an einem Webstuhl und werfe das Schiffchen hin und her. Sofia hatte in ihrem Traum Garn zu einem Knäuel gewikkelt, aber das Garn war ihr ausgegangen, als das Knäuel noch ganz klein war. Wie die meisten Dörflerinnen war Sofia eine erfahrene Traumdeuterin. «Dein Traum bedeuet, daß du freigelassen wirst», erklärte sie Dina mit traurigem Lächeln. «Mein Traum bedeutet, daß mein Leben beendet ist.» Am selben Abend holten sie Sofia aus dem Keller, und sie kam nicht wieder.

Sowohl Marianthe Ziaras als auch Dina Venetis erinnern sich gut an eine Gefangene namens Despo, eine hochgewachsene, auffallende Frau von dreißig Jahren, mit lockigem schwarzem Haar, die in der Nähe ihres evakuierten Heimatdorfes Mavronoron verhaftet worden war, als sie sich zurückzuschleichen versuchte, um etwas zu essen zu holen. In ihrem Kellergefängnis weinte Despo ständig um ihre zwei kleinen Söhne. Die Schläge wirkten sich auf ihr Gemüt aus, und sie lebte ständig in einem Delirium der Angst, unfähig, den Gedanken zu ertragen, daß eine Kugel sie töten würde. Ganze Nächte hindurch hielt sie Selbstgespräche, weinte und feilschte mit dem Tod. Eines Nachts stieß Despo mit der Hand an einen langen Nagel, der in einem unbehauenen Balken steckte. Es gelang ihr, ihn loszudrehen – ein rostiger, fünfzehn Zentimeter langer Dolch. Mit einer krampfhaften Bewegung packte sie ihn mit ihren gefesselten Händen und stieß ihn sich unmittelbar unter den Rippen tief in den Bauch. Despos Selbstmordversuch mißlang. Trotz ihrer tiefen Stichwunde konnte sie nicht sterben, sondern blieb bei Bewußtsein und flehte die Wachen an, ihr zu helfen – mit einem Verband, mit irgend etwas Schmerzstillendem –, aber sie machten sich nur über sie lustig. Ihr Stöhnen ließ die anderen Häftlinge nicht schlafen, und es war nahezu eine Erleichterung, als Despo eines Abends mit dem weißbärtigen Alten zusammen nach oben geholt wurde. Als sie begriff, daß ihr nun das bevorstand, wovor sie so unendliche Angst hatte, erfüllte Despo das Haus mit Schreien, die bis in den Keller hinab deutlich zu hören waren: «Ihr wollt mich umbringen! Ich weiß es genau!» Dann hörten sie, wie Katis ihr ironisch erwiderte: «Aber wer würde denn Despo umbringen, unseren Liebling, den verwöhnten?» Trotz ihres Schluchzens hörten sie, wie er hinzufügte: «Morgen mußt du ein Gnadengesuch an General Markos schreiben. Möglicherweise gibt er ihm statt.»

Dann ertönte die verächtliche Stimme des alten Weißbarts. «Gnade?» schnaubte er zornig. «Gnade? Umbringen wollt ihr mich!»

Später in dieser Nacht hörten die Häftlinge die Schüsse, die Despos Qual ein Ende setzten.

Wenn ein Partisan des Abends in den Keller kam und den Namen eines Häftlings aufrief, um ihn hinaufzubringen, seufzten die anderen unwillkürlich erleichtert auf. Sie mochten geprügelt, verlaust, halb verhungert, mit ihrem eigenen Kot bedeckt und unfähig sein, laut zu sprechen oder die Hände zu bewegen – aber sie wurden wenigstens einen Tag länger verschont. Bis auf Alexo Gatzoyiannis klammerten sie sich an die Hoffnung auf Begnadigung, auf Rettung, auf ein Wunder.

Die achtzehnjährige Marianthe Ziaras fand Halt an ihrem unerschütterlichen Glauben. Sie wurde häufig geschlagen und einmal sogar im oberen Zimmer so hart gegen eine Kommode geschleudert, daß sie sich mehrere Rippen brach. Ihre Füße und Beine waren von den Schlägen so sehr geschwollen, daß sie ihre Schuhe nicht mehr anziehen konnte – in ihrem Glauben an ein Wunder jedoch wankte sie nie. Und eines Abends, mehrere Tage vor dem Feiertag der Heiligen Jungfrau, hatte sie einen Traum.

In jedem griechischen Dorf gibt es Frauen, die als besonders begnadet gelten, begabt mit der Fähigkeit, den Bösen Blick auszutreiben, Zeichen zu deuten und im Antlitz der Hausikone Hinweise auf bevorstehende Katastrophen zu lesen. Zu diesen Frauen gehörte auch Marianthe, und niemand, am allerwenigsten sie selbst, hielt es für sonderbar, daß ihr die Heilige Jungfrau erschien.

Marianthe träumte, daß sie mit dem Kopf auf den Knien weinend dasaß und immer wieder flehte: «Heilige Mutter Gottes, rette mich!» Sie erzählt: «Auf einmal fühlte ich, wie mir eine Träne auf den Arm tropfte. Und als ich sie betrachtete, begann sie zu schimmern und wurde weiß. Dann hörte ich eine Stimme sagen: ‹Genug jetzt! Mit deinen Gebeten hast du mir das Herz gebrochen.› Ich hob den Kopf, und dort, an der Tür, stand die Jungfrau Maria, ganz lebendig, und strahlte vor Licht. ‹Fürchte dich nicht›, sagte sie. Und von diesem Augenblick an wußte ich, daß ich gerettet würde.»

Am selben Abend wurde Marianthe aufgerufen und unter den mitleidigen Blicken der Mithäftlinge nach oben gebracht. Als die Wachtposten sie ins Erdgeschoß führten, zogen sie die Stricke an ihren Handgelenken so fest an, daß ihre Blutzirkulation unterbrochen wurde, und sie schrie: «Wäret ihr Deutsche, ihr würdet mich nicht so quälen! Könnt ihr sie nicht ein bißchen lockern?» Einer der Partisanen erbarmte sich und erfüllte ihr die Bitte. Dann wurde sie in den kleinen, dunklen Vorratsraum hinter der Küche gestoßen, in dem auch Eleni gewesen war, doch Eleni war nicht mehr da.

Marianthe stürzte inmitten von klappernden Töpfen und Pfannen zu Boden, und als ihre Augen sich an die Dunkelheit gewöhnten, erkannte sie Andreas Michopoulos, der – ebenfalls mit gefesselten Händen – in einer Ecke der Kammer saß. Er war furchtbar verprügelt worden; seine Augen waren schwarz-verschwollen, sein Gesicht blutüberströmt.

Schweigend musterte Marianthe ihre Umgebung. Die Kammer hatte ein kleines Fenster, ungefähr sechzig Zentimeter im Quadrat, mit zwei senkrechten, in den Holzrahmen des Fensters eingelassenen Gitterstäben. Die Eisenstäbe waren alt; in Lia war jedes Fenster auf diese Art gesichert – eine Gewohnheit aus den Tagen der Banditen.

Der winzige Raum enthielt einen großen Haufen Schuhe, die, wie Marianthe begriff, von hingerichteten Häftlingen stammen mußten. Nach einer *falanga* – der weitverbreiteten Folter der Bastonade – konnte niemand mehr Schuhe tragen. Auch bei Marianthe hatten die Schläge auf die Fußsohlen bewirkt, daß ihre Füße anschwollen, doch ihre Schuhe hielt sie noch immer fest unter dem Arm. Sie war entschlossen, sie nicht mal in höchster Not aufzugeben, denn es waren schöne, schwarze Lederschuhe, beinahe neu.

Marianthe und Andreas musterten einander schweigend, beide in dem Bewußtsein, daß man sie hier heraufgebracht hatte, um sie zu erschießen. Vor ihrer Tür hörten sie das Atmen der Wachen. Aber es gab noch andere Geräusche: das Schnauben der Pferde, die unterhalb ihres Fensters angebunden waren, das Lachen der Partisanen, die in einem nahen Zimmer Karten spielten, und das unablässige Geklapper der Töpfe und Pfannen in dem kleinen Vorratsraum. «Ich weiß nicht, ob es Mäuse waren oder die Geister der Hingerichteten», sagt Marianthe heute, «aber die Töpfe und Pfannen hörten nicht auf zu klappern. Das hat uns übrigens sehr geholfen, denn so konnten die Partisanen nicht hören, wovon wir sprachen.»

Marianthe zerrte so lange an ihren Fesseln, bis die Haut an ihren Handgelenken Blasen bekam, doch schließlich hatte sie eine Hand frei, und kurz darauf die andere. Sie ging zu Andreas hinüber und befreite auch ihn. «Sie werden uns umbringen», flüsterte sie. «Wir müssen hier raus!»

«Aber wie?» antwortete er zweifelnd. «Durch die Decke? Wenn sie uns schnappen, machen sie etwas viel Schlimmeres mit uns als einfach hinrichten.»

Marianthe hatte Andreas, der dieselbe Klasse der Dorfschule besucht hatte wie sie, niemals gemocht. Sie hielt ihn für einen Angeber und Feigling, weil er so viele Dorfbewohner denunziert hatte. Die hündische Art, wie er sich in sein Schicksal fügte, ärgerte sie. Denn sie war überzeugt, ihr Traum könne nur bedeuten, daß ihr die Flucht gelang.

«Wir sind ohnehin schon tot!» zischte sie zornig. «Gib mir deinen Gürtel!»

Mühsam löste Andreas den Gürtel von seiner blutgetränkten Uniform. Marianthe nahm ihn, knüpfte das eine Ende um einen der Gitterstäbe, die in den morschen Fensterrahmen eingelassen waren, und forderte Andreas auf, ihr ziehen zu helfen. Mit dem Knirschen von brechendem Holz kam die Stange frei und hinterließ ein mehr als dreißig Zentimeter breites Loch. Andreas und Marianthe standen sekundenlang völlig verdutzt da; dann machte der Junge sich trotz seiner Wunden daran, hindurchzuschlüpfen. Da er sehr mager war, fiel ihm das nicht schwer, und so war er sehr schnell verschwunden. Es war ein tiefer Fall bis zum Boden, aber Andreas landete auf einem Müllhaufen. Bei dem dumpfen Aufprall und dem leisen Aufschrei, der Andreas unwillkürlich entfuhr, zuckte Marianthe erschrocken zusammen, doch nichts geschah. Sie schob eine Kiste unters Fenster und versuchte ebenfalls hindurchzuschlüpfen, doch da sie viel breiter war als Andreas, blieb sie stecken. Heftig atmend pflanzte sie ihre Füße fest auf die Kiste, stemmte die Hände rechts und links gegen die Fensteröffnung und stieß sich ab. Mit einem kräftigen Ruck löste sich das gesamte Fenster mit der im Rahmen feststeckenden Marianthe aus der Wand. Aufschreiend fiel sie auf den Müllhaufen. Dann rappelte sie sich mühsam auf und befreite sich von dem Holzrahmen.

Andreas stand benommen da, als warte er auf Befehle. Marianthe hielt den Atem an, doch niemand verfolgte sie. Plötzlich erinnerte sie sich an ihre Schuhe, die sie drinnen zurückgelassen hatte. Aus einem Impuls, den sich Marianthe heute noch nicht erklären kann, entschloß sie sich, ihre Schuhe zu holen, und ließ sich von Andreas emporstemmen, bis sie die leere Fensterhöhle erreichte. Nachdem sie mit ihren Schuhen unter dem Arm wieder aufgetaucht war, duckten sie sich ein paar Sekunden in den Schatten und lauschten auf die

Stimmen der Partisanen im Haus. Dann nahm Marianthe Andreas bei der Hand und lief mit ihm in der Dunkelheit über die Felder. Es war nicht mehr weit bis zum Morgengrauen. Als sich der Himmel im Osten zu lichten begann, suchten sie auf einem Feld an der Südostecke des Dorfes in einem winzigen Vorratsschuppen Zuflucht, wo sie sich in einen Haufen frisch geernteter Maiskolben eingruben.

Die Flucht der beiden wurde von den verblüfften Partisanen gegen Morgen entdeckt und löste eine gewaltige Unruhe aus, die den Gefangenen im Keller nicht entging. Christos Zeltas, der Chef der Sicherheitspolizei, ordnete hektisch an, daß alle Dorfbewohner, die laufen konnten, bei der Suche nach den jungen Leuten helfen sollten. Um sechs Uhr früh war das gesamte Dorf damit beschäftigt, in verängstigten Gruppen überall das Gebüsch zu durchstöbern, während die Partisanen in dichte Baumgruppen und Heuschober hineinfeuerten, um die Flüchtlinge aufzustöbern. Andreas und Marianthe, die das Durcheinander um sie herum deutlich hörten, hockten den ganzen Tag in ihrem staubigen, drückend heißen Maiskolbenhaufen, wo sie vor Durst und Hitze beinahe ohnmächtig wurden. Nach Einbruch der Dunkelheit krochen sie aus ihrem Versteck hervor und trennten sich: Andreas schlug den Weg zum Haus seiner Eltern unterhalb der Alonia ein, während Marianthe zum Haus ihrer Großmutter in der Nähe der Kirche zum Heiligen Freitag wollte.

In der Hoffnung, frische Kleider zu bekommen, denn ihr roter Wollrock würde die Blicke der Häscher auf sich ziehen wie ein Signalfeuer, klopfte Marianthe an die Tür, doch ihre Großmutter spähte nur durch die Tür und zischte: «Lauf davon, Kind, schnell! Sie suchen überall nach dir!»

«Gib mir wenigstens ein Stückchen Brot!» bettelte Marianthe; doch ihre Großmutter fuhr sie an: «Gar nichts werde ich dir geben! Verschwinde!»

Weil sie nicht wußte, wohin, lief Marianthe weinend zu dem Schuppen mit dem Maiskolbenhaufen zurück; doch irgend jemand mußte sie gesehen haben, denn nur Minuten nachdem sie sich tief in den Haufen hineingewühlt hatte, hörte sie schon Partisanen in die Dunkelheit schießen und rufen: «Marianthe, komm heraus! Wir wissen, daß du da drinnen bist! Wenn du herauskommst, passiert dir nichts; aber wenn wir dich holen müssen, wirst du wünschen, niemals geboren zu sein!»

Zwei Partisanen öffneten sogar die Tür des Schuppens, in dem sie sich versteckt hatte, und spähten hinein; doch während Marianthe sich auf eine Kugel gefaßt machte, warfen sie die Holztür wieder zu und setzten sich draußen, bequem an die Wand gelehnt, davor. Dort blieben sie die ganze Nacht, während Marianthe jedes Wort hören konnte, das sie sagten, und zur Heiligen Jungfrau betete, daß der Staub von den Maiskolben sie nicht zum Niesen reizte. Tief unten zu einem Ball zusammengerollt, hatte sie keine Ahnung, wann es Tag wurde; nach vielen Stunden jedoch vernahm sie Kirchenglocken. «Komm, wir gehen», hörte sie einen Partisanen sagen. «Jetzt ist sie entweder entkommen oder von einer Kugel erwischt worden.»

Als sie fort waren, kroch Marianthe aus ihrem Versteck hervor. Seit achtundvierzig Stunden hatte sie weder gegessen noch geschlafen. Als sie einen Pfad sah, betete sie: «Heilige Mutter Gottes, mach, daß er zum Großen Bergrücken führt!»

Sechs Stunden lang wanderte sie, ohne gesehen zu werden, und kam unterwegs an zwei im Gestrüpp der Baumwurzeln verwesenden Leichnamen vorbei. Als sie schließlich am Großen Bergrücken herauskam und zu den Soldaten hinüberrief, die auf dem Gipfel kampierten, wollten die Männer zuerst nicht glauben, daß dieses Mädchen keine *andartina* war. Nur mit erhobenen Armen, in den Händen noch immer ihre Schuhe, durfte sie weitergehen.

Die ersten drei Soldaten, auf die sie traf, starrten sie verwundert an. «Warum hältst du deine Schuhe in der Hand, statt sie anzuziehen?» erkundigten sie sich.

Marianthe jedoch brachte keinen Ton heraus und stand stumm da, während die Tränen ihr über die Wangen strömten. Schließlich hatte sie sich soweit gefangen, daß sie erklären konnte, sie sei die Tochter von Lukas Ziaras und aus dem Partisanengefängnis von Lia entflohen. Die Soldaten hielten es für unmöglich, daß eine Gefangene das schaffen könnte, und schon gar nicht ein so junges Mädchen. Daraufhin zeigte ihnen Marianthe die Blasen und Schrunden an ihren Armen, Spuren der Stricke, die so viele Tage lang in ihr Fleisch geschnitten hatten, daß es blutleer und grau geworden war. «Meine Hände sind meine Zeugen», sagte sie.

Daraufhin glaubten sie ihr endlich, und ein Soldat wollte ihr die Schuhe abnehmen, die sie mit einer Hand umklammert hielt. Aber sie hatte sie so lange getragen, daß sie sie nicht mehr loslassen konnte und man ihre Finger aufbiegen mußte.

Andreas Michopoulos wurde von einem Frauen-Suchtrupp gefunden, als er auf einem Feld in der Nähe seines Elternhauses hockte und, beinahe wahnsinnig vor Hunger und Durst, eine Salatgurke verschlang. Xantho Stamou, die erste, die ihn hinter einem Busch entdeckte, zögerte einen Moment, weil er sie so flehend ansah. Doch Xantho war vor mehreren Monaten ebenfalls mit der Beschuldigung, junge Frauen im nahen Heimatdorf ihres Mannes zur Flucht aufgefordert zu haben, verhaftet, geschlagen und verhört worden; und als sie nun dastand, ohne zu wissen, was sie tun sollte, war sie überzeugt, wenn sie nicht Alarm schlage, wäre das ihr sicherer Tod. Sie starrte auf Andreas' geschwollene, rote Augen in dem grauen Gesicht, den schlaff herabhängenden Kiefer, die angebissene Gurke auf halbem Weg zum Mund. Der verstörte Junge zitterte wie im Fieber und schüttelte immer nur flehend den Kopf. Xantho jedoch hob die Hand und winkte: «Es ist Andreas Michopoulos!» schrie sie den anderen Frauen zu. «Kommt schnell! Ich hab ihn gefunden!»

Eleni, nunmehr in der Küche untergebracht, hörte die plötzliche Aktivität der Partisanen, als die Flucht entdeckt wurde. Genau wie die Häftlinge im Keller lauschte auch sie den Rufen und Schüssen, die den nächsten Tag und die nächste Nacht über im ganzen Dorf zu hören waren, hin und her gerissen zwischen der Hoffnung, daß die Entflohenen davonkamen, und der Furcht, daß die zurückgebliebenen Häftlinge für ihr Entkommen büßen mußten.

Am zweiten Morgen nach der Flucht sah Eleni vom Küchenfenster aus zu, wie Andreas Michopoulos von mehreren Partisanen mit im Staub schleifenden Füßen ins Hauptquartier der Sicherheitspolizei zurückgeschleppt wurde.

Die Partisanen sorgten dafür, daß sämtliche Häftlinge Zeugen seiner Bestrafung wurden. Im Vorgarten, in voller Sicht der Keller- und Küchenfenster, rissen sie ihm die Kleider vom Leib und fesselten ihn wie ein Schaf oder eine Ziege vor dem Braten an einen Holzstamm. Den Stamm hängten sie so zwischen zwei eingekerbte Stützen, daß sie den Körper des Jungen drehen konnten wie ein Zicklein, das auf dem Grillspieß steckt. Dann wechselten sich Andreas' ehemalige Genossen darin ab, ihn mit Holzknüppeln zu bearbeiten, ihn hierhin und dahin zu wenden, um Stellen an seinem Körper zu finden, die noch nicht grün und blau waren. Als ihre Arme erlahmten, ließen sie ihn in der Augustsonne hängen, bis er am ganzen Leib schwarz wurde. Die Zunge quoll ihm aus dem Mund, und immer noch gab er Geräusche von sich. Er grunzte wie ein Ochse, über und über bedeckt mit Blut, das seine Haare verklebte und sich mit dem Schleim vermischte, der ihm aus Mund und Nase tropfte.

Eleni versuchte weder hinzusehen noch der Bestrafung des jungen Partisanen zu lauschen, doch immer wieder wurde sie durch eine widernatürliche Faszination ans Fenster getrieben. Sie vermeinte das Auftreffen der Holzknüppel auf dem nackten Fleisch zu verspüren und konnte das Fleisch anschwellen sehen. Sie betete, er möge sterben.

Die Gefangenen im Keller erwarteten, daß ihre Lage sich infolge der Flucht von Marianthe und Andreas verschlechtern würde, zu ihrem Erstaunen jedoch wurden sie in den folgenden Tagen sogar ein bißchen besser behandelt. Die Veränderung war kaum bemerkbar, den Häftlingen hingegen, die nichts anderes zu tun hatten, als jede Geste und jedes Wort ihrer Wärter zu analysieren, erschien sie zutiefst bedeutungsvoll.

Nach vierundzwanzig Stunden wurde Andreas von dem Baumstamm gelöst. Als er wenige Tage später in den Keller zurückgebracht wurde, sahen die Häftlinge, daß man ihm neue Kleider gegeben und seine Wunden behandelt hatte. Zusammengesunken hockte er schweigend und wie betäubt in einer Ecke, aber er lebte.

Das regelmäßige Verprügeln der Gefangenen wurde bis auf einen gelegentlichen Tritt oder Schlag von einem Wachtposten eingestellt. Verwandten wurde erlaubt, den Häftlingen Lebensmittel zu bringen. Zwar durften keine Erwachsenen zu ihnen in den Keller kommen, doch einige Tage nach der Flucht erlaubte man Niki Gatzoyiannis, Alexos kleiner Tochter, mit ihrer Mutter zu sprechen.

Schon oft war Niki mit Lebensmitteln für Alexo zum Gefängnis gekommen, doch jedesmal hatten die Wachtposten ihr den Teller abgenommen, das Brot, falls sie welches brachte, in winzige Stücke gebrochen, um sich zu vergewissern, daß sie nichts darin versteckt hatte, und ihr befohlen, das leere Geschirr am folgenden Tag abzuholen. Doch eines Tages Mitte August teilten die Wachtposten Niki mit, sie dürfe ihre Mutter sehen. Sie holten Alexo aus dem Keller in den Garten hinaus, wo sie die Augen vor der Sonne zukniff. Niki lief auf sie zu, um sie zu umarmen, Alexo jedoch winkte ihr, Abstand zu halten. «Komm mir lieber nicht zu nahe, mein Schatz!»

warnte sie. «Ich habe Läuse.» Niki blieb stehen, weil sie argwöhnte, die Mutter wolle verhindern, daß sie sah, wie furchtbar sie geschlagen worden war. Unter den wachsamen Blicken der Posten tauschten sie ein paar banale Bemerkungen über das Haus und die Herde und gaben sich beide Mühe, gelassen zu bleiben; dann bedankte sich Alexo weinend bei ihrer Tochter für das Essen und wurde ins Dunkel des Kellers zurückgeführt. Von ihrer Tante Eleni sah Niki keine Spur.

Von ihrem Küchenfenster aus beobachtete Eleni das Gespräch zwischen Niki und Alexo und überlegte beunruhigt, was aus Glykeria geworden sei. Allmählich fragte sie sich, ob ihre Tochter auf den Dreschplätzen verhaftet und geschlagen worden sein, um ihr Informationen über die Beteiligung ihrer Mutter an der Massenflucht abzupressen.

Das Essen, das die Häftlinge bekamen, wurde besser, und man erlaubte ihnen, die Kleidungsstücke anzunehmen, die ihnen von Familienangehörigen gebracht wurden. Nach Andreas' Bestrafung wurde tagelang kein Gefangener mehr des Abends in den Garten hinausgeführt und hingerichtet. Ohne jede Erklärung wurden den Häftlingen die Handfesseln gelöst.

Am vierten Tag nach Marianthes Flucht erschien sehr früh am Morgen Sotiris an der Kellertür und rief die Namen der Häftlinge aus Lia auf: Dina Venetis, Alexo Gatzoyiannis, Andreas Michopoulos, Spiro Michopoulos und Vasili Nikou. Während sie einander entsetzt anstarrten, befahl er, sie alle nach oben zu bringen. Noch niemals zuvor war ein Gefangener am Morgen zur Exekution geholt worden, dachten sie. Und wenn sie wieder einmal verhört und gefoltert werden sollten, würden sie sicher nicht alle zusammen geholt werden.

Sotiris und die Wachtposten führten die fünf die Treppe zum Polizeibüro empor. Das Messingbett glänzte, die Ikone hing in der östlichen Ecke, das Grammophon stand an seinem gewohnten Platz. Und außerdem erwarteten sie in diesem Zimmer zwei weitere Dorfbewohner: Eleni Gatzoyiannis und Constantina Drouboyiannis. Erleichtert, daß es Eleni gut ging, lief Alexo auf sie zu und umarmte sie.

Auf Befehl von Sotiris fesselten die Partisanen die Häftlinge zu Paaren: Eleni mit Alexo, Spiro Michopoulos mit seinem Neffen Andreas, der sich kaum aufrechthalten konnte, Vasili Nikou mit

Dina Venetis. Die einzige, die nicht gefesselt wurde, war Constantina Drouboyiannis.

Als alle Gefangenen gesichert waren, räusperte sich Sotiris. «Heute», erklärte er feierlich, «wird euer Schicksal in die Hand der Volksjustiz gelegt. Ihr habt die Ehre, in einem öffentlichen Prozeß vor all euren Mitbürgern abgeurteilt zu werden. Beweise gegen euch werden vorgebracht, Zeugen aufgerufen werden, und man wird euch gestatten, euch selbst gegen die Anklagen zu verteidigen. Ihr werdet sehen, daß die Demokratische Armee keinen Unschuldigen bestraft, nur die Schuldigen.»

Er winkte den Wachen; dann sagte er nervös: «Und jetzt kommt. Die Richter sind eingetroffen.»

16

Während die sieben Angeklagten aus Lia, zu Paaren zusammengefesselt, den Pfad vom Perivoli zum Dorfplatz hinuntergeführt wurden, hingen sie alle ihren eigenen Gedanken nach. Bei Sotiris' Ankündigung, sie würden vor Gericht gestellt, war in jedem einzelnen von ihnen der Funke Hoffnung, der letzte Trost der Menschen im Unglück, neu aufgeflammt.

Dina Venetis schritt, Hand an Hand gefesselt mit Vasili Nikou, dem Dorfplatz zu. Sie erforschte ihr Gedächtnis nach einem einzigen Zeichen, einer einzigen Andeutung dafür, daß die Partisanen sie nicht hinrichten würden. Die Tatsache, daß ihr Mann ein Leutnant der Nationalarmee war, würde zweifellos gegen sie verwendet werden, das war ihr klar; ihr Hauptbelastungszeuge jedoch, Andreas Michopoulos, hatte sich selbst hundertprozentig desavouiert, indem er zu fliehen versuchte; wie also konnten sie sie auf seine Aussage hin verurteilen?

Vasili Nikou stolperte neben Dina einher. Nikou hatte vier erwachsene Töchter: Drei von ihnen würden der Verhandlung beiwohnen. Durch sein tragisches Schicksal über seine siebenundfünfzig Jahre hinaus gealtert, hatte Vasili Nikou weit mehr Krieg und Tod erlebt als die Partisanen, die ihn jetzt gefangenhielten.

Spiro Michopoulos, der Dorfvorsteher mit der schwachen Gesundheit, bildete mit seinem Neffen Andreas ein seltsames, schweigendes Gespann, wie sie sich langsam den Pfad hinabschleppten: der Junge aufgrund der erlittenen Folterung schwankend, der Ältere eine hochgewachsene, schlaksige Gestalt, nur Haut und Knochen. Spiro fragte sich, ob sein Neffe falsches Zeugnis gegen ihn abgelegt habe, wie er es mit so vielen anderen getan hatte.

Andreas konnte mit dem Onkel kaum Schritt halten. Infolge der Prügelstrafe, die er nach seiner Flucht erhalten hatte, schmerzte sein Körper bis ins Mark, und seine aufgeplatzte Haut brannte unter der Sonne wie Feuer.

Von den sieben Angeklagten auf ihrem Marsch zum Dorfplatz war Constantina Drouboyiannis, die rundgesichtige, geistig langsame Frau, die Eleni bei Katis denunziert hatte, am optimistischsten. Erfreut stellte Constantina fest, daß sie die einzige war, die man für den Marsch nicht gefesselt hatte. Mit frei schwingenden Händen überlegte sie, daß die Partisanen von allen Angeklagten gegen sie die wenigsten Beweise hatten. Obwohl Lukas Ziaras ihre Töchter in die Freiheit mitgenommen hatte, war sie bei keinem der beiden vorhergehenden Versuche dabei gewesen, und niemand konnte ihr beweisen, daß sie ihre Schwägerin gebeten hatte, mit den Mädchen zu fliehen. Außerdem hatte sie sich ihren Häschern gegenüber mehr als kooperativ gezeigt und ihnen alles gesagt, was sie von ihr wissen wollten.

Eleni und Alexo waren aneinandergefesselt – das erstemal, daß sich die beiden Schwägerinnen seit ihrer Verhaftung vor zehn Tagen sahen. Obwohl sie nicht miteinander sprachen, war Alexos Nähe für Eleni so tröstlich, wie sie ihr stets in Krisenzeiten ein Trost gewesen war.

Es war zehn Uhr vormittags am Donnerstag, den 19. August, einem strahlend schönen Spätsommertag, als die Dorfbewohner durch die Kirchenglocken und die Megaphone der Partisanen zum Dorfplatz gerufen wurden. Niemand trödelte, denn sie waren gespannt auf das Drama, dem sie beiwohnen sollten: den ersten öffentlichen Prozeß gegen Zivilisten aus ihrem Dorf.

Schauplatz war das Geviert unter der riesigen Platane in der Südostecke des Dorfplatzes; dort war ein kleiner Tisch mit drei Stühlen dahinter aufgestellt worden. Die Angeklagten mußten auf einer Art Plattform aus den knorrigen Wurzeln des Riesenbaumes Platz nehmen, während die drei Richter auf ihren Stühlen mit dem Gesicht zum Publikum saßen. Als sie, alle drei in Zivil, ihren Einzug hielten, beeindruckten sie die Zuschauer allein schon durch ihre Statur. Sie waren alle überdurchschnittlich groß, und der Riese, der den Schluß bildete, ein Mann namens Grigori Pappas, von den Dorfbewohnern jedoch nur «der Große» genannt, überragte die beiden anderen noch um einen halben Kopf.

Die Dorfbewohner hatten keine Ahnung von den Ritualen der Rechtsprechung, begriffen jedoch, daß die drei imponierenden Männer, die so feierlich hinter dem Tisch thronten, Macht über Leben und Tod der sieben Gefangenen besaßen, und beugten sich vor, um besser hören zu können, was gesagt wurde.

Das Schweigen vertiefte sich, als ein hochgewachsener Mann mittleren Alters mit schütterem Haar, kantigem, ovalem Gesicht, großer Nase, vorspringendem Kinn und stechenden Augen aufstand. Er trug einen dunkelblauen Anzug, der ihn als gebildeten, weltgewandten Mann auswies, und seine langen, schmalen Hände ruhten gelassen vor ihm auf dem Tisch. Eine erwartungsvolle Bewegung durchlief die Zuschauer, denn in diesem Mann mit den faszinierenden Augen erkannten sie Katis, den «Richter», und ahnten, daß er bei diesem Drama Regie führen würde wie damals bei der Verhandlung gegen den gefangenen Soldaten.

Katis' Miene verriet keine Nervosität, wie auch seine Stimme ganz ruhig war; innerlich aber war er gespannt wie eine Feder. Er war Autor, Regisseur und Bühnenleiter dieser Darbietung und empfand genau jenes Lampenfieber, an dem jeder Schauspieler am Premierenabend leidet. Von Koliyiannis persönlich mit der Bearbeitung dieses Falles betraut, hatte er eine schwere Aufgabe. Es war wichtig, die Loyalität der Zivilisten zurückzugewinnen, die in den letzten Monaten spürbar nachgelassen hatte. Die Dörfler hatten zwar zunächst mit überwältigender Begeisterung hinter der Demokratischen Armee gestanden, inzwischen aber hatten sie die Nase voll von dem ewigen Arbeitsdienst sowie der Beschlagnahme ihrer Lebensmittel und ihres Besitzes. Sie hatten die Schlachten satt, und den Artilleriebeschuß und die zunehmende Grausamkeit der belagerten Partisanen. Sie wollten ihre Töchter nicht zu den *andartinas* gehen lassen und weigerten sich fast einhellig, ihre Kinder zur *pedomasoma* zu schicken. Zwanzig führende Dorfbewohner waren dreist geflohen und hatten der Autorität der Partisanen damit noch größeren Abbruch getan.

Wie Katis wußte, war es seine Pflicht, die zuschauenden Lioten durch die Art seiner Prozeßführung so sehr einzuschüchtern, daß keiner mehr an einen solchen Verrat auch nur zu denken wagte. Und durch die Aufzählung aller Beweise gegen die Angeklagten mußte er erreichen, daß die Dörfler die Gefangenen verachteten und sich vereint auf die Seite der Partisanen schlugen.

Katis war sich deutlich der Blicke eines der beiden Richter bewußt, die hinter ihm saßen, eines hochgewachsenen, gutaussehenden, bekümmert dreinblickenden Mannes von vierzig Jahren namens Iorgos Anagnostakis. Für diesen speziellen Prozeß war Katis von Kostas Koliyiannis, dem politischen Kommissar für ganz Epirus, zwar zum vorsitzenden Richter ernannt worden, doch Anagnostakis, sein Mitrichter, war Katis' direkter Vorgesetzter, nämlich Chef der Rechtsabteilung des Oberkommandos Epirus. Anagnostakis war nicht nur drei Jahre jünger als er und Oberst der DAG, sondern er hatte auch im Zivilleben richterliche Erfahrung, während Katis nur Friedensrichter in Konitsa gewesen war. Außerdem wußte Katis, daß Anagnostakis sich der Hochachtung und Freundschaft des dritten Richters, Grigori Pappas, erfreute, da beide Männer aus derselben Gegend in Süd-Epirus stammten, und Katis war fest entschlossen, seine Kollegen mit der Vielzahl der von ihm zusammengetragenen Beweise und der Gründlichkeit seines Verfahrens zu beeindrucken.

Katis wandte sich in leicht verständlichem Stil an die Zuhörer. Die Dörfler beobachteten ihn mit angstvollen und ehrfürchtigen Mienen, und die Angeklagten beugten sich voll Spannung vor.

Katis erklärte, die Einwohner von Lia würden nun Zeugen eines Prozesses gegen sieben Angeklagte aus ihrem eigenen Dorf werden. Mit einem Anflug von Stolz verkündete er, der Geheimdienst der Partisanen habe die Existenz einer Organisation von Sympathisanten der Faschisten im Dorf aufgedeckt, die dem Feind wichtige Informationen über die Verteidigungsstellungen der Partisanen übermittelt hätten. Überdies habe die Organisation es Anhängern der Faschisten ermöglicht, zum Feind überzulaufen. Eine Gruppe von zwanzig Verrätern sei bereits fort, weitere bereiteten sich darauf vor, diesen ersten zu folgen. Den Angeklagten würde vor den Augen ihrer Nachbarn der Prozeß gemacht, weil die Partisanen wüßten, daß jeder echte Patriot im Dorf diesen Verrat verabscheue, der die tapferen Männer gefährde, die ihr Leben aufs Spiel setzten, um Griechenland zu befreien. Dies sei eindeutig, setzte er hinzu, wobei er vielsagend die Brauen hob, «weil sämtliche Beweise für die Verbrechen dieser Angeklagten von ihren Dorfgenossen stammen, die der Revolution treu sind». Unter den Zuschauern entstand Unruhe, und jeder mied den Blick seiner Nachbarn.

Den Gefangenen werde zunächst die Anklageschrift verlesen, fuhr Katis fort, anschließend würden dann Zeugen aufgerufen, um die Anklagepunkte zu bestätigen. Nun wandte er sich den Angeklagten zu und donnerte: «Wir sind nicht hier, um euch zu verurteilen.

Ankläger sind eure Nachbarn im Dorf. Nachdem sie ihre Aussagen gemacht haben, werden wir aufgrund dieser Beweise das Urteil sprechen.» – «Vasili Nikou», begann Katis nach kurzer Pause, und der grauhaarige Böttcher erhob sich mühsam, dadurch behindert, daß sein Arm immer noch an Dina Venetis' Handgelenk gefesselt war. «Dieser Mann ist ein alter Faschist», erklärte Katis, und jedes Wort klang wie ein Regentropfen, der auf ruhiges Wasser fällt. «Er ist im Dorf geblieben, um dem Feind Informationen liefern und unter seinen Nachbarn Feindseligkeit gegen die Revolution provozieren zu können. Er war ein Hauptorganisator der Flucht der zwanzig Verräter und schmiedete bis zum Tag seiner Verhaftung weitere Fluchtpläne.

Spiro Michopoulos», rief er dann, und die zappelige Vogelscheuchengestalt klappte auf wie ein Springmesser. «Dieser Mann gab vor, unseren Kampf zu unterstützen. Er ließ sich sogar zum Dorfvorsteher ernennen», dozierte Katis. «In Wahrheit aber gehörte er zur Fünften Kolonne in unserer Mitte und war ungerecht bei der Verteilung der Arbeitsdienste, um die Anhänger der Faschisten zu schützen und unter unseren treuen Gefolgsleuten Feindseligkeit gegeneinander zu provozieren. Während unsere Kämpfer litten und seine Nachbarn hungerten, hortete Spiro Michopoulos Lebensmittel und Vorräte für den eigenen Verbrauch.» Der Ausdruck gekränkter Unschuld auf Spiros hagerem Gesicht vertiefte sich, und er wollte der Anklage widersprechen, doch Katis schnitt ihm das Wort ab und befahl ihm, sich zu setzen.

«Andreas Michopoulos», rief er dann. Der junge Partisan versuchte aufzustehen, schaffte es aber nicht, bis ihn sein Onkel an dem Strick, der sie zusammenfesselte, emporzog. «Dieser Verräter meldete sich zur Demokratischen Armee, damit er uns verraten und Informationen an die weitergeben konnte, die fliehen wollten», erklärte Katis. «Ohne seine Hilfe wäre ihnen die Flucht auf keinen Fall gelungen, und sie hätten den Faschisten keine Informationen über unsere Verteidigungsanlagen und Truppenbewegungen bringen können.

Constantina Drouboyiannis.» Die rundgesichtige kleine Frau mit den kleinen, braunen Augen und den tomatenroten Wangen stand auf und versuchte in ihre Miene einen Ausdruck irgendwo zwischen Reue und Unterwürfigkeit zu legen. «Diese Frau wird beschuldigt, ihre beiden Töchter mit den anderen Faschisten auf die Flucht geschickt zu haben, während sie selbst bei der Erntearbeit war», las Katis von den Unterlagen auf seinem Tisch ab.

«Dina Venetis», fuhr er fort, und Dina stand auf, mit den Händen an Vasili Nikou gefesselt. «Diese Frau, deren Ehemann Offizier der monarcho-faschistischen Armee ist, wird beschuldigt, ihre Flucht aus dem Dorf geplant zu haben.

Alexo Gatzoyiannis!» rief er jetzt lauter. Eleni mußte ihre Schwägerin anstoßen, damit sie aufstand. «Diese Frau sorgte nicht nur dafür, daß ihre älteste Tochter mit den Verrätern fliehen konnte, sondern hat darüber hinaus die Revolution verraten, indem sie Geheimnisse an ihren Ehemann weitergab, der sie mindestens dreimal heimlich besuchte, um Informationen über die Truppenbewegungen und Aktivitäten der Volksarmee zu holen.» Alexo warf ihm einen Blick tiefster Verachtung zu, sprach aber kein Wort.

Katis wartete einen Moment, um die aufmerksamen Gesichter der Zuschauer zu mustern. «Eleni Gatzoyiannis», verkündete er dann mit leiser Stimme, so daß seine Zuhörer sich vorbeugten. Eleni stand auf und starrte, als er sich an sein Publikum wandte, auf seinen fast kahlen Hinterkopf. «Diese Frau ist die Tochter eines bekannten Faschisten und die Ehefrau eines amerikanischen Kapitalisten», erklärte er. «Das Land ihres Mannes schickt die Bomben und Flugzeuge, die unsere Männer töten. Ihr wird vorgeworfen, die Flucht ihrer Mutter, ihrer Schwester, ihrer Nichte und vier ihrer Kinder sowie dreizehn weiterer Faschisten-Anhänger organisiert zu haben, die geflohen sind, um dem Feind unsere Geheimnisse zu verraten.»

Eleni stand still wie eine Statue, bis er sie anwies, sich wieder zu setzen. «Wir werden fünfzehn Zeugen gegen die Angeklagten aufrufen», verkündete Katis in einem Ton, der die Dörfler ängstlich erschauern ließ. «Es sind eure eigenen Nachbarn, die aufzeigen werden, wie die Angeklagten die Revolution verraten haben. Außerdem werden wir bestätigende Aussagen anderer Dorfbewohner über die verräterischen Aktivitäten der Angeklagten verlesen. Anschließend wird es den Delinquenten gestattet, sich zu verteidigen, und falls hier jemand anwesend ist, der dem noch etwas zuzufügen hat, wird er sich ebenfalls an das Gericht wenden dürfen.»

Er hielt inne, um dann wieder lauter fortzufahren: «Die Rechtsprechung der Demokratischen Armee ist unparteiisch, sogar inmitten von Schlachten und Revolution! Sie wird die Schuldigen von den Unschuldigen so eindeutig trennen wie Öl von Essig.»

Unwillkürlich sah Katis sich, höchst zufrieden mit der Art, wie er sich ausgedrückt hatte, zuerst nach den Angeklagten und dann, seitlich, nach seinen Mitrichtern um. Anschließend sah er wieder sein Publikum an. «Wir werden jetzt die Zeugen aufrufen. Jeder Zeuge, der aufgerufen wird, tritt bitte vor und nimmt dort drüben, rechts seitlich von den Angeklagten, Platz, bis er zur Aussage aufgefordert wird.»

Als Katis die Zeugen nach einer Liste in seiner Hand aufzurufen begann, wurden die Zuschauer von einem Geräusch wie Donnergrollen und einem Rauchwölkchen auf dem Grat des Großen Bergrückkens weit in der Ferne abgelenkt. Die griechische Nationalarmee, die gesehen hatte, daß auf dem Dorfplatz eine große Menschenmenge versammelt war, hatte sich ausgerechnet diesen Augenblick ausgesucht, um das Dorf zu beschießen. Die erste Granate riß auf halber Höhe des Propheten Elias einen Krater, die zweite schlug östlich des Dorfplatzes bei der Kirche zum Heiligen Freitag ein. Während Köpfe herumfuhren und Mütter nach ihren Kindern griffen, landete die dritte Granate nur hundert Meter östlich des Platzes. Wie ein Mann sprangen die Zuschauer auf und begannen durcheinanderzuschreien. Katis war wie vom Donner gerührt. Die Partisanen unter den Zuschauern legten die Gewehre an, und alle beobachteten sie voll Nervosität, hin und her gerissen zwischen dem Wunsch zu fliehen und ihrer Angst vor den Gewehren. Katis begann zu schwitzen. Plötzlich schlug eine Granate unmittelbar am Rand des Dorfplatzes ein, zwischen der Platane und der Kirche zur Heiligen Dreifaltigkeit. Der Explosionsdruck bewirkte, daß alle – Richter, Zeugen, Angeklagte und Dorfbewohner – Hals über Kopf Schutz suchten, an nichts mehr dachten als an den Urinstinkt der Selbsterhaltung. Blätter, Zweige, Steine, Erde und Granatsplitter regneten auf alle hinab, die sich im Umkreis von wenigen Metern der Platane befanden; die Angeklagten wurden mit einem Schauer von Zweigen überschüttet. Noch immer zu Paaren zusammengefesselt, drängten und stießen sie sich schreiend, wie alle anderen, zum nächsten Unterstand.

Als der Beschuß aufhörte, herrschte eine Stille, die nur vom Geräusch herabfallender Dachziegel und Baumäste unterbrochen wurde. Sobald sich die Staubwolke zu legen begann, trat Katis aus dem Hauseingang heraus, in den er sich geduckt hatte, und rief die Partisanen zusammen. «Die Verhandlung ist für heute vormittag beendet!» rief er mit gepreßter Stimme. «Dieser Platz ist zu exponiert. Wir fahren fort heute nachmittag um siebzehn Uhr dreißig in der Schlucht unterhalb der Quelle von Siouli. Jeder Dorfbewohner hat anwesend zu sein!»

In etwas leiserem Ton wandte sich Katis an die Partisanen, die ihn umdrängten: «Holt die Gefangenen zusammen und bringt sie ins Polizei-Hauptquartier zurück.»

Nach wenigen Minuten, während der Dorfplatz sich sehr schnell leerte, brach Panik unter den Wachtposten aus. «Die Gefangene Constantina Drouboyiannis ist verschwunden!» schrie jemand. Katis erbleichte. Sie war die einzige, die nicht gefesselt worden war, und jetzt sah er ein, daß er einen Fehler gemacht hatte.

Sie fanden Constantina in einer Ecke des Kokkinos-Kellers, wo sie sich hinter einem Mehlsack versteckt hatte. «Ich wollte nicht fliehen!» jammerte sie und schützte ihren Kopf mit beiden Händen vor den erwarteten Schlägen. «Ich wollte nur wie alle anderen Schutz vor den Granaten suchen.» Schwach vor Erleichterung befahl Katis, sie sofort für die gesamte Dauer des Prozesses zu fesseln.

Auf dem Gipfel des Perivoli, unmittelbar unterhalb des ebenen Platzes namens Vrisi, wo die Dorfbewohner am Festtag des Propheten Elias tanzten, fiel der Felshang senkrecht in eine grün belaubte Schlucht hinein ab. In die Seite der Schlucht hatte jahrhundertelang tropfendes Wasser eine Art Grotte gefressen, eine grüne, farnbestandene Nische von den Ausmaßen eines großen Zimmers. Hier wurden der Tisch und die Stühle der Richter aufgestellt, so daß sie selbst bei einem direkten Granattreffer durch das Felsdach geschützt waren. Das Bachbett vor der Grotte war während des größten Teils des Jahres feucht und sumpfig, im August jedoch war es ausgetrocknet, und die Gefangenen saßen auf den flachen, blankpolierten Steinen unmittelbar vor den Richtern. Vom Bachbett aus stieg der Boden sanft zu einer Art Talkessel an, und hier, auf diesem Grashang, mußten die Dörfler Platz nehmen, mit den Dorfältesten in der ersten Reihe.

So bildete die weite Schlucht ein perfektes halbkreisförmiges Amphitheater mit der Grotte als natürliche Bühne. Normalerweise ist hier der Boden mit einem Teppich von Farnen bedeckt, deren zierliche Blätter, betupft mit einem ständig wechselnden Muster aus Sonne und Schatten, sich hübsch entfalten, während Schmetterlinge, zart wie ein Hauch, durch die Kirchenstille der Senke flattern. An jenem

Tag jedoch waren die Schmetterlinge verschwunden, und die Schlucht war vom erregten Gemurmel mehrerer hundert Stimmen erfüllt, denn die Dorfbewohner auf dem ansteigenden Hang wußten genau, daß sie den gefährlichen Granaten weit direkter ausgesetzt waren als die Partisanen.

Katis beendigte das Verlesen der Namen der fünfzehn Dorfbewohner auf der Zeugenliste. Er befahl ihnen, sich auf einer Seite des Amphitheaters so auf den Boden zu setzen, daß sie sowohl die Richter als auch die Angeklagten sehen konnten. Zu den Zeugen gehörten unter anderem Stavroula Yakou, der blonde Liebling der Partisanen; Alexandra Drouboyiannis, die dunkle, scharfzüngige Schwägerin von Constantina, die beim zweiten Fluchtversuch dabei gewesen war; und ihre älteste Tochter Milia, die Uniform trug und sich ihr Gewehr umgehängt hatte.

Als alle Zeugen versammelt waren, hob Katis Schweigen gebietend die Hand und begann die Aussagen zu verlesen, die er gegen den ersten Angeklagten, Vasili Nikou, zusammengetragen hatte. Es waren Aussagen von zweiundzwanzig Dorfbewohnern, die den Verrat und die Untreue des alten Böttchers gegenüber dem revolutionären Kampf in allen Einzelheiten bestätigen und beweisen sollten, daß er ein Faschist war, der Fluchtunternehmen organisiert und dem Feind Informationen zugeschanzt hatte. Als Katis ihre Namen verlas, wurden die Dörfler, die der Sicherheitspolizei ihre Aussagen unter dem Eindruck zugeflüstert hatten, daß sie vertraulich behandelt würden, leichenblaß und duckten sich, um möglichst in der Menge zu verschwinden. Obwohl es kühl in der Bergschlucht war, wo der Duft von Lorbeer in der Luft hing, begannen viele Zuschauer zu schwitzen. Unter jenen, die gegen Nikou gesprochen hatten, waren Stavroula Yakou und Marianthe Ziaras, deren Aussagen vor ihrer Flucht notiert worden waren.

Die beiden ältesten Töchter Vasili Nikous saßen fast ganz oben am Hang und erinnern sich deutlich an die Aussagen. Der erste und tödlichste Zeuge gegen ihren Vater war Foto Bollis, der hakennasige kleine Kesselflicker, der mit Frau und fünf Kindern in einem Haus in der Nähe des Gatzoyiannis-Grundstücks wohnte.

Foto Bollis war von der Besetzung Lias durch die Partisanen im November auf seiner Kesselflickertour überrascht worden. Aber er war ein fanatischer Kommunist, und so gelang es ihm am 30. Mai 1948, sich mit Christos Skevis, einem Cousin von Spiro Skevis, zusammen von Filiates durch die Linien der Regierungstruppen nach Lia zurückzuschleichen.

«Was weißt du über den Angeklagten Vasili Nikou?» fragte Katis wie ein Souffleur, der einem Schauspieler auf die Sprünge hilft. Bollis richtete sich zu seiner ganzen Größe auf. Jetzt hatte er Gelegenheit, sich an den Dorfbewohnern dafür zu rächen, daß sie ihn all die Jahre lang ignoriert hatten.

«Er ist schwarz, schwarz wie die Nacht, bis in die Fingerspitzen vom Faschismus vergiftet!» rief er laut. Dann fuhr er fort und erzählte, daß er, als er hinter den Kampflinien in Filiates festsaß, immer wieder gesehen habe, wie die Faschisten von Vasili Nikou Informationen über die Partisanen-Aktivitäten in den Murgana-Dörfern erhielten.

Die zweite Zeugin war Stavroula Yakou, die die kalten Blicke der Dorffrauen trotzig erwiderte. Als sie stolz vor den Richtern stand, spielten Sonnenlicht und Schatten auf ihrer goldbraunen Haut und ihrer honigblonden Haarmähne.

«Er ist der Bruder meiner Schwiegermutter, aber die Wahrheit darf man nicht verschweigen», verkündete sie mit einem triumphierenden Blick zu ihrer verhaßten Schwiegermutter hinüber. Eleni sah, daß Stavroulas Mutter, ihre alte Freundin Anastasia, den Kopf abwandte. «Wenn Vasili Nikou den Arbeitsdienst einteilte, bestimmte er schwache, alte Frauen zum Verwundetentransport», behauptete Stavroula unverfroren, «so daß die Verwundeten fallen gelassen wurden oder starben, bevor sie ärztliche Hilfe bekamen. Und einmal, als sein eigenes Maultier zum Arbeitsdienst gebraucht wurde, hat Nikou ihm einen Stein in den Huf geklemmt, damit es nicht laufen konnte.»

Die nächste Zeugin gegen Nikou war eine seiner Mitgefangenen, Constantina Drouboyiannis, deren Hände jetzt deutlich sichtbar gefesselt waren, um jeden weiteren Fluchtversuch unmöglich zu machen. Katis las Constantinas Aussage über einen Zwischenfall vor, der sich ereignet hatte, als sie Vasili Nikou einmal bat, das Schloß an einer Tür ihres Hauses zu reparieren. Während er arbeitete, hatte er laut Constantina zu ihr gesagt: «Du hast Glück. Du hast es geschafft, deine Töchter fortzuschicken und sie dadurch zu retten. Aber was ist mit meinen Töchtern? Was soll ich tun?»

«Hat der Angeklagte Nikou das zu dir gesagt?» fragte Katis. Die Frau sah ihn voll Unbehagen an; dann schlug sie die Augen nieder, als betrachte sie die Stricke an ihren Händen, und nickte kaum merklich.

Plötzlich erhob sich Anagnostakis, und Katis erschrak. Es war ihm klar, daß jeder Richter das Recht hatte, die Zeugin zu befragen, aber er hatte diesen Prozeß so gründlich ausgearbeitet, daß er nicht auf ein Eingreifen der anderen Richter gefaßt war. Und Anagnostakis war der letzte, von dem er seine sorgfältig vorbereiteten Zeugen durcheinanderbringen lassen wollte.

«Waren noch andere Personen anwesend, als der Angeklagte das zu dir sagte?» erkundigte sich Anagnostakis freundlich.

Constantina sah ihn fassungslos an, wußte nicht recht, ob sie vielleicht ein Stichwort verpaßt hatte. «Nein», antwortete sie. «Sonst hätte er es ja nicht gesagt», setzte sie hinzu, als müsse sie das einem Kind erklären.

«Er hat es dir also im Vertrauen gesagt, weil er Vertrauen zu dir hatte?» fragte Anagnostakis weiter.

Constantinas ohnehin rote Wangen erröteten noch tiefer. Sie nickte.

«Warum enttäuschst du dann jetzt dieses Vertrauen?» bohrte er weiter.

Total verwirrt blickte Constantina von einem Richter zum anderen. Von Katis' finsterem Gesicht kehrte ihr Blick wieder zu dem jüngeren Mann zurück, der ihr freundlicher zu sein schien. «Weil ich Angst habe!» platzte sie heraus. Ein Murmeln lief durch die Reihen der Zuschauer.

Das war das letzte, was Katis hören wollte, denn es vermittelte den gebannt lauschenden Dörflern den Eindruck, die Zeugen seien zu ihren Aussagen gezwungen worden. Er machte eine ungeduldige Handbewegung an die Adresse der hilflosen Constantina. «Sag doch die Wahrheit, Frau! Hat Vasili Nikou diesen Satz zu dir gesagt oder nicht? Hast du bei deiner Aussage gelogen?»

Sie sah ihn eine Zeitlang forschend an; dann antwortete sie mit kaum vernehmbarer Stimme: «Er hat es gesagt.»

Während Katis – mit einem Seitenblick auf Anagnostakis – die Zuschauer beobachtete und abzuschätzen suchte, wieviel Schaden Constantina Drouboyiannis mit ihrer Aussage angerichtet hatte, erinnerte Eleni sich an das verweinte Gesicht der Frau an dem Tag, als sie in Katis' Büro geholt und ihr gegenübergestellt wurde. Eindeutig versuchte sie sich zu retten, indem sie die anderen denunzierte.

Bemüht, den Eindruck, den Constantina hinterlassen hatte, auszugleichen, befahl Katis ihr in scharfem Ton, sich zu setzen. Er nahm ein Blatt Papier vom Tisch. «Wie dem Gericht hinreichend bekannt ist», sagte er, «gab es noch eine weitere Angeklagte, gegen die hier heute auch verhandelt werden sollte, der es aufgrund der Nachlässigkeit unserer Sicherheitspolizei jedoch gelang, aus dem Dorf zu fliehen. Zuvor allerdings hat sie eine detaillierte Aussage gemacht, aus der ich jetzt den Teil vorlesen werde, der Vasili Nikou betrifft. Die Gefangene Marianthe Ziaras wurde gefragt: ‹Hat Vasili Nikou von der Flucht der zwanzig gewußt, bevor sie gelang?› Und sie erwiderte: ‹Ja, er hat oft mit meinem Vater davon gesprochen, die Familien hinauszubringen.›»

Katis ließ Vasili Nikou aufstehen. «Trifft es zu, daß du fort wolltest von hier, und uns verraten, daß du mehrmals Fluchtpläne gemacht hast?» fuhr er ihn an.

Vasili Nikou musterte ihn gelassen. «Nein, Genosse Katis», antwortete er, «das trifft nicht zu. Spiro Skevis, mein Verwandter, gehört zu euren ruhmreichen Kommandeuren. Warum sollte ich die Revolution verraten, für die wir doch alle kämpfen? Als ich hörte, daß ihr gekommen seid, war ich auf dem Weg nach Filiates; ich bin sofort umgekehrt und zurückgekommen. Und letzten März, als der Feind an unserer Dorfgrenze stand, sagte Spiro Michopoulos zu mir: ‹Laß uns jetzt fliehen. Eine so günstige Gelegenheit kommt nie wieder.› Aber ich ging nicht mit.»

Plötzlich richteten sich alle Augen auf den mageren, blassen ehemaligen Dorfvorsteher, der mit einem winzigen Zweig, den er in der freien Hand hielt, nervös in seinen Zähnen stocherte. Jetzt erstarrte er, als Katis ihn anschrie: «Ist das wahr, Michopoulos? Hast du das zu ihm gesagt?»

Michopoulos machte einen jämmerlichen Versuch, ein offenes Lächeln auf sein Gesicht zu zwingen. «Ja, das habe ich», antwortete er. «Aber nur, um ihn zu testen! Er hat während der Besatzungszeit niemals unsere Seite vertreten, und ich konnte nicht glauben, daß er jetzt tatsächlich zu uns gehört. Deswegen sagte ich das, um ihn zu entlarven. Wäre er mit meinem Vorschlag einverstanden gewesen, hätte ich ihn sofort zu euch gebracht.»

Die beiden Häftlinge starrten einander mit nacktem Haß an. Jeder versuchte sich jetzt zu retten, indem er den anderen opferte, aber Michopoulos' Trick funktionierte nicht.

«Warum hast du uns nicht von deinen Zweifeln informiert?» schrie Katis. «Warum hast du uns deinen Verdacht nicht mitgeteilt?»

Spiro Michopoulos' Gesicht verfiel, und er flüsterte: «Ich hielt es für besser, ihn erst zu testen.»

«Du hast uns nichts davon gesagt, weil du tatsächlich selbst fliehen wolltest!» donnerte Katis.

Michopoulos begann so heftig zu protestieren, daß er mit seinen krampfhaften Bewegungen Andreas das Handgelenk verdrehte.

«Ich war von Anfang an auf eurer Seite!» beteuerte er. «Ich habe die ELAS unterstützt, während Vasili Nikou bei der EDES war! Ich habe die Demokratische Armee unterstützt und seit dem Tag eurer Ankunft unermüdlich für euch gearbeitet. Möge ich im Blut Gottes schwimmen, wenn ich die Revolution jemals verraten habe!»

Katis schnitt ihm hastig das Wort ab. «Setz dich, Michopoulos!» befahl er. «Wir werden gleich feststellen, wie fleißig du die Revolution unterstützt hast.»

Er wandte sich an die anderen Richter. «Wir haben eine Anzahl Zeugen, die beweisen werden, daß die Loyalitätsbehauptungen von Spiro Michopoulos allesamt Lügen sind.»

Er rief Chrisoula Kouka nach vorn, eine alte Frau, ganz in Schwarz, deren Haus und Grundstück an den Besitz von Spiro Michopoulos grenzte. Chrisoula, fünfundsechzig Jahre alt, war bekanntermaßen schrullig und stritt ständig mit anderen Dörflern um Feldgrenzen und Wasserrechte. Während sie zitternd vor ihm stand, überwältigt von der Tatsache, daß das gesamte Dorf an ihren Lippen hing, las Katis eine Aussage Chrisoulas vor, mit der sie Spiro Michopoulos vorwarf, ein Feind der Revolution zu sein, der faschistische Sympathisanten bei der Einteilung des Arbeitsdienstes bevorzuge, um sich beim Feind lieb Kind zu machen für den Fall, daß die Nationaltruppen jemals das Dorf zurückeroberten. Ihre am schwersten belastende Aussage gegen den Nachbarn jedoch lautete, sie habe gesehen, wie er einen großen Lebensmittelvorrat aus seinem inzwischen geschlossenen Gemischtwarenladen in seinem Keller vergraben habe – Schachteln mit Seife und Kanister mit Öl, die er mit den Kämpfern der Demokratischen Armee hätte teilen müssen. Triumphierend verkündete Katis, man habe diese Dinge tatsächlich unter Michopoulos' Kellerboden gefunden: «Eine fürstliche Menge an Vorräten, während unsere Kämpfer und treuen Anhänger Hunger und Kälte leiden mußten.»

Jedesmal, wenn er einige Zeilen gelesen hatte, hielt Katis inne, um zu fragen: «Trifft das zu, Genossin Kouka?» Die Alte jedoch, erschrocken darüber, daß ihre Worte öffentlich verlesen wurden, machte Ausflüchte. «So schien es mir», murmelte sie. «So hab ich's gehört. Ja, du hast vermutlich recht.»

Katis wurde rot vor Zorn über ihre ausweichenden Antworten. Schließlich klatschte er das Papier auf den Schreibtisch, streckte die Hand aus und imitierte die Bewegungen einer Schlange. «He, Genossin Kouka!» zischte er. «Nicht wie der Aal, der sich vor dem Messer davonwindet! Sag es genau so, wie du es uns zuvor gesagt hast!»

Die Alte starrte seine Hand an, als sei sie ein lebendes Wesen; dann nickte sie nachdrücklich. «Jawohl, was du da vorgelesen hast, ist wahr», bestätigte sie und sah ihren Nachbarn an, den sie endlich richtig gedemütigt hatte.

Spiro Michopoulos konnte sich nicht länger beherrschen. Er sah, daß das exzentrische alte Weib seinen ganzen Haß auf ihn losließ und ihn dadurch dem Tod auslieferte. Heftig rudernd rappelte er sich auf. «Nicht nur habe ich die Revolution seit der Besatzungszeit unterstützt, ich bin dafür auch von der faschistischen Polizei verprügelt worden!» schrie er.

Die Alte stieß ein prustendes Lachen aus. Ihre Scheu vor den vielen Menschen völlig vergessend, schwenkte sie einen knotigen Finger vor seiner Nase. «Verprügelt haben sie dich, weil du ihnen ein Schaf gestohlen hast!» krähte sie.

Katis, dem wieder wohler war, las die Aussagen von nahezu zwei Dutzend Dörflern gegen den unglückseligen ehemaligen Dorfvorsteher: er habe die treuen Anhänger der Partisanen ungerechterweise viel häufiger zum Arbeitsdienst eingeteilt, er habe die Sympathisanten der Faschisten bevorzugt, er habe vielen Personen gegenüber angedeutet, es sei klüger, das Dorf zu verlassen. Bei jeder Aussage wurde Michopoulos bleicher; sein langer Körper schien in sich zusammenzusinken, vor dem Gespenst des Todes zu schrumpfen.

Die letzte Zeugin gegen Spiro war Dina Venetis. Als sie aufstand, war ihr ovales Gesicht so blaß, daß die hohen Wangenknochen durch die Haut zu brechen schienen. Jahre später behauptete Dina Venetis, sich nicht erinnern zu können, was sie bei dem Prozeß gesagt habe; sie sei viel zu verängstigt gewesen. Andere Dorfbewohner erinnern sich jedoch deutlich an ihre Aussage.

«Hast du einige Tage nach der Flucht der zwanzig den Dorfvorsteher Spiro Michopoulos aufgesucht?» Katis stellte ihr bewußt eine Suggestivfrage.

«Ja», antwortete Dina mit leiser Stimme. «Ich bat ihn um etwas Mais aus den Vorräten des Dorfes, weil ich für meine drei kleinen Kinder nichts mehr zu essen hatte.»

«Und was hat er dir geantwortet?» drängte Katis.

Niemand vermochte ihre Worte zu verstehen. «Sprich lauter!» befahl Katis.

Dina hob ihre Stimme. «Er sagte: ‹Ich habe keinen Mais mehr. Du hättest mit den anderen gehen sollen.›»

«Das genügt», erklärte Katis, und Dina nahm erleichtert Platz.

Als sämtliche Aussagen gegen Spiro Michopoulos verlesen waren, hatte die Schlucht sich mit Schatten gefüllt, und die sinkende Sonne sandte feurige Finger zum Gipfel der westlichen Berge empor. Katis verkündete, die Verhandlung werde jetzt unterbrochen und am folgenden Morgen am selben Platz fortgesetzt.

Der erste Angeklagte, der am folgenden Tag aufgerufen wurde, war Andreas Michopoulos. Der Junge stand, immer noch von der Folter nach seinem Fluchtversuch geschwächt, unsicher da, während Katis sich an die Zuschauer wandte.

«Vor zwei Monaten flohen zwanzig Zivilisten aus diesem Dorf. Damit so viele Personen auf einmal unbemerkt entkommen und die faschistischen Truppen auf dem Großen Bergrücken erreichen konnten, mußten sie in Erfahrung bringen, in welchem Bereich sich unsere Patrouillen bewegten und wo die Tretminen gelegt waren. All diese Informationen erhielten sie von Andreas Michopoulos, einem Verräter an der Uniform, die wir ihm verliehen haben, als wir in dieses Dorf einrückten.

Falls es noch irgendwelche Zweifel hinsichtlich seiner Beteiligung an der Fluchtplanung gab», fuhr Katis fort, «wurden sie ausgeräumt durch seinen Versuch, sich der Rechtsprechung des Volkes durch die Flucht zu entziehen. Andreas Michopoulos sieht ein, daß er sich schuldig gemacht hat, und ist bereit, seine Verbrechen zu gestehen.»

Katis wandte sich zu Andreas um, der sich nervös die Lippen leckte. «Ist der Verräter Lukas Ziaras zu dir gekommen, als du bei der Kirche zur Heiligen Jungfrau Wache standest, und hat dich mehrmals vor seiner Flucht über die Bewegungen der Patrouillen und die Lage der Minenfelder ausgefragt?»

«Ja», antwortete Andreas.

«Und was hast du ihm geantwortet?»

«Wir haben nur geplaudert», sagte Andreas zögernd. «Ich dachte, er gehört zu uns. Ich erzählte vom Patrouillendienst, und wo die Patrouillen gewöhnlich hingehen. Ich hatte keine Ahnung, daß er fort wollte.»

«Wenn du gewußt hättest, daß er fliehen wollte – hättest du uns dann informiert?» Katis erwärmte sich allmählich für seine Rolle.

«Aber ja, Genosse, selbstverständlich!»

«Hat Dina Venetis dir gegenüber jemals geäußert, daß sie das Dorf verlassen will?»

Der Junge, der erkannte, worauf Katis hinaus wollte, wurde blaß. «Ja», murmelte er.

«Was genau hat sie gesagt?»

«Sie kam zu mir, während ich Wache hatte, und fragte mich, welches der sicherste Weg zum Dorf hinaus sei.»

«Und du – bist du sofort zu deinen Vorgesetzten gegangen, um ihnen den Vorfall zu melden?»

Andreas versuchte seine Gedanken zusammenzuhalten. «Nein, nicht sofort», antwortete er bedrückt. «Aber als du mich später gefragt hast, habe ich's dir gesagt.»

Katis lächelte. «Jawohl, später, nachdem du anderen Bewohnern des Dorfes von dem Gespräch erzählt hattest und wir es dann von ihnen erfuhren», rief er. «Du bist eine Schande für die Uniform, die du trägst!»

Er wandte sich an die Gefangenen. «Dina Venetis – aufstehen!»

Dina erhob sich, eine winzige Gestalt vor der gewaltigen Macht des Gerichtshofs.

«Trifft es zu, daß du zu Andreas Michopoulos gegangen bist und ihn gefragt hast, wie man aus dem Dorf fliehen kann?» fragte Katis.

Dinas schwarze Augen blitzten. «Das ist eine gemeine Lüge!» gab sie zurück und richtete ihren funkelnden Blick auf Andreas. «Ich wohne ganz unten im Dorf und kenne alle Wege hinaus besser als jeder andere. Diesen Mann habe ich niemals um Rat gefragt!»

«Du leugnest also, daß du zu deinem Mann fliehen wolltest, der mit den monarcho-faschistischen Truppen kämpft?»

«Ich leugne nicht, daß ich das Dorf gern mit meinen Kindern verlassen hätte, um meinen Mann wiederzusehen», antwortete Dina, die Katis offen ansah. «Aber ich leugne, die Flucht tatsächlich geplant zu haben. Es wäre mir wohl auch unmöglich gewesen, mit drei kleinen Kindern ungefährdet auf die andere Seite zu gelangen.

Andreas Michopoulos lügt, und wie weit ihr ihm trauen könnt, hat er euch ja gezeigt, indem er selbst fliehen wollte.»

Den anderen beiden Richtern erklärte Katis voll Stolz, Andreas habe noch dreiundzwanzig weitere Lioten genannt, die er verdächtige, die Flucht zu planen. Damit bestätige sich der Verdacht der Sicherheitspolizei, daß es eine dorfweite Verschwörung gebe.

Als nächste wurde Constantina Drouboyiannis aufgerufen, der man vorwarf, ihre beiden Teenager-Töchter mit ihrer Schwägerin auf die Flucht geschickt zu haben. Immer noch zitternd von der Zerreißprobe ihrer Aussage gegen Vasili Nikou und vor Angst, Katis noch mehr in Rage zu bringen, erhob sie sich.

«Wußtest du, daß deine Töchter fliehen wollten?» fragte er sie.

«Nein», antwortete sie unglücklich. «Als sie fortgingen, war ich bei der Erntearbeit für die Demokratische Armee.» Und weiter erklärte sie, ihre Schwägerin habe die Mädchen ohne ihre Erlaubnis und gegen ihren Willen mitgenommen. Katis verzichtete auf weitere Fragen, weil er fürchtete, die schwerfällige Frau werde vor Anagnostakis noch einen weiteren Schnitzer machen. Rasch ging er zu den Anschuldigungen gegen Alexo Gatzoyiannis über, die, wie er sagte, ihre älteste Tochter auf die Flucht geschickt habe.

Alexo stand auf und sah ihn an. «Meine Tochter Arete ist seit fünfzehn Jahren verheiratet und steht nicht mehr unter meiner Aufsicht», erklärte sie. «Die Tochter, die mit mir zusammenlebt, ist noch hier. Das sollte ausreichen als Beweis dafür, daß ich keine Ahnung hatte, was die anderen planten. Hätte ich davon gewußt – hätte ich meine Jüngste nicht auch mitgeschickt?»

«Und wenn du keine Ahnung hattest, daß Arete fort wollte, warum hast du dann geduldet, daß sie auf dem Feld hinter deinem Haus fünf Okka Lötzinn vergrub, und hast uns später gezeigt, wo es versteckt war?»

«Das Lötzinn lag schon monatelang dort, seit Aretes Mann fortging und lange bevor die Partisanen ins Dorf kamen», entgegnete Alexo.

«Du antwortest sehr gewandt auf unsere Beschuldigungen», sagte Katis, «aber wir haben Beweise dafür, daß du dich eines weit schwereren Verbrechens gegen die Demokratische Armee schuldig gemacht hast. Dein Mann hat sich zu wiederholten Malen durch unsere Linien geschlichen, um dich zu besuchen und Informationen über unsere Verteidigungsstellungen zu sammeln. Aber du bist ja eine so loyale und verschwiegene Ehefrau, daß du das sicher nicht zugeben wirst.»

Jetzt verlor Alexo die Beherrschung und begann zu schreien. «Sogar in Friedenszeiten war mein nichtsnutziger Ehemann niemals zu Hause! Wieso sollte er jetzt kommen? Und wie sollte er das anstellen, ohne von jemandem gesehen zu werden?»

«Aber er *ist* gesehen worden!» gab Katis triumphierend zurück. Dann rief er Olga Noussi nach vorn, eine dreißigjährige Frau, mager und gelblich vom Krebs, der sich in ihrem Körper ausbreitete und an dem sie einige Jahre später sterben sollte. Auch sie hatte man beschuldigt, Geheiminformationen der Partisanen weitergegeben zu haben, und viele Tage lang in der Polizeistation festgehalten, während ihre drei Kinder, alle unter sieben Jahren, bei den Nachbarn um Essen bettelten und Kartoffeln von den Feldern stahlen. Nach ihrer Entlassung erzählte Olga Noussi mehreren Frauen, die Partisanen hätten sie an den Knöcheln aufgehängt und sie mit Gerten ausgepeitscht. Als Katis ihr jetzt seine Fragen stellte, sagte sie zögernd aus, Alexo, ihre Nachbarin, habe Besuch von ihrem Ehemann erhalten.

«Stimmt es, daß Foto Gatzoyiannis seine Frau heimlich bei Nacht besucht hat?» erkundigte sich Katis.

«Ich hörte, daß Foto Gatzoyiannis sich auf dem Feld unterhalb ihres Hauses mit seiner Frau traf», antwortete Olga Noussi. «Ich sah sie am Rand des Maisfeldes stehen und beobachtete, wie die Maiskolben vor ihr sich bewegten. Dann sah ich, wie sie mit ihm sprach.»

Plötzlich stand Anagnostakis noch einmal auf. Katis sah es voll Unbehagen. «Hast du sein Gesicht gesehen?» fragte Anagnostakis die fahlgesichtige Frau. «Hast du tatsächlich gesehen, daß Foto Gatzoyiannis mit seiner Frau sprach?»

Eine lange Pause entstand, in der sie unsicher zu Katis blickte. Dann schlug sie die Augen nieder, drehte an ihrem Schürzenzipfel und murmelte: «Sein Gesicht habe ich nicht gesehen, aber ich weiß, daß es ihr Ehemann war, der sich im Maisfeld versteckt hatte. Wer hätte es sonst sein sollen?»

Rasch entließ Katis Olga Noussi und beobachtete verstohlen Anagnostakis' Miene. Dann ließ er Foto Bollis vortreten.

«Als du auf der anderen Seite warst, auf dem Großen Bergrücken, bevor du in dieses Dorf zurückkehren konntest – wen hast du da den Monarcho-Faschisten helfen sehen?» fragte ihn Katis.

«Foto Gatzoyiannis», verkündete Bollis mit weittragender Stimme.

«Inwiefern hat er ihnen geholfen?»

«Er schilderte den Soldaten das Gelände, die Fußpfade, die Partisanenbefestigungen in und um das Dorf herum.»

«Und woher konnte Foto Gatzoyiannis so etwas wissen?»

«Er kam heimlich hierher, nach Hause.»

«Woher weißt du das?» stieß Katis nach.

Grinsend wandte Foto Bollis sich an Alexo. «Weil er es selbst erzählt hat. Überall hat er sich damit großgetan.»

Katis sah sie an. «Du hast seine Aussage gehört. Willst du jetzt immer noch abstreiten, daß dein Mann dich besucht hat?»

Alexo reckte stolz das Kinn. «Ich habe es dir gesagt: Ich habe diesen Teufelsbraten seit letztem November nicht mehr gesehen. Wenn er tatsächlich gekommen wäre – wieso hätte ich das geheimhalten sollen? Um es im nächsten Leben auszuposaunen? Ich weiß doch, welches Schicksal mir bevorsteht.»

Durch ihren trotzigen Widerstand ein wenig aus der Ruhe gebracht, befahl Katis ihr, sich zu setzen.

Mit der Vernehmung von Alexo Gatzoyiannis endete der zweite Tag der Verhandlung. Jetzt war nur noch über eine Angeklagte zu verhandeln: Eleni Gatzoyiannis. Für ihre Vernehmung jedoch wollte Katis eine besondere Zeugin aufrufen, die sich noch nicht im Dorf befand.

Während Eleni in Lia vor Gericht stand, arbeitete ihre Tochter Glykeria mit den anderen zur Erntehilfe geschickten Frauen in der Nähe des Dorfes Vatsounia, wo sie Getreide dreschen und Einmannbunker bauen mußten. Seit sechzig Tagen war sie jetzt von ihrer Mutter getrennt.

Wenige Tage nach ihrer Ankunft in Vatsounia gesellte sich Rano Athanassiou, die ebenfalls aus Granitsopoula herübergeschickt worden war, zu Glykeria. Rano berichtete ihr, Eleni sei mit einigen anderen Frauen nach Lia zurückgeholt worden; es war Glykeria jedoch nicht klar, daß man sie verhaftet hatte. Sie war nur erleichtert darüber, daß die Mutter von der schweren Drescharbeit befreit worden war.

In den darauffolgenden zwei Monaten machte sich Glykeria immer größere Sorgen um das Schicksal ihrer Familie. Sie wußte weder von der erfolgreichen Flucht noch von der Verhaftung ihrer Mutter. Sie hatte mit ihren eigenen Problemen zu tun; immer noch sehr unter der

Hitze leidend, hatte sie Mühe, bei der Feldarbeit mit den anderen Frauen Schritt zu halten. Manchmal verspotteten die Mädchen aus Lia sie wegen ihrer Langsamkeit und schlugen sie zuweilen sogar. «Warum hat deine Mutter dich geschickt, wo du doch überhaupt nicht arbeiten kannst?» beschwerten sie sich. «Deine Schwestern hätte sie statt dessen schicken sollen!»

Es war nur natürlich, daß Glykeria bei Rano Athanassiou, der besten Freundin ihrer Schwester Olga, Hilfe suchte, wie Kanta, als sie beide bei den *andartinas* waren, ja auch in ihrer Kraft Trost gefunden hatte. Rano stärkte Glykeria den anderen Mädchen gegenüber den Rücken und schlief bei Nacht auf dem Holzfußboden der Dorfhäuser an ihrer Seite.

Eines Morgens, Mitte August, als die Frauen gerade erwachten, kam ein Partisan zu Pferde, rief Rano Athanassious Namen und erklärte, sie müsse mit ihm ins Dorf zurückkehren. Ranos erster Gedanke war, ihrer verheirateten Schwester Tassina sei etwas zugestoßen, oder ihr kränkelnder Vater sei gestorben. Als sie Glykeria zum Abschied küßte, versuchte sie ihre Angst zu verbergen.

«Wenn du meine Mutter und meine Schwestern in Lia siehst, sag ihnen, ich habe Sehnsucht nach ihnen!» rief ihr Glykeria noch nach.

Auf dem Rückweg nach Lia biß sich Rano auf die Lippen, um dem Mann keine Fragen zu stellen. Niemals wäre sie auf die Idee gekommen, daß Stavroula Yakou sie als diejenige bezeichnet hatte, der alle Einzelheiten des Verrats bekannt waren, den die Amerikana begangen hatte, und daß man sie holte, damit sie bei dem Prozeß gegen Eleni aussagte.

Am 21. August, dem dritten Prozeßtag, waren die Hänge der Schlucht schon lange vor dem Eintreffen der Gefangenen dicht besetzt, und die Luft war von einem Summen wie von einer Million Bienen erfüllt. Alle wußten, daß die Vernehmungen heute abgeschlossen und die Urteile verkündet werden sollten. Die einzige Angeklagte, über die noch verhandelt werden mußte, war die Amerikana.

Eleni stand still wie eine Ikone, als ihre Anklageschrift verlesen wurde. Das Laub der Platanen filterte Sonnenlicht auf ihr blasses, regloses Gesicht und das dunkelblaue Kleid.

Das Hauptgewicht der Anklage gegen sie lag auf dem Vorwurf, Eleni habe zwei mißlungene Fluchtversuche organisiert, sie habe ihre

Kinder fortgeschickt und andere Frauen im Dorf überredet, dasselbe zu tun. Mit ihren Handlungen habe sie die Bemühungen der Demokratischen Armee in ihrem Heimatdorf schwer unterminiert.

Katis hielt inne und suchte in den Gesichtern der Zuschauer die Reaktion auf seine Worte abzuschätzen. Dann fügte er hinzu, die Amerikana sei zu Hause geblieben, um weitere Fluchtgruppen zu organisieren, sie habe das Programm zur Verschickung der Dorfkinder sabotiert, sie habe die Partisanenkämpfer verleumdet und sowohl Lebensmittel als auch Kleidungsstücke versteckt, die die Armee dringend benötigt hätte.

Während er sprach, wandte sich Eleni zur Seite und musterte die Zeugen, die sich dort versammelt hatten. Erschrocken sah sie ein neues Gesicht in der Gruppe: Rano Athanassiou. Dann suchte sie in den Reihen der Zuschauer, denn wenn Rano von den Dreschplätzen heimgekehrt war, konnte Glykeria ebenfalls hier sein, doch das vertraute Gesicht oder das rote Kleid ihrer Tochter entdeckte sie nirgends.

Katis wollte den Boden für sein Urteil gegen Eleni bereiten, indem er ihre faschistischen Neigungen und ihren Verrat an der Revolution bewies. Bisher hatte er Rano noch nicht verhört, Stavroula Yakou jedoch hatte ihm genau erklärt, welche Fragen er ihr stellen mußte. Seine Hände waren schweißnaß, als das verwirrte junge Mädchen zur Zeugenaussage gerufen wurde. Dies war der Höhepunkt der Verhandlung, der weitaus wichtigste Fall, und Katis war fest entschlossen, ihn mit einer überwältigenden Fülle von Beweisen gegen die Amerikana zu gewinnen.

Rano stand wie erstarrt. Sie hatte keine Ahnung, was man sie fragen würde und wie sie antworten sollte, um sich vor Strafe zu schützen.

«Du hast jahrelang neben Eleni Gatzoyiannis gewohnt und warst häufig in ihrem Haus», begann Katis. «Beantworte mir bitte folgende Fragen: Warum ließ die Amerikana ihre Tochter Olga Gatzoyiannis mit dem Kopftuch vor dem Gesicht herumlaufen? War das ein Zeichen von Mißtrauen gegen unsere *andartes*, die doch die Ehre jeder Frau in diesem Dorf respektieren?»

Rano starrte ihn verwundert an. «Viele von uns tragen ihr Kopftuch so, vor allem im Winter», antwortete sie. «Doch Olga hatte noch einen weiteren Grund: Sie hat einen Kropf. Den wollte sie verstecken, weil wir junge Mädchen sind und man sehr leicht zur alten Jungfer wird.» Bei dem plötzlichen Gelächter der Dorfbewohner zuckte Rano zusammen.

Katis runzelte unzufrieden die Stirn. Das Mädchen war eindeutig zu dumm, um zu begreifen, wie gefährlich es war, die Amerikana schützen zu wollen. «Wie wir wissen, Genossin, bist du eines Tages zu der Angeklagten gelaufen, um ihr zu sagen, unsere Männer wollten ihr Haus durchsuchen, und hast Kleidungsstücke und Wertsachen der Angeklagten an dich genommen, um sie in eurem Haus zu verstecken. Warum?»

Während Eleni sich erinnerte, daß Stavroula Yakou an jenem Tag in ihrer Küche gesessen hatte, schluckte Rano und sah sich hilfesuchend um. Dann zuckte sie bedrückt die Achseln. «Keine Ahnung. Vielleicht aus Dummheit ... vielleicht aus Freundschaft ...»

«Aber trifft es nicht zu, daß Eleni Gatzoyiannis zu einer Zeit, da all ihre Nachbarn ihr Hab und Gut mit der Demokratischen Armee teilten, Luxusgegenstände hortete, die kein anderer im Dorf jemals zu erwerben hoffen konnte?»

Rano räusperte sich. «Die Kleider hat sie versteckt, ja.»

«Das genügt», fuhr Katis auf und klatschte seine Akten zufrieden auf den Tisch. Zwei Partisanen traten vor und führten Rano ab. Sie konnte gerade noch ihren kranken Vater zum Abschied küssen, als sie an ihrem Elternhaus im Perivoli vorbeikamen. Dann wurde sie nach Tsamanta gebracht, wo sie dem Bataillon von Spiro Skevis als *andartina* zugeteilt wurde.

Eleni zwang sich, ein ausdrucksloses Gesicht zu machen, als sie Rano nachsah. Die Partisanen benutzten die Menschen, die ihr am nächsten standen, dazu, den letzten Nagel in ihren Sarg zu hämmern. Schmerzlich sehnte sie sich danach zu erfahren, was sie mit Glykeria gemacht hatten.

«Stavroula Yakou», ertönte Katis' Stimme. Als Eleni sich umdrehte, sah sie, wie die große, blonde Frau aufstand und vor den Richtertisch trat. Stavroulas Mutter, Elenis Freundin Anastasia, stieß einen herzzerreißenden Seufzer aus. Der Laut schien die junge Frau zu treffen, und als sie dem Blick von Elenis unnatürlich weit aufgerissenen Augen begegnete, errötete sie bis an die Haarwurzeln.

Katis sah sie durchdringend an und begann mit volltönender Stimme eine lange Erklärung von Stavroula zu verlesen, in der diese aussagte, Eleni sei eine bekannte Faschistin, sie habe ihrer ältesten Tochter absichtlich den Fuß verbrannt, damit sie nicht zu den *andartinas* geholt wurde, und außerdem habe sie sich hartnäckig geweigert, ihre Kinder in die Volksdemokratien verschicken zu lassen. Nachdem er einige Sätze gelesen hatte, hielt Katis inne und fragte Stavroula, die mit gesenktem Kopf zuhörte: «Trifft das zu, Genossin?» Aber Stavroula stand wie die Statue einer in Meditation versunkenen Heiligen und antwortete nicht.

Katis las ein wenig weiter und wiederholte seine Frage; doch als er merkte, daß sie entschlossen war, nicht zu antworten, verlor er die Geduld. Als er sie allein verhört hatte, hatte Stavroula sich nicht genug tun können mit den Vorwürfen gegen die Nachbarin; jetzt aber, vor den Augen des gesamten Dorfes, hatte sie anscheinend die Sprache verloren. «Keine Angst vor Eleni Gatzoyiannis, Mädchen!» donnerte Katis der stummen Gestalt entgegen. «Sie hat jetzt keine Macht mehr, hier! Wo ist die Kraft, die du bewiesen hast, als du uns diese Angaben machtest?»

Aber Stavroula wollte nicht sprechen und starrte zu Boden, während Katis ihre Beschuldigungen eine nach der anderen las. Die Zuschauer saßen wie angewurzelt, als sie die meistgefürchtete Frau im Dorf zittern sahen. Jetzt war Katis am Ende seiner Geduld. Er wedelte heftig mit den Papieren, und wo der Kragen seinen Hals beengte, stand eine dicke Ader hervor. «Antworte!» schrie er. «Hast du diese Dinge über die Angeklagte gesagt oder nicht?»

Die Spannung stieg, bis Stavroulas Mutter Anastasia es nicht länger ertragen konnte. Jahrelang hatte sie schweigend gelitten, während das eigensinnige Mädchen getan hatte, was sie wollte, sich über die Traditionen des Dorfes hinweggesetzt, sich ihren Ehemann selbst gesucht und ihn dann entehrt hatte, indem sie Kollaborateurin der Partisanen geworden war: eine Frau, deren Name mit spöttischem Grinsen ausgesprochen wurde. Galle und Wermut war es gewesen, mit ansehen zu müssen, wie Stavroula am ersten Prozeßtag aufgestanden war und gegen Vasili Nikou ausgesagt hatte, doch nun wurden ihre Aussagen gegen die Frau verwendet, die ihnen in den Jahren der Armut die freundlichste aller Nachbarinnen gewesen war. Irgend etwas brach jetzt in Anastasia; sie sprang auf und schrie ihre verängstigte Tochter an: «Jawohl, Stavroula – antworte! Sprich es laut aus! Laß uns alles hören, was du ihnen über Eleni zugeflüstert hast, genau so, wie es in den Papieren steht!»

Stavroula blickte mit nassen Augen auf und schüttelte stumm den Kopf. Dann setzte sie sich, ohne ein Wort gesagt zu haben.

Stavroula Yakous unerwartete Weigerung, gegen Eleni auszusagen, brachte Katis aus dem Gleichgewicht. Hastig fuhr er mit der Verhandlung fort, bevor diese peinliche Szene einen zu tiefen Eindruck auf die anderen Richter und die Zuschauer machen konnte. Wütend wandte er sich an Eleni.

«Amerikana», begann er, dem Wort eine sarkastische Betonung verleihend, «hat einer unserer Kämpfer jemals deine Töchter belästigt oder ihnen gegenüber die geringste Andeutung gemacht?»

«Nein», antwortete Eleni, «das habe ich auch nie behauptet.»

«Warum hast du dann deine Töchter im Haus versteckt und zu vermeiden versucht, daß sie zum Arbeitsdienst gehen, wie es die Pflicht jeder gesunden jungen Frau im Dorf ist? Und warum hast du ihnen befohlen, ihr Gesicht mit dem Kopftuch zu bedecken?»

«Ich habe meine Töchter dazu erzogen, niemals zum Gegenstand des Dorfklatsches zu werden», gab Eleni gelassen zurück. «Das ist die Pflicht einer jeden Mutter, vor allem wenn ihr Ehemann nicht da ist, um den guten Ruf seiner Töchter zu schützen. Und was die Kopftücher betrifft: Sieh dich doch um! Nahezu jede Frau, die hier anwesend ist, trägt ebenfalls eines.»

Es entstand Unruhe in der Menge, und Katis merkte, daß er sich auf unsicheren Boden gewagt hatte. Er kehrte zum Hauptpunkt seiner Anklage zurück. «Deine Handlungen entsprechen kaum deinen Worten», fuhr er sie an. «Du hast deiner Verachtung für die Revolution Ausdruck verliehen, indem du die Flucht deiner Familie und dreizehn weiterer Zivilisten aus diesem Dorf organisiertest. Hör zu, was die entflohene Gefangene Marianthe Ziaras über deine Rolle bei dem Verrat zu sagen hatte:

‹Ich war in der Küche und kochte gerade, als Eleni Gatzoyiannis kam. Mein Vater befahl mir, den Raum zu verlassen, aber ich ging hinaus und lauschte unter dem Küchenfenster. Dort hörte ich, wie die Amerikana meinem Vater erklärte, sie werde ihm eintausend Dollar geben, wenn er ihre Familie auf die andere Seite bringe. Als die ersten beiden Versuche mißlangen und sie zum Arbeitsdienst auf die Dreschplätze mußte, sagte sie zu meinem Vater: ‚Ich werde dorthin gehen, wo Glykeria ist, und wenn wir eine Möglichkeit finden, ebenfalls zu fliehen, werden wir das tun. Aber du mußt meine Familie mitnehmen und nicht an uns denken.'›»

Er legte die Papiere hin und sah Eleni an. «Was hast du dazu zu sagen?»

Eleni seufzte. «Zu schade, daß Marianthe nicht mehr hier ist und für sich selbst sprechen kann.»

Katis zog die Brauen zusammen. «Wir haben aber eine Zeugin, die anwesend und nur allzu gern bereit ist, dir diese Dinge ins Gesicht zu sagen», gab er zurück. «Ich rufe Milia Drouboyiannis.»

Die untersetzte junge *andartina* mit dem männlichen Schnitt ihrer krausen schwarzen Haare trat mit ihrem Gewehr an der Seite nach vorne. Eifrig beantwortete sie die Fragen, die Katis ihr stellte, und sagte aus, die Amerikana habe die Fluchtversuche organisiert, und Lukas Ziaras habe ihre Mutter, Alexandra Drouboyiannis, zu überreden versucht, sich ihnen mit zwei Töchtern anzuschließen. Sie beschrieb die ersten beiden Fluchtversuche in überzeugenden Details: wie die Gruppe einmal wegen des Babygeschreis und das zweitemal wegen des dichten Nebels umgekehrt sei. «Der Faschist Lukas Ziaras hat meine Mutter und meine Schwestern zur Flucht überredet», behauptete Milia, «aber dann erfuhr ich von ihrem Plan und erklärte ihnen, sie könnten hingehen, wo sie wollten, die Demokratische Armee würde sie überall einholen. Bald wird in ganz Griechenland die rote Fahne wehen!»

Das Mädchen richtete sich mit vor heftiger Gemütsbewegung verzerrtem Gesicht hoch auf und schlug mit dem Gewehrkolben auf den Boden – eine dramatische Geste, die tiefen Eindruck auf die Zuschauer machte. «Ich schwöre bei der Waffe in meiner Hand, daß meine Mutter und meine Schwestern jeden Gedanken an eine gemeinsame Flucht mit der Amerikana aufgaben, nachdem ich mit ihnen gesprochen hatte!» rief sie. Ihre Mutter saß in den Zuschauerreihen und nickte bei allem, was das Mädchen sagte, zustimmend mit dem Kopf.

Ermutigt von dem Eindruck, den Milia Drouboyiannis gemacht hatte, fuhr Katis zu Eleni herum. «Du hast die Flucht deiner Familie und deiner Freunde organisiert, weil du, genau wie dein Vater und dein Ehemann, Anhängerin der Faschisten bist!» schrie er sie an. «Du warst von Anfang an darauf aus, die Einwohner dieses Dorfes gegen uns aufzuhetzen!»

Elenis Gesicht war aschgrau, aber sie blieb ruhig. Sie hatte sich immer streng gehütet, gegen die Partisanen zu sprechen, und dachte nicht daran, etwas einzugestehen, was sie nicht getan hatte.

«Das ist nicht wahr», antwortete sie. «Zeige mir eine Mutter, die erklärt, ich hätte ihr geraten, ihre Kinder nicht fortzugeben.»

Katis blickte in die Runde. «Nun, wer will antworten? Meldet euch! Steht ruhig auf und sprecht!»

Vollständige Stille trat ein, nur unterbrochen vom monotonen Kreischen der Zikaden. Nach einer Weile wandte sich Katis wütend an Eleni. «Du hast keine Worte brauchen müssen, um die Frauen im Dorf zu beeinflussen», behauptete er. «Indem du selbst dich weigertest, deine Töchter freizugeben, und indem du dich an deinen Sohn klammertest, hast du die Revolution unterminiert und dich ihren Zielen widersetzt. Indem du sie zu den Faschisten schicktest, hast du Verrat an uns allen geübt.»

Eleni musterte ihn einen Augenblick schweigend; dann sagte sie ruhig und deutlich: «Ich habe eine Tochter, die konskribiert, aber zurückgeschickt wurde. Eine andere Tochter drischt gegenwärtig Weizen für die Demokratische Armee. Doch was hätte ich meinem Mann sagen sollen, wenn ich seinen einzigen Sohn hergegeben hätte? Ich habe meine Kinder dorthin geschickt, wo ihr Vater ihnen helfen kann, weil es mir hier nicht mehr möglich war, sie zu ernähren. Ich habe niemandem geschadet und wünsche auch niemandem Schaden. Ich wollte nur meine Kinder in Sicherheit bringen.»

Ein Murmeln lief durch die Zuschauerreihen, und Anagnostakis runzelte die Stirn. Sogar das dunkle Gesicht des dritten Richters, Grigori Pappas, der bis jetzt vorsichtigerweise unbeteiligt dabeigesessen hatte, zeigte Besorgnis. Rasch sagte Katis: «Diese Frau hat, wie alle anderen sechs Angeklagten, unseren Kampf um die Freiheit und Unabhängigkeit Griechenlands verraten.» Doch während er kurz Luft holte, wurde er von einem jungen Partisanen unterbrochen, der ihm etwas ins Ohr flüsterte. Katis hob den Kopf und verkündete: «Wir werden eine kleine Pause einlegen, um den Eltern der Kinder, die in die Volksdemokratien aufbrechen, Gelegenheit zum Abschied zu geben.» Er deutete auf einen kleinen Zug, der sich auf dem Pfad an der Schlucht entlang in Richtung auf den Gipfel des Propheten Elias bewegte. «Die Eltern dieser Kinder, die zu einem neuen und besseren Leben aufbrechen, haben ihre Liebe zu ihnen bewiesen, ohne unsere Revolution zu verraten!»

Der heftige Beschuß des Dorfes zwei Tage zuvor hatte das Oberkommando der Partisanen zu der Überzeugung gebracht, daß es Zeit sei, die zweite Gruppe Kinder für die *pedomasoma* in Sicherheit zu bringen. Alle drehten sich nach den Kindern um, die auf dem Pfad über ihnen dahinwanderten. Die Verwandten drängten zu ihnen hinauf. Vor den Augen der Versammlung begannen Mütter zu weinen, als sie ihre Kinder umarmten. Eleni beobachtete die Szene mit Tränen in den Augen. Aufgrund der Aussagen gegen sie vermutete sie, daß man sie schuldig sprechen würde; doch auch wenn sie ihr Leben verlieren sollte – eines wußte sie trotz allem: Sie hatte gesiegt; Nikola befand sich in Sicherheit!

Es dauerte eine Weile, bis die Zuschauer nach dem Abzug der Kinder alle wieder auf ihren Plätzen saßen. Noch immer war vereinzelt ersticktes Schluchzen zu hören, als Katis sagte: «Ihr habt gehört, daß die Aussagen eurer Nachbarn die Beschuldigungen gegen die Angeklagten bestätigen. Bevor sich das Gericht nunmehr zur Beratung zurückzieht, frage ich euch: Möchte sich noch jemand zu den Anklagepunkten äußern?»

Unwillkürlich zuckten alle Dorfbewohner zurück. Sie waren Zuschauer bei diesem Drama um Leben und Tod gewesen, und nun wurden sie aufgefordert, Mitspieler zu werden. Überall gab es verstohlene Blicke und nervöses Gehuste, doch niemand meldete sich zu Wort. Dann rappelte sich einer der alten Männer in der ersten Reihe mühsam auf die Füße. Es war der fünfundsechzigjährige Grigori Tsavos, vor seiner Versetzung in den Ruhestand Böttcher und Feldhüter des Dorfes, Schiedsrichter bei Streitigkeiten um Grenzverläufe und Wasserrechte. Er wohnte oberhalb des Gatzoyiannis-Hauses.

Jetzt baute er sich energisch vor Katis auf, eine bärenhafte, tolpatschige Gestalt, Nase und Wangen vom Alkohol gerötet, die Kinnbakken schwabbelnd über dem hageren Hals. Mit entschlossen gerecktem Kinn sagte er fest: «Ich kenne Eleni Gatzoyiannis seit ihrer Geburt. Sie wohnte praktisch vor meiner Tür. Und ich weiß, daß sie niemandem im Dorf ein Leid zugefügt hat. Im Gegenteil, sie hat stets alles geteilt, was sie hatte. Außerdem besitzt sie einen Brief ihres Mannes, der deutlich beweist . . .»

Aber Katis unterbrach ihn. «Genug!» rief er verzweifelt. Dann musterte er Tsavos argwöhnisch. «Welche Arbeit verrichtest du in diesem Dorf, Alter?» fragte er.

«Ich war Feldhüter.»

Donnernd hieb Katis mit der Faust auf den Tisch. «Setz dich, Speichellecker der Polizei», brüllte er.

Während Tsavos gehorchte, erhob sich ein anderer alter Mann in der ersten Reihe. Sein Name war Kosta Poulos. Er war mager, weißhaarig und im Gegensatz zu Grigori Tsavos ein bekannter

Kommunist, hochgeachtet bei den Partisanen, weil sein Sohn im Kampf gegen die Nationalisten gefallen war.

«Sprich, Genosse», forderte Katis ihn in einem Ton auf, der sich von dem, den er Tsavos gegenüber benutzt hatte, kraß unterschied.

Der ehemalige Kaffeehausbesitzer musterte die Gefangenen, die Richter und die Zeugen. Alle waren gespannt darauf, was er, eine Säule des Kommunismus in Lia, über diese Verhandlung gegen Einwohner seines Heimatdorfes zu sagen hatte. Sein Blick blieb an Katis hängen, und er richtete sich hoch auf. «Was Tsavos sagte, trifft zu», knurrte er. «Ich hatte nur einen einzigen Sohn, und der ist für die Revolution gefallen, und ich spreche die Wahrheit. Eleni Gatzoyiannis hat kein Unrecht begangen. Keiner von ihnen hat etwas getan, das ein Todesurteil rechtfertigen würde.»

Katis konnte es kaum glauben, daß der Alte ihm so offen trotzte. «Setz dich!» brüllte er ihn an.

Mit zunehmender Verärgerung rief Katis noch drei weitere Dorfbewohner auf. Sie sprachen alle für die Angeklagten.

Katis sah ein, daß es ein Fehler gewesen war, die Lioten zu Wort kommen zu lassen. Jede Stimme, die sich für die Unschuld der Angeklagten aussprach, minderte die Wirkung seiner Anklage auf die anderen Richter und die staunenden Dörfler. Er hob die Hand. «Wenn ihr Beweise anzuführen habt, meldet euch; andernfalls haltet den Mund!» rief er.

Nun meldete sich kein Freiwilliger mehr. Nach kurzem Schweigen nickte Katis. «Das Gericht wird jetzt über das Urteil beraten.»

Erregtes Gemurmel erhob sich bis ins Geäst der Platanen, als die drei Richter sich von ihren Stühlen erhoben und hinter einen dicken Baum am Rand der Schlucht zurückzogen. Wenige Minuten lang, die jedoch weit länger wirkten, blickten die Zuschauer von der Stelle, an der die Richter miteinander flüsterten, zu den Gesichtern der Angeklagten, die voll Nervosität wie versteinert dasaßen. Spiro Michopoulos stocherte immer noch mit einem Zweig in seinen Zähnen herum. Bis auf Constantina Drouboyiannis, die sich mehrmals bekreuzigte, ließen die weiblichen Gefangenen keinerlei Gefühle erkennen. Andreas Michopoulos hatte den Kopf auf die Knie gelegt. Vasili Nikou starrte stumpf in die Ferne. Eleni musterte die gespannten Gesichter der Zuschauer. Als die drei Richter zurückkehrten und ihre Plätze hinter dem Tisch wieder einnahmen, richteten sich die Gefangenen auf. Katis stand in der Mitte, mit dem Gesicht zur Menge der erwartungsvollen Menschen. Er hielt ein, um sie mit seiner Ausstrahlung zu beeindrucken.

«Nach sorgfältigem Abwägen aller Beweise», begann er, «verkündet das Gericht folgende Urteile: Im Fall der beiden Angeklagten Dina Venetis und Constantina Drouboyiannis waren die Beweise nicht schlüssig – nicht schuldig. Die Beweise gegen die anderen fünf – Spiro Michopoulos, Andreas Michopoulos, Vasili Nikou, Alexo Gatzoyiannis und Eleni Gatzoyiannis – sind überwältigend. Sie wurden in allen Punkten für schuldig befunden und zum Tode verurteilt.»

Ein Geräusch wie ein Windstoß fuhr durch die Schlucht. Es gab keinen Aufschrei, nur hier und da ein ersticktes Stöhnen von den Verwandten der Verurteilten, ein Flattern von Händen, die das Kreuz schlugen. Die Gefangenen selbst saßen da wie gelähmt. Nur Spiro Michopoulos barg das Gesicht in den Armen.

Mit erhobener Hand heischte Katis Ruhe. «Heute verurteilen wir nicht, heute strafen wir nicht!» rief er laut. «Die loyalen Bewohner dieses Dorfes haben uns sämtliche Beweise gegen die Gefangenen geliefert. Ihr habt uns gesagt, wo die letzte Henne ihre Eier legt, und dies ist euer Urteil.»

Die kleinen schwarzen Augen glänzten vor Erregung, als Katis die Zuschauer musterte: braune, vom Sonnenlicht gefleckte Gesichter, schwarze, vom Wind bewegte Kopftücher, doch in den Augen, die ihm zugewandt waren, las er nur Schock und Furcht, nirgends die Zustimmung, die er erwartet hatte. Er hielt eine Zeitlang inne, dann machte er eine begütigende Geste, fast wie ein Priester. «Die Verurteilten können noch immer gerettet werden.»

Mit plötzlich aufkeimender Hoffnung beugten die Gefangenen sich vor. «Sie werden Gelegenheit erhalten, Gnadengesuche an den Präsidenten der Provinzverwaltung, Markos Vafiadis, zu richten», fuhr er fort. «Wir werden mit der Vollstreckung der Todesurteile warten, bis er über die Gnadengesuche entschieden hat.»

Das Drama, dem die Dorfbewohner drei Tage lang beigewohnt hatten, war in Wahrheit keine Gerichtsverhandlung gewesen, sondern ein sorgfältig inszeniertes Propagandastück, in dem die Urteile schon lange vorher gefällt worden waren. Bei derartigen Zivilprozessen in den Murgana-Dörfern, die im August und September 1948, als die Partisanen den Krieg zu verlieren begannen, immer zahlreicher stattfanden, wurden die Akten eines jeden Falles vor der öffentlichen Verhandlung an Kostas Koliyiannis, den politischen Kommissar des Oberkommandos Epirus gesandt, von dem die Murgana verwaltet wurde. Von seinem Hauptquartier in Babouri aus schickte er dann der Sicherheitspolizei jedes Dorfes seine Urteilssprüche, zu denen dann die Richter nach Anhörung aller Zeugen angeblich gelangten.

Im Laufe der Recherchen über den Prozeß gegen meine Mutter wurde mir diese Tatsache von mehreren Personen bestätigt, darunter von Christos Zeltas, dem Chef der Sicherheitspolizei von Lia, und Iorgos Kalianesis, dem Stabschef des Oberkommandos Epirus. Sie alle erklärten, die Entscheidung über Leben und Tod jener Personen, die vor Gericht gestellt wurden, sei zuvor von Koliyiannis getroffen worden, der dann Richter entsandte, die eine wahnsinnige Farce zu inszenieren hatten.

«Das Hauptquartier kontrollierte alles», erklärte mir Zeltas. «Niemand durfte ohne Genehmigung des politischen Kommissars Koliyiannis verhaftet, verprügelt oder hingerichtet werden ... Die Rechtsabteilung schickte ihm die Berichte und holte sich dann telefonisch seine Befehle hinsichtlich des Urteils ein: Hinrichtung oder Freispruch. Dann wurde der Prozeß inszeniert, um dem Ganzen einen legalen Anstrich zu verleihen. Im Divisions-Hauptquartier sprach Koliyiannis stets das letzte Wort, müssen Sie wissen. Wenn er sagte, brennt, dann brannten wir; wenn er sagte, tötet, dann töteten wir. Kein anderer hatte soviel Macht wie er.»

Als Hauptvertreter der Griechischen Kommunistischen Partei in der Murgana führte Kostas Koliyiannis zweifellos die Befehle der Partei aus, wenn er die Hinrichtung von Zivilisten befahl. Für seine Verdienste als Chef des Oberkommandos Epirus wurde er sehr schnell befördert und löste schließlich Nikos Zachariadis als Parteichef ab.

Während seiner zehnmonatigen Regierungszeit in der Murgana schickte Koliyiannis über dreihundert Männer und Frauen vor die Gewehre der Exekutionskommandos, darunter mindestens fünf Zivilisten aus jedem von den Partisanen besetzten Dorf der Region.

17

Das Drama hatte sein Ende gefunden, und die sieben Hauptdarsteller wurden durch die schweigende Menge der Zuschauer davongeführt. Brennend heiß spürten sie die Blicke ihrer Nachbarn und Familien auf dem Gesicht. Sie waren völlig benommen; die zum Tode Verurteilten hatten das Ausmaß ihres Unglücks noch nicht erfaßt, und die Freigesprochenen konnten noch nicht so recht an ihr Glück glauben.

Im Garten vor dem Gefängnis der Sicherheitspolizei wurden die beiden freigesprochenen Frauen – Dina Venetis und Constantina Drouboyiannis – von den anderen getrennt. Mit einer wunderlichen Geste der Wiedergutmachung überreichte der Chef der Sicherheitspolizei jeder der beiden feierlich ein Päckchen mit einigen Stücken getrocknetem Brot und verkündete dabei tönend: «Seht ihr, Genossinnen, die Demokratische Armee bestraft nur jene, die es verdient haben.» Dann wurde den verblüfften Frauen bedeutet, sie könnten ungehindert nach Hause gehen.

Die fünf Verurteilten wurden ins Gefängnis gebracht: Es war das erstemal, daß Eleni mit den anderen zusammen in dem verdreckten Keller saß. Etwa ein Dutzend Häftlinge waren schon dort, Unbekannte aus anderen Dörfern.

Die Gruppen der Zuschauer, die sich nach dem Urteilsspruch auf den Heimweg machten, gingen schweigend, mit gesenktem Kopf, ohne einander anzusehen. Wie eine Kerze sich an der anderen entzündet, verbreitete sich Scham durchs ganze Dorf. Nicht mal die fanatischsten Kommunisten unter den Lioten hatten geglaubt, daß fünf ihrer prominentesten Mitbürger zum Tode verurteilt werden würden.

Die Richter, die Koliyiannis' Befehle ausführten und die fünf zum Tode verurteilten, waren erschrocken über die Reaktion der Zuschauer während der Verhandlung und die einhellige Verteidigung der Angeklagten durch die Dorfbewohner, die sich zu Wort gemeldet hatten. Sie mußten einsehen, daß der Prozeß nicht der Propaganda-Erfolg geworden war, den sie beabsichtigt hatten – trotz Katis' sorgfältiger Vorbereitung und der großen Zahl der Belastungszeugen. Die Einstellung der Lioten machte ihm Sorgen.

Vor allem Iorgos Anagnostakis war von dem Prozeß beunruhigt. Als die anderen Richter den Hinrichtungsbefehl unterzeichneten, zögerte er. Statt zu unterschreiben, nahm er das Dokument an sich und machte sich auf zum Hauptquartier in Babouri, um Kostas Koliyiannis seine Bedenken vorzutragen. Viele Jahre später erzählte Anagnostakis einem Partisanen aus Babouri namens Mihali Bouris, was sich an jenem Tag zugetragen hatte.

Koliyiannis, zweiundvierzig, war ein schwerfälliger, bärenhafter Mann mit bösartigen Augen hinter der dunkel gefaßten Brille. Er hatte eine üppige weiße Haarmähne und einen spärlichen Schnurrbart unter der Kolbennase. Eifriger Kommunist, seit er sein Dorf bei Theben verlassen hatte, um in Athen Jura zu studieren, hatte Koliyiannis die letzten zwölf Jahre seines Lebens entweder in den Bergen oder im Gefängnis verbracht. Der Kommissar war berüchtigt für seine Humorlosigkeit und sein aufbrausendes Temperament, und an jenem Tag, dem 21. August, war er in einer besonders schlimmen Laune.

Als Anagnostakis in Babouri eintraf, mußte er im dicht besetzten Vorzimmer von Koliyiannis' Büro warten und rekapitulierte nervös die Worte, mit denen er seine Bedenken gegen den Prozeß darlegen wollte. Nach einiger Zeit wurde er vor den berühmten Mann geführt, und Koliyiannis funkelte ihn mit unverkennbarer Ungeduld an.

Anagnostakis räusperte sich. «Wir haben in Lia einen Prozeß geführt, Genosse», begann er, «und fünf der Angeklagten zum Tode verurteilt.» Er wurde mit einem knappen Nicken belohnt und fuhr fort: «Die Reaktion der Dorfbewohner darauf war jedoch überaus negativ. Alle, die sich zu Wort meldeten, sprachen sich zugunsten der Angeklagten aus. Zu den Verurteilten gehören zwei einheimische Frauen. Ich habe meine Unterschrift noch nicht unter den Hinrichtungsbefehl gesetzt, weil ich der Meinung bin, daß wir mit dieser Hinrichtung der Revolution vermutlich sehr schaden werden.»

Der Kommissar zog die schweren Brauen zusammen und musterte den nervösen Richter, als sei er eine lästige Mücke, die um seinen Kopf summte. Koliyiannis hatte eine sehr anstrengende Woche hinter sich, vielleicht die schlimmste seit Ausbruch des Bürgerkriegs. Drei Tage zuvor war der Grammos gefallen, und es war klar, daß die Partisanen letztlich besiegt werden würden; es war nur noch eine Frage der Zeit. Außerdem wußte Koliyiannis etwas, das nur wenigen anderen Männern in der Murgana bekannt war: Die Fehde zwischen Zachariadis und seinem obersten Chef Markos war endlich offen ausgebrochen und ließ eine Katastrophe ahnen. Zachariadis hatte den Krieg ganz unter seine Regie genommen und würde seine verhängnisvolle Politik zweifellos fortsetzen.

Koliyiannis wußte, daß die Partisanenarmee in der Murgana binnen kurzem gezwungen sein würde, sich nach Albanien zurückzuziehen. Die Kampfmoral war inzwischen so schlecht, daß die Kommandeure Mühe hatten, der Epidemie von Desertionen Einhalt zu tun. In diesem allgemeinen Debakel gab es jedoch einen ganz kleinen Trost: Nachdem Zachariadis und Markos einander an die Gurgel gingen und in der Armee Verwirrung herrschte, würde die Griechische Kommunistische Partei ins Chaos gestürzt werden. Wenn er seine Trümpfe richtig ausspielte, konnte die Flutwelle der Niederlage ihn, Koliyiannis, an die Spitze der Partei-Hierarchie schwemmen. Aber er mußte seine ganze Klugheit zu Hilfe nehmen, um nicht mit den anderen in den Sog der Katastrophe zu geraten.

Wenn es Zeit wurde, den Rückzug nach Albanien anzutreten, würde es Koliyiannis' Aufgabe sein, dafür zu sorgen, daß alle Zivilisten aus den besetzten Dörfern mitsamt ihren Tieren und Vorräten die Partisanen gehorsam begleiteten. Sie waren im Exil für die Ernährung und Versorgung der Armee unentbehrlich; und aus den Reihen dieser Bauern würden die kommunistischen Kader der Zukunft hervorgehen. Wie alle guten griechischen Kommunisten war Koliyiannis davon überzeugt, daß die Demokratische Armee irgendwann einen neuen Aufstand gegen die Faschisten versuchen würde.

Aber er wußte, daß es nicht leicht sein würde, die Gebirgler zum Verlassen ihrer Häuser und Felder zu bewegen. Die einzige Möglichkeit, sich zum Zeitpunkt des Rückzugs der hundertprozentigen Mitarbeit der Zivilisten zu versichern, war die Erzwingung ihres Gehorsams durch Terrormaßnahmen. Deswegen wurden im Spätsommer 1948 in nahezu jedem Dorf der Murgana Schauprozesse gegen Zivilisten geführt, denen Verrat an der Revolution vorgeworfen wurde. In Koliyiannis' Augen war dies ein überaus wirksames Mittel, um die verbleibenden Dorfbewohner zum Gehorsam an jenem herannahenden Tag zu pressen, da der Rückzug nach Albanien unvermeidlich wurde.

Koliyiannis' Befehl unterstanden Dutzende von besetzten Dörfern; daher war es nicht überraschend, daß er, da der Krieg, das Schicksal der DAG und seine eigene Karriere an einem seidenen Faden hingen, am 21. August 1948 nicht in der Stimmung war, sich Spitzfindigkeiten eines Richters über das Todesurteil gegen fünf Einwohner von Lia anzuhören. Dieses Dorf war ihm ein Dorn im Auge gewesen, seit die Massenflucht dort sein Kommando so tief in Verlegenheit gebracht hatte. Die Miene des Kommissars wurde noch finsterer. «Zwanzig Personen konnten vor unserer Nase das Dorf verlassen», fuhr er auf. «Wenn für dieses Verbrechen niemand bestraft wird und wir letztlich die Murgana verlassen müssen – glaubst du wirklich, die Dörfler werden uns dann gehorsam folgen? Oder werden sie zu den Faschisten überlaufen?»

«Aber wenn wir diese Menschen hinrichten, wird sich das ganze Dorf gegen uns wenden!» gab Anagnostakis zurück. «Sie scheinen der Ansicht zu sein, die fünf hätten sich nichts zuschulden kommen lassen.»

«Ob die Dörfler uns aus Loyalität oder aus Angst folgen, spielt keine Rolle, solange sie nur begreifen, welche Konsequenzen jeder Widerstand gegen uns hat!» donnerte Koliyiannis. «Und jetzt habe ich zu tun. Warte draußen im Vorzimmer, dann werde ich später mit dir darüber diskutieren.»

Den Hinrichtungsbefehl noch in der Hand, kehrte Anagnostakis ins Vorzimmer zurück und gab sich unruhigen Gedanken hin. Er fürchtete, Koliyiannis könnte an seiner eigenen Loyalität zu zweifeln beginnen; schließlich war er von Koliyiannis zum Chef der Rechtsabteilung ernannt worden und hatte von ihm Befehl erhalten, an dem Prozeß teilzunehmen und den Hinrichtungsbefehl zu unterzeichnen. Er dachte an das Scheingericht und die standrechtliche Erschießung, durch die nur wenige Tage zuvor Oberst Iorgos Yannoulis vom Leben zum Tode befördert worden war.

Während finster dreinblickende Partisanen mit Meldungen für Koliyiannis herein- und hinausjagten, erwog Anagnostakis die möglichen Folgen seines Zögerns beim Unterschreiben und begann mehr und mehr um sein eigenes Leben zu fürchten, das er nun gegen seine Skrupel in die Waagschale warf. Spontan setzte er seinen Namen unter die anderen beiden Unterschriften auf dem Hinrichtungsbefehl, gab das Papier dem Partisanen, der Koliyiannis' Chefadjutant war, und sagte: «Gib das dem Genossen General.» Dann verschwand Anagnostakis in Richtung Lia, bevor Koliyiannis ihn ins Büro zurückrufen konnte.

Daß ihn damals der Mut verlassen hatte, vergaß Anagnostakis nie: Zwanzig Jahre später vertraute er den Zwischenfall einem anderen Exilpartisanen in Taschkent, Rußland, an und erklärte ihm, dieses Versagen sei «eine Last, die ich seit damals mit mir herumtrage. Ich habe den Hinrichtungsbefehl unterzeichnet, damit sie ihn nicht gegen mich verwenden konnten».

Die Gatzoyiannis-Familie, die mit anderen Flüchtlingen in dem unfertigen Haus in Igumenitsa lebte, hatte keine Ahnung von dem Prozeß. Während sie darauf warteten, daß von der anderen Seite der Kampflinien Nachricht von Eleni durchsickerte, nahm ihr Leben relativ normale Formen an. Obwohl es Sommer war, wurde für die Flüchtlingskinder eine Schule eingerichtet. Fotini und Nikola, die seit der Besetzung ihres Dorfes durch die Partisanen kein Klassenzimmer mehr betreten hatten, gingen tagtäglich hin, Nikola stolz mit seinen neuen Heften und Bleistiften in der Hand. Olga und Kanta waren die meistbegehrten jungen Mädchen von Igumenitsa geworden, belagert von Frauen, die eine Heirat zwischen einem männlichen Verwandten und einem der Gatzoyiannis-Mädchen vermitteln wollten. Die Ehe mit einer der beiden war eine großartige Chance für einen ehrgeizigen jungen Mann und würde ihm schließlich die Möglichkeit bieten, Auswanderungspapiere zu erlangen, um dieses bankrotte, vom Krieg verheerte Griechenland zu verlassen und in Amerika ein Vermögen zu verdienen. Der Großvater förderte diese Bewerbungen, die Mädchen aber erinnerten sich noch genau an die Warnungen der Mutter: «Ihr werdet alle zu eurem Vater nach Amerika gehen; tut ihr das nicht, zieht ihr meinen Fluch auf euch! Dinge, wie wir sie hier erleiden mußten, gibt es in Amerika nicht. In Griechenland würdet ihr nirgendwo sicher sein.»

Obwohl die Familie keine Miete zahlte, gab es Ausgaben für den Haushalt in Igumenitsa. Nicht nur Lebensmittel mußten sie kaufen, sondern auch Teller, Töpfe und Feuerholz, und so ging ihnen allmählich das Geld aus. Olga beschloß, mit dem Bus nach Filiates zu fahren und sich das Geld geben zu lassen, das der Vater Onkel Foto geschickt hatte. Als sie dort ankam, sah sie überrascht, daß es in der kleinen, türkisch anmutenden Stadt von Regierungssoldaten, Kriegsgerät und Panzern wimmelte, die wie riesige, schwerfällige Sumpfungeheuer wirkten.

Als Olga ihren Onkel gefunden hatte und ihn nach dem Geld fragte, verdrehte Foto die Augen. «Hab ich euch allen nicht neue Schuhe und Kleider und Bleistifte und Schulhefte und Pfannen und Gott weiß was sonst noch gekauft?» rief er. «Das Geld ist weg, aufgebraucht! Wofür haltet ihr mich – für eine Bank?»

Olga errötete; sie werde ihrem Vater schreiben, was er gesagt habe, erklärte sie ihrem Onkel, doch Foto, der so gerissen war wie Olga naiv, konnte ihr das leicht ausreden. «Deine Mutter wird jetzt jeden Tag kommen; dann werde ich das mit ihr besprechen. Siehst du denn nicht, was sich hier abspielt? Sie planen einen Angriff auf die Murgana – mit soviel Geräten und so vielen Truppen, daß er unmöglich fehlschlagen kann. Die Partisanen werden bis nach Tirana laufen! Dann ist deine Mutter frei, und wir können die Sache zwischen uns beiden bereinigen.»

Freudig erregt von dem, was sie gesehen und gehört hatte, kehrte Olga leichten Herzens nach Igumenitsa zurück und berichtete den anderen von dem gewaltigen militärischen Unternehmen, das organisiert wurde, um ihr Dorf und ihre Mutter zu befreien.

Die gutgemeinten Einwände gegen den Prozeß, die Richter Anagnostakis bei Kommissar Koliyiannis im Hauptquartier des Oberkommandos Epirus vorgebracht hatte, schlugen auf eine völlig unerwartete Art und Weise auf die Verurteilten zurück. Zwar war Koliyiannis durchaus erfreut, als er erfuhr, der Richter sei zur Vernunft gekommen und habe den Hinrichtungsbefehl unterschrieben, doch er vergaß dabei keineswegs das, was Anagnostakis über die negative Reaktion der Dörfler auf den Prozeß gesagt hatte. Wenn die Entscheidung, die fünf Lioten hinzurichten, unpopulär war, mußte man die Verurteilten in den Augen ihrer Nachbarn in Mißkredit bringen, das ganze Dorf davon überzeugen, daß die fünf für den Verrat an ihren Mitbürgern den Tod verdient hatten. Vor allem die Amerikana mußte von dem Sockel heruntergeholt werden, auf den der Respekt der Lioten sie gestellt hatte. Man mußte Beweise dafür finden, daß sie eine Verräterin war und nicht eine Mutter, die nur versucht hatte, ihre Kinder zu retten. Eilig schrieb Koliyiannis einen Befehl und ließ ihn zu Katis nach Lia bringen.

Katis war erleichtert gewesen, daß der Prozeß gegen die Lioten beendet war, doch als er Koliyiannis' Befehl erhielt, verfinsterte sich seine Miene wieder. Mit der dicken Akte von Aussagen, die seine Leute gesammelt hatten, setzte er sich an seinen Schreibtisch und dachte nach. Am einfachsten, so überlegte er, könnte man den guten Ruf der Amerikana untergraben, indem man die Dorfbewohner überzeugte, daß sie von dem Gold, das ihr kapitalistischer Ehemann geschickt hatte, sowie von den Vorräten, die ihr faschistischer Vater Kitso Haidis gehortet hatte, ein Leben in Luxus geführt hatte. Katis war selbstverständlich unterrichtet von der in Lia weitverbreiteten Meinung, der gerissene alte Müller habe beim Verteilen von UNRRA-Sendungen ein Vermögen an Wohlfahrtsgütern beiseite geschafft.

Katis rief die Verhörspezialisten der Sicherheitspolizei zusammen. Er befahl ihnen, sich auf die Amerikana zu konzentrieren und sämtliche Foltermethoden anzuwenden, die notwendig waren, um sie zu dem Geständnis zu zwingen, sie habe Eigentum und Geld versteckt. Sie mußte gebrochen, öffentlich gedemütigt und gezwungen werden, diese Verbrechen zu gestehen. Dieselben Methoden sollten auch bei den anderen Verurteilten angewandt werden, vor allem bei dem ehemaligen Dorfvorsteher Spiro Michopoulos, um ihnen jede Einzelheit des Verrats abzupressen, den sie an der Demokratischen Armee und ihren Mitbürgern begangen hatten.

Niemand ist mehr am Leben, der die genauen Foltermethoden beschreiben könnte, die bei den Verurteilten angewandt wurden; bekannt ist jedoch, daß sie alle der *falanga* unterworfen wurden und daß Eleni schwerer darunter leiden mußte als die anderen. Sie wurde aus dem Keller geholt und gefoltert – vielleicht in einem der oberen Zimmer, vielleicht im verborgenen Teil des Gartens hinter dem Haus.

Für die Verabreichung der *falanga* braucht man drei Mann. Dem Opfer werden Schuhe und Strümpfe ausgezogen, dann wird es auf den Boden oder auf einen Tisch gelegt. Zwei Mann schieben die nackten Füße zwischen einen Gewehrlauf und den Riemen und drehen das Gewehr, bis der Riemen die Fußballen sehr fest zurückpreßt und dabei die Fußsohlen präsentiert. Während zwei Mann das Gewehr festhalten, bearbeitet ein dritter die Fußsohlen mit einem Metall- oder Holzknüppel.

Als Foltermethode hat die *falanga* zahlreiche Vorteile – ein Grund für ihre Beliebtheit in jedem Land, in dem organisierte politische Folter die Norm ist. Jeder Knüppelschlag wirkt nicht nur auf die Fußsohlen und schießt qualvoll empor, weil der Knüppel die empfindlichen Nerven zwischen der Ferse und den Fußballen zerquetscht; der Schmerz schießt die überdehnten Beinmuskeln hinauf und explodiert im Hinterkopf. Der ganze Körper leidet Agonien, das Opfer windet sich wie ein Wurm und verliert bald jegliche Kontrolle, wird aber nie ohnmächtig. Der Hauptvorteil der *falanga* besteht darin, daß sie nicht so deutliche Spuren hinterläßt wie andere Foltermethoden, brennende Zigaretten etwa. In Elenis Fall jedoch scheint etwas schiefgegangen zu sein, denn als sie zum erstenmal wieder von Dörflern gesehen wurde, waren ihre Beine zum doppelten Umfang angeschwollen und von den Prügeln tiefschwarz. Sie vermochte nicht zu gehen, und sprechen konnte sie nur mühsam.

Es bedurfte vermutlich einiger Tage intensiver Folter, bis Elenis Wille so weit gebrochen war, daß sie nicht nur gestand, Olgas Aussteuer und andere Wertgegenstände auf dem Bohnenfeld vergraben zu haben, sondern jede Beschuldigung zugab, die Katis gegen sie aufstellte. Was dann aus dem Kellergefängnis auftauchte, war etwas ganz anderes als die selbstbewußte Frau, die mit gelassener Miene unter dem dunklen Kopftuch Katis' Fragen pariert hatte.

Tassina Bartzokis stand an ihrem Küchenfenster, als sie sah, wie Eleni auf einem Maultier, schwer gegen die Rückenstütze des Holzsattels gelehnt, zum Tor des Gefängnisses hinausgeführt wurde. Vor Entsetzen riß Tassina die Augen auf, als sie ihre beste Freundin sah, die sie fast nicht wiedererkannt hätte. Elenis Haar war nicht mehr von einem Kopftuch bedeckt, sondern hing lose herab wie das der Frauen, die am Festtag der Heiligen Jungfrau Buße tun. Ihr Kleid, sonst immer sittsam bis zum Hals zugeknöpft, stand offen und zeigte ein V aus weißer, von Prellungen gefleckter Haut. Ihre nackten Beine, zu unmöglichen Dimensionen geschwollen, waren mit Lumpen umwickelt. Sie konnte sich auf dem Holzsattel kaum aufrecht halten, doch als Tassina aus dem Haus kam, um sie sich näher anzusehen, begegnete Eleni ihrem Blick mit einem winzigen Funken des Erkennens. Drei Partisanen gingen vor dem Maultier einher, der eine mit einer Schaufel, der andere mit einer Spitzhacke; ganz hinten folgten zwei reiterlose Packpferde. Als Tassina das sah, spürte sie, wie eine schreckliche Angst ihr bis in die Eingeweide fuhr.

Weiter unten, am Fuß des Perivoli, sah eine andere gute Freundin, Angeliki Botsaris Daikos, den Zug vorbeikommen. Weil sie wissen wollte, was mit ihrer Nachbarin geschah, nahm sie schnell ein leeres Faß, tat so, als wolle sie an der Quelle unten Wasser holen, schlug einen Bogen und erreichte das Haidis-Haus von der Rückseite her.

Eine dritte Frau, die sich an diesen Vorfall erinnert, ist Urania Haidis. Sie war mit einem von Elenis Cousins verheiratet, doch als sie ihre Verwandte von weitem vorüberreiten sah, versteckten sich Urania und ihre Mutter hinter den geschlossenen Fensterläden und beobachteten den kleinen Zug durch die Ritzen, zu verängstigt, um sich draußen sehen zu lassen.

Die einzige Nachbarin, die den Mut hatte, hinauszugehen und zu fragen, was denn los sei, war Vasiliki Petsis. Sie kam aus ihrem Garten zum Tor des Haidis-Grundstücks, wo der Zug haltgemacht hatte. Eleni stieg nicht aus dem Sattel: Ihre Füße waren viel zu geschwollen zum Gehen. Sie saß einfach da und deutete auf das Bohnenfeld der Haidis. «Da unten ist es, unter den vertrockneten Bohnen», erklärte sie den Partisanen mit völlig unnatürlicher Stimme. Vasiliki dachte an den Tag, als sie Eleni, nachdem sie aus dem Gefängnis entlassen worden war und allein lebte, gefragt hatte, warum sie dieses spezielle Bohnenbeet nicht bewässere. «Wozu?» hatte Elenis lakonische Antwort gelautet. «Wer wird schon so lange leben, daß er sie essen kann?»

Als die Partisanen jetzt mit Hacke und Schaufel arbeiteten und die verdorrten Bohnen herausrissen, schlich Vasiliki sich dicht an das Maultier heran, auf dem Eleni saß, an die Rückenstütze des Sattels gelehnt, das Kinn bis auf die Brust gesunken.

«Eleni, Kind!» flüsterte Vasiliki. Die Gefangene hob den Kopf und richtete den Blick mühsam auf ihre Nachbarin. Dann gab sie ihr langsam, mit zitternder Hand ein Zeichen, sie solle fortgehen. Die geschwollenen, geplatzten Lippen formten nur schwerverständliche Worte. «Geh!» hörte Vasiliki sie sagen. «Sonst machen sie mit dir dasselbe.» Aber die Ältere blieb noch lange genug in der Nähe, um sehen zu können, was die Partisanen zutage förderten: mehrere große Kupferkessel voll Kleider, Wäsche und *velenzes* – Olgas sorgfältig gehütete Aussteuer.

Die Partisanen ließen sich auf die Knie nieder und wühlten in dem Inhalt der Kessel, zerrten hektisch alles heraus. Mit langen Gesichtern mußten sie feststellen, daß sämtliche Kleider und Wäschestücke vermodert, mit graugrünem Schimmel überzogen waren und zwischen ihren Fingern zerfielen. Irgendwie war Wasser in die Kessel gedrungen, und so warfen sie jeden Gegenstand, den sie herauszogen, voll Abscheu beiseite.

Immer tiefer wühlten die Partisanen sich in die Kessel hinein und stießen, als sie auf feste Gegenstände trafen, freudige Rufe aus: Vielleicht kam doch endlich der Schatz zum Vorschein, von dem Sotiris gesprochen hatte! Aber es waren nur einige Kupfertöpfe und -pfannen, ein verrosteter Krug und eine gerahmte Fotografie, die nicht mehr zu erkennen war. Als sie ein paar Dosen mit Fleisch und Milchpulver entdeckten, jubelten sie. Angeliki Botsaris, die sich mit ihrem leeren Wasserfaß in der Nähe versteckt hatte, kroch näher, um sehen zu können, was Eleni da vergraben hatte. Sie weiß noch genau, was die Partisanen auf dem Boden ausbreiteten: ein paar «amerikanische Handtücher, wie wir sie noch nie gesehen haben, ganz dick, mit Blumen drauf, und sogar einen Topf Honig».

«Da seht ihr, was die faschistische Verräterin versteckt hat, welch einen Reichtum!» schrie der Anführer der Partisanen zu den stummen Fenstern des nächsten Hauses empor. Sie machten ein großes Theater beim Einsammeln der Sachen, waren aber eindeutig tief enttäuscht: Sie hatten einen Schatz zu finden gehofft, und das Ergebnis ihrer Suche waren ein paar verschimmelte Decken und Wäschestücke. Ärgerlich packten sie alles auf die beiden Pferde, um ihre Beute zur Verpflegungsstelle zu bringen, wo sie im Garten ausgestellt wurde, damit alle Dörfler sehen konnten, was die Amerikana in ihrem Garten vergraben hatte. Das Maultier mit der Gefangenen im Sattel wurde an der Spitze des Beutezugs langsam den Pfad zum Perivoli emporgeführt.

Eleni Gatzoyiannis wurde mit ausdrucksloser Miene und im Sattel zusammengesunken unter den entsetzten, faszinierten Blicken ihrer Nachbarn vorbeigeführt und in den Keller ihres Hauses gebracht.

Während der letzten sieben Tage war der Anker, den Eleni benutzte, um sich an ihr letztes bißchen Verstand zu klammern, der Gedanke an ihre Kinder. Kurz nach dem Prozeß, vermutlich als man sie zur Vorbereitung auf ihre erste Folterung in die gute Stube brachte, fand sie eine Möglichkeit, ihnen eine Nachricht zu hinterlassen, die sie nach ihrem Tod erreichte, ihr einziges schriftliches Testament.

Man ließ Eleni eine kurze Zeit allein in der guten Stube, die der

Schaukasten ihres Hauses gewesen war, bevor sie in ein Büro der Sicherheitspolizei verwandelt wurde. Automatisch suchte ihr Blick die Ikonostase in der Ostecke, ein dreieckiges, verglastes Behältnis mit den Familienikonen. Nie hatte Eleni ihren Kindern erlaubt, sie zu berühren: Die Pflege der Ikonostase war ihre ganz persönliche Aufgabe. Sie ging hinüber und betrachtete das vertraute gerahmte Bild der Heiligen Jungfrau mit dem Kind – das Mittelstück der Ikonostase. In dem kleinen Schränkchen, vor der Jungfrau, lagen immer noch ein rotes Osterei, ein Lorbeerzweig von der Palmsonntagsmesse und ein Fläschchen mit Wasser, das an Epiphanias vom Priester gesegnet worden war. In den Rahmen waren ringsherum ein halbes Dutzend Heiligenbilder und Heiligenfiguren aus Pappe gesteckt, jedes einzelne vor vielen Jahren in Filiates oder Ioannina zum Andenken an eine besondere Gnade oder einen speziellen Festtag gekauft.

Eleni betrachtete die Heilige Jungfrau mit blutendem Herzen vor Sorge um ihre Kinder. Sie wußte, daß sie sterben mußte und dann wahrscheinlich in irgendeiner Schlucht oder ihrem eigenen Garten verscharrt wurde, und stellte sich vor, wie ihre Kinder nach den Krieg zurückkehrten, in ganz Nordgriechenland und vielleicht auch in den kommunistischen Ländern nach ihr suchten. Sie wollte ihnen von ihrem Schicksal berichten und sie gleichzeitig mit der Bestätigung trösten, daß sie unter dem Schutz der Heiligen Jungfrau Frieden gefunden habe.

Rasch streckte Eleni die Hand aus und zog eine der kleinen, im Rahmen des Schränkchens steckenden Pappikonen heraus. Dann trat sie an den Tisch, den die Polizei als Schreibtisch benutzte, und nahm sich einen Füllfederhalter. Sie überlegte, was sie schreiben könnte, um ihnen mitzuteilen, daß man sie umgebracht hatte, auf keinen Fall aber so, daß sie von den Partisanen noch schwerer gefoltert wurde, falls sie die Nachricht finden sollten.

Eleni hielt die kleine Pappikone einer braunäugigen Madonna in scharlachrotem Gewand in der Hand, winziger als eine Spielkarte: ungefähr acht Zentimeter hoch und fünf breit. Sie drehte sie um und schrieb hastig:

> Süße Jungfrau
> beschütze meine
> Mutter dort,
> wo wir zusammen sind
> Eleni Ch Gat

Sie schrieb mit kräftigen, festen Schriftzügen, die in der Hast ein wenig nach oben verliefen. Die Zeilen beweisen, daß ihre Hand noch nicht infolge der Foltern gelähmt sein konnte. Doch da sie sich so beeilen mußte, verschrieb sie sich mehrmals und mußte durchstreichen und verbessern. Diese wenigen Worte nahmen fünf Zeilen auf der Rückseite der schmalen Karte ein, ihren Namen schrieb sie in der Mitte einer Zeile für sich, wie man es auf einem Grabstein getan hätte.

Eleni betrachtete, was sie geschrieben hatte. Falls die Partisanen die Nachricht fanden, würden sie nicht merken, daß sie sich selbst gemeint hatte, ihre Kinder aber würden ihre Handschrift erkennen und wissen, daß sie tot war. Sie stellte sich ihre Tränen vor, wenn sie auf der Suche nach ihr zum erstenmal ins Haus zurückkehrten und die Nachricht in der Ikonostase entdeckten. Dann griff sie abermals zum Füllfederhalter und schrieb mit noch kleineren Buchstaben, damit es noch Platz hatte:

> Macht euch keine Sorgen
> Mir geht es gut

Und anschließend in winzigen Buchstaben: «Mama».

Als sie die Karte in die Ikonostase zurückstecken wollte, dachte Eleni plötzlich an Alexo, deren Kinder ebenfalls nach ihrer Mutter suchen und nicht wissen würden, was aus ihr geworden war. Also kritzelte sie mühsam eine letzte Zeile rings um den unteren Teil ihrer Nachricht: «Gott erbarme sich auch der Seele von Alexandra.»

Als Eleni hörte, daß sich Schritte näherten, warf sie den Füllfederhalter hin und lief zur Ikonostase, öffnete die Glastür und schob die winzige Karte hinter die große, gerahmte Ikone der Mutter Maria mit dem Kind. Kaum hatte sie das Schränkchen wieder geschlossen und sich umgedreht, da wurde die Tür geöffnet, und die Partisanen kamen herein, die sie der Folter unterziehen sollten.

Schmerz über die Grenzen des Erträglichen hinaus zerstört den Geist wie auch den Körper, treibt ihn dazu, im Wahnsinn Zuflucht zu suchen. Spiro Michopoulos war immer schwächlich gewesen – eine Folge seiner fast tödlich verlaufenen Tuberkulose –, und als er starb, hatte die Folter ihn zu einem geifernden, zitternden Wesen degradiert, unfähig zu sprechen und zu gehen. Mit seinem letzten Atemzug jedoch hatte Michopoulos geschrien, er sei der Demokratischen

Armee stets treu ergeben gewesen. Trotz der Folter war es den Partisanen nicht gelungen, dem ehemaligen Dorfvorsteher, von den Kisten abgesehen, die man im Keller seines Hauses ausgegraben hatte, Informationen über die Lage weiterer möglicher Warenverstecke abzupressen.

Andreas Michopoulos wurde mehr oder weniger in Ruhe gelassen, denn Katis wußte, daß Andreas' Hinrichtung im Dorf keinerlei Propagandaproblem schaffen würde. Seit seiner Kindheit ein notorischer Unruhestifter, war er im Dorf allgemein unbeliebt.

Alexo Gatzoyiannis, anfangs eine Quelle des Trostes für die anderen Häftlinge im Kellergefängnis, hatte längst jede Hoffnung auf Rettung aufgegeben. In Elenis Augen war ihre Schwägerin immer die stärkste Frau des ganzen Dorfes gewesen, eine Frau, die sich trotz ihres schweren Lebens und ihrer vielen Kinder niemals beklagte. Bei ihrer Vernehmung im Prozeß hatte Alexo Trotz und Zynismus an den Tag gelegt, die Schmerzen der Folter jedoch hatten schließlich ihren Verstand getrübt. Jene, die sie während der letzten Tage ihres Lebens sahen, erklären, sie habe ihre Umgebung anscheinend gar nicht mehr wahrgenommen, ihre Augen hätten leer geblickt, und sie habe niemanden mehr erkannt.

Vasili Nikou, der grauhaarige Böttcher, ein Veteran der Balkankriege, hatte sein Leben als einen bitteren Kelch gelebt. Die Schrekken seiner neunjährigen Militärzeit und der Tod seines einzigen Sohnes hatten ihn versteinert wie einen Baum am Rand einer Klippe, der ständig von den Elementen gepeitscht wird. Die Folter konnte weder Nikous Verstand brechen noch seine zynische Verzweiflung erschüttern. Seine Tochter Chrysoula, damals achtundzwanzig, sah ihn noch einmal kurz nach dem Prozeß. «Wir umarmten uns trotz der Läuse, die überall an ihm herumkrochen, und er versuchte, tapfer zu sein. ‹Mach dir keine Sorgen um mich›, sagte er. ‹Gefängnisse sind für Männer. Geh nach Hause und kümmere dich um deine Mutter.›»

Das Bestreben des politischen Kommissars, das Image der Partisanen aufzupolieren und die durch den Prozeß ausgelösten Ressentiments abzubauen, führte zu einem grotesken Zwischenfall ungefähr einen Tag nachdem Eleni zum Bohnenfeld hinuntergebracht worden war, um ihren Bewachern zu zeigen, wo sie ihren «Schatz» vergraben hatte.

Seit ihrer Ankunft im Dorf hatten die Partisanen alle Gottesdienste verboten. Doch als Angeliki Botsaris Daikos gerade ihr Baby versorgte, das vier Tage vor der Massenflucht geboren war, begannen plötzlich die Kirchenglocken zu läuten, und die Partisanen verkündeten durch ihre Megaphone, daß in der Kirche zur Heiligen Dreifaltigkeit auf dem Dorfplatz eine Massentaufe aller neugeborenen Kinder stattfinden werde. «Alle Mütter mit ungetauften Kindern haben diese sofort dafür vorzubereiten!»

Ungefähr fünfzehn Kinder waren im Dorf geboren, seit die Partisanen die Kirchen geschlossen hatten, und ihre Mütter staunten nicht schlecht über diese Ankündigung. Während Angeliki Sachen heraussuchte, die sie ihrem Söhnchen anziehen konnte, überlegte sie, ob das vielleicht ein neuer Trick der Partisanen war. Alle Babysachen waren inzwischen nur noch Lumpen; deswegen nahm sie einen der Unterröcke aus ihrer Aussteuer, der noch in relativ gutem Zustand war, schnitt Armlöcher in die Seiten und wickelte den Jungen hinein.

Als sich die fünfzehn Mütter mit ihren weinenden Säuglingen auf dem Dorfplatz versammelten, sahen sie, daß die Partisanen einen Archimandriten herbeiführten, den höchsten Rang, den ein verheirateter Priester in der Kirchenhierarchie erreichen kann. Es war ein graubärtiger, etwa fünfundsechzigjähriger Mann, den die Partisanen im selben Keller wie Eleni gefangenhielten. «Er war entweder aus Moschini oder aus Parakalamo», erinnert sich Angeliki, «und wirkte sehr feierlich.»

Die Partisanen stellten eine kleine Tasse voll Öl zur Verfügung, das in das Wasser des angelaufenen Taufbeckens gegossen wurde, und der Archimandrit begann mit dem vertrauten Ritual. Die verwirrten Frauen baten sich rasch gegenseitig, bei der Taufe ihres Kindes Pate zu stehen. Der zweite Täufling war Angelikis Sohn, und als der Priester ihn ihr aus den Armen nahm, flüsterte sie den Namen, den sie für ihn gewählt hatte: Konstantin. Eine Frau verkündete, als sie ihm ihre Tochter aushändigte, das Kind solle den Namen Laocratia bekommen, das heißt «Volksherrschaft». Der alte Priester krauste die Stirn; die griechische Kirche verlangt, daß jeder Säugling den Namen eines anerkannten Heiligen trägt. Aber er schwieg, hob das schreiende, nackte Kind dreimal empor, tauchte es dann ins Wasser des Taufbeckens und rezitierte dabei: «Im Namen des Vaters und des Sohnes und des Heiligen Geistes taufe ich dich Laocratia.»

Als der Archimandrit alle Kinder getauft hatte, rief er ihre Mütter zusammen und ermahnte sie streng: «Hiermit mache ich euch alle feierlich dafür verantwortlich, daß keines dieser fünfzehn Kinder einen Mittäufling heiratet, denn sie sind alle im selben Öl getauft worden und daher Brüder und Schwestern im Geiste. Würden sie untereinander heiraten, so wäre das Inzest.»

Die Frauen waren eingeschüchtert durch diese unorthodoxe Zeremonie, geleitet von einem gefangenen Priester, mit Kindern, die in Lumpen gehüllt waren, und ohne das übliche Freudenfest, den Tanz und das Werfen von Münzen und glückbringenden Jordan-Mandeln. Gehorsam nickten sie zu den Worten des Priesters. Dann wurde der Alte in seinem schwarzen Gewand und dem Zylinder von seinen Bewachern ins Gefängnis zurückgeführt. Am nächsten Tag wurde er hingerichtet.

Katis war zutiefst enttäuscht über die vermoderte Wäsche und die paar Lebensmittelkonserven, die im Haidis-Garten ausgegraben worden waren. Er *mußte* beweisen, daß die Amerikana genug Reichtümer versteckt hatte, um den Neid und den Groll der Dorfbewohner zu erregen. Schließlich hatten viele seiner Informanten berichtet, sie habe irgendwo einen beachtlichen Schatz an Goldsovereigns verborgen. Er befahl, sie abermals zu foltern.

Am sechsten Tag nach Elenis Todesurteil fütterte Angeliki Botsaris Daikos gerade ihren frisch getauften Sohn, als der Assistent der Sicherheitspolizei, ein Mann namens Mihalis Hassiotis, an ihrer Tür erschien. «Ein schrecklicher Mann!» erzählt Angeliki. «Wenn wir ihn vorbeigehen sahen, schlugen wir schnell das Kreuz und beteten, daß er nicht zu uns wollte. An diesem Tag aber kam er direkt an meine Tür und sagte: ‹Du sollst verhört werden.›»

Angeliki nahm das Baby mit, weil sie hoffte, die Partisanen würden mit einer Mutter, die einen Säugling auf dem Arm trug, gnädiger verfahren, und Hassiotis führte sie den Pfad hinauf zum Gatzoyiannis-Haus. Unterwegs sah Angeliki, daß Sotiris Drapetis, der Chef des Geheimdienstes, Urania Haidis ebenfalls dorthin führte. Urania war mit einem von Elenis Cousins verheiratet, der während und nach der Besatzungszeit auf dem schwarzen Markt ein beachtliches Vermögen zusammengetragen hatte. Angeliki und Urania tauschten angstvolle Blicke. Sie hatten beide vor wenigen Tagen von einem Versteck aus Elenis Qual mit angesehen, als man sie zwang, den Platz anzugeben, an dem sie die Aussteuer ihrer Tochter versteckt hatte.

Die beiden Frauen wurden ins Haus der Sicherheitspolizei geführt.

Urania Haidis wurde in die kleine Vorratskammer hinter der Küche gesteckt, deren Fenster nach Marianthe Ziaras' Flucht längst repariert worden war. Angeliki wurde mit ihrem Kind direkt in die gute Stube – das Büro – geführt, wo sie sich Katis gegenübersah.

Der Richter mit der unheilvollen Stimme fragte Angeliki nach den Namen ihrer Eltern und der Verwandten ihres Mannes; dann erkundigte er sich: «Bist du mit der Amerikana verwandt?»

«Nein, wir kennen uns nur», antwortete Angeliki.

«Warum haben sie und ihre Familie euch dann so häufig besucht?»

Angeliki spürte, wie ihre Kehle sich zusammenzog. «Das ist so üblich hier, ob man verwandt ist oder nicht», sagte sie mit unsicherer Stimme. «Wir waren Nachbarn.»

Katis beugte sich vor und fixierte sie mit dem Blick eines Raubvogels.

«Ich werde dir jetzt einige Fragen stellen, auf die ich präzise Antworten verlange», erklärte er hart. «An welchem Tag, um welche Uhrzeit hat die Amerikana dir drei Goldsovereigns gegeben, und was hast du damit gemacht? Wem hast du sie weitergegeben?»

Angeliki war verdutzt. Sie wußte nicht, was da vorging und was sie antworten sollte. «Genosse Katis», sagte sie flehend, «ich habe niemals drei Sovereigns von der Amerikana bekommen!»

«Wenn du lügst», gab Katis zurück, «wirst du dasselbe Schicksal erleiden wie sie.»

Angeliki erklärte ihm, sie habe tatsächlich sechs Sovereigns, die sie ständig unter der Kleidung in einem Lederbeutel um den Hals trage, und weitere sechs Sovereigns habe sie ihrer Mutter gegeben, die sie auf dieselbe Weise um den Hals trage, für den Fall, daß eine von ihnen umkomme. Aber, betonte sie, die habe sie von ihrem Mann bekommen, nicht von der Amerikana.

Katis preßte die Lippen zu einem schmalen Strich zusammen, in dem die Andeutung eines Lächelns lag. Er rief Hassiotis herein und befahl, Angeliki in den Keller zu führen, wo sie selbst mit der Amerikana sprechen könne.

Angeliki fand Eleni auf der Schwelle der Tür, die in den Keller führte. Sie hatte die Beine, schwarz verfärbt und dick geschwollen, vor sich ausgestreckt und trug das blaue Kleid mit den drei schwarzen Streifen, das vor Schmutz starrte und oben am Hals offenstand. Eleni blinzelte in der hellen Sonne und schien Angeliki anfangs nicht zu erkennen. Hassiotis gab der Gefangenen ihr Stichwort wie ein Regisseur. «Erzähl uns doch einmal, Genossin Eleni, wie du dieser Frau drei Sovereigns gegeben hast.»

Elenis Augen richteten sich auf Angeliki, und sie machte eine Bewegung des Wiedererkennens. «Ja, ganz richtig, Kind! Gib dem Mann drei Sovereigns.»

Panik überfiel Angeliki – so sehr, daß sie vor Zorn zu zittern begann. Sie legte das Baby auf den Boden, beugte sich vor, packte Eleni bei den Schultern und schüttelte sie heftig. «Du hast mir niemals Sovereigns gegeben, Eleni!» schrie sie der Freundin ins Gesicht. «Was hast du vor – willst du mich mit dir ins Grab nehmen?»

Eleni reagierte so wenig wie eine Stoffpuppe. Als Angeliki sie losließ, saß sie da, die geschwollenen Beine ausgestreckt, während ihr leerer Blick auf das gewindelte Baby fiel, das auf dem Boden lag und mit den Händchen nach einem Sonnenstäubchen griff. «Ach, könnte ich sie doch nur noch ein einziges Mal berühren!» murmelte Eleni vor sich hin.

Angeliki erschrak. «Was hast du gesagt?»

«Wenn ich sie doch nur ein einziges Mal noch umarmen könnte, bevor ich sterbe.» Lautlos rannen Tränen über Elenis Wangen.

Angeliki betrachtete das Wrack, zu dem ihre Freundin geworden war, und die Angst um ihre eigene Sicherheit wich tiefem Mitleid. Sie streckte die Hand aus und berührte Elenis Hand. «Schon gut, Tante», sagte sie. «Ich gebe ihnen die Sovereigns, die sie verlangen.»

Eleni antwortete nicht, sondern nickte nur unbestimmt in Angelikis Richtung.

Hassiotis und die anderen Partisanen brachten Angeliki wieder zu Katis zurück. Immer noch das Baby auf dem Arm, löste sie den Beutel mit den Sovereigns von ihrem Hals und ließ sie vor dem Richter auf den Tisch fallen. «Nehmt sie nur», sagte sie.

Katis griff nach dem Beutel und warf ihn ihr wieder zu. «Das sind nicht die Sovereigns der Amerikana; diese hier gehören dir, und wir wissen, woher du sie hast.» Sein Ton deutete an, daß Angeliki mit den Goldstücken für ihre Dienste bei den Briten belohnt worden sei. «Nicht mit einer Million solcher Sovereigns kann man das Leben der Amerikana erkaufen», schrie Katis. «Verräter müssen hingerichtet werden! Und jetzt erzähl uns, was du über die Sovereigns der Amerikana weißt.»

Katis stand auf und kam um den Schreibtisch herum auf Angeliki zu. Er holte aus und schlug sie heftig ins Gesicht. «Ich muß das Bewußtsein verloren haben, als er das tat», erzählt Angeliki, «denn als ich die Augen aufschlug, hielt ein Partisan das Baby auf dem Arm. Der Kleine hörte überhaupt nicht mehr auf zu schreien.»

Katis fuhr mit dem Verhör fort. «Wem hast du die Sovereigns der Amerikana gegeben? Wofür hat sie die Leute bezahlt?» Doch Angeliki beharrte darauf, sie habe nur ihre eigenen Sovereigns. Schließlich gaben sie ihr das Baby zurück und sagten, sie könne gehen. Mit zitternden Knien ging sie hinaus. Als sie sich dem Tor näherte und sich noch einmal umdrehte, sah sie Eleni immer noch auf der Türschwelle des Kellers sitzen.

Angeliki wollte zu ihr hinübergehen, um ihr zu erklären, was oben geschehen war: Wie sie versucht hatte, Katis ihre eigenen Sovereigns auszuhändigen, um Elenis Leben zu retten; doch den Partisanen war klar geworden, daß das, was Eleni ihnen erzählt hatte, ihr nur durch die Folter abgepreßt worden war und nicht der Wahrheit entsprach. Die beiden Wachen vor der Kellertür vertraten ihr den Weg und winkten ihr, zu verschwinden. Als Angeliki kurz innehielt, hob Eleni zum Abschied die Hand und sprach die klarsten Worte, die Angeliki an jenem Nachmittag von ihr gehört hatte.

«Vergiß mich nicht!» rief Eleni ihr nach.

Angeliki hob ebenfalls die Hand und blieb einen Augenblick stehen, unsicher, was sie sagen sollte; dann drehte sie sich schweigend um und ging.

Während Angeliki verhört wurde, mußte Urania Haidis, eine untersetzte, überempfindliche junge Frau, in der kleinen Vorratskammer warten, umgeben von Schuhen der Gefangenen, die der *falanga* unterworfen und anschließend erschossen worden waren. Nachdem Angeliki fort war, ließ Katis Urania hereinbringen und stellte ihr dieselben Fragen: Wo die drei Sovereigns seien, die die Amerikana ihr gegeben habe. Und erhielt dieselben Antworten: Die einzigen Sovereigns, die sie besitze, seien jene, die ihr Mann ihr gegeben habe.

Urania und Angeliki waren die einzigen Frauen im Dorf, die Goldsovereigns besaßen. Das mußte Eleni gewußt haben, und wahrscheinlich hatte sie in der Hoffnung, sie würden ihr helfen, unter der Folter ihre Namen genannt. Aber genau wie Angeliki erklärte auch Urania, die Amerikana habe ihr keine Sovereigns gegeben. Als Katis sie ohrfeigte, wurde sie hysterisch. Sie warnten sie, daß sie Eleni gegenübergestellt werde. Urania behauptet, sie habe mit ihrer Cousine kein einziges Wort gewechselt. «Sie wirkte benommen und sah mich nicht an», berichtet Urania, die bei der Erinnerung daran zu stammeln beginnt und dem Blick des Fragenden ausweicht. «Als ich sie so wiedersah, bin ich ohnmächtig geworden, und als ich zu mir kam, schickten sie mich nach Hause. Wir haben nie wieder miteinander gesprochen.»

Während Elenis letzter Lebenswoche arbeitete Glykeria noch auf den Feldern von Macrohori und Vatsounia. Sie vergoß Ströme von Schweiß in immer noch demselben Wollkleid, das sie seit nahezu drei Monaten trug; ihr vierzehnjähriger Körper verkraftete die Anstrengung des Weizenschneidens vom Morgengrauen bis zur Dämmerung und des Steinschleppens für die Einmannbunker der *andartes* nicht. Da die Frauen aus Lia auf ihr herumhackten, sie schlugen und sich über ihre Faulheit beschwerten, arbeitete Glykeria jetzt mit der mitfühlenderen Gruppe aus Babouri zusammen.

Am frühen Morgen des 28. August hatten die Frauen aus Babouri in der Nähe von Macrohori gerade mit der Tagesarbeit begonnen, als auf dem Dreschplatz eine beeindruckende Gestalt erschien: Leutnant Alekos, der ehemalige Ausbilder der *andartinas* aus Lia. Er kam auf einem schönen Schimmel geritten und erklärte den Drescherinnen: «Alle jungen Mädchen und alle unverheirateten Frauen – fertigmachen zum Abmarsch! Ihr braucht nicht mehr bei der Ernte zu helfen, ihr werdet heute noch in die Demokratische Armee aufgenommen.»

Die Mädchen aus Babouri begannen zu weinen und zu klagen, während die Gruppe aus Lia, die auf einem benachbarten Hang arbeitete, höhnisch lachte. Zwischen den beiden Dörfern herrschte eine so große Rivalität, daß die Babouri-Frauen ständig prahlten, sie würden deshalb nicht zwangsrekrutiert, weil sie um soviel besser kochen, putzen und für die Truppen sorgen konnten als die nutzlosen Lia-Frauen, die nur zum Kanonenfutter taugten. Als nun die Frauen aus Babouri weinten, saß Glykeria stumm und verwirrt daneben. Sie wußte nicht, ob sie nun mit ihnen zusammen rekrutiert werden sollte oder nicht. Sie stand auf und fragte den Leutnant, der sie merkwürdig ansah. «Nein, du wirst nicht mit ihnen gehen», antwortete er. «Du gehst mit den unverheirateten Frauen von Lia in dein Dorf zurück.»

Glykeria wußte, daß sie erleichtert sein müßte – ihre sommerlange Qual war endlich vorbei –, doch sie verspürte eine unbestimmte Angst. Mit Tränen in den Augen nahm sie von ihren Freundinnen unter den Babouri-Frauen Abschied. Die meisten von ihnen sollte sie nie wiedersehen. Die jungen Mädchen waren so unzureichend ausgebildet, als man sie in die letzte, schicksalsschwere Schlacht des Krieges warf, daß viele von ihnen sehr bald fielen.

Der Rückmarsch nach Lia dauerte über zwei Stunden. Glykeria ging unter der glühenden Sonne mit einigen der anderen unverheirateten Mädchen des Dorfes zusammen, darunter auch Xanthi Nikou, die sechzehnjährige Tochter des zum Tode verurteilten Vasili Nikou. Ihr Weg führte sie am Tserovetsi und am Skitari vorbei über verschiedene Berggipfel in südwestlicher Richtung nach Lia. Die Mädchen passierten die St.-Nikolaus-Kapelle in dem versteckten grünen Tal inmitten prähistorischer Tumuli. Glykeria bekreuzigte sich im Weitergehen und sprach ein stummes Gebet. Kurz hinter der Kapelle trafen sie auf eine Gruppe Partisanen, einige von den Dutzenden, die auf dem Propheten Elias unmittelbar über ihnen kampierten, auf dem strategischen Gipfel, von dem aus man kilometerweit ins Land blicken konnte. Sie arbeiteten schwer an einer großen, rechteckigen Grube am tiefsten Punkt eines Feldes, das Tassi Mitros gehörte, unmittelbar oberhalb eines Bächleins. Die Mädchen eilten an ihnen vorbei, ohne mit den Partisanen zu sprechen oder zu überlegen, wofür der Graben wohl gedacht sei.

Als sie die ebene, grüne Nase der dreieckigen Agora überquerten, beschleunigten sie ihren Schritt und standen gleich darauf auf der obersten der von Menschenhand geschaffenen Steinterrassen, von den Dörflern Laspoura genannt, das heißt «morastig». Von diesem Punkt aus konnte Glykeria ihr Elternhaus im Perivoli erkennen, doch dieser Anblick erfüllte sie mit einer unerklärlichen Angst. Vor dem Tor entdeckte sie ein halbes Dutzend Partisanen.

Mit den anderen zusammen rannte Glykeria fast den Pfad zum Perivoli hinab. Kurz vor der Quelle, bei der Mühle von Tassi Mitros, begegnete ihnen Tassina Bartzokis. Angesichts der verdreckten Mädchen begann Tassina zu weinen und umarmte Glykeria. Von Tassina erfuhren Glykeria und Xanthi, daß ihre Mutter und ihr Vater zum Tode verurteilt worden waren und bis zur Hinrichtung im Gatzoyiannis-Haus gefangengehalten wurden.

Die beiden Mädchen, vierzehn und sechzehn Jahre alt, liefen zum Tor der Sicherheitspolizeistation, wo sie von den Wachtposten erfuhren, daß das zutraf. Sie begannen aus vollem Hals zu weinen. «Pssst!

Ruhig!» warnten die nervösen Wachen. «Wir werden sie nicht hinrichten! Sie werden vermutlich jetzt jeden Tag ihre Begnadigung von Markos bekommen.»

Immer noch weinend setzten Glykeria und Xanthi sich in den Staub vor dem Tor und weigerten sich, ihren Platz zu verlassen, bis sie ihre Eltern sehen durften. Kurz darauf gesellten sich auch Chrysoula und Olga, die beiden älteren Nikou-Mädchen, zu ihnen, die den Lärm gehört und erfahren hatten, daß ihre Schwester und Glykeria vom Ernteeinsatz heimgekehrt waren. Sie stimmten in die Bitten der beiden jüngeren ein: «Wir gehen nicht nach Hause, bis wir mit ihnen gesprochen haben! Ihr müßt uns einlassen!»

Es war ungefähr elf Uhr, und der von den vier Mädchen veranstaltete Aufruhr bewirkte, daß beinahe jeder Bewohner des Perivoli ans Fenster kam. In der Polizeistation hörte auch Katis das Geschrei. Verärgert dachte er, was für einen Eindruck dieser Lärm auf die Umgebung machen müsse. Schließlich ließ er den Posten am Tor ausrichten, sie sollten die Frauen hereinbringen, sie dürften die beiden Häftlinge sehen. Alles – nur daß sie mit ihrem Gejaule aufhörten.

Die vier verängstigten Mädchen wurden in die gute Stube geführt, wo Katis sie mit einem Gesicht wie eine Gewitterwolke erwartete. Er gab den Wachen ein Zeichen, und kurz darauf wurden Eleni und Vasili Nikou hereingebracht, beide von zwei Partisanen gestützt. Die beiden Häftlinge, benommen und verängstigt, nahmen kaum ihre Umgebung wahr. Sie wußten nur, daß man sie aus dem Keller geholt hatte, und waren fest überzeugt, daß der Zeitpunkt ihrer Hinrichtung gekommen sei. Selbst als ihre Töchter bei ihrem Anblick zu schreien begannen, erkannten sie die Kinder nicht. Beide Gefangenen rutschten, an einer Wand lehnend, langsam zu Boden. Eleni, deren Blick auf die vertraute Ikonostase in der Ecke fiel, murmelte: «Mein armes Haus! Was ist aus dir geworden!»

Sowohl Vasili Nikou als auch Eleni hatten schwere Blutergüsse im Gesicht, geschwollene Lippen, von den Schlägen grün und blau verfärbte Lider. Beide waren total verlaust, und Eleni, in weitaus schlechterem Zustand als der Mann, streckte die Beine vor sich aus. Schluchzend warfen sich die Mädchen auf ihre Eltern, und der Tumult in der Polizeistation wurde noch schlimmer. Wütend befahl Katis den Partisanen, das Grammophon aufzuziehen und mit voller Lautstärke eine Schallplatte abzuspielen, um den Lärm ihres Gejammers zu übertönen. Die völlig unpassende Melodie, ein wildes *rebetiko* aus den Hafenkneipen von Piräus, schmetterte in die lautlose Mittagsstille hinaus, während Katis und die Partisanen näher rückten, um hören zu können, was die Häftlinge mit ihren Töchtern sprachen.

Glykeria kniete vor Eleni auf dem Boden und streckte die Arme nach ihr aus. «Mama, was haben sie mit dir gemacht?» weinte sie. Aber sie bekam keine Antwort und musterte mit wachsendem Entsetzen das wirre Haar ihrer Mutter, das nicht geschlossene Kleid und die grauenhaften, unförmigen Beine und Füße.

Glykerias Berührung und der Klang ihrer Stimme holten Eleni aus ihrem Stupor heraus, und sie erkannte die Tochter, für die sie Tag um Tag gebetet hatte. «Mein Kind!» sagte sie und wiederholte es einige Male. Dann flüsterte sie langsam, damit Glykeria sie auch verstand: «Mach dir keine Sorgen um mich, meine Seele. Sieh dich an! Dünn wie ein Strich bist du!»

Glykeria schmiegte ihr Gesicht an die Brust ihrer Mutter und weinte: «Ich hab mich so nach dir gesehnt! Was haben sie mit den anderen gemacht?»

«Die Kinder sind fort», antwortete Eleni und streichelte ihr das Haar. «Sie sind in Sicherheit, darum ist es mir gleich, was jetzt aus mir wird. Du darfst nicht weinen. Ich möchte nur, daß es dir gutgeht. Ich will dich nicht weinend in Erinnerung behalten.»

Während Glykeria mit Eleni flüsterte, spotteten die Wachen über Vasili Nikou, der seine Töchter ebenfalls erkannt und umarmt hatte. Ihre Tränen waren ihm peinlich, genau wie die Tatsache, daß sie ihn in diesem elenden Zustand sahen. «Geht nach Hause, Mädchen», sagte er ruhig. «Geht um Gottes willen nach Hause!»

«Nur keine Angst, Onkel Vasili», sagte der eine Posten lächelnd. «Jetzt ist der rechte Augenblick, deinen Töchtern alles zu sagen, was du ihnen zu sagen hast. Wenn du irgendwo Sovereigns versteckt hast, verrate es ihnen jetzt.»

Der wettergegerbte alte Böttcher drehte sich zu dem Mann um und sah ihn an – mit einem Blick, der diesen trotz des unförmig geschwollenen Gesichtes des Gefangenen zum Schweigen brachte.

«Alles, was ich besitze, haben meine Kinder», erklärte Nikou. «Wenn ihr zwei Jahre lang das Gewehr getragen habt, so habe ich es neun Jahre getragen. Ich kenne den Krieg, und ich weiß, was ihr mit mir machen werdet. Ich kenne mich aus.» Dann wandte er sich wieder seinen Töchtern zu und sagte streng: «Geht jetzt. Kehrt zu eurer Mutter zurück.» Sie gehorchten, doch an der Tür wandte sich Chrysoula an Katis und sagte ein einziges Wort: «Aasgeier!»

«Hüte deine Zunge, Genossin», warnte der Richter errötend. «Sonst kommst du hier nicht mehr heraus.»

Eleni und Glykeria saßen beisammen und hielten sich an den Händen, jede von ihnen bemüht, ruhig zu bleiben, um die andere nicht zu erschrecken. Eleni sagte zu Glykeria, sie solle nach Hause gehen und sich ausruhen; sie sehe erschöpft und elend aus. Glykeria fragte die Mutter immer wieder, was sie denn für sie tun könne.

«Ruh dich erst aus», verlangte die Mutter. «Dann kannst du nachsehen, ob es im Garten Tomaten gibt, und mir eine bringen. Geh zu Eugenia Petsis – sie hat unsere Tiere – und sieh, ob sie dir Milch oder *shilira* für mich mitgeben kann.» Die Wange ihrer Tochter streichelnd, fuhr sie fort: «Falls irgend etwas passiert – ich habe ein paar Okka Mais und Weizen für dich im Haus zurückgelassen; außerdem hast du das Feld und die Tiere.»

Glykeria wollte protestieren, doch Eleni winkte ab. «Du mußt am Leben bleiben», sagte sie. Und seufzend setzte sie hinzu: «Glückliche Constantina Drouboyiannis!»

«Wieso, Mutter?» erkundigte Glykeria sich verständnislos.

«Sie hat es gut. Sie hat ihre Töchter und sich selbst gerettet.»

Eleni hielt inne und sah Glykeria an, als sei ihr eine Idee gekommen. Dann winkte sie Katis, der ganz in der Nähe stand. Er kam noch dichter heran, um trotz des Grammophongedudels hören zu können, was sie sagte.

«Genosse Katis», bat Eleni höflich, als spreche sie mit einem guten Bekannten. «Könnte ich unter vier Augen mit dir sprechen?»

«Selbstverständlich», antwortete er liebenswürdig.

Auf die Schulter ihrer Tochter gestützt, kämpfte Eleni sich auf die Füße. Dann ging sie mit Katis ein paar Schritte weiter, in den Flur, der die gute Stube von der Vorratskammer trennte. Glykeria sah den beiden nach, konnte aber nicht hören, was Eleni sagte. Sie sah sie auf Katis einflüstern und eine Geste in ihre Richtung machen. Glykeria hatte den Eindruck, daß Eleni Katis bat oder auch mit ihm handelte, die Tochter vor Folter und Tod zu bewahren. Der Beamte lauschte und nickte, dann kehrten sie in die gute Stube zurück.

«Geh jetzt, Kind», befahl Eleni unsicher. «Geh, ruh dich aus und komm dann wieder. Ich möchte dich wiedersehen.» Sie stand da und sah Glykeria an. Dann streichelte sie ihr noch einmal die Wange.

«Meine Tochter, mögest du für mich leben so lange wie die Berge.»
Glykeria betrachtete das hagere Gesicht ihrer Mutter, so leidvoll wie das der Madonna auf der Familienikone, die Augen mit hartem Licht erfüllt, die feine Haut auf der Stirn wie Seidenstoff von winzigen Fältchen durchzogen. Die dunklen Ringe unter ihren Augen machten diese unnatürlich groß und glänzend. Sie griff nach Elenis Hand und preßte sie an ihre Wange, fühlte die rauhen Finger auf ihrer tränennassen Haut. Sie küßten sich; dann wandte Glykeria sich ab und ging hinaus. Als sie sich noch einmal umdrehte, sah sie die Mutter, haltsuchend an den Türpfosten geklammert, auf der Schwelle des Hauses stehen und ihr nachblicken, als wolle sie sich ihr Bild fest einprägen. Zum Abschied hob Eleni die Hand. «Keine Angst», rief Glykeria ihr zu, «ich komme wieder!» Dann ging sie zum Tor. Bevor es sich hinter ihr schloß, drehte sie sich abermals um und entdeckte das Gesicht ihrer Tante am Kellerfenster, die, mit beiden Händen die Gitterstangen umklammernd, zu ihr herausstarrte. Glykeria machte ihr ein Zeichen; Alexo schien sie jedoch nicht zu erkennen, sondern schüttelte nur stumm den Kopf.

Glykeria fand das Haidis-Haus verschlossen und dunkel, ohne einen Bissen zu essen darin. Sie lief zu Eugenia Petsis hinunter, die in der zerstörten Mühle wohnte, und die freundliche Alte bestand darauf, daß sie sich hinsetzte und etwas *shilira* aß, während sie einen Teller für Eleni füllte. Eugenia suchte das erschütterte Mädchen zu beruhigen: Ihre eigene Tochter Coula habe Eleni fast täglich Essen ins Gefängnis gebracht. Nun, da Glykeria heimgekehrt sei, seien Elenis Gebete erhört worden. Sie wolle nur, daß es ihren Kindern gut gehe. «Bevor du wieder zu deiner Mutter hinaufgehst, mußt du unbedingt ein bißchen schlafen», sagte Eugenia. «So, wie du jetzt aussiehst, darf sie dich nicht sehen!»

Glykeria rieb sich die Augen, dankte der Alten und nahm den Teller *shilira* mit zum Haidis-Haus. Unterwegs fand sie im Garten noch zwei reife Tomaten. Im kühlen Dunkel des Hauses – eine Erleichterung nach der Mittagshitze draußen – legte sie sich auf den einzig vorhandenen Strohsack, auf dem ihre Mutter geschlafen hatte. An einem Haken hing Elenis bestes, dunkelbraunes Wollkleid an der Wand. Sein Anblick vermittelte dem Mädchen das tröstliche Gefühl, die Mutter sei irgendwo in der Nähe. Nur eine halbe Stunde die Augen zumachen, dachte sie, dann werde ich ihr das Essen ins Gefängnis bringen. Sie zitterte noch immer von der Anstrengung des langen Marsches und dem Schock, die Mutter von der Folter so furchtbar zugerichtet zu sehen. Sie fiel in einen unruhigen Schlaf.

Etwa um zwei Uhr nachmittags erschien Glykeria mit der *shilira* und den Tomaten wieder vor dem Gefängnis. Als sie sich dem Tor näherte, sah sie sofort, daß etwas nicht stimmte: Alle Türen, auch die zum Kellergefängnis, standen weit offen. Die Wachen draußen saßen lässig auf dem Boden herum und plauderten. «Wo ist meine Mutter?» rief Glykeria voll Angst. «Wo sind die Häftlinge?»

«Denen geht's gut, man hat sie in ein anderes Gefängnis gebracht, ein größeres in Mikralexi hinter den Bergen», antwortete einer der Männer. Er las den Zweifel im Gesicht des Mädchens.

«Ich sollte ihr etwas zu essen bringen, und nun ist sie fort», sagte Glykeria wie zu sich selbst.

«Keine Angst, sie hat es jetzt besser», behauptete der Posten, bemüht, sie zu trösten. «Sie haben sie gerade eben geholt. Wenn du mir nicht glaubst – sieh doch, da oben!» Er zeigte hinauf. Glykeria folgte seinem Arm und sah eine Reihe winziger, dunkler Gestalten den Weg zu dem Paß emporsteigen, der den Propheten Elias vom Kastro trennt – denselben Weg, den sie selbst vor kurzer Zeit herabgekommen war. Die Gestalten waren zu winzig und zu weit entfernt, um sie zu erkennen.

«Bist du sicher, daß sie es dort besser hat?» fragte Glykeria zweifelnd. Sie wußte nicht, was sie tun sollte. Sie waren schon so weit entfernt, daß sie sie nicht mehr einholen konnte.

«Aber sicher», antwortete der Mann. «Geh jetzt nach Hause und mach dir keine Gedanken.»

Doch Glykeria stieg noch ein bißchen höher hinauf, zu dem kühlen, grünen Platz neben Tassi Mitros' Mühle, wo ihre Mutter und Schwestern so oft die Wäsche gewaschen hatten, und saß dort den ganzen Nachmittag lang im Schatten, das unberührte Essen auf ihrem Schoß. Einige Zeit später kam Giorgina Venetis den Pfad von oben herab und sah das weinende Mädchen dort sitzen. Giorgina war selbst leichenblaß und zitterte. «Was ist los, Kind?» fragte sie fürsorglich.

«Sie haben meine Mutter und die anderen nach Mikralexi gebracht, und ich konnte ihr nicht mal Lebwohl sagen», antwortete Glykeria. «Wer weiß, wie lange sie sie dort behalten.»

Giorgina Venetis wandte den Blick ab, murmelte ein paar tröstende Worte und eilte weiter. Sie wußte, wohin die Häftlinge gebracht worden waren; die Nachricht hatte sich bereits im Dorf herumgesprochen. Glykeria jedoch fühlte sich wohler, kehrte langsam zum Haidis-Haus zurück, aß alles auf, was sie ihrer Mutter nicht mehr hatte geben können, und verbrachte die Nacht auf dem Strohsack, das braune Kleid ihrer Mutter zum Trost an sich gedrückt.

Am Samstag, 28. August, kurz nach zwölf Uhr mittags, wurden dreizehn Häftlinge, darunter die fünf aus Lia, aus dem Keller des Gatzoyiannis-Hauses geholt. Man sagte ihnen, sie würden in ein Gefängnis von Mikralexi verlegt, drei Marschstunden über die Berge in nordöstlicher Richtung entfernt. Es war ein anstrengender Marsch bergauf, doch alle Gefangenen gingen zu Fuß, bis auf Spiro Michopoulos, der völlig den Verstand verloren hatte und nur noch zitterte wie ein von Schüttellähmung befallener Kranker. Er war auf einem Maultier festgebunden, während die anderen Häftlinge sich mit ihren schwarz verfärbten, geschwollenen Beinen unter der Bewachung von mehreren bewaffneten Partisanen barfuß mühsam hinter ihm herschleppten.

Auf dem Weg vom Gatzoyiannis-Haus zum Paß zwischen den Berggipfeln näherte sich der quälend langsam dahinwandernde Zug allmählich der Quelle von Siouli bei der Mühle von Tassi Mitros, wo Eleni jeden Tag Wasser geholt hatte. Von der Quelle herab kam die elfjährige Kanta Bollis, einen Wasserkrug in den Händen, ein Wasserfäßchen auf dem Rücken. Angstvoll trat das Kind beiseite, um die Partisanen mit ihren Gefangenen vorbeizulassen. Eleni erkannte die Freundin ihrer jüngsten Tochter. Kanta Bollis erinnert sich, daß Alexo Gatzoyiannis wie in Trance an ihr vorbeiging und anscheinend überhaupt nichts sah, daß Eleni sie jedoch ansprach. «Einen Schluck Wasser, Kanta», flehte sie. Einer der Bewacher nickte, und der Zug hielt an. Das Kind trat vor und reichte Eleni den Krug.

«Ich habe kein Wort gesagt, ich hatte viel zuviel Angst», berichtet Kanta Bollis. «Ihre Hände waren grün und blau und zitterten, als sie sich niederbeugte, um den Krug zu nehmen. Sie war fürchterlich dünn und bleich, als käme sie direkt vom Friedhof! Nachdem sie ein paar Schluck getrunken hatte, sah sie mich mit schrecklichem Blick an und sagte: ‹Ach, mein Kind, meine kleine Fotini – wo ist sie jetzt?› Dann brach sie in Tränen aus. Daraufhin riß ihr einer der Bewacher den Krug aus der Hand und drückte ihn mir wieder in die Hand. ‹Geh! Geh!› sagte er dabei.»

An der Quelle selbst hatte der dreizehnjährige Antoni Makos haltgemacht, um zu trinken. Er erinnert sich an Spiro Michopoulos, auf ein Maultier gebunden, das Hemd dort, wo ihn die Prügel getroffen hatten, in blutigen Fetzen, eine Wolke von Fliegen um ihn herum. Einer der Partisanen kam auf den Jungen zu, verlangte eine Wasserflasche und trank. Dann drängte ihn ein anderer Partisan: «Beeil dich! Wir müssen weiter, bevor uns die Flieger sehen!»

Oberhalb der Quelle, als sich der Zug zu den Laspoura genannten Terrassen unmittelbar unter dem Eingang zum Paß emporquälte, stieß er auf eine Gruppe Dorffrauen mit braunen, zur Farbe eines Kupferkessels verbrannten Gesichtern unter den dunklen Kopftüchern, tief gebeugt unter der Last von Holz, das sie für die Partisanen gesammelt hatten. Als die Frauen zur Seite traten, um die Häftlinge vorbeizulassen, brach eine von ihnen, Fotina Makou, beim Anblick ihres Bruders Vasili in Tränen aus. Der Böttcher sah seine Schwester nicht an.

Nach der mühseligen Kletterei die schlüpfrigen Terrassen der Laspoura hinauf muß es eine Erleichterung für die Gefangenen gewesen sein, als sie auf die Agora kamen, den Marktplatz der hellenistischen Gemeinde, die dreihundert Jahre vor Christi in diesen Bergen gelebt hatte.

Als die Häftlinge die Agora betraten, begegneten sie einer zweiten Frauengruppe aus Lia, die vom Arbeitsdienst zurückkehrte und zu der Giorgina Venetis gehörte. Als sie die Häftlinge vorbeiziehen ließen und dann ihren Weg wieder aufnahmen, begannen die Frauen darüber zu diskutieren, ob die Gefangenen in ein anderes Dorf gebracht oder erschossen werden sollten. Giorgina war neugieriger und wagemutiger als die anderen. Sie beschloß, umzukehren und ihnen zu folgen, weil sie wissen wollte, was mit ihnen geschehen würde. Sobald die Gefangenen hinter einer kleinen Erhebung verschwanden, trennte sie sich von den anderen Frauen und folgte dem Zug.

Unter dem Rascheln nackter Füße auf dem trockenen Laub der Platanen zogen die Gefangenen weiter, bis sie die Erhebung hinter sich hatten. Von hier aus blickten sie auf die mit Herbstkrokussen betupfte Wiese und sahen das mehrere Quadratmeter große Massengrab am Fuß des terrassierten Feldes neben dem Bach. Der Marsch der Verdammten endete, als ihnen klar wurde, daß ihr Ziel nicht Mikralexi, sondern dieser von Vogelrufen und dem kristallklaren Rauschen des Baches erfüllte Abgrund war. Im selben Moment kamen nahezu dreißig Partisanen den Hang des Propheten Elias herab auf sie zu.

Wie Taki, einer der Bewacher, berichtete, waren die Angehörigen des Exekutionskommandos aus den Reihen der Partisanen gewählt worden, die auf dem Propheten Elias kampierten und aus weit entfernten Dörfern kamen, also keinerlei emotionale Bindungen an die Opfer hatten. Der Leutnant, der den Trupp befehligte, stammte aus Makedonien.

Die Gefangenen wurden am Rand der zweituntersten Stufe des terrassierten Feldes, unmittelbar über der untersten Ebene mit dem Massengrab, aufgereiht. Sie mußten sich ganz dicht an die Kante stellen, damit es, wenn sie fielen, nicht zu mühsam war, die Leichen über den Rand in das unten geschaufelte Grab zu wälzen. Da Spiro Michopoulos nicht stehen konnte, wurde er hingesetzt.

Sechsundzwanzig Partisanen waren zur Hinrichtung der dreizehn Gefangenen abkommandiert worden, für jeden zwei. Jene, die die Frauen erschießen mußten, murrten. Trotz der zahlreichen Toten, die sie schon auf dem Gewissen hatten, war diese Aufgabe ihnen unangenehm. Der Leutnant machte ihnen jedoch eindeutig klar, daß sie keine andere Wahl hatten. Exekutionskommando und Opfer standen nur wenige Meter voneinander entfernt. Der befehlshabende Offizier wollte die Sache möglichst schnell hinter sich bringen, damit er mit seinen Männern so bald wie möglich zurückkehren konnte.

Giorgina Venetis folgte den Häftlingen über die Agora und erklomm gerade die kleine Anhöhe, die ihr den Blick auf die terrassierten Felder versperrte, als sie wie angewurzelt stehenblieb, weil sie einen Schrei hörte: eine Frauenstimme, den schrecklichsten Ton, den sie jemals gehört hatte. Der heisere Ruf kündete von allen Schmerzen und Qualen der Welt und endete in den Worten: «Meine Kinder!» Dann folgte eine Salve von Schüssen.

Giorgina war wie gelähmt. Plötzlich fühlte sie etwas Warmes an ihren Beinen herablaufen: Vor Schreck hatte sie die Kontrolle über ihre Blase verloren. Irgendwie sammelte sie ihre letzten Kräfte und fing an zu laufen; sie lief, die glitschigen Stufen der Laspoura hinabrutschend und -stolpernd, bis sie oberhalb des Perivoli, außer Atem und immer noch schaudernd von dem entsetzlichen Schrei, bei Tassi Mitros' Mühle die weinende Glykeria Gatzoyiannis fand. Giorgina sprach ein paar Worte mit ihr und eilte dann weiter, ohne etwas von dem zu sagen, was sie gesehen und gehört hatte.

Taki, der einzige, der zugibt, Augenzeuge der Hinrichtung gewesen zu sein, erzählt, daß eine der Frauen, die mit dem kastanienbraunen Haar, unmittelbar vor dem Feuerbefehl geschrien hat und zu Boden gestürzt ist. Als der Leutnant von einem Leichnam zum anderen ging, um allen den *coup de grâce* zu verabreichen, habe ihre Wunde nicht geblutet, sagt er.

Die Hinrichtung dauerte nur Minuten; die Leichen wurden gemeinsam, mit dem Gesicht nach unten, ins Grab geworfen und so hoch mit Steinen bedeckt, daß sie nicht mehr zu sehen waren. Dann kehrten die Partisanen des Exekutionskommandos auf den Propheten Elias zurück und überließen den grünen Hang bei der St.-Nikolaus-Kapelle dem Schweigen, das seit Jahrhunderten dort regierte.

18

Im Spätfrühling 1949 waren die Regierungstruppen bereit, den Kommunisten den Todesstoß zu versetzen. Zuerst begannen sie, den Peloponnes, die handförmige Halbinsel im Süden, von den Partisanenbanden zu säubern. Dann rückten sie gegen die Aufständischen in den Bergen Zentralgriechenlands vor und zwangen sie im Sommer 1949 zum Rückzug nach Nordosten, zum letzten Kampf auf dem Vitsi und dem Grammos. Um die Verluste, die sie im Winter und Frühling erlitten hatten, wettzumachen, konskribierten die Partisanen jeden, den sie nur finden konnten, darunter Jungen und Mädchen von vierzehn Jahren. Zu den jugendlichen Zwangsrekrutierten, die Vitsi bis zum Tode verteidigen sollten, gehörte Eleni Gatzoyiannis' fünfzehnjährige Tochter Glykeria.

Als das erste Tageslicht in die Dunkelheit der Schlucht unterhalb der St.-Nikolaus-Kapelle herabdrang und die eingetrockneten Blutspuren beleuchtete, die zu einem Steinhaufen am Bach führten, lag Glykeria noch mit dem Kleid ihrer Mutter im Arm auf dem Strohsack im Haidis-Haus. Sie erwachte durch ein Klopfen an der Haustür, und als sie öffnete, sah sie einen Partisanen mittleren Alters vor sich, mit schmutzverkrustetem Bart und schuldbewußt zusammengekniffenen Augen.

«Du darfst es mir nicht übelnehmen, daß ich dir die Nachricht bringe», sagte er mit einem nervösen Blick durch das leere Haus, um dann wieder das kleine blonde Mädchen in dem roten Kleid anzusehen. «Gestern nachmittag haben wir deine Mutter hingerichtet. Ich habe die Schüsse selbst abgefeuert.» Er holte Luft und fuhr hastig fort: «Es war nicht recht, sie umzubringen, aber uns blieb keine

Wahl! Wir hatten unsere Befehle. Es waren ihre eigenen Mitbürger, die sie verraten haben.»

Glykeria hielt sich die Ohren zu, um seine Worte nicht hören zu müssen. Dann fiel sie auf die Knie, griff nach dem braunen Kleid und begann zu schreien: «Mama! Mama!» – ein Laut so voller Qual, daß ihre Nachbarn die Fensterläden schlossen und einander nicht ins Gesicht sehen konnten. Der Partisan trat einen Schritt näher. «Du mußt jetzt mitkommen, zur Sicherheitspolizei, um einige Fragen zu beantworten», sagte er. «Ich soll dich holen.»

Vor Schluchzen kaum fähig zu sprechen, erklärte Glykeria, sie könne nicht gehen, aber der Partisan packte ihren Arm und riß sie hoch. Elenis Kleid fiel von ihrem Schoß zu Boden.

Glykeria weinte den ganzen Weg zum Perivoli hinauf, und die wenigen Frauen aus dem Dorf, denen sie begegneten, wandten den Blick ab und wichen ihr hastig aus. Sie wurde in die kleine Vorratskammer mit dem Blechdach geführt, wo Sotiris Drapetis sie erwartete. Er fragte sie, wo ihre Mutter und ihr Großvater die Wertsachen versteckt hätten, aber sie antwortete weinend, sie wisse es nicht; woher auch? Sie sei seit drei Monaten bei der Erntehilfe. Sotiris runzelte die Stirn, schlug sie aber nicht, sondern riet ihr nur, gründlich zu überlegen; er werde sie immer wieder holen lassen, bis sie zur Mitarbeit bereit sei.

Während Glykeria zum Tor hinaus- und den vertrauten Pfad hinabeilte, legte sich das Wissen um den Tod ihrer Mutter wie ein erstickendes Gewicht auf sie. Als sie die St.-Demetrios-Kirche erreichte, die jetzt als Stall benutzt wurde, blickte sie zu der bunt bemalten Ikone des Heiligen zu Pferde auf, die neben der Kirchentür in einer Nische stand. Sie starrte den Heiligen an, der für sie so real war wie ihre Nachbarn im Perivoli, und langsam stieg Zorn in ihrer Brust auf. Eine Faust hoch erhoben, schrie sie laut: «Verdammt sollst du sein, heiliger Demetrios! Siehst du nicht, was sie getan haben? Warum erschlägst du sie nicht? Warum blendest du sie nicht, reißt ihnen die Augen aus?»

Sie hörte ein Geräusch hinter sich, und als sie herumfuhr, sah sie einen Mann in Partisanen-Uniform, der auf dem Kirchhof sein Pferd gefüttert hatte. Es war Antonis, der Adjutant von Oberst Petritis, der in ihrem Haus einquartiert gewesen war und sich um Nikola gekümmert hatte, weil ihn der Junge an den eigenen Sohn erinnerte. Mit gesenktem Kopf, um die Tränen in seinen Augen zu verbergen, kam er auf sie zu. «Ich weiß, was passiert ist, Kind», sagte er leise, «aber ich konnte es nicht verhindern. Deine Mutter war ein guter Mensch, der keinem etwas zuleide getan hat.»

Als sie das Haidis-Grundstück betrat, wurde sie von zwei kleinen Ziegen aus der Herde der Familie begrüßt, die frei umherliefen und auf dem Bohnenfeld weiter unten ihr Futter suchten. Die eine hatten die Kinder «Orphana» getauft, weil sie ein Waisenkind war. Die Zicklein stießen sie mit der Nase an und verlangten laut meckernd nach Futter; der Anblick ihrer traurigen Augen mit der goldbraunen Iris schürte Glykerias Zorn. Sie stieß sie von sich und rief weinend: «Wir sind jetzt alle Waisenkinder, und ihr könnt von mir aus sterben! Wir werden alle sterben!»

Die einzige Frau im Dorf, die den Mut hatte, mit Glykeria zu sprechen, war die schwachsinnige Schäferin Vasilo Barka, die lange Zielscheibe von Glykerias Spott gewesen war. Angelockt vom Hungergeschrei der Zicklein, kam sie zu Glykeria und erbot sich mit Tränen in den Augen, die Tiere kostenlos mitzunehmen. «Das ist das einzige, was ich für dich tun kann.» Weinend umarmte sie das junge Mädchen. «Deine Mutter war wie eine Verwandte für mich.» In Erinnerung daran, wie oft die Mutter sie gescholten hatte, weil sie die arme Frau verspottete, ließ Glykeria den Kopf hängen und murmelte ein paar Dankesworte.

Als Glykeria später am selben Tag durch die Felder wanderte und nach etwas Eßbarem suchte, wandten sich Nachbarinnen wie Tassina Bartzokis und sogar Verwandte wie Kitchina Stratis, die Cousine ihrer Mutter, wortlos ab, wenn sie sie grüßte. Anscheinend gab es keinen einzigen Menschen, der ihren Kummer mit ihr teilte.

Am nächsten Morgen erschienen die Aasgeier der Partisanen in Gestalt von Foto Bollis, Christos Skevis und Elia Poulos vor ihrer Tür, alle drei fanatische Kommunisten, die nach dem Unternehmen Pergamos ins Dorf zurückgekehrt und dafür mit Verwaltungsposten belohnt worden waren. «Gib uns alles, was du hast», forderte Foto Bollis. Er öffnete eine hölzerne Truhe, in der er ein paar Pfund Mehl und einige Maiskolben fand, die Eleni zurückgelassen hatte. «Laßt mir wenigstens genug, um einen Laib Brot zu backen», flehte Glykeria.

«Wir sind bevollmächtigt, alles zu beschlagnahmen», gab Bollis zurück. Zu den anderen sagte er: «Ich hab auf dem Feld reifen Mais gesehen. Geht ihn holen!» Als er sich zum Gehen wandte, riß sich

Glykeria einen Pantoffel vom Fuß, warf ihn nach Bollis und traf ihn am Hinterkopf. Nachdem die Tür hinter ihm zugefallen war, rollte sie sich, wieder das Kleid ihrer Mutter im Arm, zu einer Kugel zusammen und machte sich zum Sterben bereit.

Später am selben Tag kam Eugenia Petsis von der zerstörten Mühle herüber, in der sie lebte. «Komm zu mir, Kind», flüsterte sie. «Deine Mutter hat mich gebeten, mich um dich zu kümmern, und das werde ich tun. Aber du mußt mir versprechen, keinen Fluchtversuch zu machen, sonst bringen sie uns alle um.» Glykeria nickte gehorsam. Bevor sie das Haus verließ, zog sie das rote Kleid aus, das sie seit drei Monaten trug, und legte dafür das braune Kleid ihrer Mutter an, das einzige Kleidungsstück im ganzen Haus.

Am nächsten Morgen stöberte Stavroula Yakou das junge Mädchen in der Petsis-Mühle auf und befahl ihr, sich abermals zum Verhör ins Haus der Sicherheitspolizei zu begeben. Stavroula hatte Freude daran, die Tochter der Amerikana, eines der Mädchen, die sie stets heiß beneidet hatte, als ihre eigene Familie von Speiseresten der Gatzoyiannis lebte, zu drangsalieren. Im Verlauf der nächsten zwei Wochen machte sie Glykeria zu ihrem persönlichen Sündenbock, erschien jeden Morgen, um sie zum Verhör durch die Sicherheitspolizei zu holen, und verpflichtete sie jeden Nachmittag zum Arbeitsdienst: zum Transport von Verwundeten und Versorgungsgütern nach Tsamanta. Es war ein gefährliches Unternehmen, ein überladenes Maultier bei schwerem Beschuß über die Bergpfade zu führen. Glykeria bewegte sich wie ein Automat, taub für das Artilleriefeuer und für die Schreie der Verwundeten. Wenn sie auf dem Rücken des Maultiers von Tsamanta zurückkehrte, war sie oft so müde, daß sie einschlief und aus dem Sattel fiel. Und am Ende eines jeden Tagesmarsches wurde sie von Stavroula Yakou erwartet, die sie mit den Worten empfing: «Und jetzt gehst du noch einmal los, diesmal für Olga, das nächstemal für Kanta.»

Als die Nachricht von dem geplanten Angriff auf die Murgana zu der Flüchtlingsgemeinde von Igumenitsa durchsickerte, lebte die Gatzoyiannis-Familie in täglich wachsender Spannung. Marianthe Ziaras, die nach ihrer Flucht zu ihrer Familie in Filiates gestoßen war, erzählte, daß Eleni und Alexo im Gefängnis säßen, aber noch nicht vor Gericht gestellt worden seien. Dann hörten sie, daß eine junge *andartina* aus Lia namens Xantho Michopoulos schwer verwundet auf einem Schlachtfeld bei Vrosina gefunden worden sei und von Soldaten in ein Lazarett in Filiates gebracht werde. Das junge Mädchen, eine Cousine von Spiro Michopoulos, war mit derselben Gruppe rekrutiert worden wie Kanta. Sie mußte wissen, wie es in Lia aussah. Kitso Haidis beschloß, selbst nach Filiates zu fahren, um Näheres herauszufinden. Nitsa wollte ihn begleiten. Die Kinder wurden unter der Obhut ihrer Großmutter Megali und ihres Onkels Andreas zurückgelassen.

Xantho Michopoulos hielt nicht lange genug durch, um Filiates lebend zu erreichen; vor ihrem Tod jedoch nannte sie den Soldaten die Namen von fünf in Lia hingerichteten Zivilisten. Als Kitso im Lazarett von Filiates eintraf, erfuhr er dort vom Tod seiner Tochter. Wahnsinnig vor Kummer stürzte er sich auf einen verwundeten Partisanen und wollte ihn aus Rache erwürgen. Die Soldaten rissen ihn zurück.

Nitsa hörte ringsum Getuschel, als sie auf dem Markt einkaufen ging. Als sie zum Haus von Lukas Ziaras kam, genügte ein Blick in die Gesichter der Böttcher-Familie, um ihre schlimmsten Befürchtungen zu bestätigen, und sie brach schreiend auf dem Fußboden zusammen. Die ganze Nacht setzte sie ihr Klagegeschrei um die Schwester fort, bis sie überhaupt keine Stimme mehr hatte und nur noch krächzte. Am nächsten Morgen bestieg Nitsa einen Armeelastwagen, der sie nach Igumenitsa zurückbrachte; dort aber verließ sie der Mut, und sie erklärte den Kindern flüsternd, sie habe sich eine Erkältung zugezogen, die sich zu einer Laryngitis entwickelt habe. Außerdem berichtete sie, die Soldaten wollten die Murgana-Dörfer angreifen, und ihr Großvater sei in Filiates geblieben, um der Armee nach Lia zu folgen und zu sehen, was aus ihrer Mutter geworden sei. «Sie wußte die ganze Zeit von den Hinrichtungen und hat kein Wort davon gesagt», zürnte Olga später, «obwohl ich in Igumenitsa mit einem roten Kopftuch herumlief, wie eine Braut.»

Kitso blieb in Filiates zurück, um mit seiner Trauer allein fertig zu werden und auf die Befreiung seines Heimatdorfes zu warten. Er wanderte in der alten Stadt umher, die Gesichtszüge unter einem Stoppelbart verborgen, die aufrechte Haltung abgelöst vom schwerfälligen Schlurfen eines Greises. Er war besessen von der Idee, nach Lia zurückzukehren und die Wahrheit mit eigenen Augen zu sehen. Die Soldaten behaupteten, es sei nur noch eine Frage von Tagen, bis der Angriff auf die Murgana beginne.

Der Angriff, Bomben und Artilleriefeuer von Süden, begann am 10. September, zwei Wochen nach Elenis Hinrichtung. Die Partisanen befahlen den Lioten, sich in den Höhlen hoch über dem Perivoli zu versammeln.

Am Morgen des 12. September alarmierten gereizte, kampfmüde *andartes* das Dorf und befahlen allen Zivilisten, sich zum Abmarsch bereitzumachen. «Nehmt alles mit, was euch in die Finger kommt», riefen sie. «Redet nicht lange und trödelt nicht. Sie werden jedes einzelne Haus in Trümmer legen!» Die Partisanen hatten eine mörderische Wut. Dorfbewohner erinnern sich, daß ein junger Mann, ein Fremder aus einem anderen Dorf, sich nicht evakuieren lassen wollte; als er eine Frage stellte, wurde er auf der Stelle erschossen.

Der Mann, der die Evakuierung von Lia leitete, war Elia Poulos. Am 12. September lief er, während Bomben und Granaten die Berghänge umpflügten, den ganzen Tag lang zu jedem Haus und zu jedem Versteck und befahl den Leuten, sich für den Marsch nach Albanien fertigzumachen. «Ihr braucht nichts mitzunehmen. In Albanien gibt es genug zu essen. Gleich hinter der Grenze brodeln die Töpfe.»

Als Glykeria am Eingang zu einer Höhle saß, drängte sich Stavroula Yakou durch die erregte Menge und befahl dem jungen Mädchen, zu ihrem Haus mitzukommen, wo sie all ihren Besitz auf Glykerias Rücken zu laden begann: Wolldecken, Teppiche und ihre besten Kleider. Tief gebeugt unter ihrer Last rief Glykeria: «Bitte, Stavroula, ich kann nicht mehr tragen!»

«Du mußt!» lautete die Antwort; und als die andere zu betteln begann: «Du hast keine eigene Wolldecke zu tragen, und wenn wir nach Albanien kommen, werde ich meine mit dir teilen.»

Als es dämmerte, waren die Dörfler bei den Höhlen versammelt. Vangelina Gatzoyiannis, eine Cousine zweiten Grades von Glykeria und Mutter von fünf Kindern, hatte sich ihren sechzehn Monate alten Sohn auf den Rücken gebunden, die dreijährige Tochter saß auf ihren Schultern. Die Verwundeten und Alten, die nicht gehen konnten, wurden in großen Weidenkörben auf Maultiere geladen, während ihr Gewicht auf der anderen Seite durch Körbe mit Töpfen, Kleidungsstücken oder Kindern ausgeglichen wurde. Hunde und Ziegen folgten ihren Eigentümern bellend und meckernd. Lebende Hühner hingen an Sensengriffen, Sätteln und Bündeln.

Eine einzige alte Frau blieb zurück, als das Dorf evakuiert wurde:

die uralte, blinde Sophia Karapanou. Als rings um sie her die Granaten explodierten, legte Sophia sich zum Schlafen auf ihren Strohsack. Sie hatte den Einmarsch der Deutschen überlebt, die ihre Nachbarin Anastasia Haidis ins Feuer warfen, und wenn die Lampe diesmal ihr letztes Öl verbrannte, so war sie es zufrieden. Zu tief wurzelte sie in der Erde von Lia, um es jetzt noch zu verlassen. Sie wollte nicht auf dem Weg in ein fremdes Land sterben.

Um Mitternacht des 12. September setzte sich die Masse der Dorfbewohner, angetrieben von den berittenen Partisanen und Elia Poulos, langsam in Bewegung. Ein Chor von Klagen stieg gen Himmel, als die vielen Menschen westwärts zogen. Sie ließen die Felder zurück, die sie mühselig aus den felsigen Berghängen gehauen, die Häuser, die sie Stein um Stein eigenhändig erbaut hatten, die Gebeine ihrer Ahnen. Viele Frauen und Kinder hatten die Murgana noch niemals verlassen; und jetzt gingen sie einer Zukunft entgegen, von der sie sich keine Vorstellung machen konnten. Erschöpft stolperten sie, die Kinder und kranken Eltern auf dem Rücken, unter dem dumpfen Geräusch nackter Füße auf der roten Erde dahin. «Bewegt euch, ihr Zigeuner!» schrie Elia Poulos, trunken von seiner verantwortungsvollen Aufgabe.

Glykeria trottete wie ein Lastesel neben Stavroula Yakou. Sie verließ Lia mit keinem anderen Besitz als dem braunen Kleid, das sie auf dem Körper trug – ohne Wolldecke, ja sogar ohne Schuhe und Strümpfe. Sie erinnert sich an das Geräusch Hunderter schlurfender Füße, das Stöhnen der Verwundeten, die verschlafenen Proteste der Kinder, die verzweifelten Laute der verlassenen Hunde und Ziegen. Als sie sich umdrehte, lagen die Schatten des Dorfes unheimlich leblos, nirgends eine Kerze im Fenster. Dort blieb der Leichnam ihrer Mutter zurück, ihre Geschwister waren weit, weit fort, und nun wurde sie von den Mördern ihrer Mutter in die kommunistische Welt verschleppt.

Tsamanta lag fünf Kilometer westlich von Lia, anderthalb Kilometer unterhalb der albanischen Grenze in einem natürlichen Einschnitt zwischen den Bergen. Die Lioten, die es kurz vor Tagesanbruch erreichten, stellten fest, daß sich hier zahlreiche Flüchtlingszüge aus anderen Dörfern zu einem breiten Strom von Menschen vereinigten, deren Augen die Flammen der Schlacht spiegelten, deren Gesichter schmutzig und verkrampft vor Angst waren. Als der Morgen anbrach und sie den Blicken der Bomberpiloten aussetzte, wurde ihnen befohlen, sich in einer von Platanen überschatteten Schlucht zu verstecken. Später am Morgen, als leichter Nebel sie vor den Angreifern schützte, trieb Elia Poulos die Lioten mit seinen Partisanen die Berghänge empor, die nach Albanien hineinführten. Die Grenze überquerten sie unter den verwunderten Blicken Griechisch sprechender Albaner, die gekommen waren, um den Exodus zu sehen. Wütend zischten sie den Flüchtlingen zu: «Was habt ihr hier zu suchen? Warum habt ihr eure Häuser verlassen und seid hergekommen?» Aber die Griechen schüttelten nur den Kopf und preßten die Lippen zusammen. An jenem Septembertag 1948 endete für sie das Leben, wie sie es gekannt hatten, und alle sollten Griechenland erst nach vielen Jahren wiedersehen.

Die Regierungssoldaten betraten Lia unmittelbar nach dem Abzug der Partisanen am 18. September, doch es war niemand mehr da, den sie befreien konnten. Mit den Soldaten zusammen kamen einige von jenen Männern, die fast ein Jahr zuvor aus Lia geflohen waren. Einer der ersten, die heimkehrten, war Foto Gatzoyiannis, der den Nationaltruppen, die von Süden kamen, als ortskundiger Führer gedient hatte. Er läutete die Glocken der Kirche zur Heiligen Dreifaltigkeit, um zu sehen, ob er damit doch noch ein paar Dorfbewohner, die sich vielleicht versteckt hielten, hervorlocken konnte. Die einzige Reaktion jedoch war das langsame Tappen von Sophia Karapanous Stock, als sie aus ihrer Hütte hervorkam. Foto packte sie bei den Schultern und wollte wissen, wo die Dörfler geblieben seien. «Ich weiß es nicht, mein Junge», krächzte die Alte und richtete die blicklosen Augen gen Himmel. «Seit Tagen habe ich keine menschliche Stimme mehr gehört, nur den Schrei der Krähen.» Als Foto emporblickte, sah er, daß sie recht hatte: Schwärme von schwarzen Vögeln kreisten über dem Dorf.

Bald jedoch hörte er noch jemanden kommen, eine weitere Frau aus dem Dorf namens Mihova Christou. Mihova hatte sich am Abend der Evakuierung in einem Maisfeld versteckt. Wie sie Foto berichtete, hatte sie zu den Frauen gehört, die am Tag der Hinrichtung vom Arbeitsdienst zurückkehrten, und gesehen, wie die Gefangenen zum Exekutionsplatz geführt wurden. Mihova erklärte sich bereit, ihm die Stelle zu zeigen, wo er die Leichen seiner Frau Alexo und seiner Schwägerin Eleni finden würde.

In jener Nacht schlief Foto in seinem leeren Haus und erhielt am folgenden Tag Gesellschaft von mehreren anderen Männern des Dorfes, die den Soldaten etwas langsamer und über einen Umweg gefolgt waren, vorsichtig von Stein zu Stein tretend, um den Landminen aus dem Weg zu gehen, die überall lagen. Zu den Neuankömmlingen gehörten Kitso Haidis und der junge Dimitri Stratis, ein Schwiegersohn von Foto und Alexo. Nur Stunden später traf Costas Gatzoyiannis ein, Fotos siebzehnjähriger Sohn, der ebenfalls aus Filiates kam und Näheres über das Schicksal seiner Mutter erfahren wollte. Foto, Costas, Kitso Haidis und Dimitri Stratis beschlossen, mit Mihova Christou als Führerin sofort aufzubrechen und das Massengrab zu suchen.

Mihova führte sie die Laspoura empor und über die Agora. Als sie die Stelle erreichten, von der aus man die Felder unterhalb von St. Nikolaus sehen konnte, fanden sie, säuberlich nebeneinander auf einen Stein gestellt, ein Paar Ledersandalen. Foto Gatzoyiannis identifizierte sie als jene, die er selbst für Alexo angefertigt hatte. Costas stieß einen erstickten Laut aus, als sich die Männer schweigend fragten, ob Alexo sie selbst ausgezogen und als Zeichen für jene, die sie suchen würden, dorthin gestellt hatte, oder ob ein Partisan oder Passant sie zurückgelassen hatte, um die Grabstelle zu markieren.

Mihova Christou deutete auf das Feld weiter unten und sagte: «Weiter gehe ich nicht mit. Ihr findet sie irgendwo da unten auf dem Boden der Schlucht.»

Sie brauchten nicht lange zu suchen. Da es seit der Exekution nicht mehr geregnet hatte, führten getrocknete Blutspuren zum Grab. Am Platz der Hinrichtung fanden sie Patronenhülsen, und als sie sich dem Steinhaufen näherten, ließ der Gestank sie innehalten. Der junge Costas wandte sich ab. Foto begann die Steine aufzuheben. Der erste, der sich löste, störte einen Schwarm Fliegen auf, die wie Furien aus der Hölle emporstoben. Sie blickten hinab auf den Leichnam des grauhaarigen Böttchers Vasili Nikou, der in seiner vertrauten braunen Jacke mit dem Gesicht nach unten lag. Seine Hände waren mit Draht gefesselt. Foto Gatzoyiannis hatte im Verlauf seines Lebens viele Tote gesehen; er war nicht einmal davor zurückgeschreckt, einem gefallenen italienischen Soldaten zwei Finger abzuhacken, um dessen Goldringe an sich zu nehmen. Jetzt bückte er sich, ein Taschentuch vor der Nase, hinunter und schob die Hand in die Tasche des Böttchers. Er fand einen Beutel mit etwas Tabak und einen offiziellen Hinrichtungsbefehl, unterzeichnet von Kostas Koliyiannis.

Während Costas Gatzoyiannis von ferne zusah, hoben Foto und Kitso weitere Steine hoch. An der Seite von Nikou lag Spiro Michopoulos, daneben sein Neffe Andreas; schließlich fanden sie Eleni und Alexo Gatzoyiannis. Die Leichen lagen alle mit dem Gesicht nach unten, alle mit Draht aneinandergefesselt. Eleni erkannten die Männer an ihrem hellen kastanienbraunen Haar, in dem noch immer rote und goldene Lichter im Sonnenschein funkelten. Foto identifizierte seine Frau anhand des schwarzen Homespun-Rocks und eines kleinen Flickens, den sie auf ein Loch in der Rückseite ihres schwarzen Pullovers genäht hatte. Fotos Wangen waren tränennaß, aber er hatte in seiner Jugend schon einmal eine Frau verloren und gelernt, Tragödien nicht an sich heranzulassen. Sein Sohn Costas hatte diese Objektivität noch nicht erlangt. Beim Anblick seiner toten Mutter begann er zu schreien, er werde die Uniform anziehen und die kommunistischen Partisanen Mann für Mann mit ihrem Blut für diesen Tod bezahlen lassen. Sein Rachedurst kostete ihn letztlich das Leben. Sofort nachdem er das Dorf verlassen hatte, trat Costas in die Armee ein und kämpfte mit selbstmörderischer Verwegenheit. Fünf Monate nach dem Tod seiner Mutter traf ihn, als er an einem exponierten Platz stand und laute Flüche gegen die Partisanen schleuderte, die tödliche Kugel einer jungen *andartina*.

Kitso Haidis wurde von schmerzhaftem Schluchzen geschüttelt, als er vor dem Leichnam seiner Tochter stand. Der Anblick ihres zerschlagenen Körpers unter der Masse glänzender Haare löste all jene Tränen, die er für seine vier anderen Töchter, die tot in ihren puppenkleinen Särgen lagen, nicht vergossen hatte. Um sie trauerte er jetzt und um sein Lieblingskind, das er im Zorn und ohne Abschied verlassen hatte.

Es gab keine Möglichkeit, die Toten umzubetten. Die Männer errichteten eine kleine Stützmauer aus Steinen und Erde unterhalb der Grabstelle, damit der Bach den Boden nicht fortspülen konnte; dann entfernten sie die Steine und bedeckten die Leichen mit Erde.

Die Sonne wärmte die frisch aufgeworfene Erde, und Insekten und Vögel füllten die Schlucht mit ihren Tönen, als die Männer ihre Werkzeuge schulterten und sich auf den Rückweg ins Dorf machten. Kitso fürchtete sich vor der Pflicht, die vor ihm lag: den Enkeln mitzuteilen, was mit ihrer Mutter geschehen war.

Zwei Tage nach der Befreiung Lias kam ein Flüchtling mit der Nachricht für die Gatzoyiannis-Kinder nach Igumenitsa, daß ihr Großvater am selben Nachmittag aus dem Dorf zurückkehren werde. Erwartungsvoll trugen Olga und Kanta Stühle auf den schmalen Betonbalkon hinaus, damit sie ihn sofort sahen, wenn er von dem Militärlastwagen stieg.

Nikola wanderte erregt auf und ab. Um ihn abzulenken, ging Onkel Andreas mit ihm in das Wäldchen zu seinem «Denkplatz» hinunter und zeichnete mit Kreide ein Damebrett auf einen flachen Baumstumpf. Mit schwarzen und weißen Kieseln begann Andreas, ihm das Damespiel beizubringen. Nikola konnte sich jedoch nicht konzentrieren, und als die Schatten länger wurden, entfernte er sich unter einem Vorwand. Er setzte sich am Ortsrand in den Staub neben der Straße und wartete auf den Großvater. Seine Brust schmerzte, und seine Kehle war zugeschnürt, als sei ihm ein Bissen darin steckengeblieben.

Nikola erinnert sich:
Es war Spätnachmittag, als einer der mit Planen bedeckten Militärlastwagen an mir vorbeiratterte, mächtige Staubwolken aufwirbelnd. Hinten auf der Ladefläche entdeckte ich die weiße Haarmähne meines Großvaters. Ich rief, lief dem rumpelnden Fahrzeug nach und hätte es auch fast eingeholt, als ich plötzlich sah, daß mein Großvater sich mit einem Gesicht, das durch einen wochenalten Stoppelbart alt und krank wirkte, von mir abwandte. «*Papou!*» rief ich, während der Wagen schneller wurde, als er in die lange, schattige Allee mit dem Dach aus Platanenästen einbog. Der Staub und die Auspuffgase schmerzten in meinen Lungen, als ich, fast blind vor Tränen der Enttäuschung, in den schattigen Tunnel hineinhastete. Als ich wieder ans Licht hinauskam, wo die Fahrgäste aus dem haltenden Wagen kletterten, sah ich, daß mein Großvater davonging. Stolpernd, um Atem ringend, holte ich ihn ein und packte seinen Arm. «Was ist, *Papou?*» fragte ich ihn. «Wo ist Mama?»

Er sah mich nicht an; neue Kummerfalten hatten sich in seine Stirn eingegraben. Er blickte zu dem unfertigen Haus am Berghang hinauf, griff dann in die Tasche und zog zwei Hundert-Drachmen-Scheine heraus. «Nimm das hier, lauf zum Hafen und kauf Gebäck», sagte er mit erstickter Stimme. «Nimm *reveni*, für viele Personen.» Dann ging er davon, ließ mich allein im Staub stehen und mit dem Geld in der

Faust hinter ihm her starren. Die Sonne bannte mich an meinen Platz, während sich in mir eine große Leere ausbreitete. Er hatte es mir auf die einzige Art und Weise gesagt, die ihm möglich war. Niemals hatte ich es erlebt, daß mein Großvater Geld für nutzlose Dinge ausgab. Mit diesen beiden zerknitterten Hundert-Drachmen-Scheinen sollte ich Gebäck für die Trauergäste kaufen, die uns kondolieren kommen würden. Ich versuchte mir einzureden, daß ich mich irrte, doch sein Gesicht hatte mir etwas anderes gesagt.

So schnell ich konnte, lief ich zum Bäckerladen und wartete mit zitternden Händen, bis die riesige weiße Pappschachtel gefüllt und mit einem goldenen Band verziert worden war. Ich packte es am Knoten und rannte nach Hause. Als ich mich unserer Wohnung näherte, drang eine Woge von Lärm heraus, die meinen Knien die letzte Kraft entzog. Es war ein Verzweiflungsschrei, ein steigender und fallender Schmerzenschor, die Totenklage meiner Schwestern. Die Schachtel wurde mir zu schwer und fiel in den Staub. Jetzt konnte ich mir nichts mehr vormachen. Bei den Trauerklängen verkrampfte sich mein Magen, und ich lief los, ohne zu wissen, wohin, bis ich mich neben dem Baumstumpf mit dem Damebrett ins kühle Gras warf. Ich drückte mein Gesicht in die nach Moder duftende Erde und hielt mir die Ohren zu, um nicht die furchtbaren Schreie hören zu müssen, das Sterbegeläut meiner Mutter.

So hatte ich lange im Gras gelegen, als ich schließlich merkte, daß ich nicht allein war. Mein Onkel saß auf der Kante des großen Baumstumpfs mit dem Damebrett. Er winkte mir und sagte leise: «Wir haben unser Spiel nicht beendet.» Ich nickte und setzte mich ihm gegenüber, aber das Damebrett verschwamm vor meinen Augen. Stumm schüttelte ich den Kopf. Da nahm er mich in seine drahtigen Arme und trug mich wie ein Baby zum Haus zurück. Im Zimmer war es erstickend heiß von den dicht gedrängten menschlichen Körpern, die Luft war erfüllt von mitfühlendem Gemurmel, Weinen, Schluchzen und dem Duft von gekochten Speisen. Als Andreas mich hineintrug, wurden plötzlich alle still und sahen mich an. Aus den Augenwinkeln entdeckte ich, wie eine Nachbarin sich am Kamin über eine Tonne mit brodelnder schwarzer Farbe beugte und behutsam die bunten Kleider meiner Schwestern hineinlegte.

Olga und Kanta hatten auf dem Balkon gestanden und die gebeugte Gestalt ihres Großvaters den Berg heraufkommen sehen. Beide erkannten gleichzeitig, daß er einen Stoppelbart hatte, ein Zeichen der Trauer für den Tod eines Familienmitglieds. Sie faßten sich an den Händen, und Olga sagte mit belegter Stimme: «Vielleicht hatte er kein Rasiermesser im Dorf.» Als er zur Tür hereinkam, liefen sie auf ihn zu und riefen: «Was ist mit Mama?»

Kitso sah sie müde an. «Sie haben Glykeria nach Albanien verschleppt», sagte er tonlos. «Aber es geht ihr gut.»

«Hör auf von Glykeria!» fuhr Kanta ihn an. «Was ist mit Mama?»

Der alte Mann blickte aufs Meer hinaus, das in der sinkenden Sonne wie eine Platte aus gehämmertem Gold wirkte. Er konnte die Worte nicht aussprechen. «Glykeria lebt. Sie haben ihr nichts getan», sagte er. Da begriffen die beiden Mädchen.

Olga lief auf die wackelige Wendeltreppe hinaus und erbrach sich über das Geländer. Kanta riß eine in Glas gefaßte Ikone der Heiligen Jungfrau vom Kaminsims, warf sie zu Boden, trampelte darauf herum und schrie: «Du hättest sie retten können, aber du hast es nicht getan!»

Bei diesem Lärm kamen zwei Flüchtlingsfrauen, die in der anderen Hälfte des Hauses wohnten, herbeigeeilt. Sie wußten sofort, was geschehen war. Die eine entdeckte Fotini, die sich blaß und mit weit aufgerissenen Augen in eine Ecke gedrückt hatte. Sie nahm die Kleine in den Arm und sagte mitleidig: «Mein armes Kind!» Fotini jedoch verwandelte sich in eine Furie, trat wütend um sich und biß die Frau, die sie erschrocken fallen ließ, in die Hand. Dann lief Fotini zum Zimmer hinaus, die Treppe hinunter und suchte Zuflucht in dem übelriechenden Graben, der ihnen als Latrine diente. Nach einer Weile, als der Gestank unerträglich wurde, schlich sie sich ins Haus zurück, in dem sich jetzt scheinbar die gesamte Einwohnerschaft von Igumenitsa drängte. Viele der Flüchtlingsfrauen hatten, längst auf diesen Augenblick vorbereitet, als Kondolenzgabe Kuchen und Gebäck mitgebracht. Eine von ihnen reichte der Kleinen ein Stück *baklava*.

Fotini trocknete ihre Tränen mit dem Ärmel, und mit dem ersten köstlichen Bissen begann sich der furchtbare Schmerz über den Tod ihrer Mutter zu lindern.

Christos Gatzoyiannis erhielt die Nachricht vom Tod seiner Frau durch einen Brief an die Adresse seines Zimmers, das er für acht Dollar pro Woche in der Front Street von Worcester gemietet hatte.

Als er den Namen «Gatzoyiannis» als Absender sah, glaubte er sekundenlang, daß Eleni es nach zweijährigem Schweigen irgendwie geschafft hatte, einen Brief an ihn herauszuschmuggeln. Auf den zweiten Blick stellte sich heraus, daß der Brief in Athen von Ianni Gatzoyiannis, Alexos ältestem Sohn, aufgegeben worden war. Als Christos den Umschlag öffnete, fiel ein winziger Zeitungsausschnitt heraus. Er stammte aus der griechischen Tageszeitung *Kathimerini* und trug das Datum vom 5. September 1948:

KINDER VON 5–14 JAHREN
Aus dem Gebiet der Murgana
von den Partisanen nach Albanien verschleppt

Ioannina, 4. Sept. – Ein Partisan, der sich im Gebiet der Murgana den Nationaltruppen ergeben hat, beschrieb die Verschleppung von 5- bis 14jährigen Kindern, deren Mütter unter Schlägen und mit vorgehaltenem Gewehr gezwungen wurden, sie nach Koschovitsa in Albanien zu begleiten, wo sie sie verlassen mußten, um unter Bewachung in ihre besetzten Heimatdörfer zurückgebracht zu werden. Der dramatische Marsch der Mütter und Kinder nach Albanien dauerte unter Weinen und Klagen zwei ganze Tage.

Derselbe Partisan berichtete, daß ein improvisiertes Partisanengericht in den Murgana-Dörfern Todesurteile verhängte über die ungefähr sechzigjährige Alexandra Katsoyiannis, Vasili Nikou, Spiro und Andreas Michopoulos und Eleni Katsoyiannis, Ehefrau eines amerikanischen Staatsbürgers.

In dem Brief hieß es mit wenigen Worten, daß die Todesurteile vollstreckt worden seien. «Ich war ganz allein, als ich das las, und bin fast verrückt geworden», erinnert sich Christos sechsundzwanzig Jahre später. «‹Meine Frau haben sie getötet?› rief ich entsetzt. ‹Aber warum? Weswegen?›

Die Leute aus dem Restaurant kamen zu mir, und ich sagte, daß ich eine Woche lang nicht arbeiten könne. Ich blieb zu Hause, trauerte um meine Frau, schrieb zahllose Briefe, um Einzelheiten in Erfahrung zu bringen, bekam aber keine Antwort. Ich hatte niemanden.»

In Leschinitsa, gleich hinter der albanischen Grenze, kämpfte Glykeria immer noch mit dem Gewicht von Stavroula Yakous Habseligkeiten. Wenn sie klagte, daß sie nicht weiter könne, erinnerte Stavroula sie spitz daran, daß sie sich jetzt in einem kommunistischen Land befinde und ihre Überlebenschancen ohne eine einflußreiche Freundin, die sie beschütze, sehr gering seien.

Die griechischen Exilanten wurden zu Fuß fünfundzwanzig Kilometer weitergeschickt, wo sie von einem Konvoi ramponierter Armeelastwagen erwartet wurden, die sie noch einmal vierzig Kilometer weiter westlich nach Aghies Sarantes, einer kleinen Hafenstadt, brachten.

Dort wurden sie zu je 250 Personen auf ein Boot verfrachtet, so dicht gedrängt, daß sie sich kaum rühren konnten. Für Bergbewohner, die noch niemals das Meer gesehen hatten, glich die Seereise einer Fahrt in den Hades auf Charons Floß.

Nachdem sie an Land abgesetzt worden waren, brachten Lastwagen die Flüchtlinge über dreißig Kilometer weit nach Shkoder am Ufer des Skutari-Sees, der sich nach Jugoslawien hinein erstreckt. Die erschöpften Bergbauern wurden vor einer zweistöckigen, heruntergekommenen Kaserne abgesetzt, die als Stall gedient hatte. «Hier werdet ihr wohnen», erklärten ihnen die Partisanen. «Am besten macht ihr euch sofort ans Putzen, denn ihr müßt heute nacht hier schlafen.»

Glykeria mußte würgen, als sie begannen, den Pferdemist hinauszuschaufeln, der sich in den zwei Stockwerken von kleinen Boxen rings um einen großen Saal angesammelt hatte. In dieser Nacht schlief sie mit fünfzehn weiteren Personen aus ihrem Dorf zusammen in einer Box. Sie hatte keine Unterlage, denn Stavroula war mit ihren Wolldecken verschwunden.

Sechs Monate lang wohnte Glykeria in der Kaserne von Shkoder. Die tägliche Essensration bestand aus einem Löffel Bohnen und einem Stück steinhartem Brot pro Person. Noch nie in ihrem Leben war Glykeria so hungrig gewesen.

Im März 1949, als ein eisiger Wind durch die Kaserne pfiff, verbreitete sich ein Gerücht unter den Flüchtlingen, daß alle unverheirateten Frauen als *andartinas* nach Griechenland auf die Schlachtfelder von Makedonien geschickt werden sollten. Die verängstigten Mädchen, darunter auch Glykeria, flohen aus der Kaserne und versteckten sich in einer verlassenen Moschee. Doch Stavroula Yakou fand sie dort und sagte zu Glykeria: «Du brauchst dich gar nicht erst zu verstecken; ich werde dafür sorgen, daß du fortgeschickt wirst.»

Als die Eltern zusehen mußten, wie ihre Töchter davongeführt wurden, um für eine verlorene Sache zu kämpfen, und dabei genau wußten, wie wenig Überlebenschancen sie hatten, erhoben sich ihre Stimmen in einem ungeheuren Ausbruch der Trauer. Der Chor wurde jedoch plötzlich von einem hysterischen Gekreisch übertönt, das sich anhörte wie die Schreie eines verwundeten Tiers und die Menge zum Schweigen brachte.

Als sie sich umdrehten, sahen sie, daß Stavroula Yakou, die sich wehrte, um sich trat und kratzte, von den Partisanen mit Gewalt zum Lastwagen geschleppt wurde.

«Das ist ein Irrtum! Ich bin verheiratet! Ihr braucht mich hier!» kreischte sie, während sie sich im Griff der Männer wand. Obwohl Stavroula sich aufgrund ihrer Schönheit und Intelligenz bei den Partisanen eine gewisse Machtposition gesichert hatte, machte die Angst vor dem Artilleriefeuer sie hysterisch, und niemals hätte sie erwartet, als *andartina* zwangsrekrutiert zu werden. Sie wehrte sich mit der Kraft blinder Panik und schaffte es auch, sich loszureißen; die Partisanen jedoch erwischten sie an ihrem Kleid, das sie ihr von oben bis unten aufrissen.

Als sie Stavroula zum Lastwagen zurücktrugen, stand ihr Kleid bis zur Taille offen und entblößte, als sie sich wehrte und ihre Häscher biß, ihre Brüste. Den Dorfbewohnern stand der Mund offen vor Staunen. In einer Gesellschaft, in der die Frauen sogar ihr Haar verstecken müssen, hätte Stavroula sich eigentlich zu Tode schämen müssen; doch als sie jetzt einen Strom von Flüchen losließ, schien sie sich ihres Zustands überhaupt nicht bewußt zu sein. Die Partisanen warfen sie auf den Lastwagen, wo die anderen Mädchen ihr schnell Platz machten; der dumpfe Aufprall ihres Körpers war in dem allgemeinen Schweigen deutlich zu hören. Sofort rappelte Stavroula sich auf und kletterte, immer noch kreischend, vom Wagen herunter. Als die Partisanen sie unerbittlich wieder hinaufwarfen, startete der Fahrer den Wagen und rollte mit seiner Fracht davon; Stavroulas Schreie verloren sich in der Ferne. Den Lioten war es eine grimmige Genugtuung, diese verhaßte Kollaborateurin gedemütigt zu sehen, doch niemand war so froh darüber wie Glykeria: die einzige, die mit einem Lächeln auf den Lippen den Schlachtfeldern entgegenfuhr.

Während Glykeria nach Makedonien transportiert wurde, warteten die anderen vier Gatzoyiannis-Kinder in schwarzer Trauerkleidung auf die Papiere, die ihnen den Weg nach Amerika ebnen sollten. Man hatte sie aus dem relativen Luxus des unfertigen Hauses in eine der Nissenhütten umquartiert, die von den Soldaten etwas weiter unten aufgestellt wurden, um die Flut der Flüchtlinge aufzunehmen. Die acht Mitglieder der Familie lebten in einem einzigen Zimmer, kochten über Feuerstellen im Freien, holten Wasser von einem nahen Bach und benutzten die umliegenden Felder als Toilette.

Christos hatte die Kinder schriftlich gefragt, ob sie bei ihren Großeltern im Dorf leben, sich in Athen niederlassen oder zu ihm nach Amerika kommen wollten. Kitso, ihr Großvater, hatte versucht, sie durch düstere Prophezeiungen am Auswandern zu hindern. «Vor lauter Rauch aus Fabrikschornsteinen werdet ihr niemals den Himmel sehen», warnte er sie. «Nie wieder werdet ihr Olivenöl, Fetakäse und Lammfleisch zu essen bekommen. Es ist ein böses Land, voll Ausländer. Ihr Mädchen werdet Italiener oder noch Schlimmeres heiraten!»

Die Kinder blieben jedoch eisern bei ihrem Entschluß, dem Befehl der Mutter zu folgen und auszuwandern. Kanta schrieb ihrem Vater: «Wir sind stark. Wir werden in der Fabrik arbeiten und Dir den Haushalt führen.» Im Alter von sechsundfünfzig Jahren mußte Christos einsehen, daß seine Tage als verheirateter Junggeselle gezählt waren; endlich würde er sich der Verantwortung stellen müssen, vier Kinder großzuziehen, darunter den Sohn, den er noch nie gesehen hatte.

Da ihr Vater seit der Zeit von 1920 die amerikanische Staatsbürgerschaft besaß, wurden die Papiere trotz des Kriegszustandes in Griechenland schnell ausgefertigt. Kurz nach dem Neujahrstag 1949 wurden die Kinder von der amerikanischen Botschaft in Athen benachrichtigt, sie brauchten sich ihren Paß nur noch abzuholen.

Olga erklärte ihrem Großvater, bevor sie Griechenland verlasse, werde sie noch einmal ins Dorf zurückkehren und den Leichnam ihrer Mutter aus dem unmarkierten Massengrab in der Schlucht in eine Kirche umbetten lassen. Widerwillig stimmte Kitso zu. Zusammen mit Alexos vierter Tochter, Stavroula Vrakas, machten die beiden sich nach Lia auf, wo Stavroula mit ihrem Vater Foto den Leichnam ihrer Mutter ebenfalls exhumieren wollte. Sie fanden das Dorf verlassen, bewohnt nur noch von einem halben Dutzend Männer, die dort ganz allein lebten und auf die Rückkehr ihrer Familien warteten.

Die Nacht verbrachten Olga und Kitso im Haidis-Haus; als Olga jedoch am folgenden Morgen erwachte, war ihr Großvater verschwunden. Nach mehrstündigem Warten ging sie zu Foto Gatzoyiannis' Haus hinunter, wo sie ihre Cousine Stavroula fragte: «Hast du meinen Großvater gesehen? Er ist schon den ganzen Vormittag fort.»

«Mein Vater auch!» rief Stavroula. «Sie müssen sich davongeschlichen haben, um die Leichen zu exhumieren, damit wir sie nicht zu sehen bekommen.»

Die Mädchen liefen zur St.-Nikolaus-Kapelle hinauf, doch als sie dort ankamen, hatten die beiden Männer Elenis und Alexos sterbliche Überreste bereits in eine kleine Kiste gebettet, die Kitso aus rohen Holzplanken zusammengezimmert hatte. Sie war ungefähr einen Meter lang und trug vorn die mit weißer Farbe hastig aufgepinselte Inschrift: «Eleni C. Gatzoyiannis, 41, und Alexandra F. Gatzoyiannis, 56, ermordet von kommunistischen Gangstern.» Olga schrie: «Ich will meine Mutter sehen!» und wollte die Kiste öffnen, aber ihr Großvater hielt sie zurück.

Olga konnte die hysterischen Schreie nicht unterdrücken, die sich ihr auf dem ganzen Weg zur St.-Demetrios-Kirche entrangen. Als die Kiste ohne weiteres Zeremoniell im Ossuarium der Kirche beigesetzt wurde, war sie von der Idee besessen, die Kommunisten hätten Eleni gesteinigt – eine in den Dörfern nicht unübliche Art der Hinrichtung. Die ganze Nacht weinte sie um ihre Mutter, bis sie vor Erschöpfung einschlief. Dann, sagt sie, erschien ihr Eleni mit tränennassem Gesicht im Traum und sagte: «Nein, mein Kind! Sie haben mich nicht gesteinigt. Sie haben mich hier erschossen.» Damit deutete sie auf ihr Herz.

Der Traum riß Olga aus dem Schlaf. Und als sie beobachtete, wie die Sonne über die vertrauten Berggipfel emporstieg, fand sie Trost in dem Gedanken, daß die Mutter schnell gestorben war. Auf dem Rückweg nach Igumenitsa empfand sie sogar eine Art inneren Frieden. Ihre Mutter lag in der St.-Demetrios-Kirche unmittelbar neben ihrer geliebten Schwiegermutter Fotini, und so konnte Olga sich nun mit reinem Gewissen der Reise zuwenden, die vor den Kindern lag, dem Schicksal, das Eleni sich für sie gewünscht hatte.

Der Abschied von Igumenitsa war tränenreich, denn als die vier Kinder die Fähre bestiegen, die sie nach Korfu brachte, von wo aus sie ein größeres Schiff zum Hafen von Athen nehmen mußten, ließen sie ihre Großmutter, Nitsa und Andreas zurück, vielleicht für immer. Der Großvater begleitete sie bis in die Hauptstadt, um sie sicher an Bord des Ozeandampfers zu bringen, mit dem sie nach New York fahren sollten.

Megali und Nitsa jammerten, sie würden die Kinder nie wiedersehen, während Andreas vor Anstrengung, seine Gefühle unter Kontrolle zu halten, wilde Grimassen schnitt. Doch gerade als die Schiffssirene das Zeichen gab, daß es Zeit sei, an Bord zu gehen, lief Fotini noch einmal mit einem Abschiedsgeschenk zu ihm zurück, einer Münze, die sie aufbewahrt hatte, nicht einmal einen Groschen wert, und da begann Andreas zu weinen.

Kitso Haidis begab sich in finsterster Stimmung auf diese Reise und versuchte die Kinder immer noch zu bewegen, in Griechenland zu bleiben. Die Nacht verbrachten sie in Korfu in einem Hotelzimmer am Hafen, und die Kinder staunten über die Straßen mit ihren Arkaden und die weiten Plätze. Am nächsten Morgen bestiegen sie das Schiff nach Piräus, dem Hafen von Athen. Nikola sah unbewegt zu, wie die Insel hinter dem Horizont versank. Seit dem Abend, als sie das Dorf verließen, hatte er sich gehütet, sein Herz noch einmal an eine Person oder einen Ort zu hängen. Nur der Abschied von seiner Großmutter und Onkel Andreas schmerzte ein wenig, aber er runzelte die Stirn, zerschrammte die Spitzen seiner neuen Schuhe und schaffte es, unbekümmert auszusehen.

Ianni Gatzoyiannis, der gutaussehende neunundzwanzigjährige Sohn von Alexo und Foto, stand in Piräus bereit, um sie mit dem Bus nach Athen zu begleiten, das jede Vorstellung überstieg, die sich die Kinder von der Stadt gemacht hatten, obwohl diese noch die Narben des Krieges und der zusammenbrechenden Wirtschaft Griechenlands trug. Ianni arbeitete in einem Athener Restaurant als Kellner, und die Kinder konnten sich gar nicht beruhigen, so staunten sie über seine feinen Kleider und seine städtischen Manieren. Er brachte sie ins Hotel Cyprus, wo sie die hohen Räume und riesigen Türen bewunderten. Sie wurden alle in ein Zimmer gesteckt, und der Großvater zeigte ihnen das größte Wunder von allen: eine Toilette in einem Kämmerchen am Ende des Ganges, wo er ihnen vormachte, wie man zum Spülen die Kette ziehen mußte. Fotini und Nikola waren fasziniert von dem aufregenden Geräusch fließenden Wassers. Sobald sie der Aufsicht des Großvaters entkommen konnten, liefen sie den

Gang hinunter, um immer wieder die Kette zu ziehen und den herrlichen Wasserfall zu bestaunen.

Zum Abendessen wurden sie von Ianni in sein kleines Haus eingeladen, wo die Kinder verstohlen seine schöne, neunzehnjährige Frau Katie mit dem kurzen Lockenhaar, dem blauen Tupfenkleid und dem Lippenstift beobachteten. Leise flüsterten sie sich zu, das müsse eine unmoralische Frau sein, weil sie sich so anmalte.

Am 19. Februar 1949, kurz nach ihrer Ankunft, ging Kitso mit den Kindern zur amerikanischen Botschaft, wo sie einen Paß auf Olgas Namen erhielten, die gerade einundzwanzig geworden war. Auf dem Weg hinaus liefen sie zu dem amerikanischen Wachtposten in seinem Schilderhäuschen hinüber, um ihn sich näher anzusehen: den ersten Schwarzen, dem sie jemals begegnet waren. Sie starrten und stupsten den verlegenen Marine-Infanteristen an, bis der Großvater sie fortzog und böse schalt: «Das ist ein menschliches Wesen, ihr Idioten! Was habt ihr denn geglaubt?»

Es gab zahlreiche Wunderdinge, mit denen sie in den zwei Wochen Athen-Aufenthalt Bekanntschaft schlossen. Olga kämpfte mit den Geheimnissen des Telefons, hielt dabei aber den Hörer auf Armeslänge von sich fort. Der Großvater besuchte mit ihr eines der großen Warenhäuser, wo sie prompt in eine Spiegelwand hineinlief und dann beleidigt war, als sie eine der elegant gekleideten Schaufensterpuppen, wie sie es von der Mutter gelernt hatte, mit einem höflichen «Guten Tag» begrüßte und darauf keine Antwort erhielt.

Am letzten Februartag brachte Kitso die Kinder wieder nach Piräus und versuchte sie auf der Fahrt immer noch zum Bleiben zu bewegen; doch als die Barkasse kam, um sie zu dem umgebauten Truppentransporter *Marine Carp* zu bringen, begann unter dem weißen Schnauzbart Kitsos Unterlippe zu zittern. «Seht euch den Himmel noch einmal gut an; ihr werdet ihn nie wiedersehen!» knurrte er und wischte sich mit dem Ärmel über die Augen.

Nikola betrachtete seinen Großvater unbeteiligt. Er empfand nichts bei diesem Abschied von Griechenland, nur ein bißchen Beklommenheit bei dem Gedanken an das, was kam. Nach seinen Schwestern bestieg er die Barkasse; als sie das Schiff erreicht hatten, kletterten sie die schwankende Treppe zum Deck hinauf, auf dem sich Passagiere in seltsamer, ausländisch wirkender Kleidung drängten. Als sich das Schiff in Bewegung setzte, blickte er noch einmal zum Hafen zurück und sah die schrumpfende Gestalt seines Großvaters heftig mit dem Spazierstock winken, den er sich aus einem Ast der Kornelkirsche geschnitzt und durch die Berührung seiner Hände im Laufe der Jahre zu einem dunkel glänzenden Braun poliert hatte.

Die *Marine Carp* brauchte einundzwanzig Tage bis nach New York. Nikola benutzte die Reise dazu, sich das englische Alphabet und die englischen Zahlen einzuprägen, weil er den Vater beeindrucken wollte, der sie in New York erwartete.

Am Morgen des 21. März 1949 lief die *Marine Carp* in den New Yorker Hafen ein. Die meisten Einwanderer eilten an Deck, um die Freiheitsstatue zu bewundern, die «St. Freiheit», von der Christos geschrieben hatte; Nikola jedoch betrachtete das Land, wo schmutziggrauer Schnee in den Vertiefungen lag, voller Verzweiflung. Er begriff, daß er ein Land, in dem Orangen und Zitronen jetzt unter strahlend blauem Himmel reiften, gegen diese unwirtliche, trostlose Küste eingetauscht hatte.

Ein muskulöser Siebzehnjähriger aus Babouri, Prokopi Koulisis, stand neben ihm an der Reling. Als das Schiff näher an die Pier heranmanövrierte, sah Nikola, daß unzählige Automobile die Straßen verstopften. «Ist denn Krieg in Amerika?» fragte er den Älteren erschrocken. «Warum rasen da so viele Fahrzeuge herum?»

«In Amerika», erklärte Prokopi, «besitzen auch ganz gewöhnliche Menschen Autos, nicht nur Diplomaten und Minister, wie bei uns in Griechenland.» Stumm verarbeitete Nikola diese Auskunft. Er kannte niemanden, der ein Automobil besaß.

An der Pier entdeckten die aufgeregten Passagiere eine dichte Menschenmenge, die sie erwartete. Ganz vorn stand ein kleiner, behäbiger Mann mit einem modischen Filzhut auf dem Kopf und einem dreiteiligen Anzug unter dem Mantel. Prokopi Koulisis kannte Christos Gatzoyiannis, und Nikola, der die emporgewandten Gesichter musterte, ohne jemanden zu erkennen, spürte plötzlich, wie der Bursche ihn mit starken Armen emporhob.

Christos Gatzoyiannis beschrieb die Szene fünfundzwanzig Jahre später, mit einundachtzig, auf englisch: «Ich stand auf der Pier und beobachtete das Schiff. Olga erkannte mich. Und ich winkte. Prokopi Koulisis hob Nikola hoch und zeigte ihn mir vom Deck aus. Zum erstenmal sah ich meinen Sohn und brach in Tränen aus.»

Nikola war weniger bewegt vom Anblick seines Vaters, der viel kleiner war als der Patriarch, den er sich immer vorgestellt hatte.

Verlegen stand der Junge dabei, als Christos mit seinen Töchtern tränenreich Wiedersehen feierte, und trat dann an den Rand der Pier, um in die stählerne Tiefe des Wassers hinabzustarren. Plötzlich hörte er jemanden schimpfen: «Komm sofort da weg! Was fällt dir ein!» Ich kenne diesen Mann noch nicht einmal, dachte Nikola, und schon kommandiert er mich in drohendem Ton herum.

Doch als er den Mietwagen sah, mit dem sie in ihre neue Heimat in Massachusetts fahren würden, war Nikola doch vom Reichtum und der Bedeutung seines Vaters beeindruckt. Und als sie unterwegs zum Tanken anhielten und er hörte, wie Christos mit dem Tankwart sprach, entschied er, sein Vater müsse ein Mann von außerordentlicher Intelligenz sein, um eine so rauh klingende Fremdsprache zu beherrschen.

An der Front demonstrierte Glykeria rasch, daß sie als *andartina* ein hoffnungsloser Fall war. Sie schlief beim Wachdienst ein, händigte ihr Gewehr einem anderen Partisanen aus, obwohl das ein Schwerverbrechen war, und suchte laut schreiend Deckung, sobald die Soldaten ihre Stellungen unter Beschuß nahmen. Als eine Freundin aus Babouri, ein junges Mädchen namens Athena Langa, von einer Maschinengewehrsalve mitten entzwei geschnitten wurde, weinte Glykeria tagelang und weigerte sich, ihr Gewehr in die Hand zu nehmen. Schließlich beschloß man, sie als Telefonistin einzusetzen, damit sie in der relativen Sicherheit eines unterirdischen Bunkers arbeiten konnte. Bei der Arbeit mit drei anderen *andartinas* lernte sie sehr schnell, Anrufe von der Front zu vermitteln. Bei Nacht verlegten sie Telefonkabel so tief in die Erde, daß die Bomben die Leitungen nicht erreichen konnten, und schützten sie darüber hinaus noch mit Tretminen.

Eines Tages erhielt Glykeria einen Brief, der an die Kaserne in Shkoder adressiert und an sie weitergeleitet worden war, nachdem die Partisanen-Zensoren ihn kontrolliert hatten. Er kam von Olga und enthielt ein Foto ihrer Familie vor dem neuen Haus in Worcester. Olga schrieb, sie beteten jeden Tag, daß Glykeria fliehen und zu ihnen nach Amerika kommen könne. Nachdem sie das Foto lange betrachtet hatte, legte sie es sorgfältig in den Brief zurück und steckte alles in die Tasche ihrer Uniform.

Am 10. August, dem Tag, an dem die Nationaltruppen vom Grammos abließen und ihre Aufmerksamkeit auf Vitsi konzentrierten, saß Glykeria mit einer der drei anderen Telefonistinnen zusammen im Bunker. Durch die Kopfhörer konnte sie das Feuer der Granaten und Bomben draußen hören und wußte, daß die nationalistischen Soldaten vordrangen. Plötzlich erwachten die Telefone der Partisanen-Kampflinien, die vor über einer Stunde verstummt waren, zu neuem Leben. Eine fremde Männerstimme fragte: «Wer ist da?»

«Wie lautet die Parole?» fragte Glykeria automatisch zurück, wie man es ihr beigebracht hatte.

Pause. «Keine Ahnung», sagte die Stimme.

Mit angehaltenem Atem sah sich Glykeria verstohlen um, aber Marika, ihre Kollegin, sprach eifrig in ihren Apparat hinein. Glykeria überlegte einen Moment. Sie war fast sicher, daß die Stimme am anderen Ende einem Soldaten gehörte und nicht einem Partisanen, der ihr eine Falle stellen wollte. Sie konnte sich gut vorstellen, wo er stand: Sie hatte die Leitung selbst verlegt.

«Hören Sie gut zu», flüsterte sie, mit einem Auge Marika beobachtend. Und dann beschrieb sie, wo der Befehlsstand der Partisanenoffiziere lag und wo sich die gut getarnten Einmannbunker befanden, und lenkte so das feindliche Feuer direkt auf die Genossen. Als die Granaten zielsicher einschlugen und sich ihrer eigenen Stellung näherten, kam ein *andarte* in den Bunker gestürzt und überbrachte den Telefonistinnen den Befehl zum Rückzug. Glykeria gab er zwei von den schweren, gelben, kofferähnlichen Feldtelefonen zu tragen.

Die Nacht, in die die Mädchen hinaustraten, war vom roten Glühen der Granaten illuminiert, die über ihren Köpfen dahinschrillten. Sie versuchten, geduckt bergauf in die Richtung zu laufen, in die sich die Partisanen zurückgezogen hatten. Glykeria schwankte unter der Last ihrer Feldtelefone. Man hatte ihr erklärt, in der Schlacht könne es vorkommen, daß man es nicht einmal merke, wenn man verwundet sei, ja nicht einmal dann, wenn man regelrecht verblute; daher stellte sie ihre Telefone immer wieder hin und tastete ihren Körper nach eventuellen Verletzungen ab.

Als die beiden Mädchen eine Stelle erreichten, von der aus sie zurückblicken konnten, sahen sie, daß ihnen die Regierungstruppen schon dicht auf den Fersen waren. Glykeria packte Marikas Arm. «Komm, wir ergeben uns!» flüsterte sie.

Die Ältere starrte sie im flackernden Licht fassungslos an und nahm entschlossen ihr Gewehr von der Schulter. «Soll das heißen, du willst, daß wir unsere Genossen verraten?» rief sie und zielte auf

Glykerias Brust. Beide Mädchen standen starr, unentschlossen, Glykeria in Erwartung der Kugel, die sie zerreißen würde. Doch dann kreischte eine Granate über ihren Köpfen dahin, und Marika machte auf dem Absatz kehrt und verschwand in den Schatten.

Glykeria ließ ihre Telefone stehen und rannte davon, bis sie in eine nahe Schlucht stolperte. Sie kauerte sich hinter einen Felsen und machte sich so klein wie möglich. Vor Nervosität zitternd, glaubte sie ringsumher das rasselnde Atmen anderer Menschen zu hören, aber nirgends gab es eine Bewegung.

Sehr lange blieb Glykeria dort hocken und wagte nicht aufzublicken, bis sie das Geräusch laufender Füße vernahm. Dann hörte sie eine Stimme sagen: «Hier entlang, Herr Leutnant.» Da wußte sie, daß es keine Kommunisten waren, denn ein Partisan hätte «Genosse Leutnant» gesagt, und nicht «Herr Leutnant». Als sie vorsichtig über den Felsblock hinausspähte, entdeckte sie die Silhouette eines Mannes, der eine runde, flache Mütze mit Feder trug – die Uniform der nationalistischen Kommandosoldaten. Verdutzt zuckte der Offizier zusammen, als sie ihm in den Weg sprang, in einer Hand das Foto ihrer Familie schwenkte und aufgeregt schrie: «Herr Leutnant, ich ergebe mich! Die Kommunisten haben meine Mutter umgebracht! Mein Vater ist in Amerika! Ich bin auf eurer Seite!»

Als die Soldaten auf sie zukamen, um sie näher zu mustern, ertönte plötzlich überall in der Schlucht der Ruf: «Ich ergebe mich!» – die Stimmen ihrer Mit-*andartinas*, die sich dem Rückzug nicht angeschlossen hatten.

Die Soldaten trieben ihre Gefangenen unfreundlich in ihr Lager, wo sie auf einem umzäunten Platz gesammelt wurden. Glykeria saß in der Nähe einer makedonischen Bäuerin mit einer auf den Rücken geschnallten Wiege. Die *andartinas* beobachteten nervös, wie ein verwundeter Soldat, der in der Nähe lag, sein Gewehr zu ergreifen versuchte, obwohl ihm das Blut aus Mund und Nase strömte, und schrie: «Laßt mich alle erschießen! Ich sterbe, und das hier sind die Frauen, die mich getötet haben!»

Im ersten Tageslicht hatten die bewachten Gefangenen von ihrem Platz aus einen einzigartigen Blick auf die Schlacht, die über ihnen tobte, als die Soldaten die Partisanen die mit Toten übersäten Hänge hinauftrieben. Die Zahl der Gefangenen im Lager wuchs, und Glykeria begann plötzlich zu zittern, als sie sah, wie die Soldaten gefangene *andartinas* mit den Gewehrkolben bearbeiteten, weil die Frauen nicht

Griechisch, sondern nur ihren makedonischen Dialekt sprechen wollten. Die Bewacher legten das als Beweis dafür aus, daß sie zu den Kommunisten hielten, die ihnen versprochen hatten, in Nordgriechenland ein unabhängiges Makedonien zu schaffen.

Glykeria sah einen überwältigend prächtigen Reiter durch die Masse der Gefangenen auf sich zukommen, einen griechischen Offizier in der Uniform eines Obersten: hager, sonnenverbrannt, ungefähr Mitte fünfzig, mit Bürstenschnurrbart und Brille. Unmittelbar vor ihr zügelte er seinen Schimmel – vermutlich, weil ihn ihr helles Haar, ihre roten Wangen und ihre hohe Stirn inmitten der vielen dunkleren Gesichter ringsum an seine Heimatprovinz erinnerten.

Er musterte das Kind in Partisanen-Uniform und sagte: «Hallo, Kleine! Bist du aus Epirus?» Dann stellte er sich vor: Oberst Constantinides aus Vrosina, einem Dorf nur fünfundzwanzig Kilometer von Lia entfernt, am Kalamas. Als er hörte, daß Glykeria aus Lia war, fragte er sie, ob sie Kitso Haidis kenne. «Das ist mein Großvater!» rief sie erstaunt.

Der Offizier lächelte. «Ich habe in seinem Haus geschlafen», erklärte er. Und nachdem er sie über ihre Familie ausgefragt hatte: «Warte hier, bis ich zurückkomme. Ich werde dich hier herausholen.» Tatsächlich kam er innerhalb einer Stunde zurück und brachte sie zum Zelt des Hauptquartiers, wo sie einige Papiere unterzeichnen mußte und über die Stellungen und Befestigungen der Partisanen ausgefragt wurde. Ein Soldat mit einer kleinen Kamera schoß ein Foto von dem uniformierten Kind, wie es dem Obersten und mehreren anderen Soldaten mit ernster Miene die Berge zeigt, von denen es gekommen war.

Oberst Constantinides teilte ihr mit, er habe veranlaßt, daß sie ins Lager von Kastoria gebracht werde, wo sie menschlicher behandelt werden würde als die Gefangenen, die man kommunistischer Tendenzen verdächtigte und die nach Kozani verlegt werden sollten. «Ich kenne einen Mann aus deinem Dorf, der in Kastoria mehrere Geschäfte besitzt», erklärte er ihr. «Er ist sehr einflußreich und kann sogar dort etwas erreichen, wo andere machtlos sind. Ich werde ihn bitten, dich aus dem Gefangenenlager herauszuholen und sich um dich zu kümmern. Er heißt Christos Tatsis. Kennst du ihn?»

Glykeria beteuerte eifrig, sie kenne ihn, obwohl das nicht stimmte, und es gelang dem Obersten, sie an das Gefangenenlager von Kastoria überstellen zu lassen. Christos Tatsis, ein hochgewachsener, grauhaariger Mann mit großer Nase und gutmütigem Grinsen kam Glykeria mehrmals besuchen; es dauerte zwei Wochen, bis er die Militärbehörden überredet hatte, sie seiner Obhut anzuvertrauen.

An dem regnerischen Tag, an dem sie das Lager durch das große Eisentor verließ, wurde Glykeria zur Polizeistation gefahren, um noch mehr Dokumente zu unterschreiben, in denen sie erklärte, keinerlei Bindungen an die Kommunisten zu haben. Draußen wollte der Ladenbesitzer dann galant seinen Regenschirm über sie halten, damit sie auf dem kurzen Weg zu seinem Haus nicht naß wurde. Aber Glykeria, schmerzlich des Anblicks bewußt, den sie in ihrer verdreckten Uniform mit den viel zu großen Stiefeln, dem wirren, verfilzten Haar und dem verlausten, von Quaddeln bedeckten Körper bot, weigerte sich. «Bitte, gestatten Sie, daß ich hinter Ihnen hergehe, damit niemand merkt, daß Sie mich kennen», sagte sie.

Der Ladenbesitzer machte sich an die Aufgabe, die zerlumpte kleine Partisanin mit Hilfe seiner Mutter und seiner Schwester wieder in ein normales Mädchen zurückzuverwandeln. Sie verbrannten ihre Uniform, kauften ihr neue Kleider und schnitten ihr die langen Zöpfe ab, die zu verfilzt waren, um sie auszukämmen. Die Schwester badete sie täglich in einem großen Holztrog und behandelte die roten Quaddeln mit einer selbstgerührten Salbe. Sie fütterten sie, bis ihr Gesicht wieder seine frühere runde Form annahm. Und schließlich schickte Christos Tatsis seinem Cousin Leo Tatsis, der in Worcester, Massachusetts, einen Lebensmittel-Großhandel besaß und sich mit Christos Gatzoyiannis in Verbindung setzen konnte, ein Telegramm.

In der Nacht zum 24. August 1949, als Olga Gatzoyiannis in dem mit einer Rosentapete dekorierten Schlafzimmer lag, das sie in der Erdgeschoßwohnung, die ihr Vater an der Greendale Avenue für seine neue Familie gemietet hatte, mit Kanta und Fotini teilte, träumte sie von ihrer Mutter. Es war vier Tage vor dem Jahrestag ihres Todes. In diesem Traum wies Eleni ihre älteste Tochter an, den anderen Kindern zu sagen, sie sollten die schwarze Trauerkleidung ablegen und wieder tanzen und singen, denn Glykeria sei am Leben und werde bald bei ihnen sein.

Am nächsten Morgen betrat Olga das Badezimmer, in dem sich ihr Vater gerade rasierte, und erzählte ihm von ihrem Traum. Christos starrte bedrückt in den Spiegel. «Das bedeutet vermutlich, daß Glykeria letzte Nacht gestorben ist», sagte er.

Seine Worte klangen so überzeugt und resigniert, daß Olga sofort in Tränen ausbrach. Als das Telefon klingelte, schluchzte sie viel zu heftig, um es beantworten zu können; deswegen legte der Vater das Rasiermesser hin und griff zum Hörer. Die Anruferin war Chrysoula Tatsis, die junge Ehefrau von Leo Tatsis und eine der ersten Frauen aus Lia, die vor dem Krieg in die Vereinigten Staaten emigriert waren. Sie war bemüht, ihm die Nachricht ohne Hast zu übermitteln. «Habt ihr etwas von Glykeria gehört, Christos?» erkundigte sie sich.

Er wurde blaß. «Nein. Aber ich glaube, sie ist tot», antwortete er. «Olga hat letzte Nacht von ihr geträumt, und ich fürchte, das ist ein schlechtes Zeichen.»

Olga unterdrückte sofort ihr Schluchzen, um besser hören zu können, was ihr Vater sagte. Sein Freudenschrei ließ sie plötzlich hochfahren, und dann rief der Vater ins Telefon: «Chrysoula, wenn du mir sofort das Telegramm bringst, kriegst du einen Kuß von mir, ob du verheiratet bist oder nicht!»

Die Reste der Partisanentruppen, die Mitte August aus den Bergen von Vitsi vertrieben worden waren, vereinigten sich mit ihren überlebenden Genossen zu einer letzten, verzweifelten Verteidigungsfront auf dem Grammos. Am 28. August 1949 eroberten die Nationaltruppen den höchsten Grammos-Gipfel, und die Partisanen wurden von ihnen vernichtend geschlagen. Das war auf den Tag genau ein Jahr nach Eleni Gatzoyiannis' Hinrichtung. Zwei Tage später wurden die Kämpfe zwischen den Partisanen und der Nationalarmee eingestellt.

Der Krieg war vorüber.

Am 10. Februar 1950 lief der Dampfer *La Guardia* in den New Yorker Hafen ein, wo Christos Gatzoyiannis das letzte seiner fünf Kinder erwartete. Er fuhr mit Glykeria auf kürzestem Weg zu seiner Wohnung in der Greendale Avenue, die er ihr zu Ehren mit neuen, elegant mit braunem Samt bezogenen Möbeln ausgestattet hatte. Die Kinder hatten das Trauerschwarz abgelegt und trugen wieder farbige Kleider. Trotz der Einwände ihres Vaters hatte Kanta sich einen Bubikopf schneiden lassen.

Ein Dutzend griechische Einwanderer aus Lia drängten sich in dem kleinen Wohnzimmer. Reporter von der Worcester-Lokalzeitung warteten darauf, Glykerias Ankunft in der neuen Heimat schildern zu können. Lächelnd, eine Puppe in griechischer Nationaltracht im

Arm, wurde sie fotografiert. Ihr Vater erklärte den Reportern, sie werde noch einmal ganz von vorn lernen müssen, jung und unbeschwert zu sein.

An diesem Abend blieben die Kinder lange auf, unterhielten sich erregt und erzählten sich lachend und weinend von den Abenteuern der einundzwanzig Monate, die seit ihrer Trennung vergangen waren. Über den Tod ihrer Mutter sprachen sie nicht: Diese Wunde war noch zu frisch.

Obwohl der Vater ihnen drei Betten gekauft hatte, schliefen sie alle zusammen, eng aneinandergeschmiegt, in einem Bett ein, genau wie sie im Perivoli neben der Mutter vor dem Kamin auf dem Küchenboden geschlafen hatten. Eleni war nicht bei ihnen, aber sie hatte das Ziel erreicht, für das sie zehn Kriegs- und Revolutionsjahre hindurch gekämpft hatte und für das sie letztlich gestorben war: Ihre Kinder waren vereint und lebten ungefährdet in dem Land, das sie nicht mehr hatte sehen dürfen.

19

Als das Schicksal meinen Vater, der seine gesamten sechsundfünfzig Jahre als Junggeselle verbracht hatte, mit fünf Kindern beglückte, übernahm er die Rolle des griechischen Familienoberhauptes und somit die Pflicht, uns großzuziehen, die bisher auf den Schultern unserer Mutter gelastet hatte.

Kurz nach unserer Ankunft mußte das Schnellimbiß-Restaurant, in dem er als Koch gearbeitet hatte, schließen, aber er zog seinen besten Dreiteiler an, setzte den taubengrauen Filzhut auf und klapperte, mit mir an der Hand, die Straßen von Worcester ab, bis er eine neue Arbeit in einem Restaurant gefunden hatte, bei der er fünfzig Dollar die Woche verdiente.

Von diesem Gehalt konnten wir unmöglich leben; also wurden meine drei ältesten Schwestern als Arbeiterinnen in die Fabrik eines Griechen geschickt, in der Backwaren hergestellt wurden und keine Englischkenntnisse erforderlich waren.

Meine Schwester Fotini und ich, elf und zehn Jahre alt, gingen zur Volksschule, die keine speziellen Förderkurse für nicht Englisch sprechende Schüler hatte. Daher wurden wir am ersten Tag in eine Sonderklasse mit Kindern jeden Alters gesteckt, die, wie wir sehr schnell begriffen, allesamt geistig zurückgeblieben waren. Bald hatte ich genügend Englisch gelernt, um in eine normale Klasse versetzt zu werden. Zu meiner Verwunderung schlug die Lehrerin ihre Schüler nicht, sondern legte mir tröstend den Arm um die Schultern, wenn ich mich mit dem Vorlesen schwertat – eine mütterliche Geste, die eine verborgene Quelle der Einsamkeit in mir anzapfte.

Obwohl Fotini in Griechenland gute Zensuren bekommen hatte, konnte sie sich nie so recht an die amerikanische Schule gewöhnen und ging ab, sobald sie mit sechzehn das Alter erreichte, in dem das gesetzlich möglich war.

Sofort richtete mein Vater seine Aufmerksamkeit auf jene Aufgabe, die stets die größte Sorge unserer Mutter gewesen war: für ihre vier Töchter passende Ehemänner zu finden. Innerhalb von zehn Jahren nach unserer Ankunft in Amerika wurden die Mädchen, beginnend bei der Ältesten, und dann immer schön der Reihe nach, mit einem Bräutigam versorgt.

Obwohl Olga ihre heißgeliebte Aussteuer verloren hatte, war ihre amerikanische Staatsbürgerschaft Mitgift genug. Innerhalb weniger Monate nach unserer Auswanderung kam ein Brief mit dem Stempel «Kastoria, Griechenland» von einem jungen Kesselflicker namens Konstantin Bartzokis, dessen Familie aus Lia stammte. So hoch geachtet sei der Name Gatzoyiannis, schrieb der junge Mann, daß er es sich zur Ehre anrechnen würde, wenn mein Vater ihn als potentiellen Ehemann für eine seiner Töchter in Betracht ziehe. Christos erwiderte, er werde ihn als Bräutigam für seine Älteste akzeptieren und die notwendigen Papiere für seine Einwanderung beschaffen.

Olga hatte ihren Traum, mindestens einen Akademiker zu heiraten, nie aufgegeben und erinnerte sich nur dunkel an den hochgewachsenen, schwarzäugigen Konstantin, der einmal, als sie noch ein Kind war, Verwandte in Lia besucht hatte. Als der Bräutigam eintraf, besorgte ihm mein Vater eine Stellung als Salatkoch in dem Restaurant, in dem er selbst auch arbeitete, und für das Essen und den Tanz, die auf die Trauzeremonie folgten, durften wir sogar einen der Nebenräume benutzen.

Im Jahre 1954 hatte mein Vater genug Geld gespart, um Kanta nach Griechenland zurückzuschicken, hauptsächlich um dort die Hälfte des Ladens in Ioannina zu verkaufen, aber auch um sich mit dem Erlös eine Aussteuer zu kaufen, sobald sie unter der Aufsicht meines Großvaters einen passenden Bräutigam gefunden hatte.

Von dem Augenblick an, da Kitso sie in Athen vom Schiff abholte, wurde sie mit Einladungen der Familien heiratsfähiger junger Männer überschüttet, doch erst als sie in Lia ankam und einen mageren, schnurrbärtigen jungen Mann namens Evangelos Stratis kennenlernte, traf sie ihre Entscheidung. Die offizielle Verlobung des jungen Paares fand schon wenige Tage nach ihrer ersten Begegnung statt, und nach der Hochzeit kehrte Kanta an ihren Platz am Fließband der Backwaren-Fabrik in Worcester zurück, bis ihr Ehemann die Einwanderungsgenehmigung erhielt und bei einem griechischen Produktenhändler Arbeit fand.

Nun jedoch genügte eine Etage nicht mehr für die ständig wachsende Familie; also kaufte mein Vater für 13 000 Dollar ein dreistöckiges Mietshaus in Worcester. Olga, Konstantin und ihr neugeborenes Baby wohnten im obersten Stock, Kanta mit ihrem Ehemann in der Mitte und wir anderen im Erdgeschoß.

Glykeria war schon ein alter Hase in der Fabrik, als unsere Familie Verwandte in Worcester besuchte, um einen Neuankömmling aus Babouri zu begrüßen, den achtundzwanzigjährigen Prokopi Economou, der in einer Schuhfabrik von Worcester Arbeit gefunden hatte. Glykeria war tief beeindruckt von der Arglosigkeit und Offenherzigkeit, die sein rundes Gesicht ausdrückte. Als Prokopi bei einem griechischen Picknick alte Liebeslieder zu singen begann und sie dabei vielsagend anblickte, wußte sie, daß er ihre Bewunderung erwiderte. Obwohl Glykeria sich nicht mit ihm treffen durfte, telefonierten die beiden miteinander. Prokopi erklärte, daß er nicht heiraten könne, bis seine Schwester in Griechenland zufriedenstellend verheiratet sei. Glykeria jedoch hatte ihre Eigenwilligkeit noch nicht verloren und setzte dem jungen Mann eine Frist, innerhalb der er sich entweder erklären oder dann niemals wieder ein Wort mit ihr sprechen sollte. Schließlich bot Prokopi seinen Eltern die Stirn und heiratete Glykeria im Jahre 1956.

Fotini war die einzige, die sich ihren Ehemann völlig selbständig aussuchte. Sie besuchte mit unserem Vater die Namenstagsfeier eines Verwandten in Philadelphia, wo sie einen hübschen jungen Möbeltischler namens Minas Bottos aus Fatiri in Griechenland kennenlernte. Bei der Heimkehr verkündete Fotini ihren Schwestern, sie habe sich verliebt. Sie warnten sie davor, mit neunzehn Jahren eine so weitreichende Entscheidung allein zu treffen, Fotini aber blieb fest. Die einzige Liebesheirat der vier Mädchen war auch die einzige Ehe, die mit einer Scheidung endete.

Eleni Gatzoyiannis hatte vier Töchter zur Welt gebracht, bevor sie schließlich einen Sohn gebar, doch ihre Töchter produzierten insgesamt acht Jungen und nur zwei Mädchen. Olga, die die englische Sprache nie ganz beherrschen lernte, bekam drei Jungen und ein Mädchen. Ihre Kinder sprachen, als sie in die Schule kamen, alle nur Griechisch, absolvierten jedoch erstklassige Colleges und wurden entweder Anwälte oder Ärzte.

Mein Vater entwickelte sich unter der Last der Familienpflichten zu einem angesehenen Patriarchen – nicht nur für seine eigene Familie, sondern für eine wachsende Gemeinde von Flüchtlingen aus Lia. Für einen Verwandten nach dem anderen, die uns nach Worcester folgten, bürgte er, bis Christos Gatzoyiannis der «Pate» einer großen Gemeinde von Einwanderern aus Lia und Babouri war, die sich dort niederließen.

In seinen Siebzigern und Achtzigern thronte mein Vater beim alljährlichen Sommerpicknick der Lioten von Worcester würdevoll wie ein König auf dem Ehrenplatz. Im Schatten alter Eichen wand sich eine lange Schlange von Tänzern um ihn herum, und die Hunderte von Einwanderern, die ihm ihr neues Leben verdankten, huldigten ihm ehrerbietig. Obwohl viele Frauen sich den prominenten Witwer zu angeln versuchten, dachte er nach dem Tod meiner Mutter nie wieder ans Heiraten, und niemand hörte ihn je von einer anderen Frau sprechen.

War mein Vater der «Pate» der Einwanderergemeinde, so wurde ich mit meinem Eintritt ins College aufgrund eines Stipendiums der *consigliere*. Als einziger Grieche mit Schulbildung fiel mir die Aufgabe zu, sämtliche Einwanderungspapiere, Einbürgerungsanträge, Steuererklärungen und medizinischen Formulare der aufblühenden griechischen Gemeinde auszufüllen. Ich half, die Kinder einzuschulen, und fungierte, falls notwendig, als Dolmetscher zwischen meinen Landsleuten und den amerikanischen Ärzten, Lehrern oder Richtern.

Als ich 1963 zum erstenmal nach Lia zurückkehrte, brachte ich eine dicke Brieftasche voll Geldgeschenke der Einwanderer aus Worcester für ihre daheim gebliebenen Verwandten mit. Die Griechen schienen sich mit ihrem ersten Schritt auf amerikanischen Boden die calvinistische Arbeitsmoral anzueignen. Sie gaben ihre nachmittägliche Siesta und die langen, untätigen Stunden im Kaffeehaus auf, um täglich vierzehn Stunden zu arbeiten – Väter, Mütter und Kinder Seite an Seite. Ihre Häuser und Automobile bezahlten sie in bar. Viele Murgana-Griechen in Worcester, darunter meine vier Schwäger, sparten genug, um über ganz New England verteilt Pizza-Restaurants zu eröffnen.

Bei jenem ersten Besuch in der Heimat im Jahre 1963 entstand meine enge Verbindung zu unserem Großvater mütterlicherseits. In meiner Kindheit war er für mich eine unerreichbare Gestalt gewesen, doch als ich erwachsen war und er mir als eine Art Friedensangebot das Geheimnis des Türken anvertraute, den er getötet hatte, als meine Mutter noch ein Kind war, wurden wir gute Freunde.

1967 starb meine Großmutter Megali im Alter von fünfundachtzig Jahren. Meine Großeltern waren einundsiebzig Jahre lang verheiratet gewesen – seit ihrer frühen Jugend. Obwohl Kitso tagtäglich mit seiner Frau stritt, konnte er nicht ohne sie leben. Er wurde krank und starb einen Monat später. Als er sein Ende nahen fühlte, legte er drei lange gehütete Goldsovereigns auf einen Tisch an seinem Bett und sagte, die werde er demjenigen geben, der ihm zuerst melde, daß Nikola den Berg heraufkomme. Aber ich wurde durch berufliche Probleme im Zuge meiner Arbeit als Reporter aufgehalten, und so starb er, bevor jemand die Belohnung kassieren konnte.

Zwischen meinem Großvater und meinem Onkel Foto hatte seit langem eine Art Rivalität hinsichtlich der Frage, wer wohl den anderen beerdigen würde, bestanden. Als mein Großvater starb, war er siebenundachtzig, während Foto zu jenem Zeitpunkt fünfundachtzig war. Heute ist Foto einhundert Jahre alt und der Methusalem der Murgana. Er geht noch immer auf die Jagd und steigt täglich den steilen Berg von seinem Haus zum *cafenion* am Dorfplatz hinab, um noch vor Mittag sein erstes Glas *tsipouro* zu trinken. Sein Verstand und seine spitze Zunge sind noch so scharf wie eh und je, wenn er aus seinem langen Leben erzählt: Wie er 1909 den Türken umbrachte, der seine erste Frau beleidigt hatte; den Leichnam seiner zweiten, von den Kommunisten hingerichteten Frau Alexo exhumierte; miterleben mußte, wie sein Sohn Costas bei seinem sinnlosen Rachefeldzug gegen die Mörder seiner Mutter sein Leben fortwarf.

Nach Alexos Hinrichtung nahm mein Onkel sich eine dritte, vierzig Jahre jüngere Frau, die sich um Haus, Tiere und Garten kümmert und ihm genug Muße läßt, seine Langlebigkeit ausgiebig zu genießen. Es macht Foto überhaupt nichts aus, seinen *tsipouro* am selben Tisch zu trinken wie jene Dörfler, die bei der Verhandlung gegen Alexo ausgesagt haben.

Mein Vater Christos, äußerlich seinem Bruder erstaunlich ähnlich, im Charakter jedoch völlig anders, wirkte genauso vital wie Foto, doch als er auf die Neunzig zuging, begann seine Gesundheit nachzulassen. Heute kann er nicht mehr mit seinem Oldsmobile in Worcester herumkutschieren, um seine vielen Verwandten und Bekannten zu besuchen. Während Foto ein ewiges Leben beschieden zu sein scheint, ist mein Vater sehr gebrechlich geworden, und sein Verstand wandert zu den Tragödien der alten Zeiten zurück; er kann nicht mehr gehen, sein Herz und seine Lunge versagen.

Mein Onkel prahlt oft damit, er lebe nur deswegen so lange, weil er die Tragödien seines Lebens hinter sich gelassen habe; mein Vater jedoch verbohrte sich immer tiefer in die Ungerechtigkeit, die zum Tod meiner Mutter führte. In dieser Hinsicht bin ich ihm ähnlich.

Während der Jahre, die ich als Journalist in Griechenland verbrachte, kehrte ich immer wieder nach Lia zurück. Das Dorf dämmerte langsam seinem Tod entgegen; nur wenige hundert alte Menschen leben noch dort: Ihre Kinder sind auf der Suche nach einem besseren Leben in die Städte abgewandert. Ich befaßte mich mit Projekten zur Wiederbelebung des Dorfes: So versuchte ich Regierungsgelder für ein neues Bewässerungssystem aufzutreiben, gründete eine Entwicklungsgesellschaft, die mit Hilfe der Spenden amerikanischer Lioten die Wahrzeichen des Dorfes wieder aufbaut, und sammelte Geld für den Bau eines Gasthauses mit zehn Zimmern, einem Restaurant und einem Laden für den Verkauf einheimischer Handwerkskunst, nämlich der Zinngießerei und der Holzschnitzerei, die beide auszusterben drohten.

Anfangs dachte ich nicht weiter darüber nach, warum ich das alles tat, bis mir eines Tages eine Bemerkung zugetragen wurde, die mein Onkel Andreas gemacht hatte. Irgend jemand hatte zu ihm gesagt: «Es ist wirklich großartig, was Nikola für die Dörfler tut!» Und Andreas hatte mit beißendem Sarkasmus erwidert: «Nun ja, natürlich – das schuldet er ihnen ja wohl. Schließlich haben sie seine Mutter ermordet!»

Als ich dann meine Motive zu ergründen versuchte, wurde mir klar, daß ich meiner Mutter unbewußt ein Denkmal errichten wollte, das ein Symbol jener Wohltätigkeit sein sollte, die sie im Dorf stets geübt hatte – ein Denkmal, das nicht abgerissen oder zerstört werden konnte wie etwa ein Grabstein oder ein Schrein. Diese Projekte sollten die Erinnerung an ihr Leben wachhalten, würden aber gleichzeitig ein ewiger Vorwurf für jene sein, die sie verraten hatten, ein Beweis dafür, daß es ihnen nicht gelungen war, Eleni Gatzoyiannis und ihre Kinder zu vernichten.

Meine Schwestern teilten weder mein Interesse für unser Heimatdorf noch meine Anhänglichkeit an Griechenland. Genau wie mein Onkel und meine Tante machten sie das Dorf für das Schicksal meiner Mutter verantwortlich und kehrten dem Land, in dem sie soviel hatten leiden müssen, den Rücken. Sie genossen all den Luxus, die Bequemlichkeiten und Möglichkeiten Amerikas und behaupteten, den Mahnungen meiner Mutter gehorchend, keinerlei Heimweh nach der alten Heimat zu haben.

Auch in der Frage, ob der Tod unserer Mutter gerächt werden solle, waren meine Schwestern und ich uns nicht einig. Sie waren fest davon überzeugt, daß Gott die Schuldigen strafen werde. «Gottes Mühlen mahlen langsam, mahlen aber schrecklich fein» ist ein tief im frühesten hellenistischen Denken verwurzelter Glaubensartikel. «Der Übeltäter, der spät gerichtet wird, büßt nicht später, sondern länger, er wird nicht erst im Alter gestraft, sondern unter ständiger Strafe alt», sagte Plutarch in seinem Essay «Über die späte Bestrafung durch die Gottheit».

Von meiner Kindheit an konnte ich die angenehme Überzeugung meiner Schwestern, daß man die Rache getrost Gott überlassen könne, nicht teilen, obwohl ich Verständnis dafür hatte, daß sie daran glaubten. Sie hatten mehr Jahre als ich im Hexenkessel des Griechenlands der Kriegszeit verbracht, wo sich Tragödien ohne Zahl abspielten, und was sie damals erleben mußten, hatte sie zu Fatalisten gemacht.

In den zehn Kriegsjahren von 1939 bis 1949 kam jeder zehnte Grieche zu Tode – 450 000 während des Zweiten Weltkriegs und 150 000 während des Bürgerkriegs. Von den Überlebenden saßen nahezu 100 000 im Exil hinter dem Eisernen Vorhang, einige freiwillig, viele gewaltsam verschleppt. Familien wurden auseinandergerissen, um sich, falls überhaupt, erst nach vielen Jahren wiederzufinden. Die Kinder aus den Murgana-Dörfern wurden von der *pedomasoma* nach Rumänien verschickt, während ihre Eltern in Ungarn oder Polen landeten; die als *andartinas* zwangsrekrutierten Mädchen fanden sich in Rußland oder der Tschechoslowakei wieder. Kein Wunder, daß einfache Dorfmädchen wie meine Schwestern sich wie hilflose Opfer des Schicksals fühlten.

Jahrhundertelang haben die griechischen Frauen ihre Tragödien stets resigniert hinnehmen und versuchen müssen, sie irgendwie zu überleben. Nur von den Männern erwartete man, daß sie mit den Schicksalsgöttinnen kämpften, auch wenn die Chancen mehr als nur ungleich verteilt waren. Überdies war es die Pflicht des Mannes, Rache für die Leiden der schwächeren Mitglieder seiner Familie zu suchen.

Obwohl ich bei meiner Ankunft in den Vereinigten Staaten erst neun Jahre alt war, wußte ich schon damals, daß der Tag kommen werde, an dem ich Vergeltung an den Mördern meiner Mutter üben würde. Sie war der einzige Balsam für das, was die Klytämnestra des Äschylus im Zusammenhang mit dem längst vergangenen Mord an ihrer Tochter als «jenen Schmerz, der niemals schläft», bezeichnet.

Während der Jahre meines Heranwachsens in Amerika verteidigten meine Schwestern ihre Behauptung, daß Gott die Schuldigen strafen werde, indem sie mich auf das Schicksal derer hinwiesen, die zum Tod meiner Mutter beigetragen hatten. Als allmählich Nachrichten aus Griechenland zu uns durchdrangen, schien es anfangs, als arbeite die göttliche Strafmaschinerie mit unbarmherziger Gründlichkeit.

Prokopi und Spiro Skevis, die Brüder, die in Lia den Samen des Kommunismus säten, starben beide noch vor Kriegsende. Prokopi, der als Redner berühmte Intellektuelle, wurde im Sommer 1949 in der ersten Schlacht nach seiner Rückkehr aus Jugoslawien von einer verirrten Kugel getötet, die ihn in den Mund traf. Sein Bruder Spiro trat in den letzten Tagen des Bürgerkriegs auf eine Mine, die seine eigenen Männer gelegt hatten.

Der Dorfklatsch, der seine Tentakel bis nach Worcester ausstreckte, brachte uns auch die Nachricht, daß zwei der Frauen, die unsere Mutter verraten hatten, einem tragischen Schicksal zum Opfer gefallen waren.

Die blonde Dorfschönheit Stavroula Yakou, als Kollaborateurin der Partisanen gefürchtet, hatte gegen meine Mutter ausgesagt und Glykeria nach der Hinrichtung schikaniert. Als Stavroula gewaltsam zu den *andartinas* gepreßt worden war, wurde Glykeria die Genugtuung zuteil, mit anzusehen, wie sie in den letzten Kriegsmonaten durch eine Bombenneurose in eine angstgeifernde Hysterie verfiel. Stavroulas Leiden steigerten sich noch, als sie Ende der fünfziger Jahre aus dem Exil in Taschkent nach Lia zurückkehrte: Ihre Schönheit wurde vom Krebs zerfressen, an dem sie ganz langsam zugrunde ging.

In ihren letzten Stunden wurde Stavroula von der Erinnerung an Eleni Gatzoyiannis verfolgt. Auf dem Sterbebett sagte sie zu Olga Venetis, unserer Nachbarin und einer der besten Freundinnen meiner Mutter: «Sag den Gatzoyiannis-Mädchen, daß ich am Tod ihrer Mutter nicht schuld war. Was ich gesagt habe, war nichts im Vergleich zu dem, was andere gegen sie vorbrachten. Wie konnte ich auch etwas gegen sie sagen? Wir haben nur mit dem Brot überleben können, das sie uns gab.» All diese vielen Jahre lang hatte der Gewissenswurm an Stavroula genagt.

Constantina Drouboyiannis, von meiner Mutter beneidet, weil sie sich selbst und ihre Töchter hatte retten können, war letztlich auch nicht so sehr vom Glück gesegnet worden. Nachdem sie aus dem Exil in Ungarn zu ihrem Mann und ihren Kindern nach Kreta zurückgekehrt war, mußte sie mit ansehen, wie ihr Sohn qualvoll an Krebs dahinsiechte.

Zwei von den Männern jedoch, die hauptsächlich für den Tod meiner Mutter verantwortlich waren, hatten für ihre Verbrechen noch nicht gebüßt: Kostas Koliyiannis, der Mann, der die größte Verantwortung für die Hinrichtungen in den Murgana-Dörfern trug, war an die Spitze der Parteileitung aufgestiegen und hatte den Befehl über alle griechischen Kommunisten übernommen. Der finstere, bärenhafte politische Kommissar des Oberkommandos Epirus hatte seine Trümpfe gut ausgespielt.

Aber auch seine Erfolge nahmen schließlich ein Ende, und er wurde von Moskau entmachtet. Geächtet von der Partei, der er sein Leben gewidmet hatte, starb Koliyiannis 1979 als verbitterter alter Mann in Ungarn. In einem Sarg kehrte er in das Land zurück, das er dreißig Jahre zuvor hatte verlassen müssen.

Als ich von seinem Tod erfuhr, lebte ich bereits seit zwei Jahren in Griechenland. Sein Schicksal bereitete mir zwar einige Genugtuung, aber ich ärgerte mich darüber, daß Koliyiannis trotz all seiner Verbrechen bis ganz nach oben hatte vordringen können und letztlich im Bett sterben durfte. Als ich 1977 als Auslandskorrespondent der *New York Times* nach Griechenland kam, hatte ich vor, die Mörder meiner Mutter aufzuspüren, politische Unruhen im Mittleren Osten jedoch bewirkten, daß ich mich fast ständig im Ausland aufhielt. Die Nachricht, daß der Tod mich um die Konfrontation mit Koliyiannis gebracht hatte, bestärkte mich in der Überzeugung, daß ich, wollte ich Elenis Mörder finden, sofort handeln müsse.

Der letzte Faktor, der mich bewog, meinen Job aufzugeben, um mich ausschließlich meiner Suche zu widmen, war die Entdeckung, daß der andere Hauptschuldige am Schicksal meiner Mutter, Koliyiannis' Helfershelfer Katis, noch lebte und es sich in Griechenland gutgehen ließ. Katis war jener Mann, der die Beweise gegen meine Mutter zusammengetragen, die Anklage erhoben und ihre Folterung befohlen hatte. Wenn Koliyiannis mein Himmler war, so war Katis dessen Eichmann, und ich konnte die für mich unumgängliche Konfrontation nicht länger hinausschieben. Zu jenem Zeitpunkt besorgte ich mir eine unmarkierte, unregistrierte Waffe, eine Walther PPK, die ich mit einer Ladung persönlicher Gegenstände, im Innern eines Staubsaugers versteckt, nach Griechenland einschmuggelte. Zwar hatte ich keine genaue Vorstellung davon, was ich mit dieser Pistole anfangen sollte, wollte Katis aber nicht ohne sie gegenübertreten.

Der Umzug nach Griechenland im Jahre 1977 war für mich ein sehr hartes Erwachen gewesen und hatte in mir jeden Glauben an die von meinen Schwestern vertretene Überzeugung von der göttlichen Rache zerstört. Solange ich in Übersee war, hatte ich mich mit dem Schicksal der Parteiführer getröstet: ausgestoßen, eingekerkert, von innerparteilichen Kämpfen zerrissen. Als ich jedoch in Athen eintraf, stand ich vor einer Auferstehung der kommunistischen Macht im Land.

Unmittelbar nach Beendigung der Feindseligkeiten im Jahre 1949 wurden die Kommunisten, die nicht hinter den Eisernen Vorhang geflohen waren, mit all dem Haß, der sich im Laufe der Kriegsjahre aufgestaut hatte, verfolgt und eingesperrt. Allmählich jedoch ließ der Druck, unter dem sie lebten, nach. Im Jahre 1954 durften die ersten Exilanten aus Ungarn heimkehren: sorgfältig ausgewählte Griechen, die beweisen konnten, daß sie verschleppt worden waren und keine Sympathien für die Partei hegten. Zu ihnen gehörten zahlreiche Dorfbewohner von Lia, die man zum Verlassen des Landes gezwungen hatte. Von da an kehrten die Flüchtlinge in zunehmendem Maße in ihre Heimat zurück, und das Auswahlverfahren, dem sie sich unterziehen mußten, wurde immer großzügiger.

Als die Kommunistische Partei 1974 in Griechenland legalisiert und das Gesetz über die Verjährung von Kriegsverbrechen nach dreißig Jahren verabschiedet wurde, kamen die griechischen Kommunisten aus dem Exil zurückgeströmt und begannen ihre eigene Version des Krieges zu propagieren und die kommunistischen Partisanenführer zu Volkshelden hochzustilisieren. Als ich nach Griechenland umzog, wurde ich tagtäglich mit den Erfolgen der Partei beim Kampf um die Loyalität jener Griechen konfrontiert, die nach dem Krieg geboren waren.

Milchgesichtige Studenten klopften jedes Wochenende an meine Tür, um mir Propagandaschriften zu überreichen und mich zu den allgegenwärtigen Festivals der kommunistischen Jugend einzuladen. Wenn man sie nach der *pedomasoma*, den Hinrichtungen von Zivilisten und den Greueltaten der Partisanen fragte, lächelten sie nur und schüttelten den Kopf über meine Ignoranz: Derartige Dinge seien niemals geschehen, erklärten sie mir geduldig.

Nirgends konnte man dem Erfolg der Kommunisten bei der Glorifizierung der Partisanen in den Augen der modernen griechischen Jugend und der Neuschreibung der Kriegsgeschichte entgehen, die sich sogar in den Gehirnen der Kinder jener festsetzte, die aus meinem Heimatdorf stammten. Einmal, bei einer Namenstagsfeier mit vielen Lioten, hörte ich einen Freund in meinem Alter mit seinem Neffen, einem zweiundzwanzigjährigen Studenten, diskutieren. Der Onkel fragte den jungen Mann: «Haben sie nicht deine Familie zerrissen, deine Großmutter, deine Mutter und mich aus dem Dorf verschleppt und uns sechs Jahre lang in Ungarn in Lagern hausen lassen?»

«Das haben sie nur aus humanitären Gründen getan», antwortete der Student gelassen. «Um euch vor den Bomben der Faschisten zu retten.»

«Und was ist mit den Tausenden von Zivilisten, die sie in den besetzten Dörfern hingerichtet haben? War das vielleicht auch humanitär?» fragte der Onkel mit steigender Lautstärke. «Und was ist mit den fünf, die in Lia hingerichtet wurden?»

Der Junge zog die Augen zu Schlitzen zusammen. «Die sind bestimmt nicht grundlos hingerichtet worden», entgegnete er. «Vermutlich gab es sogar sehr gute Gründe dafür.»

Um die begangenen Greueltaten aus dem Bewußtsein der Griechen zu löschen, setzten die Kommunisten, sobald ihre Partei 1974 legalisiert wurde, eine Kampagne in Gang, mit der sie erreichen wollten, daß sämtliche offiziellen Gedenkfeiern für die Toten des Bürgerkrieges, zu dessen Opfern auch meine Mutter zählte, unterblieben. Und es gelang ihnen tatsächlich, die neue sozialistische Regierung, die 1981 an die Macht kam, zur Einstellung dieser Gedenkfeiern zu überreden.

Inzwischen hatte ich meinen Job bei der *New York Times* aufgegeben, um mich ausschließlich der Aufklärung der Ereignisse widmen zu können, die zum Tod meiner Mutter geführt hatten. Im Laufe meines jahrelangen Aufenthalts in Griechenland war ich zu der Überzeugung gelangt, daß es wichtig sei, von ihrem Schicksal zu berichten – nicht nur für meine Schwestern und mich, sondern auch für meine griechischen Landsleute, vor allem die der Nachkriegsgeneration, die dadurch vielleicht Dinge über den Bürgerkrieg erfahren würden, von denen sie nichts wußten.

Als meine Ermittlungen abgeschlossen waren, hatte ich über vierhundert Personen befragt: ehemalige Dorfbewohner und Soldaten, die auf beiden Seiten gekämpft hatten, britische Kommandosoldaten, nationalistische und kommunistische Offiziere, Mörder und die Überlebenden unter ihren Opfern. Nicht nur ganz Griechenland bereiste ich, sondern darüber hinaus die Vereinigten Staaten, England, Kanada, Polen, Ungarn und die Tschechoslowakei. Viele Berichte, die ich aufzeichnete, widersprachen sich oder waren unvollständig; allmählich begann das Puzzle jedoch Stückchen für Stückchen Gestalt anzunehmen.

Den ersten Hinweis gab mir der Bäcker Makos, der zwanzig Jahre nach der Hinrichtung meiner Mutter zufällig den Partisanen Taki wiedererkannte. Jede Tatsache, die ich zutage förderte, führte mich zu einem weiteren Zeugen. Anfangs endeten all meine Bemühungen, den Richter Katis zu finden, in Enttäuschungen. Die ehemaligen Partisanen, die mit ihm ins Exil gegangen waren, schienen zu glauben, er sei in der Tschechoslowakei gestorben.

Schließlich gab mir Iorgos Kalianesis, ein ehemaliger Partisanengeneral und jetziger Hotelangestellter, die Informationen, die ich benötigte, um Katis' Spur zu verfolgen. Bevor ich ihn jedoch persönlich stellte, mußte ich auch noch die letzten Zeugen für seine Verbrechen aufsuchen.

Zwei große Löcher klafften in dem Gespinst der von mir zusammengetragenen Beweise gegen den Mann, der Richter und Peiniger meiner Mutter gewesen war. Ich hatte erfahren, daß der Partisan, den wir «Zeltas» nannten, der Chef der Sicherheitspolizei von Lia, irgendwo in Griechenland lebte, doch um mit ihm sprechen zu können, brauchte ich seinen richtigen Namen und seine Adresse. Also mußte ich hinter den Eisernen Vorhang reisen, um eine Handvoll ehemaliger Lioten aufzusuchen, von denen einige an der Verleumdung meiner Mutter beteiligt, andere wiederum bekannte Kollaborateure der Partisanen in Lia gewesen waren. Sie verfügten über wesentliche Kenntnisse all dessen, was damals geschehen war.

Als ich die erforderlichen Visa für meine Reise nach Osteuropa zusammen hatte, flog ich am 28. November 1981 von Athen nach Budapest, um von dort aus mit dem Auto im Schneesturm in das fünfundsechzig Kilometer weiter westlich gelegene Flüchtlingsdorf Belloyiannis zu fahren. Wie eine Fata Morgana stieg es vor mir aus den schneebedeckten Äckern und Wiesen empor: eine trostlose Reihe barackenähnlicher Gebäude von schmutzigem Braun, Grau und Gelb. Trotz armseliger Bemühungen, dem Dorf den Anstrich einer griechischen Ortschaft zu verleihen, indem man den Straßen griechische Namen gab, wirkte Belloyiannis wie ein Militärlager. In diesem gottverlassenen Nest waren die meisten aus Lia evakuierten Dörfler gelandet, nachdem sie zuvor ein Jahr in Shkoder, Albanien, verbracht hatten. Die langen Barackenreihen hatten sie mit eigener Hand aufbauen müssen. Die meisten Flüchtlinge, denen es gelang, sich die Genehmigung zu verschaffen, kehrten in den fünfziger Jahren nach Griechenland zurück. Jenen, die noch in Belloyiannis lebten, war die Genehmigung entweder wegen ihrer kommunistischen Gesinnung verweigert worden, oder sie waren aus Angst vor der Rache der Verwandten ihrer Opfer geblieben.

Ich war nach Belloyiannis gekommen, um Foto Bollis zu stellen, den Hauptzeugen der Anklage gegen meine Tante Alexo, der zwei Tage nach der Hinrichtung zum Haidis-Haus kam, um auch noch die letzten Lebensmittel zu stehlen, die meine Mutter für Glykeria zurückgelassen hatte.

Bollis war ein magerer alter Mann, der mit einem Mantel über dem Schlafanzug in der kleinen Wohnung umherschlurfte, in der er mit seiner Frau und einem erwachsenen Sohn lebte. Er bewegte sich unsicher, und unter der fahlen Haut zeichneten sich spitze Knochen ab. An seiner Hakennase hing ein Tropfen. Als ich Bollis seine Rolle bei der Verhandlung vorhielt und ihn fragte, warum er falsche Aussagen gegen meine Tante gemacht habe, spritzte ihm vor lauter Eifer, seine Unschuld zu beteuern, ein Regen von Speicheltröpfchen aus dem Mund. Er behauptete, nichts gegen die beiden Frauen ausgesagt und Glykerias Lebensmittel nicht genommen zu haben.

Ich hatte sehr bald genug von seinen Lügen. Als unbedeutender Mann von schlechtem Ruf in Lia hatte er all seine moralischen Skrupel für die Chance verraten, Mittelpunkt der Aufmerksamkeit zu sein und von den Partisanen für seine Mitarbeit belohnt zu werden; doch jetzt war er wieder genauso machtlos wie vor seinem großen

Augenblick im Rampenlicht. Also sagte ich ihm, er allein wisse, warum er 1948 so gehandelt habe, aber es sei ein Jammer, daß seine Frau und seine Kinder noch heute dafür büßen und unter so armseligen Umständen leben müßten. Der alte Mann, der einer Ratte glich, schien bei meinen Worten zu schrumpfen und den Blicken seiner Familie auszuweichen.

Bollis' Tochter Olga, damals einundzwanzig, hatte am Tag der Verhandlung gegen meine Mutte die Kinder für die *pedomasoma* zum Dorf hinausgeführt. Als wir in Belloyiannis zusammensaßen, erzählte mir Olga, daß die Verhandlung unterbrochen worden sei, damit sich die Kinder von ihren Eltern verabschieden konnten, und daß meine Mutter Fotos Sohn Sotiris umarmt hatte, der im selben Alter war wie ich.

Nachdenklich musterte ich Sotiris, der uns beiden zuhörte: ein rundlicher, schon kahl werdender Mann mit aufgedunsenem Gesicht und mehreren Zahnlücken, in ausgebeulter Hose und ohne Strümpfe an den Füßen, die in alten Pantoffeln steckten. Er wirkte um Jahre älter als ich, und mir wurde klar, daß das, was ich da vor mir sah, mein Schicksal gewesen wäre, hätte meine Mutter uns nicht vor der *pedomasoma* bewahrt.

Bei meinem Besuch in Belloyiannis sah ich ein, daß Foto Bollis keine weitere Strafe für den Verrat an seinen Nachbarinnen verdient hatte. Er war ein kleiner, gemeiner Duckmäuser, der durch seine Machtgier von den Partisanen manipuliert worden war und für ein paar Brosamen des Ruhmes bereitwillig gelogen hatte. Jetzt war er in seine ursprüngliche Bedeutungslosigkeit zurückgesunken, und ich empfand keinen Haß mehr auf ihn, sondern nur noch Verachtung.

Mein nächster Halt war Zgorzelec, Polen, wo ich Calliope Bardaka zu finden hoffte, die Witwe, die bei den Lioten als die bereitwilligste Kollaborateurin im Dorf gegolten hatte. Sie hatte über ihre Nachbarn ausgesagt und ihre Kinder eilfertig zur *pedomasoma* gegeben. Bei vielen Verhören von Dörflern durch die Partisanen war sie dabeigewesen, und wenn mir irgend jemand Einzelheiten zur Arbeitsweise der Sicherheitspolizei liefern konnte, dann war sie es.

Zgorzelec, das frühere deutsche Görlitz, ging nach dem Krieg zum Teil an Polen und war fast verlassen, bis griechische Exilierte dort angesiedelt wurden, um die Fabriken wieder in Schwung zu bringen. Ich fand die Adresse, die man mir gegeben hatte, in einer Wohnsiedlung, stieg das schäbige Treppenhaus hinauf und klopfte an die Tür. Fast konnte ich nicht glauben, daß die grauhaarige, teigige alte Frau, die mir öffnete, und die hübsche junge Witwe, die damals das ganze Dorf schockierte, ein und dieselbe Person waren. Sie steckte in einem Hauskleid, das aus einem abgewetzten Flanellmorgenrock und einer Jacke bestand. Aber als sie mich in das einzige Zimmer der ungeheizten Wohnung führte und ich unter der nackten Glühbirne Platz nahm, sah ich an der Wand ein Foto der Calliope von früher: eine mollige, hübsche Frau mit einem sinnlichen Mund. Als sie erfuhr, wer ich war, begrüßte sie mich überschwenglich und setzte zu einem langen Klagelied an: wie die Partisanen die griechischen Exilierten nach Zgorzelec gebracht und in den stillgelegten Fabriken beschäftigt hatten, wo auch sie am Fließband bei der Herstellung von Handtaschen arbeitete. Sie erzählte, daß die Kommunistische Partei die Hälfte des mageren Salärs einheimste, angeblich um eingekerkerten Genossen in Griechenland zu helfen, in Wirklichkeit aber um griechischen Parteiführern ein Leben in Luxus zu ermöglichen. Sie hatte sich schon bald desillusioniert vom Kommunismus abgewandt, fügte sie hinzu, und war aus der Partei ausgetreten.

Als ich Calliope über ihre Zusammenarbeit mit den Partisanen während des Krieges befragte, war sie zungenfertig mit Entschuldigungen und Erklärungen bei der Hand. «Ich hatte kaum eine andere Wahl, nachdem mein Mann umgebracht worden war», sagte sie. «Ich hatte nichts zu essen für meine Kinder. Die Deutschen hatten mein Haus niedergebrannt. Ich war zwischen zwei Abgründe geraten. Wir haben vielleicht Fehler begangen, einige von uns, aber wir ließen uns beeindrucken, weil wir nie zuvor mit solchen Barbaren in Berührung gekommen waren; und als uns aufging, wie sie wirklich waren, waren wir an sie gebunden, ihnen ausgeliefert.» Während sie sprach, zupfte sie ständig an den Deckchen und Tüchern herum, die die abgenützten Möbel bedeckten. «Sie hatten unsere Kinder. Wir konnten nur sagen oder tun, was sie wollten.» Sie wischte sich mit einem Taschentuch die Augen, als sie beschrieb, wie sie an dem Tag in Ohnmacht fiel, da sie von ihrem siebenjährigen Sohn und ihrer sechsjährigen Tochter getrennt wurde, die sie beide erst sieben Jahre später wiedersah.

Ich erwähnte mehrere Gelegenheiten, bei denen Calliope Mitbürger der Disloyalität beschuldigt hatte, nur um sich bei den Partisanen beliebt zu machen. Ich fragte sie, ob ihr bewußt sei, daß ihre Aussagen die Beschuldigten leicht das Leben hätten kosten können.

«O ja, Sie haben ganz recht», stimmte sie mir zu, «ein falsches Wort konnte in jenen Tagen den Tod bedeuten. Aber in solchen Zeiten denkt man einfach nicht daran. Man denkt an sich.»

Calliope beharrte darauf, daß sie mit der Verurteilung und dem Tod meiner Mutter nichts zu tun hatte. «Wenn herauskommt, daß ich ein einziges Wort gegen Ihre Mutter gesagt habe», beschwor sie mich melodramatisch, «dann mögen alle meine Kinder im selben Ofen verbrennen! Ihr Haus war das angesehenste im Dorf. Jedermann blickte zu Ihrer Mutter auf. Ich hätte niemals ein Wort gegen sie sagen können!»

Es stimmte, daß keiner der Dörfler, die ich befragt hatte, Calliope als Anklägerin meiner Mutter benannt hatte. Ich war nach Polen gekommen, weil ich Auskünfte von ihr wollte, vor allem den Namen und die Adresse des Chefs der Sicherheitspolizei, «Zeltas», mit dem sie engen Kontakt gepflegt hatte. Als ich Calliope nach ihm fragte, leuchtete in ihren Augen ein Funke der alten Verschlagenheit auf. Sie flüsterte: «Er hat eine Schwester, die hier lebt. Seien Sie unbesorgt! Ich werde sie besuchen und herausfinden, wo er steckt. Kommen Sie wieder, bevor Sie weiterreisen, und ich werde Ihnen die gewünschte Information liefern.»

Auf dem Weg von Calliopes Wohnung zum einzigen Hotel der Stadt dachte ich, wie wenig sie sich doch verändert hatte. Sie hoffte offensichtlich, daß ich ihr helfen könnte, aus Polen herauszukommen, und war begierig, einen ihrer früheren Genossen zu verraten, solange das zu ihrem Vorteil war. Ich erkannte, was für eine gefährliche Frau sie einmal gewesen sein mußte.

Am nächsten Tag kehrte ich zu Calliopes Wohnung zurück. Sie wünschte mir eine gute Reise und drängte mir einen Beutel mit Proviant auf. Ich fragte sie auf griechisch, ob sie sich die Information beschafft habe, aber sie sah sich um, als ob die Wände Ohren hätten, und sagte nur, sie werde mich zu meinem Wagen begleiten. Auf der Treppe ließ sie einen Zettel in meine Hand gleiten. «Es steht alles drauf», flüsterte sie, «aber Sie dürfen niemals jemandem verraten, woher Sie's haben!»

Ich faltete den Zettel auseinander und las: «Zeltas – Christos Nanopoulos – Alkiminis 24, Thessaloniki, Griechenland.» Ich warf einen schnellen Blick auf Calliopes aufgedunsenes, lächelndes Gesicht. Mit einem unbestimmten Gefühl der Verlegenheit drückte ich ihr einen Zwanzig-Dollar-Schein in die Hand und machte mich schnell davon. Auf der Straße, die aus Zgorzelec hinausführte, gestand ich mir den Grund für mein Unbehagen ein: Ich hatte dieselbe Informantin und dieselbe Taktik wie die Partisanen benutzt, um an die mich interessierende Information heranzukommen. Ich versuchte mich mit dem Gedanken zu trösten, daß die Partisanen moralisch schwache Dörfler dazu angestiftet hatten, falsches Zeugnis abzulegen, um ein vorgegebenes politisches Ziel zu erreichen, während ich mit meinen Befragungen der Wahrheit auf die Spur kommen wollte, ohne daß ich schon im voraus wußte, wer die Hauptverantwortlichen am Tod meiner Mutter waren.

Meine letzte Station in Osteuropa war die kleine Stadt Znojmo – das ehemalige Znaim – in der Tschechoslowakei, wo Milia Drouboyiannis unter einer tschechischen Version ihres Mädchennamens lebte: Mila Drabkova. Sie war die fanatisch loyale junge *andartina* gewesen, die gegen meine Mutter ausgesagt hatte, um ihre eigene Mutter zu schützen. Mit dem Gewehr an der Seite hatte sie geschworen, sie habe ihre Familie davon abgebracht, sich der Amerikana zur Flucht anzuschließen, denn: «Bald wird in ganz Griechenland die Rote Fahne wehen.»

Ich flog von Warschau nach Wien, mietete am Flugplatz einen Wagen und fuhr die achtzig Kilometer zur tschechoslowakischen Grenze. Es war dunkel, als ich dort ankam. An keinem anderen Grenzübergang sollte ich so viele Schwierigkeiten haben. Ich wurde ausführlich verhört, wen ich besuchen wollte, und gab den Grenzwächtern Milias Name und Adresse ohne das geringste Bedauern über die Unannehmlichkeiten, die ihr möglicherweise daraus erwachsen konnten. Sie begannen den Inhalt meiner Reisetasche herauszuzerren, doch als sie auf ein Exemplar eines meiner Bücher über das organisierte Verbrechen stießen, das ins Ungarische übersetzt worden war, nahmen sie offensichtlich an, ich müsse dem Kommunismus freundlich gesinnt sein, wenn mir eine solche Ehre zuteil wurde, und ließen mich durch.

Ich fuhr ein paar Kilometer weiter nach Znojmo und kurvte ziellos in der kleinen Stadt umher, bis ich jemanden fand, der Name und Adresse auf dem Zettel, den ich bei mir hatte, kannte. Als ich an die Tür von Milias Wohnung klopfte, öffnete mir ein Mann in den Dreißigern, ein großer, kräftiger Tscheche mit rotem Bart. Als ich ihn nach Mila Drabkova fragte, erschien eine Frau in mittleren

Jahren, die furchtsam hinter seinem Rücken hervorlugte. Ich erklärte ihr, wer ich war, und sie begann in einem falsch betonten, gebrochenen Griechisch zu sprechen; sie habe das Land vor so langer Zeit verlassen, daß sie sich nicht mehr an die Sprache erinnere.

Milia war eine kleine, dickliche Frau Anfang fünfzig mit pechschwarzem Haar, das ihr rundes Gesicht einrahmte. Mit einer seltsamen Bewegung legte sie andauernd den Kopf auf die Seite, wie jemand, der entweder schlecht hört oder geistesgestört ist. Ich sagte, ich sei erst neun Jahre alt gewesen, als ich Griechenland verlassen hätte; sie hingegen sei mindestens acht Jahre älter und müsse also bestimmt noch genug Griechisch können, um eine Unterhaltung zu bestreiten. Widerstrebend ließ sie mich eintreten und führte mich in eine winzige Küche, wo wir uns an einen Aluminiumtisch setzten. Neben der Küche befand sich ein Zimmer, in dem ich ihre große, rothaarige Tochter und zwei kleine Jungen – ihre Enkel – sah. Sie fragte, was ich von ihr wolle.

«Ich bin einen weiten Weg gekommen», antwortete ich, «um herauszufinden, warum Sie meine Mutter verraten haben.»

Milias Griechisch besserte sich schlagartig, als sie leugnete, jemals irgend jemanden verraten zu haben. Die ganze Zeit bewegte sie aufgeregt den Kopf, ruckartig wie ein Vogel.

Ich nannte die vielen Dörfler, die mir beschrieben hatten, wie sie bei der Gerichtsverhandlung das belastendste Zeugnis gegen meine Mutter abgegeben, mit dem Gewehrkolben auf den Boden geschlagen und bei der Waffe in ihrer Hand geschworen hatte, daß alles, was sie gesagt habe, wahr sei.

Milia protestierte; sie könne sich überhaupt nicht an eine Gerichtsverhandlung erinnern. «Ich war ein junges Mädchen, als sie mich zwangen, in Schnee und Kälte in den Bergen zu kämpfen», wimmerte sie. «Ich verließ das Dorf sehr jung und erinnere mich an fast nichts mehr. Mein erster Mann ließ mich sitzen. Meine Nerven waren zerrüttet, und ich mußte in ein Krankenhaus gebracht werden. Jetzt habe ich diesen Mann, den Sie gesehen haben. Ich bin gezwungen, als Putzfrau zu arbeiten, um zu überleben. Und erst vor zwölf Tagen ist meine Mutter gestorben.» Sie sprang auf, nahm ein Fläschchen mit Tabletten von einem Regal und steckte sich eine in den Mund.

Ich ließ nicht locker, und Milia begann zusammenhanglos zu sprechen, von einem Thema zum andern springend, von der Gegenwart in die Vergangenheit. «Meine Mutter sprach davon, mit meinen jüngeren Schwestern das Dorf zu verlassen. Ich erinnere mich, daß ich als *andartina* in den Bergen war. Sie brachten mich zu meiner Mutter, die im Gefängnis war und zu weinen begann. Ich versuchte sie anzuschauen, aber sie drehten mir den Kopf weg. Mehr weiß ich nicht mehr. Sie fragten mich aus. Sie sagten, meine Mutter und meine Schwestern hätten Fluchtpläne. Ich beteuerte, ich hätte sie davon abgebracht. Andere Leute hätten meine Mutter zur Flucht überredet; es sei nicht ihre Idee gewesen. Ich hatte Angst.» Sie schwieg eine Weile und suchte nach Worten. Dann fragte sie mich flehend: «Was hätten Sie getan?»

Sie nahm ihren wirren Monolog wieder auf, eine Litanei ihrer Leiden. Allmählich fühlte ich mich ganz benommen in dem kleinen, stickigen Zimmer und von ihrem vor Selbstmitleid triefenden Gejammer. Ich stand auf, um mich zu verabschieden, aber sie packte mich beim Arm. Sie hatte mich zuerst nicht hereinlassen wollen, und jetzt wollte sie mich nicht gehen lassen. «Bleiben Sie ein Weilchen», bettelte sie mit nassen Augen. Sie begann dieselben Details noch einmal herunterzuleiern, und ich schritt entschlossen zur Tür, aber sie hielt mich wieder zurück. Ich spürte, daß sie noch etwas sagen wollte, aber nicht recht wußte, wie.

Sie berührte den Ärmel meines Ledermantels und bewunderte ihn wie ein Kind. Dann wollte sie wissen, woher ich ihn hatte und wieviel er kostete, wie ich bis zu ihr gelangt war und ob ich ein Auto besaß. Ich sagte ihr, ich sei in einem Mietwagen gekommen, besitze aber einen eigenen in Griechenland und einen in Amerika. Sie riß die Augen weit auf, stellte sich die Autos vor, die Kleider. Dann starrte sie mich mit einem Ausdruck an, den ich nicht deuten konnte. Es hätte Neid oder Bedauern oder sogar Erleichterung sein können. Sie nahm die Hand von meinem Ärmel und meinte seufzend: «Die Jahre haben es gut mit Ihnen gemeint.»

Als ich von Znojmo nach Wien zurückfuhr, war ich körperlich und seelisch so erschöpft, daß ich krank wurde. Mich verfolgte Milias verzweifelte Frage: Was hätte ich an ihrer Stelle getan? Ich beruhigte mich damit, daß ich nicht wie sie gehandelt hätte, aber mir war bewußt, daß sie ein junges Mädchen gewesen war, verängstigt und davon überzeugt, daß sie, um ihre Mutter zu retten, lügen und meine Mutter verraten mußte. Ich wünschte nicht länger, Milia noch härter bestraft zu sehen, als sie es durch das Leben ohnehin schon war.

Meine Schwestern hatten immer geglaubt, daß unsere Mitbürger am Tod meiner Mutter schuld waren, aber meine Begegnungen in Osteuropa und meine Gespräche in Griechenland hatten mich überzeugt, daß nicht die Dörfler die Anstifter ihrer Leiden waren. Die Partisanen hatten bewußt Zivilisten ausgewählt, die ihre Nachbarn aus Angst, Neid oder Geltungssucht verraten würden. Aber die Dörfler waren die Marionetten, und die Partisanen zogen an den Fäden.

Bevor ich meine Suche abschloß, hatte ich noch einen weiteren Besuch zu machen. In meiner Tasche trug ich den Namen und die Adresse von Zeltas, dem Chef der Sicherheitspolizei in Lia. Keiner der vielen Zeugen, die ich befragte, hatte jemals etwas davon gesagt, daß Zeltas meine Mutter verhört oder gefoltert habe, aber ich wollte persönlich mit ihm sprechen und mich vergewissern, daß er tatsächlich nicht zu ihren Peinigern zählte. Außerdem wollte ich Näheres über die Rolle erfahren, die seine Vorgesetzten bei den Partisanen gespielt hatten, und mir von einem der unmittelbar Beteiligten bestätigen lassen, was ich bisher über Katis' Verantwortung für ihren Tod wußte. Hauptgrundsatz eines jeden Enthüllungsjournalisten ist es, sich bei mehreren unabhängigen Quellen Bestätigungen für seine Informationen zu holen. Ich war in dieser Hinsicht stets sehr gewissenhaft verfahren und wollte gerade in diesem Fall unerschütterliche Beweise haben.

Von Wien flog ich direkt nach Thessaloniki. Es regnete, als ich die mit klotzigen Betonkästen von Wohnhäusern gesäumte Straße erreichte, in der Zeltas unter seinem richtigen Namen Christos Nanopoulos lebte. Die Haustür stand offen. Nach den Schildchen neben den Klingelknöpfen wohnte Zeltas im Souterrain, also stieg ich die Treppe hinab und klopfte an seine Wohnungstür. Niemand öffnete, doch als ich mich abwandte, hörte ich ein Geräusch; ich drehte mich um und sah ein Paar blaßgraue Augen zu mir herausspähen.

Ich stellte mich vor, fragte nach Nanopoulos, und der Mann öffnete mir zögernd die Tür. Dahinter lag ein dunkler, schmaler Flur, der zu einem Zimmer führte, das kaum groß genug für die beiden Betten mit dem dazwischengeklemmten Holztischchen war.

Zeltas war größer als ich und besaß trotz seiner siebzig Jahre den muskulösen Körper eines Mannes, der die letzten drei Jahrzehnte in Rußland auf dem Bau gearbeitet hat. Er musterte mich argwöhnisch, bevor er nachgab und mich in das einzige Zimmer führte.

Den Tisch zwischen uns, saßen wir uns auf den beiden Betten

gegenüber. Es gab noch einen Holzofen im Zimmer, mit einem eisernen Schürhaken daneben. Zeltas betrachtete mich mit dem kalten Blick eines Offiziers der Militärpolizei, der er früher gewesen war. Während wir uns unterhielten, mußte ich unwillkürlich daran denken, wie Taki, der ehemalige Partisan, mir die Folterung meiner Mutter durch einen Polizisten vor dem Gefängnis geschildert hatte: den Oberkörper weit nach hinten gebogen, während sein Knie ihr das Rückgrat zu brechen drohte. Bei dieser Erinnerung stieg wieder der alte, pochende Zorn in mir auf. Wenn Zeltas auch nur den geringsten Hinweis darauf gab, daß er es gewesen war, der sie gefoltert hatte, würde ich mich nicht mehr beherrschen können: Ich würde mich auf ihn stürzen und ihm genausoviel Schmerzen zufügen wie er damals ihr, das wußte ich. Mit einem Seitenblick musterte ich den Schürhaken neben dem Ofen, versuchte zu schätzen, wie weit ich die Hand ausstrecken mußte, um ihn zu ergreifen und als Waffe zu verwenden. Ich war froh, daß niemand da war, der mich hätte zurückhalten können.

Vielleicht las Zeltas mir diesen Plan an den Augen ab; jedenfalls begann er unruhig zu werden. Doch als ich ihm erklärte, wer ich war, und ihn nach seiner Zuständigkeit als Chef der Sicherheitspolizei von Lia fragte, klangen seine Antworten aufrichtig. Bei den Gesprächen sowohl mit Partisanen als auch mit Dörflern hatte ich festgestellt, daß jene, die die größte Schuld am Schicksal meiner Mutter trugen, ihre Unschuld am wortreichsten beteuerten und behaupteten, nicht nur meine Mutter nicht denunziert, sondern sogar alles in ihrer Macht Stehende getan zu haben, um ihr zu helfen. Zeltas jedoch hörte sich meine Fragen gelassen an, kramte in seinem Gedächtnis und sagte nur, daß er sich an meine Mutter nicht direkt erinnere, sondern nur daran, daß sich einige Zeit eine Frau im Gefängnis befunden habe, deren Ehemann in Amerika lebte. «Ich erinnere mich deswegen daran, weil auch mein Vater mehrere Jahre in Bristol, Connecticut, gelebt hat», erklärte er. «Ich erinnere mich, daß ich das dieser Frau erzählt habe, aber ich weiß nicht mehr, was aus ihr geworden ist.»

Dann setzte er noch hinzu: «Wissen Sie, ich war zwar zuständig für die Sicherheitspolizei von Lia, aber ich war überdies Hauptmann in einem dort stationierten Bataillon. Deswegen war ich zumeist unterwegs, Posten inspizieren und so weiter. Im Gefängnis war ich tatsächlich nur sehr selten.»

Ich erkundigte mich nach den Namen jener, die für die Folterungen und Hinrichtungen in Lia verantwortlich gewesen waren, und er sagte: «Verantwortlich für alles war das Hauptquartier. Niemand durfte ohne Ermächtigung des politischen Kommissars Koliyiannis verhaftet, gefoltert oder hingerichtet werden. Es konnte vorkommen, daß mit Genehmigung von Koliyiannis' Vertretern gefoltert wurde, aber nicht eine einzige Hinrichtung wurde vollstreckt, ohne daß er sie persönlich genehmigt hätte. Alle Berichte und Anklagen gingen an Koliyiannis, und er entschied, ob exekutiert wurde oder nicht. Koliyiannis' Richterspruch erging vor Prozeßbeginn. Dann wurde die Verhandlung inszeniert, um dem Ganzen einen legalen Anstrich zu geben. Ich hielt das damals nicht für richtig. Wir schadeten damit unserer eigenen Sache.»

Aufmerksam seine Augen beobachtend, beugte ich mich vor. «Sie sagen, Koliyiannis stützte seine Entscheidungen über Tod oder Freiheit auf die Berichte seiner Vertreter in Lia. Wer genau waren diese Vertreter?»

Zeltas antwortete ohne Zögern. «Es gab mehrere; der Hauptvertreter in Lia jedoch – der Untersuchungsrichter – war ein Mann, den wir Katis nannten.»

Endlich hatte ich die Bestätigung, die ich suchte.

Am 6. Dezember, dem Nikolaustag, flog ich von Thessaloniki zu meiner Familie nach Athen: Ich hatte sämtliche Spuren verfolgt, und meine Suche war beendet. Nun mußte ich überlegen, was ich mit Katis machen sollte.

Es stand jetzt über jeden Zweifel hinaus fest, daß Katis der Hauptschuldige am Tod meiner Mutter war. Kostas Koliyiannis, an der Spitze der Partisanenführung in Epirus, war es gewesen, der die taktische Linie festgelegt, der befohlen hatte, in jedem Dorf Zivilisten vor Gericht zu stellen und hinzurichten, um die Bevölkerung durch Terror zum Gehorsam zu zwingen. Aber Katis und Männer seines Niveaus – die Informationssammler und Untersuchungsrichter – waren es gewesen, die bestimmten, welche Personen in jedem Dorf zu diesem Zweck ausgewählt und für die politischen Ziele des Kommissars geopfert werden sollten.

Nun hatte ich alle Teile des Puzzles gefunden, das mich seit so vielen Jahren beschäftigte, ich mußte sie nur noch zu einem sinnvollen Bild zusammenfügen, um eine Antwort auf die Frage zu finden, die mich noch immer peinigte: Was sollte ich mit Katis machen? Was immer ich auch tun würde, wenn ich ihm gegenüberstand, eines war klar: Ich mußte handeln können, ohne befürchten zu müssen, daß meine Familie unter den Folgen zu leiden hatte. Also beschloß ich, sie in die Vereinigten Staaten zurückzuschicken. Den wahren Grund dafür verschwieg ich und sagte nur, meine Arbeit hier sei beendet.

Als der Möbelwagen kam, um unsere Sachen abzuholen, gehörte die Walther PPK nicht zum Umzugsgut. Ich hinterlegte sie bei einem vertrauenswürdigen Freund in Athen. Am Neujahrstag 1982 flogen wir in die Staaten zurück und richteten uns in Massachusetts in einem Haus ein, das wir dort besaßen.

Bald wurde mir klar, daß ich noch einmal nach Griechenland reisen mußte, um mit Katis abzurechnen, aber zuerst vertiefte ich mich in die Aufgabe, die letzten Kapitel der Geschichte meiner Mutter zu schreiben: von ihrer Gerichtsverhandlung, ihrer Folterung und ihrer Hinrichtung. Während ich diese Geschehnisse zu Papier brachte, hoffte ich mir darüber klar zu werden, was ich tun wollte. Es waren einsame, schmerzliche Monate im tiefsten New-England-Winter, in denen ich die Qual ihrer letzten Tage nachvollzog.

Als ich dann fertig war, hatte ich wenigstens eins meiner Ziele erreicht: Ich hatte meine Mutter wirklich kennengelernt, in allen Dimensionen, und nicht nur aus der Sicht meiner Kindheitserinnerungen.

Bis der Krieg ihr das zu nehmen drohte, was ihr das Liebste auf der Welt war – ihre Kinder –, war sie eine ganz normale Bäuerin gewesen, mit allen Zweifeln, Ängsten und Vorurteilen, die für ihre Erziehung und ihre primitive Umgebung typisch waren. Doch als sie sich in einer Zwickmühle gefangen und ihre Familie von der Vernichtung bedroht sah, entwickelte sie einen klaren Blick für das, was sie zu tun hatte, und dazu die Kraft, es auch zu tun.

Das war ihr *kairos*, ihr entscheidender Augenblick, und jetzt näherte sich der meine. Als mein Puzzle Gestalt anzunehmen begann, kam es mir vor, als wäre Katis eigens am Leben gelassen worden, um mich auf die Probe zu stellen. Alle anderen Verantwortlichen für den Tod meiner Mutter waren inzwischen tot und unerreichbar für mich oder, wie ich bei der Suche nach den Dörflern erfuhr, die sie denunziert hatten, nicht Hauptakteure im Drama ihres Todes, sondern Schwächlinge, die von den Partisanen manipuliert worden waren, Menschen, die nicht Strafe, sondern Verachtung verdienten.

Doch Katis ragte so einsam aus allen heraus wie ein Leuchtturm und zog mich unwiderstehlich an. Er hatte sich eindeutig als der einzige Hauptverantwortliche für die Leiden meiner Mutter erwiesen, der noch am Leben war. Soviel ich wußte, hatte er für seine Verbrechen nicht gebüßt und würde für sie wohl auch nicht mehr büßen müssen, falls ich nicht etwas gegen ihn unternahm.

Im März erhielt ich mitten in der Nacht einen Anruf mit der Nachricht, daß meine Tante Nitsa, die so viele Jahre lang ihren Tod prophezeit hatte, unerwartet in Lia gestorben war.

Obwohl ich stets einen tiefen Groll gegen Nitsa gehegt hatte – wäre sie zur Erntehilfe gegangen, hätte sie meine Mutter retten können –, war sie für mich doch jahrelang die einzige Verbindung zur Familie meiner Mutter und meinem Heimatdorf gewesen. Daher war es schmerzlich für mich, das Haus meines Großvaters leer vorzufinden: Ich vermißte die komische Art, wie sie niemals ein Blatt vor den Mund zu nehmen pflegte.

Während der Jahre in Athen hatte ich Nitsa nahezu jeden Monat besucht, und sie hatte in mir allmählich den Sohn gesehen, den sie nie haben konnte. Jetzt gab es nur noch meinen dreiundachtzigjährigen Onkel Andreas, nach neunundfünfzigjähriger Ehe völlig hilflos und verwaist. Neun Tage, bis zum Gedenkgottesdienst für meine Tante, blieb ich bei ihm und versuchte ihn zu trösten, wie er mich an dem Tag getröstet hatte, da ich vom Tod meiner Mutter erfuhr. Am zehnten Tag fuhr ich nach Ioannina hinunter, um den Grabstein abzuholen, den ich für Nitsas Grab bestellt hatte.

Nachdem ich die Werkstatt des Steinmetzen im Zentrum von Ioannina wieder verlassen hatte, wanderte ich ziellos umher und stand plötzlich vor dem Haus Napoleon-Zervas-Straße 46, dem Haus, in dem Katis wohnen sollte. Doch dort, wo sein Name gestanden hatte, klebte nur ein Stück Papier. Ein eisernes Band legte sich um meine Brust bei dem Gedanken daran, daß Katis mir entkommen war, während ich unsere Begegnung immer wieder aufgeschoben hatte. In meiner Panik wartete ich nicht erst auf den Lift, sondern jagte die vier Treppen zu seiner Wohnung hinauf und drückte auf die Klingel. Als niemand öffnete, klingelte ich an den Türen links und rechts von der seinen. Heftig keuchend jagte ich die Treppe wieder hinab und wandte mich an eine junge Frau, die im Hauseingang mit einem Lieferanten sprach. «Was ist aus dem Lykas geworden, der im vierten Stock gewohnt hat?» keuchte ich.

Sie musterte mich neugierig und kam zu dem Schluß, daß ich wohl harmlos sei: nur ein exzentrischer Ausländer.

«Der ist nach Konitsa zurück, wo er herkam», antwortete sie. «Er hat sich dort einen Alterssitz gebaut.»

Zum Glück hatte ich einen Bekannten in Konitsa, den ich anrief und fragte, ob er Achilleas Lykas kenne. Wie die meisten Ortschaften Nordgriechenlands ist Konitsa so klein, daß dort jeder jeden kennt. Wie mein Freund mir berichtete, wohnte Lykas tatsächlich dort, und zwar in einem neu erbauten Haus mit Frau, Tochter und Schwiegersohn, einem in Konitsa stationierten Berufsoffizier. «Doch falls du Lykas aufsuchen willst», setzte er noch hinzu, «der ist im Augenblick nicht hier. Er ist geschäftlich in Athen.»

Katis allein, ohne seine Familie in Athen – das paßte großartig in meine Pläne. Ich mußte herausfinden, wo er abgestiegen war. Deswegen rief ich einen Verwandten an, der wie Katis' Schwiegersohn Offizier in Nordgriechenland war. Ich bat meinen Verwandten, den jungen Mann anzurufen und ihm zu sagen, ein Freund aus Amerika, der an einem Buch über den Bürgerkrieg schreibe, sei in Athen und wolle seinen Schwiegervater interviewen. Um zu verhüten, daß Katis mißtrauisch wurde, trug ich ihm außerdem auf, die Namen anderer prominenter Partisanen zu erwähnen, die ich interviewt hatte, und zu erklären, daß ich im Hotel Caravel wohne. Kurz darauf rief mein Verwandter zurück. Der Schwiegersohn wisse nicht, wo Katis abgestiegen sei, habe aber versprochen, dem Schwiegervater meine Bitte auszurichten, sobald er sich zu Hause melde.

In Athen nahm ich ein Zimmer im Caravel und holte die Pistole ab, die ich hier zurückgelassen hatte. Dann konnte ich nichts mehr weiter tun, als auf meinem Zimmer zu sitzen und auf Katis' Anruf zu warten.

Von Zeit zu Zeit kontrollierte und reinigte ich die Pistole und überprüfte sorgfältig die Feder, um sicherzugehen, daß sie funktioniere. Ich richtete es so ein, daß ich das Zimmer nur zwischen halb drei und halb sechs Uhr nachmittags verließ, während der Siesta, in der die Griechen weder telefonieren noch Besuche machen. Da ich vor Unruhe nicht schlafen konnte, setzte ich mich täglich um halb drei in meinen Mietwagen und fuhr los: immer wieder nach Norden, zu den sanft ansteigenden Hängen des Imittos, eine grün bewaldete, einsame Gegend nicht weit von meinem Hotel entfernt.

Am ersten Nachmittag meines Wartens fuhr ich die Straße hinauf, die sich um den Berg herumwindet und am von Zypressen umgebenen Kloster Kaisariani vorbeiführt, das auf dem Platz erbaut wurde, an dem früher der antike Tempel der Aphrodite stand. Und hinter einer Kurve kam ich an einen Punkt, der unerwartet eine herrliche Aussicht auf die Stadt unten bot.

Die Hänge ringsum hatten sich in den österlichen Farben des Flieders, des roten Mohns und der gelben Narzissen geschmückt. Die Luft war schwer vom Duft nach Thymian, Lavendel und Klee. Auf dem Berggipfel ragte dort, wo einst eine Zeus-Statue gestanden hatte, eine Radarstation empor. Wie ich wußte, waren in den abgeschiedenen Schluchten des Imittos während der deutschen Besatzung Geiseln hingerichtet und verscharrt worden. Und als ich dort saß, gestand ich mir zum erstenmal ein, warum ich auf den Imittos gefahren war: Ich suchte nach einem Platz, an dem ich Katis' Leiche loswerden konnte.

Während der Freitag und der Samstag vergingen und mit dem Palmsonntag die Osterwoche begann, fuhr ich jeden Nachmittag auf den Berg. Nach und nach begann mein Plan beinahe ohne mein Zutun Gestalt anzunehmen. Wenn Katis mich anrief, wollte ich ihn auffordern, zur üblichen Besuchsstunde, gegen halb sieben, unmittelbar nach der Siesta, zu mir ins Hotel zu kommen. Ich wollte ihm Fragen stellen über den Bürgerkrieg und den Prozeß gegen die vier bei Povla gefangengenommenen Offiziere, den wichtigsten all seiner Prozesse. Ich wollte die Fragen so formulieren, daß sie seinem Ego schmeichelten und jeden Argwohn beseitigten, den er möglicherweise hegte. Dann wollte ich mich erbieten, ihn dahin zurückzufahren, wo er in Athen abgestiegen war.

Saß Katis erst einmal im Wagen, war es nur eine Frage von wenigen Minuten, bis wir auf dem Imittos waren. Fragte er mich, wohin wir fuhren, wollte ich antworten, er habe mir noch nicht alles gesagt, was ich von ihm wissen wolle. Etwa bei Sonnenuntergang würden wir am Imittos sein. Die Straße den Berg hinauf wurde bei Einbruch der Dunkelheit für die Öffentlichkeit gesperrt, aber ich war oft genug um das Schild in der Straßenmitte herumgefahren, um den Blick auf die Stadt bei Nacht zu bewundern, und nie einem Polizeiauto begegnet, das mich angehalten hätte.

In der Einsamkeit des Imittos bei Nacht wollte ich Katis nach seiner Rolle bei der Hinrichtung meiner Mutter fragen. Und dann wollte ich ihn töten und seinen Leichnam, mit Steinen und Ästen bedeckt, in einer Schlucht liegen lassen, wie man es mit meiner Mutter gemacht hatte. Anschließend wollte ich direkt zum Flughafen fahren und die erstbeste Maschine nach irgendwo nehmen. Bis der Tote gefunden wurde, hätte ich Griechenland weit hinter mir gelassen.

Nachdem mein Plan nun also feststand, fiel mir das Warten mit jedem Tag schwerer. Als mein Verwandter beim Militär Katis' Schwiegersohn noch einmal anrief, hörte er, der junge Mann habe meine Nachricht, sein Schwiegervater solle mich im Caravel anrufen, weitergegeben. Meine Ungeduld wuchs, und ich fragte mich, ob Katis vielleicht etwas argwöhnte. Während die Karwoche dahinkroch, sank meine Hoffnung immer mehr. Spätestens am Karfreitag würde jeder Grieche nach Hause zurückgekehrt sein, um die höchsten Feiertage der Osterzeit mit seiner Familie zu begehen. Am Mittwoch vor Ostern rief ich meinen Freund in Konitsa an. Auf meine Frage teilte er mir beiläufig mit, Katis sei bereits aus Athen zurück. Verzweifelt legte ich den Hörer auf. All meine Vorbereitungen waren umsonst gewesen. Katis hatte meine Nachricht ignoriert, und nun mußte ich ihn in seinem eigenen Revier stellen.

Am folgenden Tag, dem Gründonnerstag, an dem in jedem griechischen Haushalt Eier in der Farbe von Christi Blut eingefärbt werden, nahm ich die erste Maschine nach Ioannina, wo ich gegen zehn Uhr vormittags eintraf. Sofort machte ich mich auf die Fahrt nach Konitsa. Seit Monaten schon hatte ich mir einen Bart stehen lassen, der außen grau meliert war. Dadurch und weil ich meinen seriösesten blauen Anzug mitsamt einer Krawatte trug, wirkte ich älter als zweiundvierzig und würde, sobald ich mich rasiert und Bluejeans angezogen hatte, vollkommen verändert aussehen.

Am Ortsrand von Konitsa hielt ich an und steckte mir die Pistole auf dem Rücken in den Gürtel, wo sie unter dem Jackett nicht zu sehen war. Außerdem schob ich mir ein Tonbandgerät von der Größe einer Zigarettenschachtel in den rechten Strumpf. Als Enthüllungsjournalist hatte ich bei Interviews mit Kriminellen und Informanten diesen Minirecorder schon häufig benutzt. Es war ein hochempfindliches Gerät mit einer Laufzeit von einer Stunde. Wenn ich die Beine übereinanderschlug, konnte ich es durch den Stoff meiner Hose an- und abschalten, ohne daß jemand etwas davon merkte. Ich wollte mein Gespräch mit Katis aufzeichnen, wie immer es auch enden mochte.

Zwischen Ioannina und Konitsa gibt es nur eine einzige Autostraße, die anschließend nach Kastoria weiterführt. Konitsa liegt am Abhang von Hügeln, die in Terrassen über der Straße emporsteigen, und seine Häuser blicken ins Tal des Aoos-Flusses hinab. Um zum Haus von Achilleas Lykas – Katis – zu gelangen, mußte man einer kurvenreichen schmalen Straße folgen, die von der großen Autostraße abbog und sich allmählich den Berg hinaufwand.

Lykas' Haus lag fast am höchsten Punkt des Dorfes, ein schneeweißes, zweistöckiges Gebäude mit Steinmauern und einer Holztür mit Rundbogen als Haupteingang. Als ich klingelte, hörte ich eine Stimme von oben fragen: «Wer ist da?» Ich hob den Kopf und sah eine hübsche, dunkelhaarige Frau in den Dreißigern, die sich aus einem Fenster des ersten Stockes beugte. Als ich meinen Namen nannte, antwortete sie: «Ach ja, Sie wollen meinen Vater sprechen. Meine Mutter wird Ihnen aufmachen.»

Geöffnet wurde mir von einer molligeren, älteren Version der Tochter, einer Frau etwa Ende fünfzig mit kastanienbraun gefärbtem Haar und olivfarbener Haut in einem schlichten, aber eleganten braunen Kleid. Sie begrüßte mich gastfreundlich und führte mich eine Marmortreppe hinauf ins Wohnzimmer im Oberstock. Rechts sah ich einen langen Flur, der offenbar zu den Schlafzimmern führte. Das geräumige Wohnzimmer war mit holzgeschnitzten Möbeln, griechischen Teppichen in leuchtenden Farben und Produkten einheimischer Handwerkskunst eingerichtet. Der Holzfußboden glänzte wie frisch gebohnert. Alles war neu, aber harmonisch der traditionellen Architektur der Ortschaft angepaßt. Ich fragte mich, wie Katis, ein arbeitsloser ehemaliger kommunistischer Friedensrichter, in einem so luxuriösen Stil leben konnte.

Die Frau entschuldigte sich für die Verspätung ihres Mannes – er habe geschlafen und müsse sich erst anziehen. Während wir warteten, kredenzte sie mir Ouzo und eine Tasse griechischen Kaffee und erkundigte sich höflich, aber hartnäckig nach meiner Herkunft. Ich erklärte ihr, daß ich in den Vereinigten Staaten geboren sei und meine Eltern aus der griechischen Stadt Finiki stammten.

Von irgendwoher drangen die Geräusche brutzelnder Speisen und das Geplapper eines Kleinkindes herüber. Ich verfluchte mein Pech, Lykas in Gesellschaft seiner Frau, seiner Tochter und seiner Enkel anzutreffen. Der Wunsch, Katis Schmerz zuzufügen, fraß an mir wie ein Geschwür, doch Frauen und Kinder quälen wollte ich nicht.

Lykas' Auftritt war beeindruckend. Er war größer, als ich es erwartet hatte, und trug trotz der Hitze einen schweren grauen Anzug. Die Weste, die über dem kleinen Bauch offenstand, und die Tatsache, daß er sich die Jacke lässig über die Schultern gehängt hatte, verliehen seiner Erscheinung etwas Elastisches, Militärisches. Er bewegte sich mit gestrafften Schultern und vorgedrücktem Bauch, die langen Beine ganz leicht in den Knien geknickt. Obwohl er achtundsiebzig Jahre zählte, waren seine Arme noch muskulös und seine Augen scharf; seine Haltung jedoch war die eines alten Mannes. Das weiße Haar trug er in militärischem Bürstenschnitt. Da die Dörfler Katis als während des Krieges grauhaarig beschrieben hatten, obwohl er damals höchstens Anfang vierzig gewesen sein konnte, hatte ich eigentlich erwartet, daß er jetzt älter wirken würde. Die Hakennase war zu seinem auffallendsten Merkmal geworden, und unter der Haut und am Schädel sah man die Muskeln und Sehnen arbeiten. Links hatte er mehrere Zahnlücken, durch die sein Gesicht irgendwie komisch und schief wirkte, ein Eindruck, der jedoch sofort verschwand, wenn er zu sprechen begann. Seine Stimme war einschmeichelnd, aber ein bißchen nasal, und die Zahnlücken beeinträchtigten seine Artikulation, so daß es klang, als spreche er mit vollem Mund.

Er stellte sich betont würdevoll vor und gab mir die Hand. Dann setzte er sich auf einen Stuhl mir gegenüber und begann mich über meine Nachforschungen auszufragen, als wolle er feststellen, ob ich wirklich seriös arbeitete. Meine Auskünfte schienen ihn zu befriedigen. Wie ich bemerkte, schenkte seine Frau ihm keine Beachtung und tat, als sei er überhaupt nicht vorhanden: Die Spannung zwischen ihnen war fast greifbar.

«Und was kann ich für Sie tun?» erkundigte sich Katis. Zunächst erklärte ich ihm, daß ich seine weitreichenden Erfahrungen für ein Buch brauche, das ich gerade schreibe, hauptsächlich über das Thema der Militärjustiz in der DAG. Ich fragte ihn nach der Verhandlung gegen die vier nach der Schlacht um die Murgana bei Povla gefangenen und in Tsamanta vor Gericht gestellten Offiziere. Er gab zu, dabei der vorsitzende Richter gewesen zu sein. «Hören Sie, Niko», sagte er mit ernster Miene. «Sagten Sie nicht, Ihr Name sei Nicholas? Ganz gleich, wen wir vor Gericht gestellt haben – jedesmal wurden die Akten in der Hoffnung zum Hauptquartier geschickt, daß das Urteil gemildert würde. Von diesem Augenblick an waren wir nicht mehr verantwortlich. In dem von Ihnen erwähnten Fall gab es vier Richter

501

und einen Ankläger – Iorgos Anagnostakis, der inzwischen an Krebs gestorben ist, Und Grigori Pappas, den Untersuchungsrichter.» Er meinte den Mann, der bei der Verhandlung gegen meine Mutter der dritte Richter gewesen war. «Er ist in Taschkent gestorben.»

Seine Frau hob den Kopf. «Woher kam der?» fragte sie kriegerisch. «Er muß genauso ein Schlaumeier gewesen sein wie du.»

«Laß uns in Ruhe, ja?» fuhr Lykas sie an und erklärte mir sogleich: «Sie ist nervös. Wir waren zu lange getrennt. Zwölf Jahre.»

«Zwölf?» rief seine Frau wütend. «Siebzehn waren es! Meine Tochter war erst einen Monat alt. Die Welt befreien wollte er, mein großer Held!» ergänzte sie verächtlich.

«Wirst du aufhören?» schimpfte Katis mit erhobener Stimme. «Wirst du mich endlich mit diesem Mann reden lassen? Oder sollen wir aufstehen und gehen? Wir wissen alles über deine Leiden! Du brauchst sie uns nicht immer wieder unter die Nase zu reiben!»

Katis begann mir zu erzählen, wie er 1945 in die Berge gegangen sei, um sich den Partisanen anzuschließen. Er war in Konitsa Friedensrichter gewesen und nach dem Krieg von Spitzeln als Sympathisant der ELAS identifiziert worden. Aus Angst, man würde ihn ins Gefängnis stecken oder ihm noch Schlimmeres antun, ging er zur DAG. Ich brachte ihn auf das Thema der vier hingerichteten Offiziere zurück, und er wiederholte, als vorsitzender Richter habe er sie in der Hoffnung verurteilt, man werde sie begnadigen. «Wir haben nur das Urteil verkündet, das man uns vorgeschrieben hat», ergänzte er. «Die Verantwortung für das Schicksal der vier Männer lag bei Koliyiannis.»

Ich fragte ihn, ob die Angeklagten jemanden gehabt hätten, der sie vor Gericht vertreten konnte, einen Rechtsanwalt, einen Verteidiger. «Rechtsanwalt?» fragte Katis mit kurzem Auflachen. «Was glauben Sie denn, wo wir waren? Das war ein Militärgericht, dort in den Bergen.»

Es gebe noch einen anderen Zwischenfall, nach dem ich ihn fragen wolle, erklärte ich und stellte fest, daß ich um so langsamer sprach, je mehr ich mich dem kritischen Punkt näherte. «Es gab da in Lia einen Prozeß gegen Zivilisten, an dem Sie teilgenommen haben –»

«Nein, nein!» unterbrach er mich, bevor ich den Satz beenden konnte. «Gegen Zivilisten habe ich nicht verhandelt.»

«Aber es waren dreihundert Einwohner dabei», wandte ich ein. «Sie können sich alle an Sie erinnern.»

Er wurde nervös und begann zu leugnen, bevor ich meine Fragen gestellt hatte. «Die Leute irren sich», behauptete er. «Sie müssen sich irren. Ich habe nie gegen Zivilisten verhandelt.»

«Das ganze Dorf erinnert sich an Katis», sagte ich nachdrücklich. «Hat man Sie damals nicht Katis genannt?»

«Nein, nein. Ich hatte kein Pseudonym.»

«Alle Partisanen, mit denen ich gesprochen habe, erklärten mir, Sie seien Katis genannt worden. Ihre Freunde haben mir bestätigt, daß ‹Katis› der Name für Achilleas Lykas aus Konitsa gewesen sei. Jetzt wollen Sie mir erzählen, daß Sie den Namen nie benutzt haben?»

Er richtete sich auf. «Ich habe nichts mit einem Katis zu tun», sagte er abwinkend. «Tatsache ist, daß all jene Fälle im Hauptquartier von Koliyiannis entschieden wurden. Nur er, kein anderer, ist verantwortlich. Kalianesis, der Stabschef, nicht. Chimaros, der Militärkommandeur, nicht. Das Militärgericht nicht. Wir haben nur unsere Pflicht getan und jeden unter der Voraussetzung verurteilt, daß er begnadigt würde.»

Unvermittelt stand er auf. «Das wär's», erklärte er, die Inkarnation richterlicher Würde. «Haben wir sonst noch etwas zu besprechen?»

Seine Arroganz machte mich rasend. «Wollen Sie denn niemals die Wahrheit zugeben?» fuhr ich ihn an.

«Das ist die Wahrheit!» behauptete er achselzuckend. «Was glauben Sie denn, was ich Ihnen erzähle – Lügen?»

Während ich versuchte, meine Gedanken zu ordnen, begann ich sehr langsam und sehr betont zu sprechen. Mein Haß auf diesen Mann drohte meine festgelegte Fragenfolge durcheinanderzubringen. «Hören Sie, Lykas», sagte ich beherrscht. «Ich bin von weit her gekommen, um mit Ihnen zu sprechen, und wie Sie sich vorstellen können, habe ich mit sehr vielen Leuten gesprochen. Ich bin über alles informiert, was geschehen ist, und will von Ihnen keine Lügen mehr hören –»

Unvermittelt wurde ich von seiner Frau unterbrochen. «Hör auf das, was er sagt», warnte sie ihn.

Katis warf ihr einen Blick zu und ließ sich mit gequälter Miene wieder auf seinem Stuhl nieder. «Ich höre.»

«In Lia», begann ich, obwohl mir inzwischen das Atmen schwerfiel, «fand ein Prozeß gegen fünf Personen statt: den Dorfvorsteher, seinen achtzehnjährigen Neffen, einen anderen, siebenundfünfzigjährigen Mann –»

«Ich sagte Ihnen doch —»

«Warten Sie —»

«Sie brauchen mir nichts zu sagen!» fuhr er auf. «Von mir aus können Sie behaupten, ich hätte gegen fünfzig Personen verhandelt. Wenn es das ist, was Sie wollen, werde ich Ihnen nichts in den Weg legen —»

«Werden Sie mich jetzt ausreden lassen?»

«Nein!» schrie er, immer noch darauf aus, mich loszuwerden. «Das werde ich nicht! Weil Sie nämlich Dinge behaupten, die Sie nicht beweisen können! Die einzigen Angeklagten, die ich jemals verurteilt habe, sind die erwähnten Offiziere!»

«In Lia wurden fünf Personen hingerichtet», fuhr ich hartnäckig fort. Ich war entschlossen, alles zu sagen, sooft er mich auch daran zu hindern versuchte. «Drei Männer und zwei Frauen. Die Verhandlung begann auf dem Dorfplatz und wurde wegen heftigen Artilleriefeuers vom Großen Bergrücken in eine durch Bäume geschützte Schlucht oberhalb des Dorfes verlegt —»

«Ich weiß nichts von einem Großen Bergrücken oder von einem Militärgericht, das von einem Platz auf einen anderen verlegt worden sein soll», fuhr er auf.

«Und ich weiß, daß Sie lügen, weil Sie nämlich —»

«Sie werden mir nichts mehr erzählen, denn unser Gespräch ist jetzt beendet!»

«Sie weichen mir aus!» Nun schrie ich auch.

Seine Stimme überschlug sich fast. «Haben Sie nicht gehört? Was ich Ihnen gesagt habe, ist die Wahrheit! Weiter habe ich nichts zu sagen. Es ist erledigt. Vorbei!»

«Für mich ist es noch nicht vorbei», gab ich zurück.

Inzwischen schien er etwas zu ahnen. «Kann natürlich sein, daß es für Sie noch nicht vorbei ist», sagte er gleichgültig, «denn ich weiß nicht, wer Sie sind und was Sie gegen mich haben, oder ob Sie vielleicht ein Familienmitglied haben, das zu den Opfern damals gehörte.»

Seine Frau blickte, erstaunt über das, was sich in ihrem Wohnzimmer abspielte, von meinem Gesicht zu dem seinen.

«Das habe ich allerdings», bestätigte ich nickend. «Und Sie waren schuld daran. Ich war damals neun Jahre alt, und Sie haben meine Mutter verhaftet und sie am einundzwanzigsten August vor den Augen des ganzen Dorfes zum Tode verurteilt. Alle waren sie dabei.

Am achtundzwanzigsten wurde sie dann an einen Platz oberhalb des Dorfes geführt und erschossen –»

«Hören Sie, Nikola», unterbrach mich Katis.

«– und jetzt tun Sie so, als wüßten Sie von nichts!» beendete ich meinen Satz. «Warum sagen Sie nicht die Wahrheit? Warum müssen Sie jetzt noch lügen?»

Katis versuchte mich zu beschwichtigen. «Warum gehen Sie nicht vor Gericht?» fragte er. «Warum beschreiten Sie nicht den Rechtsweg –»

«Sie kennen die Gesetze», fiel ich ihm ins Wort. «Sie wissen genau, daß jene Verbrechen nach dreißig Jahren verjährt sind – sogar Mord.»

Katis richtete sich eiskalt auf. «Das ist Ihre Sache», gab er zurück. «Der einzige Prozeß, den ich geleitet habe, war der gegen die Offiziere. Das habe ich Ihnen doch erklärt.»

Vor Wut begann ich allmählich zu stottern. «Ich möchte Ihnen eine Frage stellen.»

«Ja, bitte?»

«Am letzten Lebenstag meiner Mutter, am achtundzwanzigsten August, haben Sie einer meiner Schwestern erlaubt, sie ein letztes Mal zu besuchen.» Ich versuchte ihm den Augenblick ins Gedächtnis zu rufen, da meine Mutter für Glykeria gebeten hatte, fand es jedoch schwierig, die Sätze zu formulieren.

«Ja?» half er mir weiter.

«Eleni Gatzoyiannis. Ihr Name war Eleni Gatzoyiannis.»

«Eleni Gatzoyiannis», wiederholte er mit gerunzelter Stirn. «Ich habe nie von ihr gehört. Vielleicht ist sie von anderen verurteilt worden. Ich weiß nichts davon.»

«Sie hatten den Vorsitz», sagte ich.

«Ich habe nie gegen eine Frau verhandelt», behauptete er. «Ich meine es wirklich ernst. Dies ist keine Sache, die man –»

Seine Frau unterbrach ihn mit unsicherer Miene. «Vielleicht irren Sie sich», wandte sie sich an mich.

«Bei der Verhandlung waren dreihundert Personen anwesend», erwiderte ich. «Lügen die vielleicht alle?»

Katis schüttelte den Kopf. «Ich erinnere mich an keine Verhandlung, bei der mehr als fünfzig Personen anwesend waren. Ich weiß noch, daß da eine Frau in Presba war ...»

Und er begann mir von einem Prozeß in Vitsi zu erzählen, wo er angeblich eine Frau vor dem Todesurteil gerettet hatte, aber ich wollte ihn nicht ausreden lassen oder mir auch nur die Mühe machen, ihn darauf hinzuweisen, daß er sich selbst widersprach, weil er doch behauptet hatte, nur bei einem einzigen Prozeß den Vorsitz geführt zu haben. Ich war entschlossen, den letzten Akt im Leben meiner Mutter zur Sprache zu bringen, in dem er eine Hauptrolle gespielt hatte.

«Und an dem Tag, an dem meine Mutter starb –» sagte ich.

«Machen Sie mich doch nicht für den Tod einer Frau verantwortlich!» schrie Katis. «Ich fühle mich beleidigt!»

«Beleidigt? Sie haben meine Mutter getötet!»

«Ich habe nichts damit zu tun!» Jetzt sprach er wieder in seinem alten, überheblichen Ton.

«Sie sind verantwortlich dafür!»

«Ich bitte Sie! Ich hatte nie etwas mit einem Prozeß gegen Frauen zu tun!»

«Ich kann Ihnen Dutzende von Zeugen beibringen.»

«Ich hatte mit dem Prozeß gegen diese Offiziere zu tun, ja. Aber gegen Eleni Gatzoyiannis habe ich niemals verhandelt», wiederholte er. «Sie müssen herausfinden, wer das war.»

«Ich *habe* ihn gefunden!» schrie ich ihn an. Unwillkürlich wanderte meine Hand auf den Rücken, zu der Pistole, die sich hart und kalt in meine Handfläche schmiegte. «Dreihundert Personen können nicht alle lügen!»

«Man hat Sie falsch informiert, mein Freund», beharrte Katis. «Ich war nicht lange in der Murgana. Als die Murgana fiel, bin ich fort, zum Grammos und nach Vitsi.»

«Das war am sechzehnten September», sagte ich.

«Genau.» Er nickte.

«Meine Mutter wurde am einundzwanzigsten August verurteilt und am achtundzwanzigsten August hingerichtet.»

Katis stieß ein heiseres Lachen aus, ein Geräusch, das in dem stillen Zimmer widerhallte. «Unmöglich!» sagte er. «Damals bereiteten wir die Evakuierung vor.»

«Wollen Sie mir damit sagen, daß meine Mutter gar nicht erschossen wurde?» fragte ich ihn mit lauter werdender Stimme. «Daß sie noch lebt?» Ich wandte mich an seine Frau, deren Miene verriet, daß sie allmählich begriff, was ich da sagte, und es voll Grauen als Wahrheit erkannte. «Man hat sie in die Schlucht hinaufgeführt», sagte ich zu ihr gewandt, um sein Gesicht nicht sehen zu müssen, das vor

Haß völlig verzerrt war. «Dort oben hat man sie alle erschossen und in einen Graben geworfen, ohne sie richtig zu beerdigen.» Ich drehte mich wieder zu Katis um, der immer wieder stammelte: «Hören Sie doch! So hören Sie doch!»

«Und als mein Großvater hinaufging, um ihren Leichnam zu suchen ...»

In diesem Moment ließ mich meine Stimme im Stich, und ich brachte kein Wort mehr heraus. Meine Hand lag am Griff der Pistole, und während ich sprach, schossen mir Bilder durch den Kopf, wie eine Dia-Vorführung in rasendem Tempo: der Leichnam meiner Mutter, das Gesicht meines Sohnes, der jetzt so alt war wie ich damals, als meine Mutter erschossen wurde.

Jetzt wußte ich endgültig, daß ich Katis umbringen mußte. Aber der logische Teil meines Verstandes sagte mir, daß nur eine einzige Straße aus Konitsa hinausführte. Um eine Fluchtchance zu haben, würde ich also auch Katis' Frau umbringen müssen, die mir voll Mitgefühl zugehört hatte, und seine Tochter, die sich mit ihrem Kind irgendwo in der Nähe aufhielt. Denn tötete ich nur ihn allein, würden die Frauen die Polizei rufen und mich verhaften lassen, noch ehe ich Konitsa verlassen hatte.

Während wir diskutierten, hatte ich Zeit gehabt, mich zu fragen, was aus meinen Kindern werden sollte. Dieser Gedanke hielt mich zurück. Ich wollte ihn reizen, bis er sich auf mich stürzte. Eine einzige Berührung seiner Hand würde meinen Verstand lahmlegen und mich in Aktion bringen. Ich brauchte einen Anstoß, der mich über jede Logik hinauskatapultierte, so daß ich einfach alles vergaß und nur noch meinen Haß spürte. Wenn er mich angriff, das wußte ich, wäre ich fähig, ihn ohne Rücksicht auf die Folgen zu erschießen, und mich verlangte verzweifelt nach dem Anblick seines Blutes, das den Teppich unter unseren Füßen tränken würde.

Die Vorstellung, wie mein Großvater den Leichnam meiner Mutter exhumierte, machte mich rasend, und nun wichen die Worte endlich den Taten: Ich sprang auf und spie ihn an. Mein Speichel genügte, um sein verzerrtes Gesicht zu bedecken und auf sein fleckenloses Hemd samt Weste zu tropfen. Jemanden anzuspucken, ist in Griechenland die allerschlimmste Beleidigung, schlimmer noch als selbst die scheußlichste verbale Beschimpfung, schlimmer als eine Ohrfeige oder ein Hieb. Katis sprang auf und war sekundenlang wieder der Partisanenrichter auf dem Gipfel seiner Kraft und Macht. «Sie haben mich angespuckt! Mich! Wissen Sie eigentlich, wer ich bin?» brüllte er. Ich wartete auf seinen Fausthieb, um ihn mit meiner Pistole beantworten zu können. Doch seine Frau warf sich dazwischen. Vielleicht hatte sie gesehen, daß meine Hand hinten am Gürtel lag, vielleicht auch nicht. Mit ihrer schrillen Stimme durchbrach sie den Augenblick frostigen Schweigens, in dem wir einander konfrontierten.

«Achilleas! Halt! Rühr dich nicht!» schrie sie entsetzt.

Ganz langsam öffnete er die Fäuste und sank auf seinen Stuhl zurück, während mein Speichel von seinem Gesicht tropfte.

Der Augenblick war vorüber. Er war wieder ein alter, in sich zusammengesunkener Mann, während seine Frau erregt gestikulierend vor ihm stand. Von dem Lärm angelockt, erschien seine Tochter an der Tür. «Was ist los?» rief sie neugierig. «Was geht hier vor?»

Ich wandte mich zu ihr um. «Meine Mutter wurde ermordet», erklärte ich ihr. «Und Ihr Vater war dafür verantwortlich.»

Sie sah mich an, als verstehe sie endlich. «Ach so, deswegen sind Sie gekommen», sagte sie.

«Ja, deswegen», bestätigte ich und ging zur Tür. Als ich die Tür mit einem Geräusch wie der Pistolenschuß, auf den ich mich vorbereitet hatte, ins Schloß warf, hörte ich immer noch die erregte Stimme von Katis' Frau. Der Augenblick war vorbei, und ich hatte ihn nicht genutzt.

Auf meinem Tonband ist kein anderes Geräusch mehr zu hören als der eilige Takt meiner Schritte auf dem Kies, weiter und weiter ...

Als ich nach Ioannina zurückfuhr, wirkte die besonnte Landschaft irgendwie verändert auf mich: verzerrt, als liege sie unter Wasser. Ich war krank vor Enttäuschung. Ich hatte Katis ins Gesicht gesehen, und er lebte immer noch. Ich hatte in der Hitze meiner Gefühle gehandelt, im kritischen Moment jedoch hatte mich irgend etwas zurückgehalten. Hätte er sich auf mich gestürzt, ich hätte ihn erschossen, das wußte ich. Jetzt aber war ich um die Genugtuung betrogen worden, die ich seit so langer Zeit suchte. Der Schmerz, der mich an seine Tür geführt hatte, war stärker denn je.

Ich zweifelte nicht im geringsten daran, daß Katis den Tod verdient hatte. Ich war fest überzeugt, daß er sich in den Jahren seit dem Todesurteil gegen meine Mutter kein bißchen verändert hatte. Ich hatte ja seine Arroganz erlebt, als er auf mich zukam, und in seinen Augen die kalte Gleichgültigkeit des Killers gesehen.

Ich schwor mir, ihn noch einmal zu stellen, sobald es mir wieder möglich war, emotionslos und ohne Angst vor dem Eingreifen seiner Familie zu handeln. Und das tat ich.

Es war vier Monate später, im Hafen von Igumenitsa am Ionischen Meer, wo Katis, wie ich erfuhr, zusammen mit seiner Familie eine Ferienwohnung für den Sommer gemietet hatte. Ich wartete vor dem Haus, bis seine Frau, seine Tochter, sein Schwiegersohn und zwei Enkel die Wohnung verließen und sich zum Baden an den Strand begaben. Ich hatte mir inzwischen den Bart abrasiert, und seine Frau ging an mir vorbei, ohne mich zu erkennen.

In der Gewißheit, daß Katis allein war, verschaffte ich mir mit Hilfe einer Plastikkarte Zutritt zu seiner Wohnung. Ganz langsam öffnete ich die Tür. Und da saß er vor mir, tief und fest in einem Sessel schlafend, der vor das Panoramafenster des Wohnzimmes gerückt worden war. Im harten Sonnenlicht sah ich, daß sein zahnlückiger Mund offen stand und sein Kopf auf die Schulter gesunken war. Die Schlafanzugjacke, die er weit klaffend über der Hose trug, entblößte eine eingefallene Brust und einen eingeschrumpften Bierbauch. Seine Haut war grau.

Er rührte sich nicht, während ich ihn aus wenigen Metern Entfernung musterte. Ich empfand keinerlei Mitleid mit ihm, seinem Alter und seiner Hilflosigkeit – nur Haß und Ekel. Er wirkte wie ein Kadaver. Die Pistole steckte auf meinem Rücken im Gürtel, aber ich sah, daß ich ihn auch umbringen konnte, indem ich ihn einfach mit einem Kissen erstickte. Wenn seine Familie nach Hause kam, würde sie feststellen, daß Katis im Schlaf gestorben war. Kein Mensch würde auf den Gedanken kommen, daß ich dort gewesen sein könnte.

Minutenlang, vielleicht auch länger, stand ich da und starrte auf den Mann hinab, der meine Mutter umgebracht hatte. Dann machte ich kehrt, ging hinaus und zog leise die Tür hinter mir ins Schloß. Diesmal wußte ich, daß endgültig alles vorüber war. Ich hatte die perfekte Chance gehabt, ihn zu töten, aber ich hatte es nicht gekonnt. Am Ende meiner langen Reise mußte ich einsehen, daß ich nicht den nötigen Willen besaß.

Dies ist jedoch nicht das Ende, das ich eigentlich erwartet hatte, als ich mit dem Schreiben begann. Es liegt keine Genugtuung darin. Der Schmerz über den Mord an meiner Mutter ist noch so qualvoll wie zuvor, und die Wut auf ihren Mörder nimmt täglich zu.

Seit meiner Abreise aus Igumenitsa habe ich nicht mehr aufgehört, mich zu fragen, warum ich ihn nicht getötet habe. Ich weiß, daß es Angst war, die mich zurückhielt: zum Teil die Angst, von meinen Kindern getrennt zu werden und Ereignisse in Gang zu setzen, durch die das Töten und Leiden bis in zukünftige Generationen fortgesetzt werden würde. Aber es war auch etwas anderes: das Verständnis für meine Mutter, das ich bei der Suche nach ihrem Leben gewonnen hatte.

Im Rahmen meiner Ermittlungen hatte man mir einige ihrer letzten Worte weitergegeben, Hinweise auf ihre Gedanken bei der Vorbereitung auf den Tod. Glykeria gegenüber hatte Mutter vom Glück der Constantina Drouboyiannis gesprochen, der es gelungen sei, sowohl ihre Töchter als auch sich selbst zu retten, aber kein Wort von Haß oder Vergeltung gesagt. Als Angeliki Botsaris ihr am Tag vor der Hinrichtung gegenübergestellt wurde, sprach meine Mutter nicht von der Qual der Folter, sondern nur von dem Wunsch, ein letztes Mal ihre Kinder umarmen zu dürfen. Und ihr letzter Schrei, bevor sie von den Kugeln des Exekutionskommandos getroffen wurde, war nicht ein Fluch für ihre Mörder, sondern ein Ruf an jene, für die sie sterben mußte, eine Liebeserklärung: «Meine Kinder!»

Anders als Hekuba verschwendete meine Mutter ihre letzte Kraft nicht darauf, ihre Peiniger zu verfluchen, sondern fand wie Antigone den Mut, dem Tod ins Auge zu sehen, weil sie jenen gegenüber, die sie über alles liebte, ihre Pflicht erfüllt hatte. Die Antigone des Sophokles sagt zu dem Mann, der sie zum Tode verurteilt hat, zu ihrem Onkel und König: «Mitlieben, nicht mithassen ist mein Teil.»

Das war auch Eleni Gatzoyiannis' Teil, und Katis war es nicht gelungen, es zu vernichten, indem er sie tötete. Genau wie der Maulbeerbaum in unserem Garten, der noch steht, obwohl das Haus in Trümmer gefallen ist, hat diese Liebe in uns, ihren Kindern, Wurzeln geschlagen und sich auf ihre Enkel übertragen.

Hätte ich Katis umgebracht, hätte ich diese Liebe aus meinem Herzen gerissen und wäre geworden wie er, hätte ich, genau wie er, jeglicher Menschlichkeit, jeglichem Mitgefühl zuwidergehandelt. Genau wie er, der seine Frau und seine winzige Tochter verließ, um für die Partisanen zum Mörder zu werden, hätte ich den Gedanken, was ich meinen Kindern damit antun würde, beiseite geschoben. Was meine Mutter tat, tat sie einzig aus Liebe zu ihren Kindern.

Katis zu töten, wäre für mich die Befreiung von dem Schmerz, der mich seit vielen Jahren quält. Doch so sehr ich mich nach dieser Genugtuung sehne – ich habe erfahren, daß ich es nicht tun kann. Die Liebe meiner Mutter, der Hauptantrieb ihres Lebens, bindet uns immer noch aneinander, umgibt mich oft wie eine greifbare Gegenwart. Wollte ich den Haß aufbringen, der notwendig wäre, um Katis zu töten, würde jenes Band zerrissen, das uns verbindet, und der Teil von mir vernichtet, der Eleni am ähnlichsten ist.

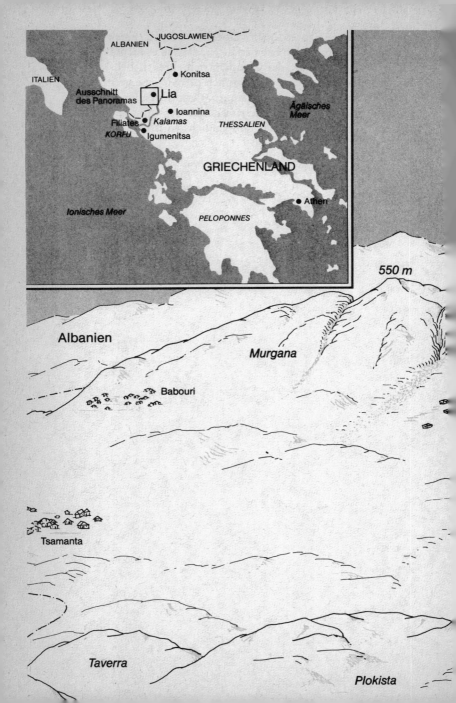

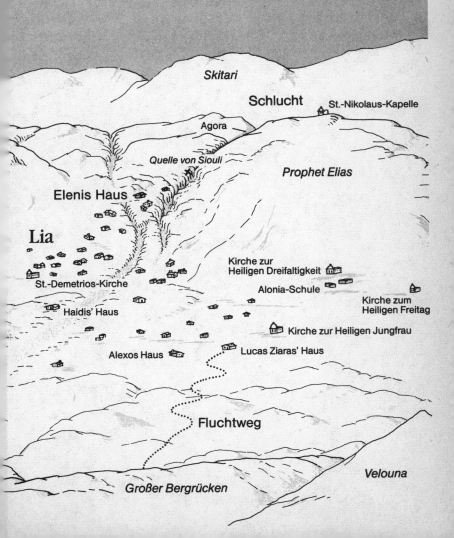

« Es scheint, daß Miep ihre ‹Untertaucher› niemals vergißt.»

Anne Frank, Tagebuch, 8. Mai 1944

260 Seiten/Bilddokumentation/Leinen

**Miep Gies:
die letzte Überlebende aus dem Umkreis von Anne Frank, die einzige Augenzeugin, die noch berichten kann, was damals geschah.
Sie rettete Anne Franks Tagebuch für die Nachwelt. Sie allein kann Annes Aufzeichnungen erläutern und ergänzen.
Ihr Buch ist ein Zeugnis von Menschlichkeit in unmenschlicher Zeit.**

Feindbild und Frieden

wir brauchen freunde
vielleicht haben wir sie schon
viele menschen lassen sich verlocken
zum frieden

Dorothee Sölle

dtv 10608

dtv 10651

dtv 10870

dtv 1612

dtv 10555

dtv 10956

Kindheiten

»Wie wir erzogen wurden?
Gar nicht und – ausgezeichnet.
Erziehung ist Innensache, Sache des Hauses, und
vieles, ja das Beste, kann man nur aus der Hand
der Eltern empfangen.«   (Theodor Fontane)

dtv 10787

dtv 10329

dtv 10538

dtv 10187

dtv 10798

dtv 4320

Manès Sperber

»...die Tragödie des politischen Gewissens in unserem Jahrhundert.«
(Marcel Reich-Ranicki)

dtv 1398

dtv 1757

dtv 1579

dtv 10071

dtv 10770

Gabriel García Márquez im dtv

Laubsturm
Drei Menschen sitzen im Haus eines Selbstmörders und lassen in wechselnden Monologen die Vergangenheit an sich vorüberziehen.
dtv 1432

Der Herbst des Patriarchen
García Márquez zeigt Allmacht und Schwäche einer Staatsmacht, die den Mangel an Legitimität mit Gewalt kompensiert. dtv 1537

Der Oberst hat niemand, der ihm schreibt
Ein kaltgestellter Oberst in einem kolumbianischen Dorf erkennt in seinem Hahn das Symbol der Hoffnung und des Widerstands.
dtv 1601

Die böse Stunde
Anonyme Schmähschriften bringen Unruhe in ein kolumbianisches Urwalddorf. Es kommt zu einer Schießerei. dtv 1717

Augen eines blauen Hundes
In diesen Erzählungen sind Einsamkeit und Tod allgegenwärtig, die Dimensionen Raum und Zeit weitgehend außer Kraft gesetzt.
dtv 10154

Hundert Jahre Einsamkeit
Die Geschichte vom Aufstieg und Niedergang der Familie Buendía und ihres Dorfes Macondo.
dtv 10249

Die Geiselnahme
Ein sandinistisches Guerillakommando preßt politische Gefangene aus den Folterkammern des Somoza-Regimes frei. dtv 10295

Bericht eines Schiffbrüchigen
Zehn Tage Hunger und Durst auf einem Floß allein in der Karibik, ständig in Angst vor den Haien. Eine wahre Geschichte.
dtv 10376

Chronik eines angekündigten Todes
Ein Mädchen wird in der Hochzeitsnacht nach Hause geschickt, weil es nicht mehr unberührt war. Seine Brüder beschließen, den angeblichen Verführer zu töten.
Das Dorf sieht zu.
dtv 10564

Das Leichenbegängnis der Großen Mama
Acht humorvoll-groteske Erzählungen des kolumbianischen Nobelpreisträgers.
dtv 10880

Die unglaubliche und traurige Geschichte von der einfältigen Eréndira und ihrer herzlosen Großmutter
Sieben Erzählungen
dtv 10881

Frauen der Welt
im Spiegel der Literatur

dtv 10522

dtv 10532

dtv 10543

dtv 10716

dtv 10777

dtv 10790